企業不動産法
REAL PROPERTY FOR CORPORATIONS
〔第3版〕

小澤英明 著

商事法務

第3版　はじめに

　第2版を刊行して6年を経過したので、この間の法令・判例の追加や変更を考慮して、全体の記載をアップデートした。また、書き足したいテーマをいくつか書き加えた。「建物とPCB」、「入札の諸問題」、「団地」、「建築物と省エネルギー」、「所有者不明土地問題」、「都市公園」、「建築意匠権」などは、新たに書き加えた項目である。従来の記載内容に相当程度変更を加えた部分もある（民法改正との関係の「請負の瑕疵担保責任」の記載など）。第3版の執筆の基準時は令和5年（2023年）3月31日現在である。すなわち、同時点での法令・判例を基礎にした記載である。

　初版は、60歳にもなったことだから、体験したことを基礎に重要な論点の議論の到達点をメモ的に書いておけば、後進の役に立つだろうと思って書き上げたものだった。到達点からスタートした方が、ゼロからスタートするよりはるかに省力化できるからである。

　今回、全体を読み直して、自分で納得いく部分は、体験に基づくものであり、満足いかない部分は、直接体験しておらず、論文のテーマにしたこともないところであり、要するに自分で十分消化できていない部分であることがわかった。不動産法分野も幅広く、自分で体験したり論文を執筆したこともない分野は無数にある。今後も、未知の分野を体験することを楽しみに、本書の内容を充実させていきたい。

　第3版のアップデート作業は当事務所のパラリーガルの小松恵美さんに全面的に協力していただいた。また、第2部第3章の「3　建築物と省エネルギー」部分は、当事務所顧問（環境法）の鷺坂長美氏の新たな書き下ろし原稿を基礎にしている。さらに、第3版のアップデート作業で、金融商品取引法に関わる記載については、西村あさひ法律事務所・外国法共同事業の高橋功弁護士ほかの先生方にも関わっていただいた。なお、商事法務編集部の方々の徹底した校正作業にも多くを助けられた。また、当事務所の種村理加

第 3 版　はじめに

さんの協力がなければ、本書の執筆時間を確保できなかったと思う。これらの皆様に深く感謝するしだいである。

本書第 3 版は、両親（小澤勝太郎、小澤たか子）に捧げる。

　令和 5 年 12 月 25 日

　　　　　　　　　　　　　　　　　　　　　　　　　　小澤　英明

第 2 版　はじめに

　昨年 1 月に初版を出したが、5 月、民法改正法案が国会を通過した。そのため初版の記載では不十分となったので、民法改正に伴い必要な記載を追加変更する目的で、版を改めた。必要な箇所に加筆修正を行ったが、読者の便宜のために、「第 6 部　補論　民法改正が不動産取引に与える影響」を末尾に掲載した。施行まで時間があるので、民法改正に関心のある読者は、まず、ここを読んで、さらに必要に応じて関連部分に当たっていただくとよいと思う（索引の「平成 29 年民法改正」等のキーワードを利用されたい）。この第 2 版の記載は平成 29 年 9 月 30 日現在の法律に基づくものである。初版基準時から 1 年あまりしか経過していないが、民法以外の法改正にも対応させた。また、誤記の訂正も含め初版の内容で満足のいかない部分等につき、追加変更も行った。

　私は、昨年末、30 年間勤務した西村あさひ法律事務所を退職し、本年 1 月、小澤英明法律事務所を開設した。不動産法と環境法に特化した法律事務所とする。今後もこの本をより充実したものに改訂できることを願っている。

　この本は、弁護士になった 24 歳から 61 歳の現在までの弁護士経験のすべてを盛り込んでいる。30 年間の長きにわたって、私を支えてくださった西村あさひ法律事務所の皆さんには感謝の言葉もない。特に、私を不動産法と環境法のパートナーとして長年暖かく遇していただいたパートナーの皆さんにはこの場をかりてお礼を申し上げたい。

　　平成 30 年 1 月

小澤　英明

はじめに

　本書は、企業が不動産を取得し、その使用収益を行うにあたって、また、売却するにあたって、さらには、土地を開発し建物を建築するにあたって、特に論点となりうる不動産法を解説することを目的にしたものである。

　私は、弁護士登録を行って今年で36年経過したが、その間、主として企業に対して不動産法および不動産に関する環境法について助言してきた。したがって、この分野では企業の関心や知りたい論点を相当程度把握していると思っている。また、私が所属している法律事務所は、弁護士の数が500名を超え、専門分化したこともあり、若手弁護士から不動産法の相談を受けることも多い。若手弁護士が不動産法実務を身につけるには一定の時間がかかる。法学部でも法科大学院でも司法研修所でも、不動産という観点で各種法律を横断的に見る機会がないからである。したがって、本書が単に企業の法務担当者だけでなく、若手法律家にも役立つことを願っている。

　不動産の開発や取引にあたっては、法律を無視したり、法律の抜け穴をくぐったりする悪質な関係者が登場するものと思っている人も多い。弁護士にもそのように思っている人が少なくない。過去においては、そのような事実が多々あったからであるが、現在では、特に大型の不動産開発や不動産取引ではそのような悪質な行為は通用しない。法律のルール（より洗練された企業の場合は、社会の合理的期待ともいうべきソフトローを含めたルール）の中で利益を追求するのが企業であり、これをふみはずすと取返しのつかないことを企業担当者の多くはわかっている。私の経験では、社会的評判の高い企業およびその関係企業においては、ルールの確認に細心の注意を払っている。

　不動産法も、他の法分野と同様に、社会生活が変化すると、法律も変化する。土地利用の分野では地方公共団体の条例がそれぞれの地域の実情を反映して先駆的にルールをつくりあげることも少なくない。また、取引のルール

はじめに

は、法令や判例の変更だけでなく、外資系ファンド等の日本への投資によって英米式の契約書スタイルが持ち込まれたように、外国からの影響もある。本書では、その影響による実務の変化にも言及する。

　本書は、1歩先の関心または質問に答えることを目的としており、既存の解説書で容易に回答が得られる論点は、説明を省略するか、最小限の解説にとどめている。索引を充実させてキーワードで本書の関連分野にアクセスできるように配慮したので、索引を活用していただければありがたい。

　法律上の論点の解説にあたっては、裁判所では、どのような判断になるかを念頭に置いた。しかしながら、本書で取り上げた論点には、参考となる裁判例が乏しいものも少なくない。本書は、既存裁判例がある場合は、当然にそれを尊重し言及するが、直接的に参考となる既存裁判例がなくとも、ないからといって論点を取り上げないのではなく、法律家の常識で検討するとこうなるはずであるという判断の下、解説を行っている。ただし、本書の記載は平成28年8月31日現在の法律に基づくものである。

　本書の第3部第2章（土地利用規制）および第5章（市街地再開発）については、ドラフトを森ビルの松河教夫氏ほかの皆様に見ていただいて、有益なコメントをいくつもいただいた。本書の執筆は、西村あさひ法律事務所での経験をもとにしているので、同僚（30年にわたる期間の数多くの同僚ゆえに個人名を列挙しきれないことをご容赦願いたい）およびパラリーガルの皆様に多くを負っている。直接的には、パラリーガルの渋谷俊毅さん、野手美希さん、小泉郁恵さんに判例文献のリサーチで多くの協力を得た。また、秘書の荒井実季さんには、リサーチと繰返しの修正原稿のタイプを行っていただいた。以上の皆様に厚くお礼申し上げるしだいである。また、本書の出版には商事法務の渡部邦夫取締役の特段のご配慮をいただいた。心より感謝申し上げるしだいである。

　　平成28年9月

小澤　英明

凡　例

1　法令名の略語

沿	幹線道路の沿道の整備に関する法律
区画整理	土地区画整理法
区画整理令	土地区画整理法施行令
区分所有	建物の区分所有等に関する法律（区分所有法）
景	景観法
建基	建築基準法
建基令	建築基準法施行令
建基則	建築基準法施行規則
収用	土地収用法
耐震改修	建築物の耐震改修の促進に関する法律（耐震改修促進法）
耐震改修令	建築物の耐震改修の促進に関する法律施行令
宅建	宅地建物取引業法（宅建業法）
宅建令	宅地建物取引業法施行令
宅建則	宅地建物取引業法施行規則
駐	駐車場法
都計	都市計画法
都計令	都市計画法施行令
都計則	都市計画法施行規則
都市再開発	都市再開発法
都市再開発令	都市再開発法施行令
都市再生	都市再生特別措置法
都市再生令	都市再生特別措置法施行令
都市再生則	都市再生特別措置法施行規則
廃掃	廃棄物の処理及び清掃に関する法律（廃掃法）
廃掃令	廃棄物の処理及び清掃に関する法律施行令
廃掃則	廃棄物の処理及び清掃に関する法律施行規則

凡　例

　　　品確　　　　　　住宅の品質確保の促進等に関する法律（品確法）
　　　密　　　　　　　密集市街地における防災街区の整備の促進に関する法律
　　　　　　　　　　　（密集市街地整備法）

2　判例表示
　　　最判平成 23 年 4 月 22 日　　　最高裁判所平成 23 年 4 月 22 日判決
　　　民集 65 巻 3 号 1405 頁　　　　　最高裁判所民事判例集 65 巻 3 号
　　　　　　　　　　　　　　　　　　　1405 頁

3　判例集・定期刊行物等の略称
　　　民録　　　　　　大審院民事判決録
　　　民集　　　　　　最高裁判所民事判例集
　　　高民　　　　　　高等裁判所民事判例集
　　　裁時　　　　　　裁判所時報
　　　裁判集民　　　　最高裁判所裁判集民事
　　　知的裁集　　　　知的財産権関係民事・行政裁判例集
　　　新聞　　　　　　法律新聞
　　　判時　　　　　　判例時報
　　　判タ　　　　　　判例タイムズ
　　　金判　　　　　　金融・商事判例

目　次

第1部

不動産の売買

第1章　売買契約の構造………………………………2
1　契約の締結　2
(1)　売買契約の意味　2
(2)　秘密保持契約書　3
(3)　買付け証明書　4
(4)　デューデリジェンス　5
(5)　売買契約における決済期日の設定　6
(6)　手付金の保全等　8
2　契約の実行　8
(1)　クロージングの準備　8
(2)　クロージング当日　9
(3)　ポストクロージング（post-closing）　11

第2章　土　　地…………………………………………12
1　境界確認　12
(1)　地図と公図　12
(2)　筆界と所有権界　13
(3)　境界確定訴訟　16
(4)　筆界特定制度　16
(5)　境界確認の意味　18
2　土壌汚染　19
(1)　土壌汚染対策法のインパクト　19
(2)　土壌汚染対策法の目的　19
(3)　土壌汚染対策法の構造　21
(4)　土壌汚染土地の評価　24

ix

目　次

　　　⑸　土壌汚染調査の限界　26
　　　⑹　土壌汚染と地下水汚染　27
　　　⑺　自然由来汚染土　27
　　　⑻　油汚染土　29
　　　⑼　汚染土壌と廃棄物混じり土　31
　　　⑽　廃棄物処理場跡地の利用　34
　　　⑾　土壌汚染と会社買収　35
　　3　解体予定建物が存在する土地　37
　　　⑴　売買契約上の処理　37
　　　⑵　残存杭の廃掃法上の問題　38

第3章　建　　物　……………………………………………40

　　1　建築規制の常識　40
　　　⑴　建物と建築基準法との関係　40
　　　⑵　容積率の意義　42
　　　⑶　建物の敷地　43
　　　⑷　耐震関係規定　44
　　　⑸　建築基準関係規定と消防法　45
　　2　違反建築物　47
　　　⑴　違反建築物に対する評価　47
　　　⑵　違反建築物取得のリスク　47
　　3　既存不適格建築物　50
　　　⑴　既存不適格建築物に対する規制　50
　　　⑵　既存不適格建築物取得のリスク　52
　　　⑶　既存不適格建築物の売却のリスク　52
　　4　アスベスト入り建物　53
　　　⑴　アスベストとは　53
　　　⑵　平常時のアスベスト規制　57
　　　⑶　解体時またはリフォーム時のアスベスト規制　57
　　5　建物とPCB　62
　　6　新築建物　64
　　　⑴　新築建物の売買の法的性格　64
　　　⑵　品確法における瑕疵担保責任の特則　65

目　次

　　　7　共同ビル取得のリスク　*67*
　　　　(1)　共有ビル取得のリスク　*67*
　　　　(2)　区分所有建物取得のリスク　*68*
　　　8　借地権付建物取得のリスク　*69*
　　　　(1)　新築・増改築・修繕　*69*
　　　　(2)　原状回復　*69*

第4章　取引関係者 ……………………………………………………*71*
　　　1　宅地建物取引業者　*71*
　　　　(1)　媒　　介　*71*
　　　　(2)　物件の性状に関する特筆すべき重要事項　*74*
　　　　(3)　不動産の証券化と宅地建物取引業法　*76*
　　　2　不動産鑑定士　*79*
　　　　(1)　不動産鑑定とは　*79*
　　　　(2)　不動産鑑定評価の手法　*81*
　　　　(3)　不動産の公的な評価額　*83*
　　　3　土地家屋調査士・司法書士　*85*
　　　　(1)　土地家屋調査士　*85*
　　　　(2)　司法書士　*87*
　　　4　建　築　士　*89*
　　　　(1)　開発用の土地　*89*
　　　　(2)　既存ビル　*90*
　　　5　地中の調査　*91*
　　　　(1)　土壌汚染の調査　*91*
　　　　(2)　その他の地中障害物　*92*

第5章　売主の責任 ……………………………………………………*94*
　　　1　瑕疵担保責任　*94*
　　　　(1)　はじめに　*94*
　　　　(2)　瑕疵担保責任をめぐる各種法律の関係　*94*
　　　　(3)　瑕疵概念　*95*
　　　　(4)　瑕疵担保責任の内容　*96*
　　　　(5)　損害賠償の範囲　*97*
　　　　(6)　瑕疵担保責任期間　*97*

xi

目次

　　　　2　表明保証責任　　98
　　　　　(1)　表明保証条項　　98
　　　　　(2)　表明保証違反の効果　　100
　　　　3　信義則上の説明義務違反　　102
　　　　　(1)　売主の説明義務　　102
　　　　　(2)　容認事項　　104

第6章　宅建業者の責任……………………………………………106
　　　　1　宅建業者の契約関係　　106
　　　　2　宅建業者の説明義務の根拠　　107
　　　　3　売主としての宅建業者の説明義務違反　　108
　　　　　(1)　宅建業者の説明義務の対象　　108
　　　　　(2)　宅建業者の調査義務　　109
　　　　　(3)　説明義務違反の責任の法的性質　　110
　　　　4　媒介業者としての宅建業者の説明義務　　111
　　　　　(1)　売主側の宅建業者の説明義務　　111
　　　　　(2)　買主側の宅建業者の説明義務　　112
　　　　　(3)　双方媒介業者の説明義務　　112

第7章　入札の諸問題………………………………………………113
　　　　1　裁判所による不動産競売の問題　　113
　　　　2　民間入札の問題　　115
　　　　　(1)　媒介拘束条件付入札　　115
　　　　　(2)　媒介拘束条件付入札における利益相反　　115
　　　　　(3)　一般の両手媒介との比較　　116
　　　　　(4)　不公正な取引方法　　117
　　　　　(5)　森トラスト事件　　117

第2部

収益不動産

第1章　共同ビルの権利関係……………………………………120
　　　　1　共有ビル　　120

(1)　共有ビルの特質　*120*

　　(2)　共有者間の建物賃貸借　*121*

　　(3)　共有持分譲渡禁止特約　*124*

　　(4)　共有者間協定の承継　*125*

　2　分有土地　*126*

　　(1)　分有土地とは　*126*

　　(2)　分有土地と区分所有建物　*126*

　3　団　　地　*129*

　　(1)　団地とは　*129*

　　(2)　団地共有部分とは　*130*

　　(3)　団地管理規約の及ぶ範囲　*131*

　4　信託された区分所有建物　*132*

　　(1)　議決権の不統一行使　*132*

　　(2)　マンション管理適正化法　*136*

　5　共同ビルの管理　*136*

　　(1)　区分所有建物　*136*

　　(2)　共有建物　*139*

　6　共同ビルの区分および再区分　*139*

　　(1)　共有建物から区分所有建物へ　*139*

　　(2)　区分所有建物の再区分　*140*

第2章　賃　貸　借 ……………………………………………*141*

　1　借地借家法の対象　*141*

　　(1)　借　　地　*141*

　　(2)　借　　家　*142*

　2　借地契約　*143*

　　(1)　借地法の借地権と借地借家法の借地権　*143*

　　(2)　事業用定期借地　*145*

　　(3)　定期借地権マンション　*145*

　3　借家契約　*147*

　　(1)　定期借家の期間の特約　*147*

　　(2)　定期借家の賃料の特約　*150*

　　(3)　新築建物の賃貸借　*151*

目　次

　　　(4)　賃貸借期間の開始日　*154*
　　　(5)　耐震性と更新拒絶・解約申入れの正当事由　*155*
　　　(6)　マスターリースの終了とサブリースの帰趨　*157*
　　　(7)　建物賃貸借の中途解約と違約金条項　*160*
　　　(8)　建物使用細則　*162*
　　　(9)　借家人の死亡や行方不明　*164*
　　　(10)　建設協力金方式の長期建物賃貸借　*167*
　　4　アメリカの賃貸借の常識　*169*
　　　(1)　土地と建物　*169*
　　　(2)　賃　借　権　*170*

第3章　不動産の運営管理………………………………………*172*
　　1　不動産の運営管理の専門分化　*172*
　　　(1)　不動産の証券化の影響　*172*
　　　(2)　運営管理の各業務　*173*
　　2　法令上の重要な義務等　*176*
　　　(1)　消防法上の管理権原者の義務　*176*
　　　(2)　建築基準法の定期報告・検査等　*177*
　　　(3)　建築物衛生法による維持管理　*178*
　　3　建築物と省エネルギー　*179*
　　　(1)　建築物省エネ法　*179*
　　　(2)　温　対　法　*183*
　　　(3)　東京都環境確保条例　*184*
　　　(4)　ま　と　め　*187*
　　4　住宅宿泊事業（民泊）　*189*
　　　(1)　「民泊」とは　*189*
　　　(2)　住宅宿泊事業法の基本　*190*
　　　(3)　住宅宿泊管理業　*190*
　　　(4)　住宅宿泊仲介業　*191*
　　　(5)　住宅宿泊事業と賃貸借　*192*

目　次

第3部

不動産開発

第1章　土地所有権とは……………………………………………………196
　　1　民法の規定　*196*
　　2　土地所有権の淵源　*197*
　　3　農　　　地　*199*
　　4　山　　　林　*202*
　　5　土地所有権放棄の可否　*206*
　　　⑴　概　　　説　*206*
　　　⑵　相続土地国庫帰属法　*208*
　　6　「真の土地所有者」論　*209*
　　7　所有者不明土地問題　*214*
　　　⑴　令和3年民法・不動産登記法改正　*214*
　　　⑵　相続登記の義務化　*216*
　　　⑶　所在等不明共有者の持分取得制度・持分譲渡権限付与制度　*217*
　　　⑷　所有者不明土地・管理不全土地の管理制度　*217*
　　8　大深度地下　*218*
　　9　地下水利用権　*220*
　　10　都市公園　*224*

第2章　土地利用規制……………………………………………………226
　　1　民間主導のまちづくりを支援する都市計画　*226*
　　　⑴　土地利用規制一般　*228*
　　　⑵　地区計画　*238*
　　　⑶　割増し容積率の検討　*246*
　　　⑷　容積配分の特例　*256*
　　　⑸　都市計画の提案制度　*259*
　　2　まちづくり条例　*260*
　　　⑴　法律と条例の関係　*260*

xv

　　　　(2)　自主条例の分類　*262*
　　　　(3)　まちづくり条例の可能性と限界　*263*
　　3　建設反対運動　*268*
　　　　(1)　日照権侵害　*268*
　　　　(2)　建築確認の違法性　*268*
　　　　(3)　法令違反でなければよいのか　*269*

第3章　開発許可 …………………………………………………*271*
　　1　開発許可と区域区分　*271*
　　2　開発許可の要否の例外　*272*
　　　　(1)　例外的に不要な場合　*272*
　　　　(2)　例外的に必要な場合　*274*
　　3　開発許可基準　*274*
　　　　(1)　技術基準　*274*
　　　　(2)　その他基準　*274*
　　4　開発行為と公共施設　*275*
　　　　(1)　公共施設管理者の同意　*275*
　　　　(2)　公共施設の整備　*276*
　　　　(3)　公共施設用地の帰属　*276*
　　　　(4)　公共施設用地の取得に要する費用の負担　*276*
　　　　(5)　公共施設の管理　*277*
　　5　市街化調整区域と開発許可　*278*
　　　　(1)　市街化調整区域における開発許可　*278*
　　　　(2)　開発許可不要土地での建築　*278*
　　6　開発許可と建築　*279*
　　　　(1)　開発許可と建築確認　*279*
　　　　(2)　開発区域内の建築についての制限　*279*

第4章　土地区画整理 ………………………………………………*280*
　　1　土地区画整理の仕組み　*280*
　　　　(1)　土地区画整理事業の意義　*280*
　　　　(2)　土地区画整理法の基礎　*281*
　　2　組合区画整理　*285*
　　　　(1)　組合区画整理と業務代行　*285*

　　　　(2)　組合区画整理の組織と運営　*288*
　　3　仮換地・保留地予定地の売買　*289*
　　　　(1)　仮換地の売買　*289*
　　　　(2)　保留地予定地の売買　*291*
　　4　高度利用推進区　*292*
　　　　(1)　高度利用推進区の意義　*292*
　　　　(2)　高度利用推進区を定めうる地域　*293*
　　　　(3)　申出方法　*294*
　　　　(4)　申出の過不足に対する対応　*294*
　　5　土地区画整理と公共施設　*295*
　　　　(1)　公共施設管理者負担金　*295*
　　　　(2)　公共施設用地の帰属　*296*

第5章　**市街地再開発**······················*297*
　　1　市街地再開発の仕組み　*297*
　　　　(1)　市街地再開発事業の意義　*297*
　　　　(2)　都市再開発法の基礎　*299*
　　2　権利変換計画　*302*
　　　　(1)　原　則　型　*302*
　　　　(2)　地上権非設定型　*302*
　　　　(3)　全員同意型　*303*
　　3　市街地再開発事業への民間事業者の参入　*305*
　　　　(1)　業務代行者　*305*
　　　　(2)　参加組合員　*305*
　　　　(3)　特定建築者　*306*
　　　　(4)　再開発会社　*307*
　　4　建物完成前の権利床・保留床の処分　*309*
　　　　(1)　建物完成前の権利床　*309*
　　　　(2)　建物完成前の保留床　*310*
　　　　(3)　建物に瑕疵があった場合　*311*
　　　　(4)　事業が破綻した場合　*311*
　　5　土地区画整理と市街地再開発の一体的施行　*312*
　　　　(1)　一体的施行とは　*312*

目　次

　　　(2)　都市再開発法での整備　*313*
　　　(3)　土地区画整理法での整備　*314*

第4部

設計・工事

第1章　設計契約　……………………………………………316
　1　設計図書の種類　*316*
　2　設計契約の特色　*317*
　　(1)　何を依頼するのか　*317*
　　(2)　設計コンペ　*317*
　　(3)　設計者を選ぶための専門家　*318*
　　(4)　設計施工契約と設計監理契約　*319*
　　(5)　設計のコントロール　*321*
　3　設計契約の要点　*321*
　　(1)　工事予算　*321*
　　(2)　責任制限特約　*322*
　　(3)　設　計　料　*323*
　4　建築主事・指定確認検査機関　*324*
　　(1)　指定確認検査機関制度の導入　*324*
　　(2)　建築確認における基準不適合の見落とし　*324*
　5　建　築　士　*326*
　　(1)　建築士法　*326*
　　(2)　ピアチェック　*328*
　　(3)　建築士事務所と設計会社　*329*
　6　設計に関する契約約款　*330*
　　(1)　建築設計・監理業務　*330*
　　(2)　設計施工　*331*
　7　建築と著作権　*332*
　　(1)　建築の著作物と建築設計図　*332*
　　(2)　建築の著作物の保護　*335*

(3)　建築設計図の保護　*337*
　　　(4)　設計契約上の取扱い　*338*
　　8　建築意匠権　*340*
第2章　工事契約……………………………………………………*342*
　　1　民間工事約款　*342*
　　　(1)　民間工事約款の役割　*342*
　　　(2)　民間工事約款の留意点　*344*
　　2　仕事の完成　*347*
　　3　工事の目的物の所有権の帰属　*348*
　　　(1)　問題の所在と判例・通説　*348*
　　　(2)　民間工事約款の関係規定と建設工事保険　*349*
　　4　下請けとコストオン協定書　*351*
　　　(1)　一括下請けの禁止　*351*
　　　(2)　コストオン協定書　*351*
　　5　施工者が施主の買主に対して負う法的責任　*353*
　　　(1)　問題の所在　*353*
　　　(2)　別府マンション事件　*354*

第5部

事故と法的責任

第1章　地　震……………………………………………………*360*
　　1　過去の地震　*360*
　　　(1)　地震と法規制と法的責任　*360*
　　　(2)　過去の巨大地震と被害　*361*
　　2　法規制の変遷　*362*
　　　(1)　耐震改修促進法の制定　*362*
　　　(2)　耐震改修促進法の平成18年改正　*365*
　　　(3)　耐震改修促進法の平成25年改正　*366*
　　　(4)　耐震改修促進法施行令の平成31年改正　*367*
　　3　裁　判　例　*368*

　　　　(1)　概　　説　368
　　　　(2)　仙台地判昭和56年5月8日　368
　　　　(3)　神戸地判平成10年6月16日　370
　　　　(4)　神戸地判平成11年9月20日　370
　　　　(5)　東京高判令和2年10月27日、東京高判平成28年10月13日　372

　第2章　土地工作物責任……………………………………………374
　　1　賠償すべき損害　374
　　　　(1)　ビル機器故障の場合　374
　　　　(2)　危険責任の範囲　375
　　　　(3)　建物賃貸借契約締結時の配慮　376
　　2　瑕疵の判定基準　377
　　　　(1)　既存不適格建築物と瑕疵　377
　　　　(2)　建築基準法と民事責任との関係　378
　　　　(3)　総合判断の重要性　380
　　3　所有者責任と占有者責任　381
　　　　(1)　民法717条の条文の構造　381
　　　　(2)　占有者に間接占有者も入るのか　383

　第3章　不動産の危機管理………………………………………387
　　1　災害時の対応　387
　　　　(1)　BCM（事業継続マネジメント）　387
　　　　(2)　災害後の建物使用　388
　　　　(3)　ライフライン断絶と建物賃料　389
　　2　環境事件の対応　390
　　　　(1)　文書提出命令　390
　　　　(2)　リスクコミュニケーション　391
　　3　設計施工ミスの対応　393
　　　　(1)　法的責任　393
　　　　(2)　法的責任と社会的責任　394

第6部

補論　民法改正が不動産取引に与える影響

第1章　民法改正の意味 …………………………………… 398
　1　民法の働き　*398*
　2　改正民法の解釈　*399*
第2章　改正民法のポイント …………………………………… 401
　1　錯　　誤　*402*
　　(1)　動機の錯誤　*402*
　　(2)　無効から取消しへ　*403*
　2　消滅時効　*404*
　　(1)　債権の消滅時効期間　*404*
　　(2)　協議を行う旨の合意による時効の完成猶予　*404*
　3　法定利率　*404*
　　(1)　3年ごとの変動　*404*
　　(2)　適用される法定利率　*405*
　4　危険負担　*405*
　　(1)　特定物の債権者危険負担原則の削除　*405*
　　(2)　特定物の危険の移転時期　*406*
　5　契約の解除　*406*
　　(1)　解除の要件　*406*
　　(2)　解除の制限――軽微性の抗弁　*407*
　6　賠償額の予定　*408*
　　(1)　予定損害賠償額の減額の可否　*408*
　　(2)　改正前民法420条1項後段の削除の影響　*409*
　7　保　　証　*409*
　　(1)　個人根保証契約の制限　*409*
　　(2)　事業に係る債務の個人保証の制限　*410*

目次

8 売買の瑕疵担保責任　*411*
  (1) 従来の瑕疵担保責任　*411*
  (2) 改正民法　*411*
  (3) 検討すべき対応　*418*

9 請負の瑕疵担保責任　*418*
  (1) 改正法の基本的な考え方　*418*
  (2) 削除された規定　*419*
  (3) 検討すべき対応　*423*

10 賃貸借　*424*
  (1) 賃貸物件の譲渡の法律関係　*424*
  (2) 賃貸借の原状回復　*426*

11 将来賃料債権の譲渡　*427*
  (1) 論点　*427*
  (2) 考え方　*428*

索引　*429*

第1部

不動産の売買

第1章

売買契約の構造

1　契約の締結

(1)　売買契約の意味

　実務上、売買契約の締結行為は、サイニング（signing）と呼び、決済行為（残代金決済と所有権移転登記手続を指し、売買契約の「実行行為」ともいう）は、クロージング（closing）と呼ぶ。契約締結行為で契約書は作成されるのであるから、契約締結までが勝負である。

　故西村利郎先生が、アメリカの契約書は精緻であることを、トンネル工事に例えて説明されたことがあった。ちょうど、東から掘り進んだトンネルと西から掘り進んだトンネルが最後には寸分の狂いもなく接合するように、アメリカの契約書は精緻にできており、クロージングは、契約書に書いてあることを実行するものであること、したがって、クロージングまでに、突発的なことが起こってもあわてずに契約書に従って処理できなければならないことをうかがったことがある。

　外資系企業との契約は、この心構えが重要である。共通の前提が必ずしもないために、精緻な規定がなければ、大きな誤解が生じうるからである。

　また、単純な土地取引ではなく、クロージングまでに契約当事者が行うことがさまざまにあり、クロージングが各種の条件にかかっているような場合は、条文間で矛盾が生じることがないように注意して、売買契約書を精緻にドラフトする必要がある。

(2) 秘密保持契約書

　大型の不動産取引では、買主候補者は、売主から検討資料を受領するにあたって秘密保持契約書の締結を求められることが多い。検討に必要な専門家（弁護士、公認会計士、不動産鑑定士、市場調査会社、外部コンサルタント会社等）には見せることができるが、それ以外、外部には見せないこと等を規定する。これは、既存テナントとの間の賃貸借契約に守秘義務条項があるからでもある。例えば、賃貸借契約には、その内容を賃借人の同意なく第三者に開示してはならないが、買主候補者や仲介会社には守秘義務を課したうえで開示することができることが明示されている場合があり、その対応として買主候補者に秘密保持契約書の締結を迫るのである。

　もっとも、テナントとの間の賃貸借契約に守秘義務条項が入っていなくとも、売主が賃貸借契約の内容をみだりに他人に開示することは、テナントの合理的期待に反すると言えるであろうから、買主候補者に開示する場合は、賃貸借契約に守秘義務条項があるか否かにかかわらず、買主候補者と秘密保持契約を締結することが賢明である。

　既存テナントとの賃貸借契約には単純な守秘義務条項しかなく、売買を想定した規定がない場合もある。このような場合、買主候補者に開示することを認める規定がないから既存テナントの同意がない限り買主候補者に既存テナントとの賃貸借契約内容を開示できないと考えるのは不合理である。なぜならば、売買時に対象物件の経済的価値を把握できる情報を開示することは必ず必要だからである。したがって、既存テナントとの間での守秘義務条項からすると、テナントの同意がない限り開示できないように読める条項でも、形式的に考えるべきではなく、買主候補者との間で秘密保持契約書等の締結を行ったうえであれば、物件処分に必要な範囲で、賃貸借の情報を買主候補者およびその関係者に開示することは許されると解すべきである。

　もっとも、実務的には紛争を回避するために、賃貸借契約に守秘義務条項があれば、その条項で開示が明示的に許されている場合以外は、買主候補者らへの賃貸借契約の情報開示について、既存テナントからの同意をまずは取

得すべきである。理由なく同意しない既存テナントについては、同意がなくとも以上の理由から開示が可能である。

このように考えると、不動産の所有者が賃貸借契約に入れる守秘義務条項にも工夫が必要であることがわかる。将来起こりうる事態を網羅することは不可能である。既存テナントとの賃貸借契約書に買主候補者に守秘義務を課して開示することができるとの規定があっても、例えば、不動産を信託譲渡して受益権売買をする場合を念頭に置いてまで規定しているものはほぼないであろうし、不動産売買で買主が融資を受ける場合、買主候補者だけでなくかかる融資者にも開示が必要になる場合もあるが、それを許すことまで書き込むことも現実的ではない。したがって、テナントとの賃貸借契約書の守秘義務条項には、賃貸人が物件を売却する場合には、売却に必要な限度で買主候補者およびその関係者に対し、守秘義務を課して合理的な範囲で賃貸借契約の内容を開示できるとの規定を入れておくと便利である。

(3) 買付け証明書

買主が売買契約締結を行いたい意向があることを示す際に売主または売主サイドの仲介業者から求められて提出する書類に、「買付け証明書」というものがある。これに対して売主から買主に渡されるのが「売渡し承諾書」と呼ばれるものである。書類のタイトルだけ見ると、これらの書類のやりとりであたかも売買が成立したかのような印象を与えかねないが、当事者にその意識はない。要するに、意向書のやりとりで、「御社と真剣に売買契約交渉をさせていただきます」といった気持ちでやりとりがなされるものである。したがって、ここでは売買代金以外は、特に強調したい契約条件だけが記載される。また、書類の有効期間を設けるのが通常である。今後、買主がよく物件を調査し（due diligence：デューデリジェンスと呼ばれる）、詳細な契約文言についても合意し、さらには、会社の決裁権限者の承認（重要な不動産の売買の場合は取締役会の承認）を得て契約を締結するが、それまでは契約締結の義務はないという意図で取り交わされるのである。慎重な当事者であれば、かかる意図を書面に明示することも多いが、明示していなかったから契

約締結の義務があるということではない。要するに、これらの書類が取り交わされれば、他の候補者に目を移すことなく、相手方と交渉に専念できるという状況がつくりだされるのである。これらの書類が取り交わされる趣旨は、誠実な契約締結交渉を期待してのことであるから、不誠実な交渉で相手方に損害を与えれば、一種の不法行為として、契約締結上の過失責任による損害賠償義務を負うことがある。

買付け証明書と売渡し承諾書のやりとりをした後は、売買契約締結まで何らかの合意を書面で取り交わすことは通常行わない。交渉の成果は売買契約書に盛り込まれる。

(4) デューデリジェンス

売買契約締結前に、買主は、当該物件が購入目的に適合的か、また、売買価格をいくらとして申し込むかについて、専門家の協力も得て十分な調査を行う。これをデューデリジェンスという。この調査で、物件が購入目的をみたさないことがわかれば、買付け証明書を出さないか、買付け証明書を出していても価格の変更を申し入れるか、最終的な売買契約を締結しないということになる。

デューデリジェンスには、物的状況についての調査、法律問題についての調査、経済的状況に関する調査がある。物的状況についての調査結果を報告書にまとめたものがエンジニアリングレポートと呼ばれる。これについては後述する。経済的状況調査とは、当該物件の収益性をマーケット分析等から行うもので、投資価値を判断するためのものである。不動産鑑定士の不動産鑑定による価額査定における作業と共通する作業を行う。法律問題についての調査は、当該物件に関する賃貸借契約書その他の契約書において異常な契約内容がないか、賃借人に賃料不払い等の債務不履行がないか、賃借人から何らかの請求を受けていないか、当該物件に関して法令違反で関係行政庁から処分や行政指導を受けていないか、近隣住民や地域団体や市町村との間で何らかの協定を結んでいないか、近隣との紛争がないか等のチェックを行う。買主の内部でこれらの関係書類のレビューにつき対応できる部署があれ

第1部　不動産の売買

ば、その部署で対応すればよいが、対応できない場合（外資系企業が買主になる場合等）は、膨大な関係資料を法律事務所がすべて見ることもある。

(5)　売買契約における決済期日の設定

　日本の伝統的な不動産売買契約書では、決済期日につき、「平成○年○月○日限り売買残代金を支払う」と書かれることが多かった。この「限り」とは、その時までにという意味であり、その時までのいつなのかはわからない。30代の頃、アメリカの大手法律事務所の老練なダービン・ディマーチ（Darvin DeMarchi）弁護士と一緒に日本において外資系企業を依頼者として巨額の不動産購入を担当したことがあった。同弁護士から教わったことはいくつもあるが、売買契約書の決済期日の書き方としては、「平成○年○月○日又はそれ以前の甲乙が合意した日」という規定とすべきで、そうでなければ、決済期日を特定できないといわれたことがある。同弁護士からは、クロージング開始時間とクロージングの場所も明示せよと言われた。たしかにそのとおりである。以後、契約書に時間と場所の明示まではしていないが（口頭では決めるものの）、決済期日の設定は上記の方法を踏襲している。

　売買契約のサイニングとクロージングとの間での突発的な事象が発生した場合の不確定要素を一切排除するため、これを同時に行うこともある。契約書上は、サイニングとクロージングが別な日でも機能するような体裁をとったまま、実際は、サイニングとクロージングを同時に行うわけである。この場合は、クロージングまでに行うべきこともすべてサイニングの際に行うのであるから、この間に日を置く必然性がない場合は、確実な取引方法である。

　決済期日の設定で注意を要することがいくつかある。第1は、公有地の拡大の推進に関する法律（以下「公拡法」という）の関係である。これは、公有地の取得のチャンスを地方公共団体に与えるためのものである。都市計画施設内の土地や一定の広大な土地の売却時には、売主は、届出をしなければならず、地方公共団体が買取りを希望する場合は買取り協議に応じなければならない。最近は、地方公共団体の財政が逼迫していることが多いので、届

出後すぐに買取り希望の地方公共団体がないとの通知をもらって、以後すぐに決済ができることがほとんどであるが、買取り申出があれば契約の決済はできない（同法8条）。なお、同法が禁じているのは、一定の土地について、地方公共団体に同法所定の買取り協議の機会を与えずに土地所有権の譲渡を行うことであり、地方公共団体の買取り希望がないことを条件に売主が選んだ買主に土地を売却するという内容の売買契約であれば、その締結行為自体は禁じられない。なお、不動産法の常識であるが、不動産の利用規制はさまざまにあるものの、農地を除くと、不動産の処分の規制はほとんどない。上記公拡法の取引規制は珍しい例外である。かつて日本のバブル経済全盛時に、国土利用計画法で契約締結前に契約価格を届け出て契約金額が高すぎないということについての不勧告通知をもらわなければ契約締結ができないという規制があり、閉口したことがあった。

　第2は、分筆して土地を売却する場合の分筆登記との関係である。まず、分筆登記手続と所有権移転登記手続とは同時には行えない。すなわち、法務局でのいわゆる連件処理はできない。また、分筆登記には注意を要することがある。それは、不動産登記法14条1項地図（第2章1参照）が備わっていない土地については、当該土地の境界が確定していないことにより、法務局が分筆登記の申請を受けるにあたって、近隣の土地所有者の境界確認書の提出を求めるからである。また、当該土地が公道に面している場合は、公道の管理者の官民査定を求めるからである。官民査定は、公道管理者の職員が立ち会う必要があるので、当該職員のスケジュール調整もあり、境界に疑義がなくとも時間がかかる。いずれにしても、分筆登記ができるかどうかは、このような境界確認書類取得の成否にもかかるのである。しかも、近隣の土地所有者には境界確認書の提出義務もないことから、万一、分筆登記の書類がそろわずに決済期日を迎えた場合の対応については、買主と事前に協議し、売買契約書に明示しておく必要がある。分筆登記の専門家は後述する土地家屋調査士であり、事前に土地家屋調査士の意見を必ず徴しておくべきである。

(6) 手付金の保全等

売買代金が巨額になれば、売買契約締結時に買主から売主へ交付する手付金も大きな金額となる。売主が信用ある大企業であれば、手付金返還請求権の保全にそれほど神経質にならなくてもよいかもしれないが、そうではない場合は、売主が債務不履行をした場合のことを考えて手付金の保全を検討する必要がある。売主が宅地建物取引業者であり、買主が宅地建物取引業者でなければ、手付金等（手付金だけでなく中間金を含む）が売買代金の1割または1,000万円を超える場合、売主はあらかじめ手付金等の保全の措置を講じなければならない（宅建41条の2、未完成物件の場合は5％または1,000万円を超える場合、41条）。すなわち、売主は銀行等との保証委託契約や保険会社との保証保険契約を締結し、保証書または保険証券等を買主に交付しなければならない（未完成物件の場合は、指定保管機関による保管でもよい）。売主が宅地建物取引業者ではない場合も、同様に、手付金等の保全を図ることを検討すべきである。

売主が売買契約後所有権を第三者に移転しても買主の所有権移転請求権を対抗できるようにするためには、所有権移転請求権保全の仮登記を契約締結時に行うことも考えるべきである。

2 契約の実行

(1) クロージングの準備

クロージングの前にクロージングメモランダム（closing memorandum）を作成すべきことも故西村利郎先生から教えられた。これは、クロージング前日までに当方が用意すべきことと相手方が用意すべきことを整理し、クロージング当日にどういう手順で決済手続を進めるのかを詳細にメモに整理するのである。この整理の過程で完璧であったはずの契約書でも不備があったことが見つかる場合もある。しかし、契約締結を行った両当事者は、契約のクロージングを無事終了させたいことに変わりはないのであるから、時間的余裕さえあれば、不備の修正は協力して行うことができる。クロージング当日

にあわてることが一番いけない。そのため、大規模な取引の場合は、クロージング当日の何日か前にプレクロージング（pre-closing）の手続を行うことがある。これは、クロージング当日の手続をプレクロージングの日に行ってみて何か足りないところがないかを浮かび上がらせるものである。これを無事行えれば、クロージング当日に問題が生じることはまずありえない。安心してクロージング当日を迎えることができるのである。

(2) クロージング当日

クロージングとは、売買残代金の支払いと同時に所有権移転登記手続を行うことである。同時というのがくせ者で、本当に同時なのかが問題になる。実務的にはクロージングの開始時は午前10時くらいに設定する。というのは、その日の朝一番で司法書士が当該物件の最新の登記情報を確認する必要があるからである（インターネットでも確認できる）。その際に登記が閉鎖されていて閲覧できなければ、何か登記手続が行われているということであるから、不動産に買主の登記より先行して優先する登記がなされる可能性が高いということになる。こういう状態では、安心して決済ができないので、クロージングを延ばすしかない。普通は、朝一番で最新の状況を把握して、特段問題がないことを確認したうえで、買主の預金のある銀行または法律事務所等でクロージングを行う。

クロージングの儀式は次のとおり。まずは、司法書士が買主への負担のない所有権移転登記手続を行うに足りる書類がすべて揃っていることを確認し、テーブルの上にそれを置く。次に、買主が預金のある金融機関から売主の指定する銀行口座に送金手続を行う。その後1時間前後で売主の指定する銀行口座に入金ができたことを売主側が確認すると、司法書士がテーブルの上の登記手続書類を持って、法務局に直行するというものである。なお、不動産に抵当権等が設定されていれば、これを抹消してもらう必要があるので、抹消登記手続に必要な書類を抵当権者等から受領して、これらもテーブルの上に置かれており、買主の売買代金の送金先にかかる抵当権者等の指定する銀行口座が含まれるということになる。

以上でわかるように、クロージングで司法書士の果たす役割は絶大なものである。買主としては、司法書士のゴーサインを信じて、時には何百億円の大金を送金するのであるから、全幅の信頼のおける司法書士でなければならず、したがって、司法書士を指名するのは通常買主である。もっとも、買主が融資を受けて不動産を購入する場合は、融資を行う金融機関が司法書士を指名することも多い。このようにして選任された１人の司法書士に売主も買主も登記手続を依頼することになる。なお、司法書士がでたらめな男で、登記関係書類を利用して第三者に所有権移転登記をしてしまうということもありえないことではない。そこまで心配すれば、売主としても別に司法書士を指名し、買主の指名する司法書士と共同で登記手続を受任するということも理論上ありうるが、まず実務では見ない。

なお、クロージング当日朝一番で登記に問題がないことを確認しても、上記のとおり、その後クロージングの完了までに２、３時間（登記情報も今やインターネットで頻繁にチェックできるし、送金時間も短縮できると思うので、段取りをよくするともっと短くなりうるとは思うが）は時間がかかることが通常であり、この時間帯にあいにく不動産に仮差押えまたは仮処分登記等が行われれば、一大事である。買主への所有権移転登記より優先する登記が入るからである。しかし、これは、第三者の行為なので防ぎようがない。

以上は、クロージングで最も重要な残代金決済と不動産所有権移転登記手続について述べたが、このクロージングを行うには、クロージングを行うための前提がすべてみたされていることが必要である。アメリカ式の売買契約では、クロージング時点で売主および買主が表明し保証する事項を列挙する表明保証条項を入れる（表明保証については第５章２参照）。日本の不動産売買契約でも最近は、このような条項を入れることが多い。クロージングの場で双方がかかる事項がみたされていることを確認して、上記決済に及ぶのであり、みたされていない事項があれば、クロージングは行われない。ただし、売主の表明保証事項のうちみたされていない事項があっても、ささいなものであれば、その充足をポストクロージングの売主の義務として、買主が

クロージングを望み、クロージングが予定どおり行われることもある。

(3) ポストクロージング（post-closing）

　クロージング後は本来何もないのが理想である。なお、登記は、クロージング当日は申請書類を法務局に提出して受け付けてもらったというところまでしか確認できないので、申請後1週間前後に登記が閲覧できる状態にならなければ、問題なく登記が完了できたかは確認できない。ただし、当然のことだが、登記に必要な書類すべてが法務局に提出され受理された時点により登記の先後が決まり、その受理日が登記の日として登記される。

第2章

土　地

1　境界確認

(1)　地図と公図

　土地取引ではしばしば境界確認が問題になる。境界確認が問題になるのは、地番ごとの境界、すなわち筆界が明らかではないからである。土地売買契約で地番により売買対象土地を特定したつもりになっても、当該地番の土地の範囲が不明であれば、特定したことにならない。しかし、それでは登記を行っても土地所有権の移転について第三者対抗要件をみたす公示ができないのではないかという疑問が起きる。これは当然の疑問なのだが、この疑問に対して、不動産登記からの回答は、土地は地番で特定でき、その地番の土地の範囲は、現地復元性のある情報を有する不動産登記法14条1項地図（以下「14条1項地図」という）で特定されるというものである。しかし、それは建前であり、問題は、すべての地番に14条1項地図が備えられてはいないということである。公図というものは、どの地番の土地にも備わっている。これは、地図に準ずるものとして位置づけられており（同条4項）、土地の位置、形状、地番を表示しているが、現地復元性はない。極端な事例では、団子図と揶揄されるように、単に丸が並んでいるようなとんでもないものまであり、精粗さまざまである。

　不動産登記は公示のためのものであるから、登記された土地が特定できないということは本来許されない。それゆえ、筆界は客観的に存在しているが、それがどこであるかを疑義のない地図のかたちで法務局に備えられてい

る土地ばかりではないという説明になる。14条1項地図として扱われる資格のある地図は、国土調査法の地籍調査により作成される地籍図および土地改良登記令や土地区画整理登記令で作成された所在図等でなければならない（不動産登記規則10条5項・6項）。これらの作成手順は厳格であり[1]、すべての土地に14条1項地図が備わっているものではない。

したがって、土地取引における境界確認という作業は、隣地所有者との間で互いに所有土地の境界を確認しあっているというものであり、それは、本来の筆界を定める作業ではない。しかし、14条1項地図がない地番については、筆界を判断するにあたって、ほかに有力な資料もないことから、筆界確定訴訟の場面では、現地に残されている境界杭等とともに有力な資料になる。

(2) 筆界と所有権界

筆界と所有権界とは異なる概念である。すなわち、筆界とは、明治初頭、地番が各土地に付せられた際に定められた原始筆界を基礎にその後の分筆または合筆の結果現在に至っている境界である。これとは別に、所有権界がある。このことを、図表1（次頁）を使って説明する。

東側に地番60番の土地が、西側には地番61番の土地があり、この地番の境界は図表1ではABを筆界として存在するが、14条1項地図がない場合は、どこが筆界なのかは判然としない場合が多い。このような状況の中で、地番60番の所有者甲と地番61番の所有者乙が、筆界を、西に50cmずれたところのCDで確認したとする。この新しい線CDによる境界が所有権界である。このCDが新たに筆界になるわけではない。

1) 国土調査法3条2項で、国土調査の作業規程の準則は国土交通省令で定めることとされている。これを受けて、地籍調査作業規程準則が定められている。同準則30条5項で、土地の所有者等の所在が明らかである場合は土地の所有者等の確認が得られなければ筆界未定とすべきことが定められているため、土地の所有者等が意図的に協力しないと地籍図は完成しない。これが14条1項地図の作成の整備を遅らせている大きな原因となっている。山林においてこの問題は顕著であるので、第3部第1章4で補足する。

第1部　不動産の売買

[図表1] 筆界と所有権界

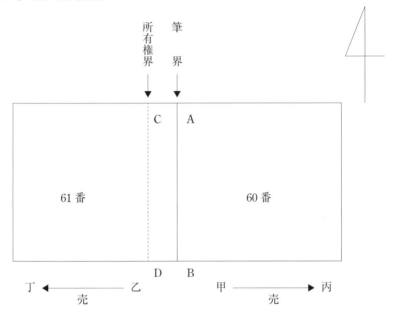

　後日、筆界がABであったことが判明した場合、当事者の認識している所有権界と筆界が異なることが明らかになる。この場合の正しい処理は、このABCDで囲まれる土地を地番61番の土地から分筆して地番60番の土地に合筆するというものである。しかし、以上の設例でも、当事者はCDが筆界ではないかと誤解して境界の確認をしており、そのまま推移すると、もはやABが筆界であると判明することはなかなかないということになる。そうなると、いつのまにか本当の筆界であるABが当事者の目から消えて、誤った筆界CDがあたかも真の筆界に見えてくることになる。関係当事者がそのような理解で不都合がなければ、このように所有権界が筆界化してくるわけである。登記簿の面積も必ずしも正確ではないことから、かかるCDを筆界として計算すると登記簿面積と乖離があることは、CDを筆界とすることを誤りとする決め手にもならないので、かかるCDが筆界化する現象が生まれる。

以上の設例の事案で、甲が地番60番の土地を丙に売買するにあたり、乙との間で境界確認をする場合、両者はCDを境界として認識しているわけだから、CDを境界とする境界確認書を丙に渡すことになるであろう。CDが本当は筆界ではなくても、上記設例のように事実上筆界化してしまっていれば、CDを筆界とする前提で、以後、乙と丙とは所有権を認識することになる。しかしながら、その後、筆界がABであることが仮に判明した場合、どうなるのであろうか。この場合、乙は、丙に対して、ABが筆界だからといって、ABCDで囲まれた土地の引渡しを請求できるであろうか。しかし、そもそも、丙に渡すためにCDを筆界と認めて境界確認書を作成しているのであるから、乙はその土地の所有権が丙に移ることは認めている。したがって、甲乙間の境界確認書の作成は、第三者のためにする契約の締結と同視して、丙はその所有権を乙に主張できるであろう。また、実際に、一旦、CDを筆界として認めた乙は、いくらその後ABが筆界だったとわかっても、丙に対して、ABCDで囲まれた土地の引渡しを求めることはないだろう。

　それならば、乙が丁に地番61番の土地を売却した場合はどうであろうか。この場合、丙の移転登記は地番60番のみで、地番61番の土地のABCDで囲まれた土地は含まれていないから、丁は、丙に対して、ABCDで囲まれた土地を地番61番の土地所有権に基づいて引き渡すべきことを請求できる。しかし、丙だけでなく、前主である甲もABCDで囲まれた土地を占有していたのであるから、甲と丙の占有期間を合わせると、取得時効が成立している可能性がある。取得時効が成立していれば、ABCDの土地は丙の所有であると言えるが、取得時効成立後に乙から丁に地番61番の土地が売却されていれば、その取得時効による土地ABCDの分筆登記と所有権移転登記を行っていないので、取得時効を丁に対抗できない。しかし、丁が丙の所有権を知って地番61番の土地を取得したのならば、丁は、背信的悪意者として、丙が取得時効で取得したABCDで囲まれた土地に所有権移転登記がないことを主張する法的利益がないとして、丙の取得時効の主張を否定できないであろう。

第1部　不動産の売買

(3) 境界確定訴訟

　隣接土地の境界について争いがある場合のために境界確定訴訟制度が用意されている。これは一般の訴訟とは大きく異なっており、理論上は請求の趣旨に境界線の確定を求めると書くだけでよい。筆界の確定を求める制度と理解されている。原告および被告ともにそれぞれが筆界と考える境界線を主張し、それを支える証拠を提出するわけだが、裁判所は、かかる主張や証拠にこだわらず、筆界としての土地境界を判断することになる。しかし、裁判官にとって、この境界確定訴訟は精神的に負担が大きいようである。判断資料が乏しい中で判断せざるをえないからである。また、隣地の所有者同士の争いは、近親者間の争いと同様、時に感情的な思いが複雑にからみあい、ごくわずかの境界線の認識の差のために、延々と訴訟が続くことになりかねないからである。筆界というものを発見するというフィクションの中で動かざるをえず、しかも裁判所が把握できる証拠はどうしても限られるので、公的な境界である筆界の判断を事実上は所有権界の判断資料で定めることの矛盾もあり、あるところで行われた境界確定訴訟の判決が、近隣で行われた境界確定訴訟の判決と矛盾せざるをえないということもありうる。このような境界確定訴訟の本質的な問題を何とか解決できないかという問題意識で導入されたのが次に述べる筆界特定制度である。

　なお、境界確定訴訟は、戦前は裁判所構成法に規定されていたが、現行民事訴訟法には規定がない。ただし、平成17年の不動産登記法改正で、「筆界確定訴訟」として同法に明記された（同法148条等）。

(4) 筆界特定制度

　筆界特定制度は、土地の所有者として登記されている者[2]の申請に基づいて、登記官が筆界調査委員の意見を参考に現地における筆界の位置を特定

---

2) 正確には、「所有権の登記がある一筆の土地にあっては所有権の登記名義人、所有権の登記がない一筆の土地にあっては表題部所有者、表題登記がない土地にあっては所有者をいい、所有権の登記名義人又は表題部所有者の相続人その他の一般承継人を含む」（不動産登記法123条5号）とされる。

する制度である。不動産登記法を改正して平成18年に導入された。筆界特定は、行政処分とはされておらず、登記官の筆界の認識を示すにすぎないとされる。筆界特定の結果に不服がある者は、境界確定訴訟を提起でき、その訴訟で確定した判決に抵触する範囲で筆界特定は効力を失う（同法148条）。これは、実に知恵のある制度である。行政処分ではないので、取消しの対象にはならないが、この特定された筆界に不服がある者は境界確定訴訟という面倒な訴訟を提起するしかない。しかし、登記官が必要な調査を行って特定した筆界を訴訟で覆すのは至難のわざである。当然、訴訟まで提起してこれを争うことが躊躇され、結果として、この制度で特定された筆界がまさに真の筆界として認知されていくことが予想される[3]。

したがって、筆界特定の手続は、筆界に関心のある当事者にとっては重要な手続となる。意見や資料を提出する機会が与えられる（不動産登記法139条、140条1項）。筆界特定手続記録は、当該土地の所在地を管轄する登記所に保管されるし（同法145条）、筆界特定済みの土地か否かは登記情報にも示される（不動産登記規則234条）。すなわち、対象土地の表題部に「令和○年○月○日筆界特定（手続番号令和○年○月○日第○号）」と記録される。

---

3) 宮崎文康「筆界特定を行った事案についての裁判例の動向」(判タ1429号（2016）40頁以下）では、筆界特定制度導入後10年間につき、筆界特定の年間申請件数は毎年2,500件前後と安定し、他方境界確定訴訟は、筆界特定制度の発足前の平成10年は761件であったのに対し、平成19年以降は400件前後と半数近くまで減少していることを報告している。また、令和3年7月15日開催の法務省政策評価懇談会（第64回）における民事局付兼登記所適正配置対策室長の発言においては、筆界特定制度については年間約2,500件程度の申請で制度開始当初から横ばい状態であること、境界確定訴訟の近年の件数は年間約300件であることが述べられている。

なお、平成27年度に終了した筆界特定の事件の平均処理期間は約8.8か月で、筆界特定事件の約3分の2が1年以内に終了しているとのことである。上記宮崎論文では、境界確定訴訟の結果と筆界特定の結果とが異なる事例はかなり少ないとしつつ、異なる結果となった事例を数件解説している。

(5) 境界確認の意味

　以上の前提を理解して境界確認の意味を考えることが必要である。私の経験では、ある地方都市の中心部の土地開発に関連し、土地の分筆が必要になったことがあり、近隣との境界確認書が必要だが、協力が得られないとの相談を受けたことがあった。その際、当該土地周辺がかなり以前に土地区画整理事業を経験していると聞いたので、それならば、14条1項地図があるはずで、分筆に隣地の境界確認は不要のはずと助言したら、まさにそのとおりであった。境界確認書は、14条1項地図がないところで、必要になるものである。

　必要という意味は、境界確認書があれば、少なくとも当該境界確認書の作成者との間では筆界がそこであることを争われることがないし、その承継人からも争われるリスクが少ないということである。古い境界確認書であれば、その作成者が現在の土地所有者ではないこともあるので、土地所有者に変更があれば、現在の土地所有者からあらためて境界確認書を取得することが望ましい。

　なお、境界確認書を出さないという人にこれを強制的に出させることはできない。これを出す法律上の義務はないからである。そういう場合は、筆界についての紛争を回避するために、事前に売主に筆界特定制度を利用して筆界特定を行わせることを検討すべきである。取引のタイミングから筆界特定の結果を待てない場合は、筆界特定の結果、前提とした境界線との間にズレがあることがわかれば、どのような処理をするかも売買契約書で決めておくことが望ましい。なお、世の中には、煮ても焼いても食えないという人もおり、へそ曲がりで境界確認に協力しないだけという人もいる。そのような場合、現実の利用状況や境界石の設置状況や過去の経緯から、境界についての争いが将来起きるおそれがなければ、境界確認書の取得にこだわることは不合理な場合が多い。ポイントは、境界確認に協力しない人が協力しない理由であり、当該境界を争っているのか否かである。争っていないのならば、この人物から境界確認を得られないということを重大視する必要はない。

隣地の土地が区分所有マンションの場合、隣地のマンションの管理組合の理事長からの境界確認がどれだけ意味があるのかという問題がある。本来、管理組合に敷地である土地の境界について対外的に意見を述べる権限があるのかは疑わしい。その領分を超えていると思われるからである。しかし、個々の区分所有者から直接に取得する必要があるかというと、そこまで苦労する必要もない。管理組合の理事長から取得することで十分な場合が多い。特殊な事情で気になる場合は、筆界特定制度を利用すべきである。

2 土壌汚染

(1) 土壌汚染対策法のインパクト

土壌汚染対策法は、土地取引における土壌汚染に対する関心を一変させた。平成3年に土壌汚染に係る環境基準が制定され、その頃から、一部の地方公共団体では、土地の取得にあたって同基準を意識し、自主的に土壌汚染の調査を行ったうえで、土地の購入を行っていた。また、平成10年頃から、外資系ファンドによる日本の土地の買収が本格化したが、その過程で、土地に土壌汚染がないことを表明保証することを売主は迫られていた。したがって、実際は、その頃から、土壌汚染について大型土地取引の当事者の関心は大きくなっていった。また、平成11年に「土壌・地下水汚染に係る調査・対策指針及び同運用基準」を環境庁が定めたことも、調査対策を進めるにあたって大きな意味があった。調査の基準が決まらなければ、何をもって土壌汚染とするかも決められないし、いかなる対策をすれば足りるのかがわからなければ、対策の進めようもないからである。しかし、国内の一般の取引でも土壌汚染が重大関心となったのは、平成14年の土壌汚染対策法の制定以降である。

(2) 土壌汚染対策法の目的

土壌汚染対策法の目的は、土壌汚染を原因とする健康被害の防止である[4]。土壌汚染の特徴は有害物質が土壌に滞留するところである。滞留するままで、有害物質が人間の体内に入らないのであれば、健康被害はもたらさ

れないので、対策も不要と考えられている。したがって、土壌の中の有害物質が一定の濃度基準を超えているというだけでは、対策を義務づけられない。対策を義務づけられるのは、あくまでも、それに加えて、人間の体内に有害物質が入ることにより健康被害がもたらされるおそれがある場合である。

　このリスクを、直接摂取リスクと地下水飲用リスクとに分けて土壌汚染対策法は立法されている。直接摂取リスクとは、地表近いところの土壌に含まれる有害物質が口の中や鼻の中に入って体内に取り込まれるリスクである。幼児の砂遊びで口に入る等のリスクが典型的なものだが、地表の土が風に巻き上げられて地表の生活者の鼻や口に入るリスクも含まれる。地下水飲用リスクとは、土壌汚染が地下水汚染に拡大し、さらに近隣の地下水を汚染し、その地下水を飲用に利用していた人が汚染地下水を飲むリスクである。

　土壌汚染対策法の基本的な考え方は、この土壌の有害物質が人間の体内に入るまでのどこかでルートを遮断すれば、健康被害は防止できるというものである。したがって、土壌から有害物質を取り除くということが目的ではない。そのルートの遮断に合理的な対策を、その土地で行わせようとするのが目的である。

　また、濃度基準は、本来望ましい基準であるはずの土壌汚染に関する環境基準と基本的には同じ基準が採用されており、厳しい基準である。一生涯（70年）その土地で暮らして健康被害がないか（直接リスクの場合）とか、毎日２Ｌ70年間その地下水を飲み続けても健康被害がないかとか（地下水飲用リスクの場合）等の基準で判断される。したがって、その濃度基準をわずかに超えた土壌汚染の健康被害リスクは、その何万倍もの濃度を持つ土壌汚染

4）土壌汚染対策法で規制しているのは、同法で「特定有害物質」とされているものだけであり、ダイオキシン類対策特別措置法（同法ではダイオキシン類の対策は地方公共団体が行い、対策費用を原因者に求償するという構造となっている）の規制対象であるダイオキシン類は対象外とされ、放射性汚染物質も対象外とされ、油汚染も対象外とされていることに留意されたい。

の健康被害リスクと比べると、はるかに小さい。なお、直接リスクを判断するための濃度調査を土壌含有量調査と呼び、地下水飲用リスクを判断するための濃度調査を土壌溶出量調査と呼ぶ。

(3) 土壌汚染対策法の構造

　土壌汚染対策法では、土壌汚染調査を義務づけられる場合が限られており、しかも、調査が義務づけられて汚染が判明した場合のみ、対策を義務づけられる。言い換えると、任意の調査で濃度基準以上の汚染が判明しても、対策は義務づけられない。もっとも、平成21年の土壌汚染対策法の改正で、任意の調査で土壌汚染が判明した場合も、義務的調査で土壌汚染が判明した場合と同等に扱ってもらうように土地の所有者等から所轄庁に申し出ることもできるようになったが、それは例外である。

　なお、地方公共団体で土壌汚染について独自の条例を制定している場合がある。その場合は、調査や対策が土壌汚染対策法以上に求められる場合があるので、注意を要する。しかし、このように国または地方レベルで調査を義務づけられていることにより土壌汚染調査を行っている事例は、調査を行っている事例全体の数からすると少なく、平成21年改正前では1割程度とみられていた。つまり、圧倒的に任意調査の事例が多かった。改正後は義務的調査の事例の割合が増えたと思われるが、なお、任意調査の事例がはるかに多い。

　義務的調査は、工場閉鎖の場合（土壌汚染対策法3条）と大規模開発の場合（3,000㎡の形質の変更、同法4条）である。詳細は、別著[5]に譲るが、大規模開発の場合は平成21年の改正で入れられたものである。これらの義務的調査で濃度基準超過が判明すれば、形質変更時要届出区域か要措置区域のどちらかに分類される。後者は、健康被害のおそれがあるとして、すみやかに土壌汚染対策を講じなければならないが、後者の指定は前者の指定に比べると数が圧倒的に少ない。前記の「ルートの遮断」がされている状態であれば、健康被害のおそれはないと判断されるからである。したがって、土壌含有量調査で濃度基準を超えていても当該土地に人が立ち入れない対応がとら

第1部　不動産の売買

れていれば、また、土壌溶出量調査で濃度基準を超えていても当該土地の近隣に飲用井戸がなければ、要措置区域に指定されることはない。形質変更時要届出区域は、そのままでは健康被害のおそれがないため、将来土地の形質変更を行う場合に形質変更計画を届け出て、その計画において汚染が拡散し

5）小澤英明『土壌汚染土地をめぐる法的義務と責任』(新日本法規出版、2019) 参照。平成21年改正の後に平成29年改正があるが、本書の本文の内容の変更を伴うほどの改正ではない。主要な改正点は以下のとおりである。

　第1は、本書の本文では、義務的調査として「工場閉鎖の場合（土壌汚染対策法3条）」があると書いたが、より正確に言えば、同条は水質汚濁防止法上の特定施設の使用の廃止を契機とする義務的調査である。しかし、同条1項ただし書で、工場が操業を続けている等の理由で土壌汚染状況調査が猶予されている土地が多数発生した。このような土地は土壌汚染状況の把握が不十分で、地下水汚染の発生や汚染土壌の拡散が懸念された。3,000㎡以上の形質変更の場合は従来から4条で義務的調査が命じられる可能性があるが、その規模に達しない場合も、3条の猶予土地で形質変更が行われる場合は、あらかじめ届出をさせることになり、知事から調査命令が出ることになった（改正後の3条7項・8項）。

　第2は、要措置区域におけるリスク管理に関することである。要措置区域における対策の指示は改正以前から定められていたが、その計画や実施について、行政庁から是正を行う適切な規定が法に定められていなかったため、リスク管理が不十分であると指摘されていた。そこで、土地の所有者等が対策を計画し実施しているという現実に合わせるかたちで、要措置区域等で土地の所有者等が講じようとする実施措置、その着手予定時期や完了予定時期等を記載した汚染除去等計画を土地の所有者等に出させ（改正後の7条1項）、同計画が技術的基準に合致しないときは、行政庁が命令を出すことができ（改正後の7条4項）、実施措置は同計画提出後30日（短縮あり）経過した後でなければ講じてはならないとされた（改正後の7条6項）。同計画どおりの実施がされていない場合の是正命令（改正後の7条8項）も規定された。

　第3は、リスクに応じた規制の合理化に関することである。臨海部の自然由来又は専ら埋立材等に由来する汚染のある工業専用地域で、健康被害のおそれが低いながら大規模な土地の形質変更を行う場合にその都度、届出や調査が必要とされることは不合理ではないかと批判されていた。そこで、その施行方法等の方針について一定の基準に適合し、あらかじめ知事の確認を受けた場合は、事前届に代えて事後届ですませることができることになった（改正後の12条1項・4項）。なお、自然由来の汚染土壌の搬出についても改正がなされた。これについては、後述する（後掲注8）参照）。

[図表２] 土壌汚染対策法の構造

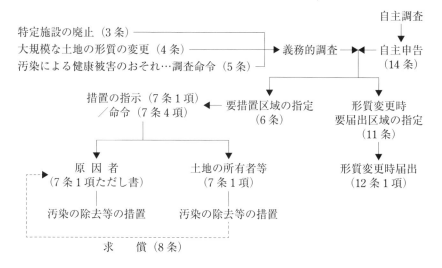

ない配慮を求められるというものである。

　要措置区域の場合は、対策を求められるが、その指示を受けるのは、土地の所有者等（所有者、管理者、占有者）である。ただし、汚染原因者が他にいて、その者に指示することで足りる場合は、かかる汚染原因者に指示を行うべきものとされている。その意味では原因者責任主義を残しながら土地所有者責任主義を導入していると言える。汚染原因者ではない土地の所有者等が対策の指示を受ける可能性があるという点がそれまでの環境法規と基本的に異なるところである。なお、かかる土地の所有者等が指示を受けて土壌汚染対策を行った費用は、汚染原因者に対して費用償還請求ができるが、もともと、他に土壌汚染原因者がいれば、その者に指示を出すべきところ、それが不相当であるため（例えば、会社の解散、汚染原因者の特定不能等）、汚染原因者ではない現在の土地の所有者等に指示が出るのであるから、この費用償還請求が効を奏することは稀であろう。

　以上の土壌汚染対策法の構造を図示すると**図表２**のとおりである。

(4) 土壌汚染土地の評価

　以上のとおり、土壌汚染対策法で調査を義務づけられる場合は、工場閉鎖や大規模開発の場合であるのに、土壌汚染が疑われる土地の法人間の売買では、今や土壌汚染調査が広く行われている。しかも、健康被害のおそれがあるか否かにかかわらず、濃度基準を超えた土壌汚染土地については一様に取引において忌避される。

　前述のように、土壌汚染対策法では、対策を義務づけられるのは、調査が義務づけられる場合に限られ、しかも、単に濃度基準を超えているからといって対策を義務づけられるのではなく、あくまでも土壌の有害物質が人間の体内に入り、健康被害を引き起こすリスクがある場合に対策を義務づけられているにすぎない。このことを考えると、このような買主の反応は過敏にも思えるが、理由がないわけではない。土壌汚染があれば、その土地利用において、また、汚染土の搬出において制約を受けるし、今後、規制が厳しくなるおそれもあるし、最悪の場合は、土壌汚染対策を指示されるおそれもある。要するに、さまざまな不利益を受けるリスクがあり、そのようなリスクを買主は引き受けたくないからであり、土壌汚染がない土地があるならば、それを買いたいのであって、土壌汚染土地をわざわざ買いたくはないからである。この点で、すでに土壌汚染土地を所有しており、その汚染土地についてどのような対応をとるべきかを考える企業とはまったく行動パターンが異なってくる。これは当然のことである。土壌汚染土地を買う場合は、土壌汚染があるがゆえにどれだけマーケットで減価するのかをみきわめる必要がある。

　これまでのところ、土壌汚染がある土地は土壌汚染のない土地にするコストだけ減価した価格で、マーケットで評価されることが多いと言われてきた。しかも、確実に短期間に土壌汚染のない土地にするためには、掘削除去の対策（汚染土を掘削して搬出し、代わりに清浄土を入れる対策）が必要と解されており、その対策費用だけ減価されることが多いと解されてきた[6]。対策が義務づけられてもいないのだから、このような評価はナンセンスだといく

第 2 章　土　　地

ら売主が叫んでもどうにもならない。「どうして、この俺がもてないんだ」と言ってもどうにもならないように。要するに、人気がないのである。もっとも、将来的に、この評価は変わるかもしれないし、現時点であっても、工場用地や物流施設用地のように土壌汚染の存在が土地利用者にそれほど嫌悪感をいだかせない土地や土壌汚染の管理を確実になしうる土地であると評価されれば、汚染による評価減は小さいということも十分にありうる。

　なお、買主が当該土地をそのまま使用し続ける場合は、土壌汚染があっても買主にとって不都合はない場合がある。しかし、そのような買主であっても、汚染がある土地を汚染がない土地と同額で買う者はいないだろう。人気のない物件に高く支払う理由はないからである。転売などまったく考えずに

6）掘削除去された汚染土の行き先について説明すると、次のとおりである。土壌汚染対策法の義務的調査に基づき、形質変更時要届出区域または要措置区域から搬出される汚染土については、廃掃法の産業廃棄物の運搬処分と類似のマニフェストのやりとりを行う厳しい規制が土壌汚染対策法16条以下に規定されている。汚染土の行き先としては、第1に浄化処理施設（熱処理、洗浄処理、化学処理、生物処理、抽出処理、溶融処理、不溶化処理等）に行くパターン、第2に分別等処理施設に行くパターン、第3に埋立処理施設に直接行くパターン（第2溶出量基準以下のものでなければならない）、第4にセメント等製造施設に行くパターンがある。このうち、浄化処理施設に行った汚染土は、一定の浄化を行って、基準以上の汚染がなくなれば規制のない健全土として扱われるが、基準以上の汚染がなおあれば（第2溶出量基準以下でなければならない）埋立処理施設に運ばれ、またはセメント等製造施設に運ばれる。分別等処理施設に行った汚染土は、汚染土と廃棄物を分別され、汚染土は、浄化処理施設、埋立処理施設（第2溶出量基準以下のものでなければならない）、セメント等製造施設に運ばれる。要するに、基準以下の健全土になったもの以外の最終の行き先は、埋立処理施設またはセメント等製造施設というわけである。埋立処理施設の基準も内陸埋立、海面埋立に分けて規制がある。セメント等製造施設は、セメント原料化の処理をしてセメントとしてリサイクルするものである。土壌汚染対策法の形質変更時要届出区域や要措置区域に指定されないが、任意の調査で判明した汚染土の運搬処分については、16条以下の規制は適用がないが、健全土ではないから、結局、上記土壌汚染対策法の汚染土の行き先と同様のところに運ばない限り、適正な処分ができない。なお、この点は、後述(9)「汚染土壌と廃棄物混じり土」でさらに説明する。

買う場合は土壌汚染による減価の必要はないだろうという議論もありうるが、いつ転売すべき事情が到来するかもしれない以上、マーケット価格以上で買うことは、代替物件がない等の特殊事情がない限り不合理な購入価格の決定ということになる。

(5) 土壌汚染調査の限界

　土壌汚染の調査は、まずは地歴調査を行い、概況調査を行い、汚染があれば、詳細調査を行う。この内容の詳細は、土壌汚染対策法、同法施行令、同法施行規則で定められている。地歴調査で、汚染のおそれがある場合と、少ない場合と、ない場合に分ける。概況調査では、汚染のおそれがある場合とおそれが少ない場合とでは調査の精度が異なる。詳細調査は、概況調査で汚染が判明した場合に、どこまでの工事が必要かをみきわめるために汚染の範囲を確定する調査である。このように調査をすることで確実な土壌汚染の把握ができると思いがちだが、そうではない。

　売主が土壌汚染対策法所定の調査を行って、判明した汚染土をすべて掘削除去して、汚染が完全になくなったと思って売却し、その後、買主または転得者が独自に調査したところ、別の汚染が見つかるということは決して稀なことではなく、しばしば紛争になる。土壌汚染調査が全量調査ではないことから、かかる帰結は当然であるとも言えるが、主たる原因は2つある。1つは、地歴調査で確認できる土地の利用履歴は限られているということである。地歴調査で土地の分類を間違えると、とりかえしがつかない。日本では昭和40年代半ばまではほとんど公害規制もなかった。水質汚濁防止法や廃掃法もない時代にどれだけ土地が汚染された可能性があったかを想像することはたやすく[7]、また、その汚染記録があること自体不思議である。今1つは、調査地点を決めるメッシュの切り方がずれることによる。買主または転得者が土地を分筆しているような場合は、調査の起点が変わりうるのでメッシュ自体が動いて調査地点が変わる。このように避けられない調査の限界が

---

　7) 土壌汚染に関する過去の規制については、小澤英明「日本における土壌汚染と法規制——過去および現在」都市問題101巻8号（2010）44頁以下参照。

あるということを理解しておかなければならない。

(6) 土壌汚染と地下水汚染

地下水とは、広義では地中の水の総称であるが、狭義では帯水層の水を指している。地層をつくる粒子の隙間や岩石中の微少な割れ目が水を自由に通す程度に大きい層を透水層というが、このような透水層の中で、地下水で満たされた（飽和された）部分が「帯水層」と呼ばれている。この帯水層が汚染されると、地下水汚染と呼ばれる。

帯水層が汚染されるまでは土壌汚染であり、汚染物質が水に溶けて自由に動いているという状態ではない。地下水まで汚染が達するということは、土壌内の有害物質が水に溶けて地下水汚染をもたらしているということである。したがって、そのおそれがあるかどうかは、地下水飲用リスクの観点から土壌について土壌溶出量調査を行うものである。これは、直接摂取のリスクの観点から土壌について土壌含有量調査を行うことと対比される。

土壌溶出量調査で濃度基準を超えた汚染が判明しても、土壌汚染対策法は都道府県知事が地下水汚染モニタリングを指示するだけであり、それ以上のことを指示しない。それ以上の対策を指示するのは、地下水の汚染が地下水汚染基準を超えた場合である。しかしながら、土地取引の際に、土壌溶出量調査で濃度基準を超えた土壌汚染が判明すれば、地下水汚染基準を超えたか否かにかかわらず、土壌汚染対策を行うのが通常である。その多くは掘削除去であるが、生物的または化学的物質を投入して現位置浄化を行うこともある。かかる現位置浄化は、掘削除去に比べて費用は安いが、実効性の保証が難しく、特に浄化に至るまでの期間を保証することは難しいとされ、短期での確実な除去を行う必要がある場合は採用が難しいと言われている。

(7) 自然由来汚染土

平成14年の土壌汚染対策法制定時は、自然由来汚染土は、同法の規制対象外であることが、環境省の通知で明らかにされていた。しかし、平成21年の同法の改正により、自然由来汚染土も人為的汚染土と同様の規制がなされるに至った。もっとも、その後、自然由来汚染土があまりにも多く見ら

れ、その処理に膨大な費用がかかることが頻発したことから、多少規制の緩和がなされているが、今なお、土壌汚染対策法に基づく調査により判明した自然由来汚染土は土壌汚染対策法上の規制に服している。

　自然由来汚染土地を人為的汚染由来土地と同視するのは、自然由来であろうと人為的由来であろうと、同じ有害物質の同じ濃度の汚染において、有害性には差がないという論理である。たしかに、この考え方は、一理あるが、鉱山地域等を除くと、自然由来汚染土は、汚染度が低く、危険度が低い。かつ、その分布は広大なものである。自然由来汚染土を搬出することで汚染が拡大するということを防ぐべきとの議論もあるが、もともと広く汚染が存在してしている中で、たまたま現れた一部の自然由来汚染土の移動を規制することは合理性に欠けるのではないかと思われる[8]。

　濃度基準を超えた汚染土は自然由来の汚染土でも受入先が限定される限り、土地から外に搬出するにあたって余計に処理費用がかかる[9]。東京の湾岸沿いも、しばしば自然由来の汚染土が含まれていると言われている。した

---

8) この点については、小澤英明「自然由来の水質汚濁と土壌汚染の法的処理──温泉排水と残土処理をめぐって」自治研究1061号（2012）87頁以下参照。ただし、平成29年の土壌汚染対策法改正により、形質変更時要届出区域の自然由来等（自然由来だけでなく土地造成に係る水面埋立てに用いられた土砂に由来する一定の物も含む。）による汚染土壌は、都道府県知事へ届け出ることによって、汚染土壌処理業者に委託せずに、同一の地層の自然由来等による汚染土壌がある他の区域への移動が可能となった（改正後の16条1項7号、18条1項2号）。詳細は小澤・前掲注5) 230頁以下を参照されたい。

9) 例えば、千葉県には「千葉県土砂等の埋立て等による土壌の汚染及び災害の発生の防止に関する条例」（いわゆる「残土条例」）がある。同条例では、土砂等の埋立てに利用する面積が3,000㎡以上の埋立て事業を行う場合は許可が必要であるが、受入れ土壌の安全基準も厳しく規定されており、運び入れる土壌がかかる安全基準に適合していない場合は残土の受入れを拒絶される。なお、当該残土が安全基準に適合的か否かの判断にあたって使用する土壌のサンプルの取り方は、土壌汚染対策法の土壌汚染調査のサンプルの取り方とは異なるので注意を要する。そのため、後者のサンプルでは基準に適合しても前者のサンプルでは基準に適合しないという場合も出てくる。

がって、その処理費用を念頭に置いて土地売買の価格の判断または契約条項の取決めをする必要がある。

なお、自然由来汚染土についても、これを瑕疵担保責任における隠れた瑕疵として取り扱って売主の瑕疵担保責任を認めた裁判例も散見されるのは、建設工事に伴って、敷地外に搬出する場合、汚染土であることに変わりはないことから、一般の建設残土とは異なって、受け入れてくれる埋立処分場等が限定的で、一般の建設残土より費用がかかる点を無視できないからである[10]。

ただ、自然由来土は、局在しているわけではなく、広範囲に存在すること、また、自然由来汚染土の分布は一定程度知られていることでもあり、「隠れた瑕疵」と認定されない可能性もあることに留意する必要がある。それまで知られていない自然由来汚染土のために、買主が実際に多額の費用をかけて残土処分をせざるをえなかったといった事情がなければ、自然由来汚染土のある土地を売買でつかまされたとして瑕疵担保責任（契約不適合責任）を売主に追及しても、裁判所が買主に同情しない可能性がある。

(8) 油汚染土

土地取引でしばしば問題になるのは、油で汚染されている土地である。しかし、土壌汚染対策法では油汚染は規制されていない。ガソリン等に含まれるベンゼンについては特定有害物質として同法でも規制されているが、油自体は特定有害物質ではない。それは、油により健康被害がもたらされるという知見が確立されていないからである。ただし、油がもたらす油臭や油膜は人々に不快感をもたらし、生活環境に悪影響をもたらすという点では広く共通の認識がある。そのため、土地が油で汚染されていた場合に、その油汚染

---

[10] 自然由来汚染土につき瑕疵担保責任を認めた事例として、東京地判平成21年6月10日 Westlaw Japan2009WLJPCA06108002、仙台高判平成22年1月22日（判例集未登載。しかしRETIO2011年4月号80頁以下に紹介がある）、認めなかった事例として、かつて水田であった味噌工場敷地のわずかな環境基準値オーバーの自然由来汚染土の対策費を認めていない東京地判平成23年7月11日判夕1385号173頁がある。

を土地の瑕疵として買主が売主に対して瑕疵担保責任（契約不適合責任）を問い、紛争が生じるのである。

したがって、環境省も平成18年に「油汚染対策ガイドライン」を公表して、油汚染にどのように対処することが合理的かを示している。このガイドラインの特徴は、「油汚染問題への対応は、油汚染問題のあった土地において、その土地の現在の及び予定されている利用状況に応じ、油含有土壌に起因して生ずる油臭や油膜による生活環境保全上の支障を除去することを目的として行うものである。」ということと、「油臭や油膜は人が感覚的に把握できる不快感や違和感であるから、油汚染問題への対応の基本はそれらが感じられなくなるようにすることである。」という基本的な立場に立脚しているという点である。そのため、油について基準値や規制値を定めていない。また、「油は、その生成由来により、鉱油類と動植物油類に分けられるが、油臭や油膜の報告例は鉱油類によるものがほとんどであること、動植物油類が土壌に含まれたときの油臭や油膜についての知見に乏しいことなどから」、動植物油類は対象外としている。

油汚染対策ガイドラインでは、地表の油汚染問題への対応、井戸水等への油汚染問題への対応、敷地周辺の土地への油汚染問題拡散への対応に分けて、対策を示している。

このように油汚染対策ガイドラインでは、油汚染は、それによる油臭や油膜を問題にしているので、油汚染を探索して油汚染の有無を明らかにすることを予定してはいない。ある土地で油臭や油膜が出てきたら、どう対処するかという、まさに対症療法としての対策がガイドラインに示されているだけである。そのため、探索のための調査方法、例えば、調査ポイントを決めるために何mメッシュで切るのかといったことはガイドラインでは規定がない。対策のため汚染の広がりや深さを把握する調査に言及がある程度である。

ただ、油汚染は、特定有害物質による土壌汚染の調査過程で地中にあることがわかる場合がある。このような油汚染は、上記油汚染対策ガイドラインに沿って考えると、放っておいてよいということになる。しかし、例えば、

当該油汚染の土壌がちょうど当該土地における建設予定建物直下部分に位置し、建設残土として外に搬出しなければならないといった場合は、放っておくこともできない。また、当該土地が転売されるような場合は、その買主が将来、そこでどのような建物をどの位置に建てるのかわからない。さらに、住宅地として分譲されれば、買主がガーデニングその他で土を掘り起こすことも考えられる。しかも、地下水の上下の移動もありうる土地であれば、将来的に、大雨等の場合、油臭が出てくる可能性もある。そうであれば、建設残土の処理だけを理由とするのではなく、比較的浅い部分にある油汚染土が買主から嫌われるのは当然のことのようにも思われる。しかも、マンション開発用地等であれば、将来マンション居住者が地下にある油汚染土を無視して快く高い金額を出してマンションを買うか甚だ疑問である。健康被害がないから、気にするほうがおかしいという論法は、瑕疵（契約不適合）の有無を判断するには、禁句とでも言うべきもので、普通の人が気になるのならば、気になる土地としてしかマーケットは評価しないことに留意すべきである。

このように考えてくると、油汚染も土壌汚染対策法の特定有害物質による汚染に近いかたちで瑕疵担保責任（契約不適合責任）が問題になることも理由があることがわかる。実際、少なからぬ裁判例では、油汚染土の存在を瑕疵として売主に瑕疵担保責任を認めている[11]。

(9) 汚染土壌と廃棄物混じり土

(i) 汚染土壌

土壌汚染対策法の制定当初、汚染土壌についてあれこれ考えた時に、汚染土壌の取扱いが法的に判然としないと思った。当時、土壌汚染対策法では明確な規定がなかった。しかし、汚染土壌を一定の土地から外部に不要物とし

---

11) いずれもマンション用地の油汚染だが、瑕疵担保責任を認めたものに、東京地判平成14年9月27日LEX／DB28080755、東京地判平成21年3月19日WestlawJapan2009WLJPCA03198005がある。一方、油汚染を瑕疵とは認めるものの、取引上相当な注意を払えば瑕疵を発見することができたとして、瑕疵担保責任を否定した東京地判平成22年3月26日WestlawJapan2010WLJPCA03268023、東京地判平成23年1月27日判タ1365号124頁がある。

て排出するのならば、まさに廃棄物ではないか、それならば廃掃法が適用されると思ったわけである。しかし、廃掃法では、業として不要物を事業場から排出する場合も、それを当然には産業廃棄物としているわけではない。なぜなら、産業廃棄物は、廃掃法で定義されているからで、その定義との関係で検討しなければならないからである。もっとも、「汚泥」というものも産業廃棄物であるので、汚染された土壌も「汚泥」に入るのならば、産業廃棄物となりうる。しかし、何が「汚泥」なのかの定義は、法令上はない。ただ、もともとは、「工場廃水等の処理後に残るでい状のもの及び各種製造業の製造工程において生ずるでい状のものであって、有機性及び無機性のもののすべてを含むものである」[12]と解説されていたように、製造工程で残る泥状のものを広く指していたようである。これは、明らかに汚染された土壌とは別物である。そうであれば、汚染された土壌を廃棄しようとすれば、これは産業廃棄物ではないという意味では一般廃棄物だが、事業者は、事業活動に伴って生じた廃棄物を自らの責任で適正に処理しなければならないので（廃掃3条）、結局は、汚染土壌を受け入れてくれる処理場を自ら探して、埋立て等を依頼しろということだなと頭の整理をしたことだった。ただ、その後、環境庁のかつての通知である「廃棄物の処理及び清掃に関する法律の施行について」（昭和46年10月16日環整43号、[改定]昭和49年3月25日環整36号）において、「廃棄物処理法の対象となる廃棄物でない」ものとして、「土砂及びもっぱら土地造成の目的となる土砂に準ずるもの」が挙げられていたことを知った[13]。つまり、同通知に基づけば、土砂は、廃掃法からもともとはずされているという解釈も成り立つ。もっとも、昭和46年当時は、汚染土壌についての認識が今とはまったく異なっており、同法の条文をいくら読んでも、土砂がはずされているとは読めない中で、当時の通知を現在の廃

---

[12] 厚生省生活衛生局水道環境部計画課編著『逐条解説廃棄物処理法〔新版〕』（ぎょうせい、1988）52頁。

[13] 北村喜宣『環境法政策の発想——自社の環境対応に効く100の分析視角』（レクシスネクシス・ジャパン、2015）122頁以下にこの点が詳述されている。

掃法の解釈に使えるかは疑問がある。ただ、以上の背景があるため、不要な「土」の廃掃法上の取扱いはグレーのままとなっている。いずれ、整理が必要な論点である。

平成21年の土壌汚染対策法の改正で、形質変更時要届出区域または要措置区域から外部に汚染土壌を排出する場合は、廃掃法のマニフェスト制度に準じた処理がされることになって、少しはすっきりしたが、これら規制区域以外の土地からの汚染土壌の搬出は、今なおあいまいであり、ただ、汚染土壌の運搬および処理にあたっては、規制区域内の土地からの汚染土壌の運搬および処理について定めている、土壌汚染対策法「第4章の規定に準じ適切に取り扱うよう、関係者を指導することとされたい。」との環境省の通知があるのみである[14]。不要な「土」の取扱いが法律でクリアに規定されていないので、このようなあいまいな取扱いになっていると考えるしかない。不要な「土」としては、次に述べる「廃棄物混じり土」も悩ましい問題を有する。

(ⅱ) 廃棄物混じり土

廃棄物混じり土には、汚染土壌と呼べる土壌とそうではない土壌がある。ここで汚染土壌とは、土壌汚染対策法の濃度基準以上に同法の特定有害物質が含まれている土と定義する。もっとも、土壌汚染対策の対策範囲の単位は、10m四方に深さ1mの100㎡の土量の単位で考えるのが基本である。そのため、その中に一部でもかかる汚染土壌が含まれれば、通常は100㎡全体を汚染土壌として扱うことになるので、汚染土壌として処分される土壌もその中身はさまざまである。かかる汚染土壌については、上記(ⅰ)のとおりの整理ができる。

---

14) 平成21年の土壌汚染対策法改正について解説を行っている、環境省水・大気環境局長から都道府県知事および政令市長あての平成22年3月5日付け「土壌汚染対策法の一部を改正する法律による改正後の土壌汚染対策法の施行について」と題する通知（環水大土第100305002号）「第10 法の施行に当っての配慮事項等」1項参照。

第1部　不動産の売買

　ここでクリアにしたいのは、汚染土壌ではないが、廃棄物が含まれている土壌（土壌汚染対策法の特定有害物質を含んではいない油汚染土もこの分類に含まれる）の処分の法的規制である。このような土壌の中には産業廃棄物を含んだものと、そうではないものとがある。産業廃棄物が土壌の中に含まれていても、土壌との分別が困難な場合は全体を一括して処分することになろう。しかし、問題は、そのような廃棄物混じり土を受け入れてくれる処分場があるかである。建設工事で遭遇する廃棄物混じり土は、相当量にのぼるようであり、これらを一括して廃棄物扱いとすると処分場が確保できないことから、関係者は対応に苦慮している。この課題に対応するため、平成20年3月、土木研究センターは、「廃棄物混じり土への対応方策検討業務報告書」を公表している。対策として、掘り出さずに地盤として活用する場合と掘削して廃棄物混じり土を適正処理する場合とがあることが指摘されている。汚染がない分別土は有効利用できるものはできるだけ有効利用することが望ましいとあるが、分別が困難なものは、そのまま廃棄物として最終処分場に運ぶしかないようである。法律上クリアな整理ができていない問題なので、各地方公共団体の指導に従って対応するしかない現状にある。

(10)　廃棄物処理場跡地の利用

　廃棄物処理場跡地を買いたい場合は考えにくいが（立地の良い埋立地では考えられないこともないが）、廃棄物処理場跡地を利用したいという場合はある。例えば、太陽光発電施設を設置する等の候補地として考えられることは現実にもある。その設置が最終処分場で廃棄物を覆っている土砂の機能を損なわなければ、利用可能性があるからである。

　廃棄物処分場跡地は、土地の形質の変更をすると、安定的であった地下の廃棄物が撹拌されたり酸素が供給されたりすることで、ガスや汚水が発生し、生活環境上支障をきたしかねない。そこで、土壌汚染対策法の制定後すぐに、廃掃法が改正され、そのおそれがある土地は指定区域として指定されることになった（15条の17）。

　指定区域は指定区域台帳に記載され、一般の閲覧に供される（廃掃15条の

18)。指定区域内において土地の形質の変更をしようとする者は、事前にその変更内容等について都道府県知事に届け出なければならない（同法15条の19)。届け出られた内容が基準に適合しないときは、都道府県知事から変更命令が出る（同条4項）。軽微な行為等に一定の例外があるが、指定区域が最終処分場廃止後どのような状況に現実に置かれているのかを確認して土地利用を検討すべきものである。最終処分場の廃止時に廃止基準が遵守されて廃止され、その後も適正管理が行われているということが確保されていなければ、利用できないという事態にも陥るからである。

大きく形質変更を行う場合は、当該廃棄物処理場跡地の土地利用が水源地の水質に影響がないかを十分注意する必要がある。影響が懸念される場合は、関係住民らから当該利用を停止させることを目的とした訴訟が提起される等の事態に発展しかねないからである[15]。

なお、届出または許可の下に廃棄物処理場として利用されていた土地は、以上のとおりだが、不法投棄の土地やかつて環境法規がほとんど存在していなかった時代に大量に廃棄物が投棄された土地もある。このような土地が本当はずっと手ごわいが、その状況はさまざまであろう。土地の取得にあたっては、十分な注意が必要である。このような土地には、しばしば土壌汚染が存在しているからである。

(11) 土壌汚染と会社買収

会社を買収する場合に、会社が所有したり賃借したりしている土地の土壌汚染だけに着目するのでは不十分である。会社の過去の事業活動が、会社の所有していない他人の土地の土壌汚染を引き起こしている可能性があるからである。会社が所有したり賃借したりしている土地の土壌汚染については、これらを物として買う場合のリスクと同様であるから、ここでは、あくまでも他人の土地に土壌汚染をもたらしてしまっている場合の会社としての責任

---

15) 水源の水質保護を確保するために廃棄物処理場設置の差止め事件の裁判は数多く、差止めを認める裁判も多い。詳細は、宮崎淳『水資源の保全と利用の法理』（成文堂、2011）273頁以下等参照。

について整理する。

　第1に、工場が大気を有害物質で汚染し、その有害物質が雪のように近隣に降り積もる様子をイメージするとわかりやすいが、大気汚染を経由した土壌汚染の発生がありうる。ダイオキシンによる土壌汚染はまさにこの種の土壌汚染が問題になったものである。ダイオキシンだけでなく煙突から排出するガスに有害物質が含まれれば、大気拡散から地表の土壌汚染に結びつく可能性がある。

　第2に、工場の周囲に地下水経由で汚染が拡散する場合がある。これは、十分にありうるので、汚染のある土地の隣地との境界付近での地下水調査はかかせない。ガソリンスタンドの地下タンクからのベンゼンの流出とその拡散はよく発生する。

　第3に、工場で発生した廃棄物を受入土地の所有者との合意で受入土地に埋設している場合がある。昭和40年代半ばまでは今に比較すると公害法規がないに等しい時代であったので、今では考えられない廃棄物の処理もありうる。その廃棄物に土壌汚染対策法の特定有害物質があれば、現在の土地所有者（受入土地所有者から購入した所有者）から土壌汚染の原因者として責任追及を受けかねないし（埋設行為が埋設時に違法であるということがなければ不法行為にはならないと思われるが）、土壌汚染対策法の要措置区域になる場合は原因者として行政庁から対策の指示や命令を受けかねない。事業内容から、過去に多くの廃棄物を発生させている会社の場合は、それがどのような処理をされているのか、他人の土地に埋設された場合は自ら埋設したと見られるか等を確認するのが賢明である。

　第4に、会社が過去に所有したり賃借したりして土壌汚染をもたらしながら、その土壌汚染について対策をせずに他人に売却している場合がある。これは、事案としてはかなりあるのではないかと思われる。これも第3のケースと同様の問題がある。つまり、不法行為責任が問題にされたり、行政庁から指示や命令が出る可能性がある。なお、この場合は、第3のケースにおける問題に加えて、売却時の信義則上の説明義務違反が問われかねないことに

も注意が必要である。信義則上の説明義務については、**第5章3**で述べる。

3　解体予定建物が存在する土地

(1)　売買契約上の処理

　土地売買の際に土地上に古い建物が存在する場合がある。売主に更地にしてもらって土地の引渡しを受けるという場合と、買主が古い建物の残ったまま土地の引渡しを受けるという場合とがある。後者の場合も、古い建物の所有権移転登記を受けて買主が取り壊す場合（以下「後者①」という）と、古い建物の所有権移転登記は受けずに買主が取り壊して、古い建物の滅失登記に必要な書類を売主から受領するという場合（以下「後者②」という）もある。後者の場合はいずれも解体費用は売買価格から減額される。

　後者のケースは、建物解体と建物新築とを合わせて行うことで、効率的な工事計画を策定できて工期も短縮できるメリットがある。しかし、この場合、古い建物の所有権は、売主になお残すのか、買主に移転させるのかという問題がある。取り壊すのであるから価値的には無価値であるが、手堅い処理としては、所有権を買主に移転させるべきである。買主として、建物をどのようにでもなしうるからである。また、その場合も、手堅い処理は、後者②ではなく後者①の処理である。取壊しまでに仮に第三者から売主に対する裁判所の命令で、古い建物に仮差押えや仮処分がなされてしまうと、その債権者との間で話合いがつかなければ、建物を取り壊せなくなるからである。しかし、売主が十分に信用に足る場合は、あえて後者①の処理を行うまでもなくて、後者②の処理でよいとの判断がなされるであろう。後者②の処理を行う場合も、クロージング日に買主は売主から建物所有権移転登記に必要な書類をあずかっておくことが手堅い。ただし、所有権移転登記は行わずに、解体後、売主名義で滅失登記申請を行ってもらうので、解体後にあらためて売主に協力してもらうことになる。クロージング日時点で滅失関係登記関係書類を日付空欄で受領しておき、買主経由で滅失登記申請を行うことの了承をとっておくことも検討すべきである。

第1部　不動産の売買

　前者のケースは、買主にとって手堅い処理なので、買主が新築を急がなければ、勧められる方法である。買主は本来土地しかほしくないのであるから、目的に沿った取引方法でもある。前者のケースで注意すべきことは、更地の意味である。買主としては、単に地表に建物が残されていないというだけでなく、地下にも建物の残骸が残らないということを期待して「更地渡し」と合意している場合が通常であると思われる。そこで、地中の建物の残骸、典型的には、建物の基礎杭はすべて除去を求めていると解すべき場合が通常であろう。この点は誤解がないように売買契約書で「更地」の意味するところを明示しておくべきである。

　なお、後者のケースは、買主が土地建物の引渡しを受けた後にすみやかに建物が解体されるのが通常であるが、このような建物の中にはアスベストが入っている場合が少なくない。引渡し以前にくまなく調査したつもりでも見落としがありうる。解体中にアスベストが判明して、飛散防止措置をとっていなかったとして紛争になった事例も少なくない。建物の解体又は改修時には、後述するとおり（第3章4参照）、さまざまな注意事項があることに留意すべきである。

(2)　残存杭の廃掃法上の問題

　古い建物の解体過程で、新たな建物の新築に妨げとならない基礎杭を地中に残すことについて、ある地方都市の廃棄物処理担当部局が問題にしたことがあった。不要物であれば産業廃棄物であり、地中に残すことは不法投棄であるというのである。

　同様の見解を有する地方公共団体もあるが、この見解には次のような問題がある。

　第1は、基礎杭を残すか否かは、売主の判断であり、解体業者は、売主の指示で解体を行っているもので、基礎杭を残すようにとの指示を受けている解体業者にとって基礎杭の撤去はなしえないことである。したがって、解体業者の「事業活動に伴って生じた廃棄物」という産業廃棄物の定義に該当しない。

　第2は、基礎杭を残すことが売主の基礎杭の不法投棄となるかと考える

と、基礎杭を地中に残すことで生活環境の悪化はないことから「何人も、みだりに廃棄物を捨ててはならない。」(廃掃16条)との不法投棄禁止規定にも抵触しない。したがって、残置することを廃掃法違反とすることは誤った処理と考える。しかも、基礎杭を抜くと空洞ができ地盤が緩むから対策としてセメントミルク等を空洞に流し込む必要も出てきて、かえって良好な環境の維持保全の観点では望ましくない結果をもたらしかねない。

　しかしながら、ある地方都市の事例では、残置される杭はあくまでも残置されても有用であるということを示せと迫られ、既存基礎杭を新しい建物の支えとして活用できる特定の杭だけ残置を認められ、それ以外は抜くことを求められ、企業はこれに応じた。争う時間もない企業としては、また、監督官庁との良好な関係を維持したい企業としては、理不尽と思いながらも、そのような内容で妥協せざるをえなかったものと思われる。

　上記地方都市が上記のような頑なな態度をとった背景には、今は効力がないが、かつて、昭和57年6月14日付け「廃棄物の処理及び清掃に関する法律の疑義について」(各都道府県・各政令市産業廃棄物行政主管部(局)長あて厚生省環境衛生局水道環境部産業廃棄物対策室長通知)というものがあり、そこに「地下工作物の埋め殺し」という問答が掲げられていたことがあるように思われる。その問いは、「地下工作物が老朽化したのでこれを埋め殺すという計画を有している事業者がいる。この計画のままでは生活環境の保全上の支障が想定されるが、いつの時点から法を適用していけばよいか。」というもので、答えは、「地下工作物を埋め殺そうとする時点から当該工作物は廃棄物となり法の適用を受ける。」というものであった。上記地方都市の対応は、このかつての通知に引きずられた対応にもみえる。ただ、この問答の対象物は、残置すると生活環境保全上の支障が想定されているものである。たしかに廃油貯蔵施設等が残置されると、劣化等により油汚染等の生活環境保全上の支障が想定されうる。しかしながら、建物の基礎杭一般は、残置することで生活環境保全上の支障は考えられないから、この問答を前提にしても、廃棄物にはなりえないと解される。

第3章

建　　物

1　建築規制の常識

(1)　建物と建築基準法との関係

　建築物の基準を決めている法律は建築基準法である。建築基準法は昭和25年5月24日に公布され、同年11月23日に施行された。それ以前の建築規制法であった市街地建築物法（大正8年制定）にとって代わったものである。以後、たび重なる改正を経て、今や、この法律はきわめて複雑なものとなっており、読みこなすことは経験のある弁護士や建築士でも難しい（条文の引用が重なりすぎて、暗号の解読のような作業を強いられてしまう）。

　建築物の新築等の場合は、建築計画について建築確認を経て、建築確認どおりの工事がなされたことの竣工検査を経て使用が開始できる。建築確認であり建築許可ではないのは、基準に合致している限り建築行為は自由であるという前提でこの法律ができているからである。すなわち、一定の特別な対応を求めようとすると、許可をもらわなければならないが（例えば、建基59条の2の総合設計許可等）、そうでなければ、基準に合致している限り建築はでき、ただ、その建築計画が基準に合致していることの確認を得てから着工せよというものである。その意味では、行政庁の裁量権はなく、行政権の濫用に苦しめられることはないが、基準に合致していればよいため、合致している限り、奇抜なデザインの建築の出現が可能となるという問題もある。

　ヨーロッパのように建築不自由を前提にして建築許可の制度にしないから無秩序で乱雑な都市が生まれたとの批判もあるが、そもそも築後数百年の石

造り建物も現役で活躍しているヨーロッパと日本を同列に論じることには無理がある。地震も多く木造建築がほとんどであった日本の戦後復興期において建築を許可制にできるほど、あるべき建築物の像が国民または地域住民の間で共有されていたとも思われない。しかも、建築材も建築工法もさまざまなものが生まれて発展する途上であったから、安全、衛生、快適という観点で一定の基準は定めるが、それ以上は国民の創意工夫による建築行為に委ねざるをえない歴史的背景があったと思われる。ただし、日本ほど敷地分割（subdivision）が自由に認められている国は珍しいのではないだろうか。いまだに小規模開発のとりとめもない敷地分割が続いている。これこそが日本の市街地を劣化させている最大の要因であると私は考えている。

　ところで、建築基準法1条では、「この法律は、建築物の敷地、構造、設備及び用途に関する最低の基準を定めて、国民の生命、健康及び財産の保護を図り、もつて公共の福祉の増進に資することを目的とする。」とある。この「最低の基準」とは、一体何なのかが問題である。同法の基準は頻繁に変更されていることは常識である。最低基準がそんなに変更されるものなのかという疑問は当然で、同条の「最低の基準」の意味は、新築する場合の「最低の基準」と読むしかない。

　実際、後述するが、建築基準法の基本的な取扱いは、新築時の基準に合致した計画によらない建築は、違反建築物になるが、新築時の基準に合致していれば、後に基準が変わって合致しなくなっても、「違反建築物」とはならず、「既存不適格建築物」となるだけで、そのままの使用は許される。したがって、最新基準がすべての建築物の最低の基準を決めるものではないことは、このことだけをみてもわかることである。

　以上のとおりであるから、現在の日本の建物は、①新築時からその時の基準に違反している違反建築物と、②新築時の基準に合致してはいるがその後の新基準には合致していない既存不適格建築物と、③最新基準に合致している最新基準適合建築物の3種類のどれかに分類されるが、基準が頻繁に変わるので、③の最新基準適合建築物は数が少なく、多くは、②の既存不適格建

築物であり、①の違反建築物も数が多いという状況である。

　市街地建築物法は、内務大臣が適用地域を指定でき、適用地域内では、用途地域制度による地域区分、建蔽率の導入、高さ制限、建築線、構造規制、防火対策等の規制の適用がなされた。建築基準法の施行とともに市街地建築物法は失効したが、同法の下で適法に建築されていた建物は、既存不適格建築物として取り扱われた。市街地建築物法の適用地域外に建築されていた建築物は、特段の建築規制がない限り、建築規制がなかったため、建築基準法制定時に既存不適格建築物とされた（建基3条2項）。したがって、戦前の多くの建築物も既存不適格建築物として、そのまま使用することはできる。

　ただし、既存不適格建築物は、老朽化等により著しく保安上危険または著しく衛生上有害となるおそれがあれば、除却等の命令を受けることがある（建基9条）。

(2) 容積率の意義

　建築基準法は、単体規定と集団規定に分類できる。単体規定は、全国の建物に適用され、構造上の安全性や設備および衛生に関する規定である。集団規定は、都市計画区域内に適用される規定で、周囲との関係で建物およびその敷地に求められる要件を規定するものである。集団規定の中で特に重要なものは、用途規制、建蔽率、容積率である。建物の用途は、用途地域ごとの用途規制に従う。また、建物は、用途地域ごとに認められたメニューの中から地方公共団体が選ぶ建蔽率および容積率の制限に服する。

　市街地建築物法時代は、住居地域内では20m、それ以外では31mの高さ制限があった。1963年に容積地区制度を導入したところでは、高さ制限を撤廃した代わりに容積率の規制が始まった。高さ制限が原則として全面的に廃止され容積率規制にとって代わられたのは1970年の建築基準法の大改正による。

　その後の容積率の規制の変遷はめまぐるしいが、ほぼ緩和の方向で進んでいる。特に最近の都心部の容積緩和は著しい。詳細は第3部第2章で後述する。容積率緩和はさまざまな都市計画手法とセットになっているが、床需

要が大きくなれば容積率も高くなるという関係がある。ただし、容積率は、これにより許される床供給が、既存のインフラストラクチュアの整備状況で支障がない範囲でなければならない。都心部のように床需要が大きい地域では容積率の大小に地価が連動するといってよいほど容積率が土地価格に与える影響は決定的である。床供給可能性の大小で土地の使用収益可能性の大小が左右されるからである。しかしながら、一般的に日本の容積率はかなり緩く、ほとんどの地域で許容された容積率を使い切っていないと言われている。

(3) 建物の敷地

建築確認を受けるには、建築計画だけでなく、その建築物の敷地も明示しなければならない。建物が敷地との関係で重要なことは3つである。

第1は、建築確認機関は、建築主が当該敷地に建築権限があるかといった私法上の権利の調査はしない。また、当該敷地が他の建物の敷地として使用されているのかの調査もしない。当該敷地が他の建物の敷地としては使用されておらず、また、建築主が当該敷地に建物を建てる権限があるとした場合に、建築計画どおりに建築すると、適法に建築できるのかを確認してくれるだけである。

第2は、建物の敷地は、建築基準法上の道路（42条）に2m以上の幅で接していなければならない（43条1項）。「建築基準法上の」と修飾語をつけたのは、例えば、「道路法上の道路」というものもあり、法律ごとに「道路」の定義が異なるからである。この要件については後述するが、接道義務と言われる。ある土地がこの要件をみたさないと、その土地は建築できない敷地であるから、その土地上の建物は、違反建築物か致命的な既存不適格建築物である。物件チラシに「再築不可」とある物件の多くは、敷地がこの接道義務をみたしていないという意味であるが、このような警告は、当該建物は違反建築物の可能性もあることを示唆しており、単に再築時だけの問題ではない。この点も後述する。

第3は、建物は、その敷地ごとに建築基準の要件をみたすか否かを判断す

ることになる。この場合、1つの敷地に認められる建物は1つであることが原則（一建築物一敷地の原則）であるが、複数の建物が1つの敷地に認められる場合もある。それらの建物が用途上不可分の関係にある場合である（建基令1条1号）。1つの敷地に用途上不可分の関係にない建物が複数棟存在することが認められるのは、特に例外規定がある場合である。その例として一団地認定があるが、これは後述する（第3部第2章1参照）。

(4) 耐震関係規定

日本は、大地震のつど、建物の耐震性能に関する規制を改正してきた。大正9年に市街地建築物法において許容応力（建物が地震の外力に抵抗し壊れるまでの許容値）度設計が導入された。大正12年に関東大震災があり、翌大正13年、市街地建築物法が改正され、水平震度（重力加速度に対する地震加速度）0.1の規制を導入した。昭和25年の建築基準法制定時には、許容応力度設計として、建物の重量の2割の力を水平方向に作用させて、その力に対して建物が安全であるように構造計算をすべきことが規定された。すなわち、水平震度の規制を0.2に引き上げた。昭和43年に十勝沖地震が起き、昭和46年に建築基準法・同施行令が改正され、剪断補強量の強化が規定された。昭和56年には建築基準法・同施行令の大改正が行われ、偏心率、剛性率、保有水平耐力の規制が導入された。これが新耐震基準[16]と呼ばれるもので、世上、旧耐震建物、新耐震建物とは、それぞれ、この改正が施行された日（昭和56年6月1日）より前に建築に着工した建物、後に着工した建物で

---

[16] 新耐震基準の設定にあたっては2つの地震について検討することが義務づけられた。1つは、その建物が存続する間に2、3回遭遇する可能性がある中規模の地震（震度5弱程度：80～100ガル）に対する検討である。これについては建物の被害が軽くてすむことを目標とする。今1つは、その建物の存続中に遭遇するかもしれない大規模な地震（震度6程度：300～400ガル）に対する検討である。これについては建物が倒壊しないことを目標とする。なお、必要保有水平耐力（大規模地震時に建物が受けるであろう地震力）に対する保有水平耐力（建物が崩壊する直前の建物全体の耐力）の割合が1以上であれば大地震時にも倒壊しないことになる。

あることを意味する。市場では、旧耐震建物か新耐震建物であるかで経済的評価に歴然たる差がある。したがって、建物取得にあたっては、当該建物がどちらなのかの確認が重要である。

その後、平成7年に阪神淡路大震災が発生し、同年、耐震改修促進法が制定された。平成16年に新潟県中越地震が発生し、また、平成23年に東日本大震災が発生し、そのつど耐震改修促進法が改正された。詳細については第5部第1章2で述べる。

耐震改修促進法が制定されたのは、それまでの耐震性に対する規制のあり方に対する反省からである。阪神淡路大震災では6,400人以上が死亡したが、その多くは建造物の倒壊によるものである。旧耐震建物の被害が大きかったことから、旧耐震建物の耐震性向上の取組みが不十分であったことが痛感された。したがって、一定の建物に耐震診断と耐震改修の努力義務が規定された（その後、一定の建物には耐震診断が義務づけられたが、この点については、第5部第1章2で詳述する）。

また、後述するが、既存不適格建築物に大きく手を入れる場合は、手を入れる部分だけではなく、不適合部分をすべて最新の建築基準に適合させなければならないという原則が建築基準法には存在する。しかし、この原則のために、耐震改修により不適合部分の全面適合化を強いられ、その難しさゆえに耐震改修がためらわれるということもあった。そこで、耐震改修に関しては、建築基準法の外で行えるように、耐震改修計画が耐震関係規定に適合しているときは、その旨の認定を受けると、建築確認通知を受けたものとみなされて、その余の不適合部分はそのままに耐震工事のみ行うことができるとされた（耐震改修17条10項）。

(5) 建築基準関係規定と消防法

建築確認は、建物の新築等の建築行為を行うにあたり、建築計画がその時点の建築基準に適合していることを確認することであるが、その建築基準とは、どの法令まで及ぶのかという問題がある。これについては、建築基準法上定義がある。すなわち、同法6条1項の「建築基準関係規定」である。「建

築基準関係規定」とは、建築基準法およびこれに基づく命令および条例の規定（以上は、「建築基準法令の規定」と定義されている）その他建築物の敷地、構造または建築設備に関する法律ならびにこれに基づく命令および条例の規定で政令で定めるものをいうとされている。この「政令」とは、建築基準法施行令9条であり、そこに消防法以下合計16の法律が列挙されている。しかも、列挙されている法律の全条文ではなく、建築基準関係規定に入る条文が特定されている。したがって、建築確認機関は、建築基準法令の規定だけでなく、一定の法律の一定の条文で規定されているものを「建築基準関係規定」としてとらえて、当該建築計画がかかる「建築基準関係規定」に適合しているかどうかを判断していることになる。

　建築基準関係規定の中で代表的な規定が消防法の諸規定であるが、消防法7条では、建築確認機関が建築確認を行う場合は、原則として、建築物の工事施工地を管轄する消防長または消防署長の同意を得なければ確認をすることができないと定めている。このように、建築確認にあたっては、消防の専門家である消防の所轄庁のチェックが入る。

　建築基準関係規定の中では、消防用設備等の設置・維持を規定した消防法17条が重要である。消防法の規定も頻繁に改定される。この場合、消防用設備等を変更後の基準に常に合わせなければならないとすれば、建築物の構造にも変更を加える必要が出てきて関係者に大きな経済的負担をかける（ただし、その基準も実現性を考慮して大規模の建物により厳しい基準を課している）。したがって、建築基準法の既存不適格建築物と同様に、既存の建物には原則として従前の規定を適用するが、火災発生の際に人命等の危険性が特に高い防火対象物の消防用設備には新たな規定を遡及して適用することにしている。これが、消防法17条の2の5第2項4号の規定であり、百貨店、旅館、病院、地下街、一定の複合用途防火対象物その他政令で定める多数の者が出入りする防火対象物であり、これらは、人命安全確保の観点から経済的負担を課してもやむをえないと判断されたことによる。

2 違反建築物

(1) 違反建築物に対する評価

　日本は違反建築物だらけであるという社会常識がある。山ほど違反建築物があるから違反建築物であるかどうかを気にする必要もないという考え方もかつては多かった。しかし、今や、この考え方は変更を迫られている。

　いくつか要因があるが、第１に、違反建築物の取得には融資が得られないことが常態になっているということである。新築建物の場合、今や、確認通知書と検査済証の提出がなければ融資はおりないと考えてよい。中古建物は、当該建物が新築時の建築基準に合致して建築されたのか否かの判断が難しく、また、建築確認通知書や検査済証の紛失もありうるので、新築時ほどこの点が厳しくはみられないが、違反建築物であることが明らかでありながら金融機関が融資をすることは考えにくい。

　第２に、証券化物件で信託銀行に建物を信託譲渡する場合、違反建築物の信託を信託銀行は引き受けない。証券化物件は限定的ではあっても、証券化ニーズもある中で、違法性が証券化の障害になることを考えると、違法性に無関心ではいられない。

　第３に、アメリカ式の不動産売買契約の条項の１つに表明保証条項がある。これについては、後述するが、しばしば、当該建物は違反建築物ではないことを売主は表明保証をさせられる。違反建築物であれば、この表明保証ができないので、売れないか、売るにあって値下げ交渉を受ける。

　以上のようなことから、今や、少なくとも企業間取引において、売買建物が違反建築物であるかどうかということは、売買の成立や売買価格の決定において大きな判断要素である。

(2) 違反建築物取得のリスク

　違反建築物取得のリスクとしては、建築物の除却、移転、改築、増築、修繕、模様替え、使用禁止、使用制限その他の是正措置の命令を受けるリスクがあるということである（建基９条）。しかし、山ほど違反建築物がある中

で、かかる命令を出すことは、恣意的な行為にみえるので行政庁も嫌う。行政法的には比例原則違反の問題があるからである。そこで、よほど悪質な場合でなければ、命令を受ける実質的リスクはないといってよいであろう。

　それならば、他に不利益がないかといえばいくつかある。第1は、建築確認は、単に新築の場合だけでなく、増改築、大規模修繕や大規模模様替えや一定の用途変更の場合も必要である（建基6条1項）。しかし、違反建築物であれば、全体を最新の建築基準に合致させる内容で建築確認申請をしなければ、確認が出ない。これは、しばしば事実上不可能なことである。そうなると、このように建物に大きく手を加える必要が起きたときの選択肢は次の4つである。①その工事を断念するか、②取壊すか、③転売するか、④違法を承知で、無断で大きく手を入れるかである。④の選択肢は、信用ある大企業では選択できない。③の選択肢は、後述のとおり、違反建築物は違反であることの正確な説明をしていなければ売主としての法的責任を負うことになり、正確な説明をすれば買いたたかれる。②の選択肢は、ありうるが、想定外の事態として大きく損が出る可能性がある。①の選択肢は、必要な工事をしないということであるから、建物が物理的に劣化するか経済的に陳腐化して収益を生み出しにくくなる。

　第2は、賃貸に出す場合に違反建築物を告知せずに賃貸することが後日賃借人から賃貸借契約解除または損害賠償のリスクを負うことがないかという問題である。違反建築物であるということは、違反建築物ではないと信じて賃借するテナントからすれば、隠れた瑕疵（契約不適合）と言える。明らかに何かあやしい建物であれば、そもそも適法建築物と信じて借りたのかということが問題になるが、一見してまともな建物の場合は、隠れた瑕疵（契約不適合）と評価されるであろう。従って、違反を告知して賃貸に出す等の対応が原則として求められ、収益性確保の観点からもリスクがあることになる。

　第3は、処分も賃貸も不自由であるとなると、自己使用をするかであるが、違反が従業員や来訪する客等の安全や健康を害するリスクを実質的に有

している場合は、かかる選択はとりえない。

　第4に、転売の困難がある。第6部補論で言及するように平成29年の民法改正によって、「隠れた瑕疵」概念が追放され、「契約不適合」概念が導入された。明示又は黙示に違反を了解しているという事情がない限り、違反建築物はすべて「契約不適合」と性格づけされかねない。違反建築物を適法建築物にするための修補は事実上不可能な場合が多く、減額請求されることになろう。これに応じなければ、買主から解除を言われかねず、違反建築物であることを軽微な問題とも言えない以上、解除権が行使されれば、解除されることになる。善良な買主ばかりであれば不都合は少ないが、たちの悪い買主に遭遇すると、売主は苦しめられる。したがって、売主は、売買建物が違反建築物か否かに無神経ではいられない時代を迎える。違反建築物であれば、それを明示していなければ、買主からの「契約不適合」責任追及にさらされる危険がある。古い建物の場合、違反建築物か否かは売主にも不明なことが多い。したがって、売買建物が違反建築物か否かは売主も把握していないこと、売買建物は違反建築物であるかもしれないこと、売買建物が違反建築物であることを理由として売主に「契約不適合」責任を追及しないこと等を売買契約の買主の了解事項に列挙し、「違反建築物」であることが直ちに契約不適合とは性格づけられないように、契約条項を工夫する必要がある。

　なお、違反建築物を使用することは、行政庁から使用禁止等の命令が出ていない限り、罰則の適用はなく、犯罪ではない[17]。問題は、違反に起因して事故が生じた場合の建物所有者の民事上の損害賠償責任や建物所有者の取締役の刑事責任である。民事上の責任については後述する。なお、施主は、建物（いわゆる4号建築物、すなわち、建基6条1項4号に規定する木造平屋又は2階建て建物等は除かれる。ただし、2025年4月以降4号特例は廃止され、木造平屋建て（延べ面積200㎡以下）が新3号で除かれる）の新築時には、例外的な場合（仮使用認定がなされる場合）を除いて検査済証の交付を受ける前に建物を使用したり、使用させたりすることは許されない（建基7条の6）。新築建物が着工時の基準に適合していてもいなくても、この規制はかかり、この

手続に違反すれば、罰則もあり（1年以下の懲役又は100万円以下の罰金、建基99条1項1号）、犯罪である。これは、手続違反についての処罰である。

3　既存不適格建築物

(1)　既存不適格建築物に対する規制

いかなる建物も建築後の建築基準の変更により、必ず既存不適格建築物になる運命にあり、頻繁に建築基準の変更がある以上、既存不適格建築物であるということをもって、その取得を問題視することは不合理である。しかし、既存不適格建築物に対する規制を正確に理解しておくことが重要である。

既存建築物に新規基準が遡及適用されないということは、おそらく世界各国において共通の取扱いである。アメリカでは、この種の条項はgrandfather's clause と呼ばれている。小学生にパソコンの使い方の学習を義務づけても、お年寄りにパソコンの使い方の学習を義務づけるのはどうかといった問題である。しかし、最新の基準からするといつまでも既存不適格建築物の不適合部分を残すことは望ましいことではないので、所有者が大きく手を入れるような場合、つまり、一定の大きな資金を投じて建物に手を加える場合等（以下「遡及トリガー(trigger)」という）は、「それだけ資金があるの

---

17) したがって、テナントによっては違反建築物であることなどまったく気にしないというたくましいテナントもいるであろう。このようなテナントと組んで違反建築物で収益を上げて何が悪いのかという開き直ったビジネスもありうる。このようなビジネスは、使用禁止命令のリスク（これはかなり小さいであろう）や事故のリスク（これは建物の状況による）を引き受けているわけである。私の経験では外資が日本の不動産を買い漁っていた頃、バルクセールとして積みこまれていた物件の1つに新宿だったか賃料は明らかに高いが法令違反が明白な居酒屋があった。私はすっかり嫌気がさすのかと思っていたところ、「いいですね」と言ったかどうか正確な言葉は忘れたが、違反建築物であることを外資が意に介さなかったことにやや驚いたことがあった。収益性は七難隠すのかもしれない。その種のビジネスはたしかにあるわけである。実際にこの種のビジネスがなければ、私たちは魅力的な（日常生活をうるおす）居酒屋の多くを失うかもしれない。

なら、不適合部分を全部最新基準にしてください」という要請から、不適合部分の解消が求められる。すごく大まかに言うと、増改築、大規模な修繕・模様替え、用途変更等の行為をする場合には原則として新規定に適合させる必要がある（建基3条3項3号、87条3項）。しかし、不適合部分の全部の解消を求められても、解消が物理的にできないとか経済的にできないという場合も十分に考えられる。したがって、建築基準法ではこの要請も徹底してはおらず、さまざまな例外が設けられている（86条の7）。遡及トリガーを引くことになるのか否かの判断は、建築基準法の詳細な規定を追って確認していかなければならない作業を伴う。この作業は、もはや弁護士等の法律家だけでは無理であり、建築士の協力が必要となる[18]。

　遡及トリガーを引かない場合、例えば、大規模修繕や大規模模様替えに至らない修繕や模様替えの場合、全体の不適合部分の解消は必要なくとも、当該修繕や模様替えを行う部分の工事にあたって、いかなる建築基準に従うべきかという問題がある。法律的には、遡及トリガーを引かない工事を行うのであれば、既存不適格建築物の不適合部分は建築基準法の適用がないので、その部分の修繕や模様替えについての建築基準法の規制はないと考えられて

---

[18] さまざまな例外が規定されているが、これは、あくまでも既存不適格建築物への配慮であり、違反建築物であれば、不適合部分すべての解消が求められる。したがって、増改築や大規模な修繕又は模様替えの場合、対象建物が既存不適格建築物か否かは非常に重要なポイントになる。そのため、既存不適格建築物の増改築等をする場合は、既存不適格調書の提出が求められる（建基則1条の3第1項表2（61））。しかし、過去、建築確認通知は取得していても検査済証は取得していないとか、検査済証を紛失しているとかの事情で、検査済証がない場合、それを既存不適格建築物と判断することは容易ではなく、これがリノベーションを妨げる大きな要因であったとも言われていた。そこで、この問題を解決するため、国土交通省が平成26年7月2日付国住指第1137号「検査済証のない建築物に係る指定確認検査機関を活用した建築基準法適合状況調査のためのガイドライン」を出した。このガイドラインに従い、届出を行った指定確認検査機関が依頼者から提出された図書に基づき、図上調査と現地調査を行い、対象建物の建築当時の建築基準の適合状況について、その調査結果を法適合状況調査報告書にまとめ、これをもって既存不適格調書の資料とすることができるようになった。

いる。少なくとも新たに工事をする部分は、最新の基準に適合した工事でなければならないのではと考えやすいが、遡及トリガーを引かない以上は、不適合部分に建築基準法の適用はないとされるので、自由に工事ができる。これが国土交通省の見解でもある。そのため、遡及トリガーを引く工事を行うまでは、不適合部分の修繕や模様替えは、ある時は建築時と同様の工事を、ある時は最新の基準に従った工事を、ある時はその中間的な工事をいずれも適法に行えるということになる。このように遡及トリガーを引かない間の工事が最新の基準の工事ではないことにより何らかの事故を引き起こしたような場合は、民事責任や刑事責任で対応するということになり、建築基準法違反の問題にはならない。民事責任については第5部第2章2で後述する。

(2) 既存不適格建築物取得のリスク

既存不適格建築物取得のリスクは、以下のようなものである。

第1に、既存不適格建築物といっても、千差万別であることから、一律に論じるべきではないが、取得時点ですでに遡及トリガーを引く工事を予定していながら、遡及トリガーを引くことに気づかないまま取得するリスクがある。しかも、物理的にまたは経済的に不適合部分の全面的解消は事実上不可能であるとなると、取得した目的を達成できない場合がある。

第2に、既存不適格建築物でも新築時以降相当に長期間を経過している場合があり、遡及トリガーを引く工事でなければ、建築確認手続は必要がないので、過去の工事履歴を示す図書が不十分である場合が多い。

第3に、既存不適格建築物は、その存在が許され、使用ができるといっても、それは建築基準法上できるというだけであって、物理的に劣化が進んでいるとか、新たな基準で考えると危険であるとかの問題があり、そのような事態を放置して事故が発生した場合は、別途、民事責任や刑事責任を負いうる。違反建築物ではないからといって、事故が発生しても責任を負わないということにはならない。

(3) 既存不適格建築物の売却のリスク

第6部補論で説明するように、平成29年の民法改正で動機の錯誤が正面

から認められた。上述するように、買主にとって、既存不適格建築物のかかえる問題は売買時点では見えにくい。売主にとっても、買主が売買建物をどのように使用したいのか、または改修したいのかわからない。しかし、買主が売買建物を取得後改修して利用することを売買契約の交渉時に口走っていれば、注意を要する。取得後の改修が売買契約の基礎とされて表示されていると解されて、改修が不能又は著しく困難な場合は、売買契約を「錯誤で取消す」といった事態も招きかねないからである。売主にとっては、買主の計画の詳細等がわからないのだから、「表示」されていないといった反論をすべきだが、このような紛争に巻き込まれないようにするには、ここでも、売買契約に、売主は、売買建物が既存不適格建築物か否かは把握していないこと、売買建物は既存不適格建築物かもしれないこと、売買建物が既存不適格建築物であることを理由として売主に「契約不適合責任」を追及しないことを、買主の了解事項として定めておくべきであろう。そうすることで、買主に自らの責任と費用で売買建物の調査をすることを促す必要がある。

4 アスベスト入り建物

(1) アスベストとは

　アスベスト、すなわち石綿（イシワタともセキメンとも呼ぶ）とは、天然の鉱物繊維である。不燃、耐熱性、引っ張り強さ、熱・電気絶縁性、耐薬品性、耐腐食性、耐久性、親和性などの点で高い性能を有するため、さまざまな用途に利用されてきた。アスベストは、その繊維が空気中に浮遊した状態にあると危険であり（水の中のアスベストは危険性がないと言われる）、空気中に飛散したアスベスト繊維を大量に吸引すると、中皮腫（胸膜や腹膜などにできる悪性の腫瘍で、ほとんどアスベスト曝露によると見られている）、肺がん、アスベスト肺等の病気になりうる。

　平成 17 年 6 月 29 日にクボタが尼崎市にある旧神崎工場のアスベスト被害を公表した。その被害者が多いことと工場周辺でもアスベスト特有の病気で死亡した人が相当数いたことから、その発表は日本社会に大きな衝撃（いわ

ゆるクボタショック）を与えた。国も、この深刻な事態を前に対応を迫られ、平成18年に石綿健康被害救済法が制定され、労災補償の適用がない人にも官民拠出の基金から、医療費、療養手当、葬祭料等が支給されることになった。アスベスト被害は、それまでアスベスト製品に関わる労働者の健康被害と一般に考えられていたが、工場周辺の住民まで被害を受けることがあるということがわかった。アスベストの危険性はそれまでも広く知られ、国も年々規制を強化していたが、クボタショックを契機に国はアスベストの全面的な使用禁止にふみきった[19]。

　アスベスト被害による死者の数は年々増えている。令和4年の中皮腫による死者数は1,554人である。アスベストがどれほど危険であるかは、この数字だけを見てもわかる。アスベストの使用は現在禁じられており、平成2年以降の日本国内の使用量は急速に減少しているにもかかわらず、このように年々死者が増えたのは、アスベストを吸い込んだ時期から発病まで時間がかかるからである。中皮腫の潜伏期間は40〜50年前後と言われる。

　アスベストは、曝露量が多いほど中皮腫や肺がんのリスクが増加すると言われているが、一定以上の曝露があれば発病するという閾値（シキイチ）がなく、場合によっては低濃度の曝露でも発病すると言われている。したがって、空気中にアスベスト繊維がどの程度飛散していれば危険で、どこまでなら安全かを数値で示すことは困難である。ただし、平成21年度まで東京都が一般大気中のアスベスト繊維の濃度の推移を公表していた。その数値は、せいぜい1L当たり0.2本程度であった。もっとも、かつて、自動車部品にアスベストが使用されていた時代は、この値はより大きいところが数多くあった。現在、一般には、1L当たり0.5本を実務上の定量下限値として測定しており、これに至らなければ、特段のリスクがあるとは考えられていない。しかし、これを超えると気になる数値であって、例えば、建物内で0.5本を常時超えているようであれば、建物内でアスベストが何らかの原因で飛散しているの

19）クボタショックまでの規制の経緯については、小澤英明『建物のアスベストと法』（白揚社、2006）25〜46頁参照。

ではないかと疑ったほうがよいと思われる。天井裏の吹付けアスベストもダクト等を通じて室内に飛散する可能性があるとも言われているので、専門業者になぜアスベストの濃度が高いかの原因を究明してもらう必要がある。

もっともアスベストも数種類存在しており、種類により危険度も違う。過去、日本で使用されてきたアスベストは、青石綿（クロシドライト）と茶石綿（アモサイト）と白石綿（クリソタイル）が主たるものである。青石綿と茶石綿は特に危険度が高い。

アスベストは、その耐火性等から建物に過去多く使われている。アスベスト含有建材は、通常3種類に分けられる。レベル1と言われる吹付け材（吹付けアスベスト、吹付けロックウール、吹付けバーミキュライト等）、レベル2と言われる耐火被覆材、配管保温材、煙突用断熱材等、レベル3と言われるセメントで固めた成形板等である。レベル1は、経年劣化により飛散するおそれが高いものである。レベル2は、レベル1以外の飛散性アスベストであり、通常は被覆されているので飛散のおそれは低いが、手で容易にもみほぐすことができ、取扱いによっては飛散しやすいアスベストである。レベル3は、非飛散性アスベストであり、破砕などしなければアスベスト飛散のおそれはないと考えられている。

レベル1の吹付けアスベストの存在が建物買主にとっては一番気になる存在である。そのままでもすでに経年劣化してアスベスト繊維を飛散させている可能性があるからである。レベル2は、レベル1ほどではないが、損傷や劣化でアスベストの飛散のおそれがある。レベル3は、平常時は飛散のおそれはないが、解体時やリフォーム時に手荒な対応をするとアスベストの飛散のおそれがある。したがって、アスベストが含まれている建物には各種の規制がかけられており、アスベストが含まれていない建物より、対応にコストが余計にかかる。特に、対策が必要なアスベストが作業困難な部位にあると、対策工事自体が容易ではなく、テナントの営業を継続させながらの対処が難しい場合もある。建物にアスベストが使用されているということは、大なり小なり、売買価格の減価要因になる。

したがって、建物を取得する場合は、アスベストの有無に留意が必要である。レベル1やレベル2は、熟練した者であれば、目視点検でも相当程度把握できるが、レベル3になると、商品名まで記載した設計図書がないと存在の把握すら困難であるという問題がある。

中古建物のうち、いつ着工した建物からアスベストが含まれていないと言えるかが知りたくなるものだが、古い建材が使用されている可能性もあり、その時期はなかなか判然としない。ただし、代替製品がないごく例外の製品を除いて、平成18年からは全面的にアスベスト製品の製造、輸入、譲渡、提供、使用が禁じられたので、固く見て平成18年を基準に考えておけばよいように思われる。もっとも、平成7年以降、アスベストの含有率が1％を超える吹き付け作業が禁止され、平成16年以降アスベスト建材の使用等も禁じられたので、平成7年からは大きくリスクが減じられ、平成16年以降はリスクがほぼないとも言えるが、規制対象のアスベストの含有率は、平成18年に1％から0.1％に変更されている。したがって、現行の0.1％を基準に考えると、なお、平成18年以前に着工した建物まではアスベストが建物に使用されているリスクを否定することはできないように思われる。いずれにしても、平成10年頃までに竣工した建物には普通に建材等にアスベストが含まれていると考えておくべきで、その頃までに竣工した建物の売買において、建物にアスベストが含まれていたからといって、これを瑕疵（改正民法の文言では「契約不適合」）と考えることはできないだろう。平成10年頃以降に竣工した建物については微妙な判断になりそうで、事案ごとに検討が必要ではないかと思われる。なお、平成10年頃、外資が日本の建物を購入した際に、私がクライアントの外資に対して「建物にはアスベストが含まれていると思います。」と助言したことがあった。その後クライアントから、「アスベストを理由に値引き交渉ができた、ありがとう。」と言われた記憶がある。「値引き交渉に使ったか！」と思ったが、当時は、アスベストもまた土壌汚染同様に一般には気にされていなかった。

(2) 平常時のアスベスト規制

　過去のアスベスト規制は、主として労働者の労働環境の確保の立場からなされてきた。その集大成とでもいうべき規制が労働安全衛生法に基づいて平成17年に制定された石綿障害予防規則である。クボタショックと同じ年に制定されたが、石綿障害予防規則の方が先行しており、クボタショックが原因で制定されたものではない。

　平常時でもレベル1またはレベル2の建材は損傷または劣化により飛散の可能性があり、このような建物環境で労働者を働かせないように、石綿障害予防規則は事業者に対して規制を行っている。すなわち、同規則10条1項で、吹き付けられた石綿等（「石綿等」とは、石綿およびこれをその重量の0.1％を超えて含有する物を意味する。同規則2条、労働安全衛生法施行令6条23号参照）または張り付けられた保温材、耐火被覆材等が損傷や劣化等により飛散し、労働者が曝露するおそれがあれば、事業者は、その除去、封じ込め、囲込み等の措置を講じなければならない（ただし、石綿障害予防規則10条1項でレベル2もレベル1と同様の規制に服したのは平成26年改正以降である。したがって、レベル2のアスベストの調査がされていない建物が多いことに注意が必要である）。このような状況の建物は、対策されないままでは労働環境として提供できない。そのため、かかる建物が賃貸されている場合は、賃貸借当初から曝露の危険性があれば瑕疵がある物件であるし、賃貸借の途中で曝露の危険性が生じれば、賃貸人に修繕義務がある。したがって、レベル1またはレベル2のアスベストの存在は、建物取得時に十分な注意が必要である。

(3) 解体時またはリフォーム時のアスベスト規制

　建物の解体時やリフォーム時には、アスベスト建材からアスベスト繊維が飛散する可能性が特に高いので、かかる作業に従事する労働者の健康保護、建物内または周囲の住民等の健康保護の観点から規制がある。

　解体工事とリフォーム工事とが業法上一般的にどのような規制にあるかを整理すると、次のとおりである。すなわち、解体工事は、建築物の構造耐力

上主要な部分の全部または一部を取壊す工事として、建設業法上の許可を要する。ただし、500万円未満の工事しか行わない業者は、建設業法上の許可を受けずに解体工事業を行えるが、いわゆる建設リサイクル法（正式名称は「建設工事に係る資材の再資源化等に関する法律」）の登録が必要である。

　一方、リフォーム工事は、解体工事に該当しないもので、内外装の仕上げ材の撤去・新設を行う工事であるが、これも500万円以上の工事を行うのであれば、建設業法上の許可を要するが（許可区分は解体工事の場合と異なる）、500万円未満の工事しか行わない場合は、建設業法の許可は不要で、しかも、解体工事の場合と異なって、建設リサイクル法の登録も不要である。したがって、500万円未満の工事しか行わない解体工事業者またはリフォーム業者の法令遵守を監督する部分の法制度が十分には整備されていない。

　解体時またはリフォーム時の作業従事者の健康保護の観点からは、石綿障害予防規則が厳しい規制を行っている。すなわち、建物の解体等の作業（解体工事やリフォーム工事で破砕等の作業を含む工事）を行う場合、事業者は、アスベスト（レベル3を含む）の有無を目視、設計図書等により調査し、その結果を記録し、3年間保存しなければならず（同規則3条1項、7項）、解体部分の床面積が80㎡以上の建築物の解体工事や請負金額が100万円以上の建築物の改修工事等にあっては、所定の事項を電子システムで労働基準監督署長に報告する必要がある（同規則4条の2）。これは、調査の結果、アスベストが含有されているか否かに関わらない。アスベストが含有されているか否かは、厚生労働大臣が定める講習を修了した者に調査、分析を行わせなければならない（同規則3条4項、6項）。アスベストが含有された建築物の解体等の作業をする場合は、アスベストによる労働者の健康被害を防止するため、所定の事項を作業計画に定め（同規則4条）、その作業計画により解体等作業を行わなければならない。また、レベル1またはレベル2のアスベストを含んでいる建物の解体等の作業を行う場合は、労働基準監督署長に届け出る必要がある（同規則5条1項）。解体等の作業を行う場合は、上記調査方法と調査結果を、「労働者」が見やすい場所に掲示しなければならない（同規

則3条8項)。作業基準についても石綿障害予防規則で定めがある。レベル3については、上記の届出義務はないが、作業基準には従わなければならない。事業者は、作業計画(同規則4条)に従って解体等の作業を行わせたことを確認できる実施状況の記録を写真等で3年間保存しなければならない(同規則35条の2)。

　解体時またはリフォーム時の建物内または近隣の住民等の健康保護の観点からは、大気汚染防止法の規制があり、平成26年に大きく改正された。改正のポイントは、レベル1またはレベル2の解体等の作業については、「特定工事」として、従来とは異なり、受注者ではなく発注者に、都道府県知事に対する届出義務を課した(同法18条の17第1項)。もっとも、発注者はアスベストに詳しくないので、受注者は当該解体等の作業が「特定工事」に該当するか否かについて調査を行って発注者に対して調査結果を記載した書面を交付して説明しなければならないとされた(同法18条の15第1項)。同法は、近隣住民の健康保護も目的としているので、調査結果等(特定工事に該当するか否か)を解体等の作業場所において「公衆」に見やすいように掲示することが求められる(同法18条の15第5項)。作業基準も同法で定められている。

　なお、大気汚染防止法は、令和2年にも改正され、レベル1やレベル2だけでなく、レベル3も含め、すべてのアスベスト建材に規制対象を拡大した(改正前はレベル1とレベル2だけを「特定建築材料」として、その排出等作業を規制対象としていたが、改正後は、レベル3も含めてすべてのアスベストを含有する建築材料を「特定建築材料」として、その排出等作業を規制対象とした。)。すなわち、特定建築材料を使用している建築物の解体等の工事は「特定粉じん排出等作業」として、レベル3が含有されている建築物の解体等においても、その作業基準は厳しく規制され(法18条の14)、都道府県への作業の事前届出義務は課されないものの、解体等の元請業者は、作業計画を定めて(同法18条の14、同規則16条の4)、作業を行い、作業が完了したことを確認し、発注者にその旨報告し、作業記録を工事終了後3年間保存しなければな

らない（同法18条の23、同施行規則16条の16、16条の17）。また、レベル3の建材の除去の作業については、できるだけ切断や破砕することなくそのまま建築物から取り外すこと等を定めた作業基準が新設された（同法18条の14、同施行規則16条の4第6号、同規則別表第7、四）。このように、大気汚染防止法がレベル3も包含して規制を始めたことにより、建物賃貸借契約終了による原状回復義務履行時におけるアスベストの調査及び処理に従来にない費用が生じ、オーナーとテナントの間の紛争が生じうる事態になった。この点については後述する。

　受注者が、安易にアスベストがないと判断してその旨発注者に告げ、発注者がこれを鵜呑みにしてアスベスト対策をせずに解体工事等を行ってしまった場合は、深刻な問題が生じることもあるので、そのような事態にならないように、十分に注意が必要である。例えば、近隣住民が不安を覚えて市町村にアスベストがないかを調査してほしいと要望することがあり、市町村がこれを受けて現場を見て、可能性があると思えば検体を調査に出すこともある。そこでアスベストがあることが判明すれば、事態を収拾させることが容易ではない。すでに解体工事等が一定程度進んでいれば、アスベストが飛散してしまっているわけだが、近隣住民にとってどの程度リスクがある飛散であったか等が判然とせず、不安を覚えることになるからである。屋外での短期間の飛散であれば、大量に吸引した近隣住民は通常はほとんどいないはずであるが、密集市街地では、気になる住民もいるであろうし、近隣が保育園、幼稚園、小学校等であれば、保護者の怒りはおさまらないであろう。このような近隣住民に対する対応は、時間のかかることであり、そのためだけに解体後の建設プロジェクトが長期間ストップすることになりかねない。それは、巨額の損害をもたらしかねない。したがって、解体工事等を行う場合は、信用のおける受注者に慎重な事前調査を行わせることが必須となり、建物内のアスベストを決して軽視してはならない。なお、近隣住民等とのリスクコミュニケーションの取り方については、環境省が平成29年4月に公表（令和4年3月改訂）した「建築物等の解体等工事における石綿飛散防止対策

に係るリスクコミュニケーションガイドライン」が参考になる。

　解体時またはリフォーム時において排出されるアスベストが入った廃棄物の規制としては、建設リサイクル法と廃掃法とに注意が必要である。建設リサイクル法は、建設廃棄物の再資源化を目的とする法律であるから、その観点からしか規制に関心がない。したがって、対象工事は、木材、コンクリート、アスファルト・コンクリート等（建設リサイクル法2条5項、同法施行令1条）という、放置すればリサイクルされないおそれのある資材に係る工事である。解体工事であれば床面積80㎡以上の工事が対象となり（建設リサイクル法9条3項、同法施行令2条1項1号）、発注者に都道府県知事に対する届出義務があり（建設リサイクル法10条1項）、受注者に事前調査、分別解体計画の作成、事前措置（吹付けアスベスト等の除去等）、分別解体等の義務がある（同法9条1項・2項、同法施行規則2条）。吹付けアスベストが附着している鋼材は、建設リサイクル法の対象資材ではないので、建設リサイクル法上は規制がない。なお、建設業法の許可のない解体工事業者の登録制度が同法上規定されていることは前述した。

　廃掃法において、レベル1およびレベル2は、特別管理産業廃棄物の廃石綿等（廃掃令2条の4第5号ト、廃掃則1条の2第9項）というものに分類され、固型化、薬剤による安定化等の措置を行った後、ビニール等耐水性の材料で二重に梱包し（廃掃則8条の13第5号ヘ参照）[20]、廃石綿等の表示を行う（廃掃令6条の5第1項1号、4条の2第1号ニ、廃掃則1条の10）。そのうえで、他の廃棄物とは区別して運搬し（廃掃令6条の5第1項1号、4条の2第1号イ(2)）、管理型最終処分場へ運ぶ。そこで一定の場所で分散しないように埋め立てて覆土するという処理を行う（廃掃令6条の5第1項第3号ワ）[21]。ただし、最終処分場での埋立てをできるだけ減らすために、溶融・無害化という中間処理を行うことが望まれている。レベル3は、特別管理産業廃棄物では

---

[20] 環境省「石綿含有廃棄物等処理マニュアル（第3版）」（2021）36頁等参照。
[21] 廃掃令6条の5第1項3号では必ずしも管理型でなければならないとまでは読めないが、環境省・前掲注20) 72頁参照。

第1部　不動産の売買

ないという意味で通常の産業廃棄物になるが、特に石綿含有産業廃棄物という名称で呼ばれており、処理にあたって通常の産業廃棄物より処理基準が厳しくなっており、中間処理では溶融・無害化のため以外の破砕等が禁止され、最終処分場では一定の場所で分散しないように埋め立てて覆土するという処理を行う（廃掃令6条1項3号ヨ）。なお、石綿含有産業廃棄物の最終処分は、廃石綿等とは異なって、性状によっては安定型最終処分場に埋立処分ができる。つまり、安定型産業廃棄物以外の廃棄物の混入や附着がなければ可能である[22]。

以上にみるように、建物の解体時やリフォーム時に留意すべき規制は複雑であり、それぞれの規制が縦割り行政で進められているため（石綿障害予防規則は厚生労働省、大気汚染防止法や廃掃法は環境省、建設リサイクル法は国土交通省・環境省である）、規制が十分に整理されていない。個々の法律に従って必要な処理を平行して行わなければならない。また、解体やリフォームで排出されるアスベスト入り廃棄物は、取扱いが厳重で、その最終処分も規制が厳しく、これらの規制を遵守するために、コストがかかる。

5　建物とPCB

PCBは、難分解、高蓄積、長期毒性の典型的な化学物質であり、昭和48年（1973年）の化審法（正式名称は「化学物質の審査及び製造等の規制に関する法律」）により製造が禁止されたが、かつては広く利用されていた。すなわち、PCBは、化学的に安定している、熱により分解しにくい、絶縁性が良い、沸点が高い、不燃性であるなどの性質を有し、熱媒体（装置を加熱あるいは冷却して目的の温度の制御するために外部熱源と装置との間での熱を移動させるために使用される流体）、変圧器（英語でtransformer：トランスと呼ばれることが多い）及び蓄電器（ドイツ語でKondensator：コンデンサーと呼ばれることが多い）用の絶縁油、感圧複写機等幅広い分野で使用されてきた。カネミ

---

22)　環境省・前掲注20) 82頁参照。

第 3 章 建　　物

　油症事件は、昭和 43 年（1968 年）に食用油の製造過程で熱媒体として使用された PCB が食用油に混入して、多くの深刻な健康被害をもたらした。

　実務上、しばしば問題になるのは、取引対象の建物内に保管又は放置されている、PCB 廃棄物、すなわち既に使用を終えた PCB 使用機器、とりわけトランスやコンデンサーの取扱いである。

　PCB は昭和 47 年には通産省の行政指導で製造が中止されたので、それ以降に PCB を使用した機器の製造はないが、それまでに製造された PCB 使用機器は、そのまま使用を許された。そのため、PCB 使用機器は、その使用を終えるまで長く使い続けられ、順次 PCB 廃棄物となったが、問題は、その安全な廃棄物処理が困難であり、また、その処理を可能とする焼却施設を建設しようとしても住民の反対が強く、長年、PCB 廃棄物の処理が進まなかったことである。そのため、使用が終わった PCB 使用機器は、建物内や建物の屋上に残置され、紛失や PCB 廃棄物からの PCB の漏出等の問題が発生した。かくして、PCB 廃棄物の処理体制の整備と PCB 廃棄物の適正処理は急務であり、平成 13 年（2001 年）、PCB 廃棄物特措法（正式名称は「ポリ塩化ビフェニル廃棄物の適正な処理の推進に関する特別措置法」）が制定された。これにより、PCB 廃棄物保管者はその保管及び処分状況を毎年度都道府県知事に報告しなければならないこととされ、PCB 廃棄物は所定期間内に処理施設で処分すべきことが定められた。処理施設も順次整備された。かくして、平成 28 年、PCB 廃棄物特措法及び関連政省令の改正により、ようやく全国 5 か所の処理施設のエリアごとの計画的処理完了期限が明確化され、処分期間内に、PCB 廃棄物を保管する者は、その処分等をすることが義務づけられた（PCB 廃棄物特措法 10 条）。

　上記のとおり PCB 廃棄物の処理が長年進まなかったため、処分できないまま、全国いたるところで保管されることになった。PCB 廃棄物は、処理施設において適正処理をするために行う場合を除き、譲渡が禁じられるので（同法 17 条）、保管場所において長年放置されることが多く、PCB 廃棄物から PCB を含む絶縁油が漏洩する等の事故の発生も少なからず発生した。

平成28年のPCB廃棄物特措法の改正により、順次、PCB廃棄物は処理施設で処理が進んでいるため、取引対象の不動産において、PCB廃棄物が保管されていれば、それは既に処理期間を過ぎたPCB廃棄物の可能性が高い。不動産とともに譲渡はできないものであるから、売主の責任で処分を進める必要がある。

PCB廃棄物の管理が不十分で、例えば、古いトランスやコンデンサーからPCB入りの廃油が漏洩し、建物を汚染したり、土地を汚染したりしている場合もある。その場合は、汚染されたコンクリートガラの処理や汚染土壌の掘削除去に費用がかかるので、注意を要する。PCBは、土壌汚染対策法の特定有害物質のひとつであり、(土壌汚染対策法2条1項、同施行令1条25号)、第3種の特定有害物質である(同施行規則4条3項2号ロ)。

6 新築建物

(1) 新築建物の売買の法的性格

新築建物の売買は、新築マンションや新築戸建てでよくあることだが、売買契約時点では売買の対象物である建物自体が存在しない場合がある。その場合の売買の法的性格は、売主は、買主に対し、一定期日までに、所定の設計図書に基づいて建物を完成させたうえで、建物の所有権を移転して引渡し、買主は、建物所有権の取得に対し、対価を支払うというものである。完成義務は、請負と類似の法的性格を負う。請負と異なるのは、売主において設計図書を用意し、買主には、発注者としての権利も義務もないことである。もちろん、一部オーダーメイドというオプションもありうるが、原則として、買主は、所定の設計図書に基づいて建物が完成されることを条件として、建物を購入する権利と義務があるだけである。オーダーメイドのオプションの度合いが大きくなると、請負に近づく。

平成29年の民法改正では、「隠れた瑕疵」に代わって「契約不適合」の概念が採用され、修補請求がすべての売買契約の目的物に認められるようになり、新築、中古を問わず、修補請求が認められるようになった。この点につ

いては、第6部補論を参照されたい。

宅建業法では、未完成の建物の売買について一定の規制を行っている。すなわち、宅建業者が未完成物件について広告を出す場合は、建築確認を得た後でなければならない（宅建33条）。また、未完成物件について売買契約を締結する場合は手付け保全の措置が原則として必要となる（宅建33条の2、41条参照。ただし、買主も宅建業者である場合を除く。宅建78条2項参照）。なお、宅建業法上の重要事項説明書でも未完成建物についての規制が定められている（35条1項5号、宅建則16条）。また、判例は、未完成物件についての売主の説明義務を強く求める傾向にあるので、日照・眺望等、重要事項説明書の記載として説明を義務づけられていない点まで説明義務を求められることがあることに留意が必要である。

(2) 品確法における瑕疵担保責任の特則

平成11年に品確法が制定された。この法律は、新築住宅の請負契約および売買契約に関する瑕疵担保責任の特則を定めた点で重要である。すなわち、品確法では、新築住宅の取得契約である請負契約や売買契約において、主要構造部分等の瑕疵担保責任を10年間義務づけている（94条・95条）[23]。これに反する特約で発注者や買主に不利な特約は無効である。

品確法において瑕疵担保責任に関する特則が適用されるのは、新築住宅の構造耐力上主要な部分等に限定されている。品確法の「新築住宅」の定義は、「新たに建設された住宅で、まだ人の居住の用に供したことのないもの（建設工事の完了の日から起算して1年を経過したものを除く。）」である（2条2項）。また、「構造耐力上主要な部分等」とは、「構造耐力上主要な部分又は雨水の浸入を防止する部分として政令で定めるもの」である（品確94

---

[23] 平成19年に成立した「特定住宅瑕疵担保責任の履行の確保等に関する法律」は、品確法の瑕疵担保責任を売主である宅建業者や請負者である建設業者が確実に履行できるように、これらの者が契約をする場合に保証金の供託または保険への加入を義務づけた。ただし、買主や発注者が宅建業者であれば、かかる義務はない（2条6項2号ロかっこ書・7項2号ロかっこ書）。

条1項、同法施行令5条）。

　留意しなければならないのは、新築住宅に付される品確法に基づく10年間の瑕疵担保責任の利益を転得者は直接的には享受できないことである。典型的な事例として、デベロッパーBが、ゼネコンAに新築マンションの建設を請け負わせ、分譲し、買主Cがいる状況を考える。Aは、Bに対して10年間の請負契約に基づく瑕疵担保責任を負う。また、BはCに対して10年間の売買契約に基づく瑕疵担保責任を負う。Cが完成後4年経過した段階でDに転売し、さらに3年を経過した時点で構造耐力上の主要な部分に瑕疵が発見されたという状況を考える。Dは、Cに対して、CD間の売買契約に基づき瑕疵担保責任を追及しうるが（瑕疵担保期間が切れていればできないが）、Bに対してはできないし、Aに対してもできない。BやAとの間で直接の契約関係がないからである（ただし、Aが請負工事の瑕疵につき、Dに対して不法行為上の責任を負う場合もなくはない。これについては、第4部第2章5の別府マンション事件の解説を参照されたい）。しかし、構造耐力上の主要な部分等の瑕疵であれば、マンションではほとんどの場合、共用部分の瑕疵と考えられ、当該住戸にしか影響のない瑕疵は通常考えにくい。結局は、分譲時の他の取得者がBに対して、品確法により売買契約に基づく瑕疵担保請求権を行使し、Bは、Aに対して、品確法により請負契約に基づく瑕疵担保請求権を行使することができるため、Dも事実上は利益を受けられるであろう。しかし、戸建て住宅の場合は、同様の状況ではないので、転得者は、事実上の利益も享受できないことになる。Cに対する売買契約上の責任を追及するしかない。

　また、開発型の証券化案件において開発主体がマンションを建設してこれを売却するような場合、開発主体が売却後にすぐに解散すると、事実上、かかる開発主体は品確法上の責任を負いえない。買主が施工業者の瑕疵担保責任を直接に追及できるように手当てをしておくなどの対応をしない限り、買主は事実上保護されない。形式的に法人格が利用されると、この種の問題が発生することに取引関係者は十分に注意をしておく必要がある。

7 共同ビル取得のリスク

(1) 共有ビル取得のリスク

　共同ビルとして、共有ビルと区分所有ビルとがある。区分所有ビルには区分所有法が適用される。また、管理については同法に基づくだけでなく詳細な規約が通常定められており、かつ、主として居住用マンションを対象に発達してきた多くの判例があるので、区分所有建物で紛争が生じた場合は、裁判所での判断の予測が比較的立ちやすい。しかし、共有ビルの場合は、共有一般の法理に従うだけで、その民法の規定はきわめて簡単なものである。信頼関係を前提にしているからである。しかし、時間の経過とともに、その信頼関係も失われるおそれがある。その場合のために、民法は、共有物分割請求権を用意しているが、共有物分割を前提にした関係者の話合いは、イレギュラーなことなので、通常は、関係当事者が許容しうる買主への共有持分の譲渡が選ばれるであろう。しかし、経済的な紛争にとどまらない感情的な紛争が生じれば、紛争解決までに相当のエネルギーを使わざるをえない。したがって、共有ビルを取得する場合は、他の共有者をよくみきわめることが肝心である。

　共有物の共有持分の譲渡は民法上自由であり、共有にかかる共同ビルも同様である。しかし、通常、共有にかかる共同ビルの譲渡には他の共有者に先買権を与えることが多い。つまり、先買権があれば、ある共有者甲がAに共有持分を売却したい場合、共有者乙は、その売却価格以上の価格で買うことを条件にAをおしのけて自分に売れと甲に請求できる。この種の条項の入った共有者間協定が存在している共同ビルであればまだよいが、そうでなければ、共同ビルの共有持分を購入するということは、他の共有者が誰になるかがわからないリスクを引き受けることになるので、十分な注意が必要である。

　共有にかかる共同ビルの裁判事例は少ないため、仮に、共有者間で管理をめぐって紛争が生じれば、解決のための基準が乏しく、大変な苦労をするこ

とがありうる。共同ビルの抱える問題については、**第2部第1章**で説明する。一旦、共有関係になったら同章に指摘するさまざまな問題が起きうることに注意しておく必要がある。特に、区分所有法上の共用部分の管理または変更の規定は、民法の関連規定とは異なる。これは、逆に言うと、共同ビルでは、民法の共有規定では不都合なことが多いということを示している。建物の管理や変更については、個別のビルの特性に応じて適切な共有者間協定が存在するのか、取得時によく検討が必要である。

(2) **区分所有建物取得のリスク**

区分所有建物については、共同ビルの管理運営を適切にするための、区分所有法の規定もあり、規約もあり、判例も少なからずあるので、紛争が生じた場合の裁判所の判断の予測可能性は共有ビルよりも高い。区分所有ビルも事業用ビルの場合は、区分所有者間協定で、専有部分を処分する場合に他の区分所有者に先買権を与えて、許容できない買主の出現を阻むメカニズムを組み入れている場合がある。しかし、管理に関わることではないので、規約に書いていても、専有部分を購入した者を当然にしばることができないと考えられる。共有ビルの場合は共有者間の取決めとして承継者を拘束すると考える余地があるのと比較して、この点でリスクがある。

今1つのリスクは老朽化のリスクである。区分所有建物の建替えが非常に難しく、実例がかなり乏しいということは、しばしば居住用マンションで指摘されているが、事業用の区分所有建物でも事情は同じである。特に、生業を営んでいる店舗経営者等が区分所有者であり、建替え費用の新たな負担も負えず、しかし、他に転出することは収入の道を閉ざすことになるといった場合は、建替え合意が非常に難しくなる。零細店舗経営者等が区分所有者である場合は、建替えだけでなく、費用負担の大きいリニューアルも容易ではないことに留意すべきである。共有ビルの場合は、共有物分割訴訟で関係を絶つことができることが民法の強行規定で保障されているが、区分所有建物の場合は、現行法は区分所有関係の解消という制度がなく（解消という制度があれば、通常の共有に戻れる。この点については**第2部第1章1**で述べる）、

建替え制度しか用意されていないので、老朽建物が朽ちていくのを見ているしかないという問題がある。現行法で、この問題を解決しようとすれば、第3部第5章で説明する市街地再開発事業にのせるなどの大がかりな対応が必要になる[24]。

8 借地権付建物取得のリスク

(1) 新築・増改築・修繕

定期借地が導入された以後は、少なくとも事業用では、新規の借地契約のほとんどは定期借地であると思われる。定期借地の場合は、期間の終了時期が明確であり、許された土地利用規制に合致する以上は、地主が借地人に対して、新築・増改築・修繕等にうるさく口を出すことはない。口を出す意味がないからである。しかし、普通借地の場合は、これらの工事で建物の寿命が長くなると、借地も終了させにくいという事情があり、また、これらの行為を地主の承諾事項とする書式の借地契約が一般に使われてきたこともあり、借地人のこれらの行為について、地主がしつこく口を出しやすい。終了させることは難しいから、こういうきっかけで承諾料を得ようとするのである。したがって、新築・増改築・修繕等を地主の承諾事項とする借地契約にかかる建物を取得する場合は、この地主リスクを考慮する必要がある。新築・増改築・修繕等の予定が明確にある場合は、建物取得時の借地権譲渡承諾の際に、これらの工事の承諾も合わせて得ることが望ましい。

(2) 原状回復

借地契約のほとんどに原状回復条項があると思われる。この義務との関係で深刻な問題に土壌汚染がある。特に昭和40年代半ば以前に借地を開始し

---

[24] 居住用マンションの建替えについては、区分所有法とは別に「マンションの建替え等の円滑化に関する法律」が存在する。なお、同法の平成26年改正により、耐震性が不足している老朽化マンションについて、マンション敷地売却制度の創設および容積率緩和の特例が定められた。しかし、これも買受人に代替住居の提供やあっせんを内容とする買受計画の作成を求めるなど（同法109条2項4号、110条3号参照）、敷地売却までのハードルが高い。

た物件では、公害法規が今から比べるとなきに等しい時代の土地利用であるので、工場敷地に排水をたれながしたり、また、工場敷地に有害物質を含む廃棄物を埋めたりしている事例は山ほどある。この種の土地利用も当時は許されていたのであるから、かかる土地利用のもたらす土壌汚染は地主も容認していたことであり、土壌汚染のない状態に戻すことは借地人の義務ではないという立論もありうる。しかし、地主からすると、借地人がどのように土壌汚染をもたらす事業活動をしていたかはわからないことが多いのであって、一般論として、明確に容認しているとまで言える事案は少ないのではないかと思われる。

　したがって、多くの場合は、借地契約終了時に、原状回復義務として、土壌汚染の除去または浄化という完全な対策を求められかねない。これは、時に莫大なコストを発生させかねない。借地権付建物を取得するということは、借地人の権利義務を承継するということであり、賃貸借終了時に開始時の状態まできれいな土地にすることを求められれば、莫大な負の遺産を引き継ぐことになることに十分注意が必要である。メーカーが工場を買収する場合、工場が一部借地を抱えているということはよくあることである。

第4章

取引関係者

1 宅地建物取引業者

(1) 媒　　介

　不動産の売買にあたって、不動産を仲介する宅建業者に求められる役割は大きい。「仲介」とは、法律用語ではなく、宅建業法では、「媒介」がこれに該当する。取引当事者間の契約成立に向けて尽力する行為と解されている。仲介でも媒介でも不動産取引に関しては同義と解しうるので、以下は、宅建業法の用語に従って、「媒介」という言葉を用いる。宅建業法の免許が必要なのは、業として、売買、交換または賃貸の媒介または代理を行うか、業として、売買、交換を行うことについてである。賃貸を業として行う場合に宅建業の免許が不要であるのは、必要であるとすると、個人のアパート業にも免許が必要となり、現実的ではないからである。

　媒介の場合、成功しないと、すなわち、売買契約や賃貸借契約が締結されないと、宅建業者には報酬請求権はないと考えられている。これは、媒介行為が商法の商事仲立にいう「仲立」行為に類することから、商法550条1項を類推適用されるべきと判例学説上考えられているからである[25]。このように、不動産の媒介は、仲立に類するとはいうものの、私法上これについて直接規定したものはない。したがって、その法的性格は、契約書の文言や判例や実務をみて、当事者が合理的に期待しているルールを探って判断するこ

---

[25] 岡本正治＝宇仁美咲『詳解 不動産仲介契約〔全訂版〕』（大成出版社、2012）95頁参照。

とになる。他人に頼まれた専門的役務を提供するという意味では、委任に近いところもあるが、委任と異なるのは、売主からも買主からも媒介を頼まれることが許されているということである。双方から依頼される場合は、双方が依頼者になるので、どちらかの一方当事者だけの利益を守ることはできない。後述するように、宅建業者の媒介の報酬には制限がある。そのため、実務上、宅建業者には、このように双方から頼まれる、いわゆる「両手」の媒介を行う動機が生まれる。双方から報酬をもらえるからである。しかし、当然、当事者は、当該宅建業者が相手方と気脈を通じることを心配する。その場合は、当事者も宅建業者に本当のことは言わないという手で自己の利益を守るか、自分の依頼した宅建業者に対して相手方との媒介契約を禁じることになる。したがって、宅建業者は媒介にあたり、相手方とも媒介契約を結んでいるのかを明示しなければならないし、相手方と媒介契約を締結する場合は先に媒介契約を締結した当事者にその旨告知し、了解をとるべきである。このような説明がなければ、宅建業者に当方のボトムラインを不用意に知らせかねず、それが悪用される可能性があるからである。判例集未登載だが、かかる了解をとる義務を認め、了解をとらずに相手方とも媒介契約を締結して、誠実な価格交渉をしなかったとして、相手方から宅建業者が受領した報酬相当額につき損害賠償を認めた事例が報告されている[26]。

　外国の居住者が日本の不動産を購入する場合、かかる外国の居住者に当該不動産を媒介する行為は、宅建業法の規制に服する。一方、日本の居住者が外国の不動産を購入する場合、かかる日本の居住者に当該不動産を媒介する行為は、宅建業法の規制に服さない[27]。要するに、宅建業法2条2号の「宅地若しくは建物」とは、日本にある「宅地若しくは建物」と解されている。

　宅建業者が売買または賃貸の媒介をする場合、宅建業法上報酬の制限がある（46条1項、令和元年8月30日国土交通省告示第493号）。消費税10％の前

26) 広島高判平成22年9月17日、岡本＝宇仁・前掲注25) 273頁以下参照。
27) 東京高判昭和61年10月15日判タ637号140頁。

提で、400万円を超える売買代金の場合は、媒介報酬の上限が売買代金の3.3％に6万6,000円を加えた額が上限である。ただし、売主買主双方から依頼された媒介であれば、売主買主それぞれからかかる上限までの報酬を請求できる。また、賃貸借の場合は、賃貸人賃借人双方から依頼を受けた媒介であれば、双方の合計は、1か月分賃料の1.1倍である。依頼者の一方からは、1か月の賃料の0.55倍である。

　このような報酬規制をわずらわしく感じる契約当事者もいる。すぐに希望にかなう契約相手方を探してくれるのであれば、かかる上限にこだわらないという理由からである。したがって、時に媒介手数料と異なる名目でサービスの対価が支払われることがある。しかし、これは、報酬上限の規制逃れで違法ではないかという問題が生じうる。契約の成立がなくても支払う対価は、媒介報酬とは別に考えられる可能性が十分にあるが、契約の成立があって初めて支払われる対価は、媒介報酬と考えられる可能性も十分にあるので、媒介報酬ではないことの説明が明快に可能かどうか検討する必要がある。なお、かつては、不動産の売買であれば、当然のように売買金額の3％プラス消費税を媒介報酬として求められたが、これは上限金額であり、交渉で下げうることに留意すべきである。

　媒介を行う宅建業者は、単に契約の成立に尽力するサービスに価値があるだけでなく、不動産に関する重要な事実を、買主や賃借人に説明するところにも価値がある。これは、まさに、専門家の仕事であり、宅地建物取引士は、その専門家としての役割を期待されている。弁護士が宅地建物取引士と同等のサービスを行えるわけではない。したがって、時に、宅建業者の媒介なく、売主と買主との間で契約条件等がほぼととのい、問題は、宅建業者が関与していれば行われるはずの重要な事実の説明が専門家からなされていないだけであるという場合もある。このような場合、重要な事実の説明を抜かすと、買主や賃借人としては、見えない重大なリスクを抱える場合がある。したがって、重要な事実の説明を宅建業者に説明してもらうことが慎重な対応である。しかし、このサービスの対価を売買価格に一定の割合を乗じて決

めることが合理的とも思えない。あたかも、不動産売買契約の法的レビューを行う弁護士報酬を売買価格に一定の割合を乗じて決めることが多くの場合不合理なように。したがって、このような場合は、かかる専門家的サービスについて、対価としていくらを支払えば宅建業者が引き受けてくれるのかを打診して、合意できる金額で引き受けてもらえるならば、かかるサービスの提供を受け、対価を支払うべきである。なお、その場合も、買主や賃借人（賃借人が神経質になるのは、賃借自体が賃借人にとって大きな投資を伴うもののような場合に限られるであろうが）としては、媒介契約を締結して、ただ、主眼を重要な事実の説明に置き、対価をしかるべく設定することが望ましい。こうすることで、宅建業者は媒介において通常必要とされる注意義務をもって重要な事実を説明することを求められるからである。

(2) 物件の性状に関する特筆すべき重要事項

宅地建物取引士は、宅建業者が自ら物件を売却する場合や売買もしくは賃貸を媒介する場合には、買主または賃借人に対して重要事項を説明しなければならないが（宅建35条）、このうち、特に注意すべきものとして、土壌汚染、アスベスト、耐震性、中古建物についての説明がある。中古建物については、平成28年の改正により、挿入された。また、その他は、近時の社会的関心の増大に応じて規制が追加されてきたものである。

土壌汚染については、宅建業法35条1項2号の法令に基づく制限における「政令で定めるもの」に土壌汚染対策法9条ならびに12条1項および3項が追加された（宅建令3条1項56号）。すなわち、要措置区域および形質変更時要届出区域の形質変更に関する制限規定が追加され、その規制を説明すべきものとされた。したがって、これらの区域に指定されていれば、重要事項として、これらの説明義務がある。

アスベストについては、宅建業法35条1項14号の国土交通省令で定める事項として、「当該建物について、石綿の使用の有無の調査の結果が記録されているときは、その内容」が定められた（宅建則16条の4の3第4号）。したがって、この調査記録があれば、重要事項として、その内容について説明

義務がある。

　耐震性については、同様に、建物が耐震診断を受けているときはその内容も重要事項の対象とされた（宅建則16条の4の3第5号）。したがって、この耐震診断がなされていれば、重要事項として、その内容について説明義務がある。

　このように、重要事項で必ず説明しなければならない事項は、土壌汚染についても、アスベストについても、耐震性についても、限定的だが、だからといって、これらに関して、単に重要事項説明の対象事項だけ説明すれば、それ以上に宅建業者は説明責任を負わないと考えるべきではなく、後述する信義則上の説明義務違反の問題を常に意識しておかなければならない。この点は、第6章で説明する。

　なお、平成28年の宅建業法改正で、中古建物について、重要な改正が行われた。特に中古住宅の流通が活発ではないという日本の状況の一因が中古建物の状況についての重要な情報が買手に適切に開示されていないということにあるとの反省の下、次の改正がなされた。

　すなわち、第1に、売買の媒介契約の締結にあたっては、中古物件の建物の構造耐力上主要な部分等についての状況調査の斡旋に関する事項を記載することが宅地建物取引業者に義務づけられた（平成28年改正宅建34条の2第1項4号）。つまり、このような調査を行うところがありますということを、媒介時に知らせよという趣旨である。対象は住宅に限られる[28]ことに注意が必要である。

　第2に、売買の媒介に限らず、自ら売却したり賃貸借の媒介をする場合も含み、宅建業者の重要事項説明の対象に、①住宅につき、建物状況調査（国土交通省の説明によると「インスペクション（inspection）」と呼ばれている）を実施しているかどうか、これを実施している場合はその結果の概要、②設計図書、点検記録その他の建物の建築および維持保全の状況に関する一定の書類

---

[28] 岡本正治＝宇仁美咲『逐条解説宅地建物取引業法〔3訂版〕』（大成出版社、2020）378頁。

第1部　不動産の売買

の保存状況も加わった（平成28年改正宅建35条1項6号の2）。この②は、宅建業者にとって特に負担が大きいものとなったと言える。知らなかったではすまないので、それら書類の保存状況について宅建業者に調査義務が生じるからである。

　第3に、売買時には、宅建業者が自ら売却したときだけでなく、媒介にて売買が成立した場合も、中古物件の建物の構造耐力上主要な部分等の状況について当事者双方が確認した事項を書面で交付しなければならないとされた（平成28年改正宅建37条1項2号の2）。

(3)　不動産の証券化と宅地建物取引業法

　平成10年頃から日本でも不動産の証券化が始まり、以後、今日まで急速に進んできた。典型的な不動産の証券化の1つは、不動産の所有者が不動産を信託銀行に信託し、当初の委託者兼受益者となり、その受益権を投資家が組成する購入する主体に売却して行われる。その購入主体を、一定の不動産信託受益権を有することしか行わないように組成することで、その購入主体を他の事業リスクから切りはなすことができる。したがって、その購入主体に資金を投入する投資家や金融機関は、その購入主体の不動産投資リスクだけを見て、投融資の判断をすればよい。このように、当該資産の収益性に着目して当該資産に関心のある投資家（特に多数の投資家）にとって、当該資産を基礎に投資しやすい投資商品をつくりあげることを証券化と呼んでいる。不動産の証券化が不動産業者にもたらした影響については第2部第3章1でも述べる。

　不動産の証券化の過程で不動産を信託にすることが多いのは、現物不動産で持つよりも、信託受益権で持つほうが、処分コストが低いという税務上の理由もあるが、信託銀行が収益不動産の所有主体となり、これを賃貸する場合の貸主とするほうが、新たに組成する購入主体に比べて、収益を上げる活動を行うにあたって対外的信用を得られやすく、法的関係も整理しやすいという理由がある。また、いわゆるGK・TKスキーム（TKすなわち匿名組合の営業者をGKすなわち合同会社が務めるというもので、少数の投資家のみを対象

とした不動産ファンドの中では最も定着しているスキームと言われている）では、信託受益権を用いないと不動産特定共同事業法の適用対象とされてきたことも信託受益権が用いられてきた大きな理由である。

　不動産の証券化にあたり信託を利用する場合、不動産の所有権は信託銀行にあるが、その経済的利益は受益権に表象される。したがって、信託受益権の売買といっても、経済的な実質は、不動産の売買にきわめて近くなる。そうである以上、受益権の買主の保護を不動産の買主の保護と同様に行うべきではないかという考え方が出てきても当然である。しかし、宅建業法は、現物不動産を前提に規制が行われてきているので、信託受益権についての規制は、宅建業者が関与する取引に限定され、しかも、信託受益権を規制するその他の法律の規制では十分ではない部分に限られている。

　不動産信託受益権は、みなし有価証券とされ（金融商品取引法2条2項1号）、金融商品として、金融商品取引法が適用され、その売買またはその媒介を業とする場合は、金融商品取引業として（同条8項1号・2号）、同法で第二種金融商品取引業の登録が必要とされている（同法28条2項2号、29条）。宅建業法は、次に述べるように、宅建業者が不動産信託受益権の取引に関わる一定の場合に、金融商品取引法等に加えて追加的な規制を行っている。

　すなわち、証券取引法に代わって金融商品取引法が成立した際に、宅建業法も改正され、宅建業者が不動産を信託し、その受益権を売却する場合に、宅地建物取引士に一定の事項を書面で記載し説明すべきことが定められた（宅建35条3項）。ただし、プロの投資家に対する説明は不要とされ、また、無駄な重複した説明は不要とされる（正確には、同条項に基づく宅建則16条の4の4参照）。

　また、金融商品取引法で定義される金融商品取引業者（金融商品取引法29条、2条9項）または金融商品仲介業者（同法66条、2条12項。なお、「金融商品仲介業」の定義は2条11項に定められている）または金融サービス仲介業者（金融サービスの提供に関する法律11条6項、同条4項に規定する有価証券等仲

介業務の種別に係る同法12条の登録を受けているものに限る）である宅建業者が、不動産の信託受益権または当該信託受益権にかかる組合契約、匿名組合契約もしくは投資事業有限責任組合契約に基づく権利（以下「不動産信託受益権等」という）の売主となる場合または不動産信託受益権等の売買の代理もしくは媒介をする場合においても、上記の宅建業法35条3項ないし5項及び8項に基づく規制が準用される（同法50条の2の4）。したがって、宅建業者が資産流動化取引や証券化取引において不動産の信託受益権に関する取引に関わる場合には、金融商品取引法上の説明義務や書面交付義務に加えて、宅建業法上のかかる義務を負うことになる。

このように、宅建業者が不動産信託受益権等の取引に関わる際に、宅建業法上宅建業者が現物不動産と同様に一定の不動産に関する情報を提供すべきことが規定されているのは、宅建業者であれば、その説明を行うこともできるし、また、買主もその説明を期待しているからという理由による。

以上でわかるように、宅建業者ではない金融商品取引業者が不動産信託受益権等の売買やその媒介を行う場合は、宅建業法の以上の規制はかからず、金融商品取引法およびその関連する法律の規制のみになる。かかる規制により相当程度の説明は期待できるものの、宅建業法の規制のかからない不動産信託受益権等の取引で対象不動産についての十分な説明がなされるかは慎重に判断したほうがよい場合もあると思われる。

不動産の証券化における投資主体は、形式的な存在であるから、かかる投資主体は保有する不動産についての権利をすべて売却すればすぐに解散することがある。したがって、そのような場合は瑕疵担保責任（改正民法のもとでは契約不適合責任）も表明保証責任も実質的に負える存在ではない。そのため、かかる投資主体が売主になる場合は瑕疵担保責任（改正民法のもとでは契約不適合責任）も表明保証責任も負わない売買契約とすることが多い。このことからわかるように、かかる投資主体から不動産についての権利を買う場合は、専門家の協力を得て徹底したデューデリジェンス作業を行う必要がある。

2 不動産鑑定士

(1) 不動産鑑定とは

　不動産鑑定は、不動産鑑定評価基準に従って資格のある不動産鑑定士が不動産の価格について行う鑑定である。不動産鑑定評価については、昭和39年に施行された「不動産の鑑定評価に関する法律」があるが、これは、不動産鑑定評価に関わる不動産鑑定士の専門資格の付与とその社会的地位を確立させるために法制度を整備することを主たる目的にしており、不動産鑑定評価基準に言及してはいない。しかし、同法制定当初から、その基準の確立は同制度の前提とされており、建設大臣から諮問を受けた宅地制度審議会が昭和39年3月25日に「不動産の鑑定評価基準の設定に関する答申」を決定し大臣に提出した。これが当初の不動産鑑定評価基準とされた。以後、同基準は数度改正を重ねているが、現在は国土交通省の名前で改正された基準が発表されている。

　不動産鑑定士の団体としては、各都道府県に存在する不動産鑑定士協会、地域ごとの地域不動産鑑定士協会連合会、全国レベルの日本不動産鑑定士協会連合会がある。これらは、不動産鑑定士の強制加入団体ではないが、その自立的な活動により、不動産鑑定士の品位の保持と資質の向上をめざしており、加入している不動産鑑定士の懲戒処分も行っている。

　不動産鑑定評価の依頼がされる場合の多くは、不動産鑑定評価基準で定めるところの「正常価格」の鑑定依頼である。これは、市場で形成されるであろう価格の鑑定である。したがって、最終的には、市場が当該不動産にいかなる価格をつけるかの見通しが判断の基礎になる。この市場の声を謙虚に聞かない不動産鑑定評価であれば、意味がない。

　不動産鑑定評価の判断基準は、上記不動産鑑定評価基準であるが、同基準を採用すると1つの鑑定結果が当然に得られるわけではなく、鑑定を行う不動産鑑定士によっては鑑定評価に大きな差が生まれることがある。このことが不動産鑑定評価の信頼性または有用性に疑問を生じさせることにもなる。

第1部　不動産の売買

　不動産鑑定は客観的な判断でなければならないため、複数の鑑定評価がある場合、ほぼ同一価格に収斂していなければ、どれかが偏った評価、または誤った評価ではないかと疑われるのである。もっとも、このような乖離が純粋な見解の相違による乖離であれば仕方のないことである。しかし、そうではない場合が少なくない。不動産鑑定士としては、永続的に多くの仕事を依頼してくれる依頼者（とりわけ、依頼者の担当者）に受けがいい評価をしがちである（弁護士も同様の傾向を否定できないのだが）。

　したがって、不動産鑑定評価書を目にする場合は、内容を鵜呑みにするのではなく、内容に無理がないかを検討すべきであり、疑問があれば、当該評価書作成者または他の不動産鑑定評価機関に質すべきである。私の経験で思い出深いのは、バブル経済崩壊後に破綻した金融機関が担保に取得していたゴルフ場の不動産鑑定評価書である。ゴルフ客の急減で、市場に出せば非常に評価が低いと思われるゴルフ場が、ただ積算価格（その意味については後述する）だけで評価されていたのである。積算価格は、バブル時代の開発であったため、とんでもない高い評価となっていた。

　不動産売買契約の際に、不動産鑑定評価書を取得する場合は限られている。売主が取得する場合は、あまりにも安く売らないためである。取締役会で取引の承認を得る場合に、その点を明らかにするために使われる。また、入札方式で売却する場合は、最低入札価格を設定するための参考に用いる。買主が不動産鑑定評価書を取得する場合は、あまりにも高く買わないためである。例えば、取締役会で取引の承認を得る場合に、その点を明らかにするために使われる。また、入札方式で購入する場合に入札価格を決めるための参考に用いられる。慎重を期して複数の不動産鑑定評価書を取得することもある。このような局面で用いる不動産鑑定評価書は、紛争の相手方に見せるためのものではないので、複数の不動産鑑定評価書を取得する場合も、それらの間に大きなばらつきはないことが普通であるが、純粋の見解の相違で大きく差が開くこともある。

　不動産鑑定評価書は不動産鑑定評価基準を遵守して作成しなければならな

いため、これによらない不動産鑑定士の意見が書面化される場合は、意見書として作成される。

(2) 不動産鑑定評価の手法

不動産鑑定評価書を読むために重要と思われる不動産鑑定評価の手法の骨格だけ説明する。詳細は、不動産鑑定評価基準についての解説書を参照されたい。

不動産価格の鑑定では、原価法、取引事例比較法および収益還元法によるそれぞれの試算価格を出す。不動産鑑定評価基準では、それぞれ次のように説明されている。すなわち、原価法は、「価格時点における対象不動産の再調達原価を求め、この再調達原価について減価修正を行って対象不動産の試算価格を求める手法である（この手法による試算価格を積算価格という。）」とされている。取引事例比較法は、「まず多数の取引事例を収集して適切な事例の選択を行い、これらに係る取引価格に必要に応じて事情補正及び時点修正を行い、かつ、地域要因の比較及び個別的要因の比較を行って求められた価格を比較考量し、これによって対象不動産の試算価格を求める手法である（この手法による試算価格を比準価格という。）」とされている。これは、要するに、できるだけ類似している物件の取引価格の事例を収集し、対象物件との違いを考慮して価格を試算する手法である。さらに、収益還元法は、「対象不動産が将来生み出すであろうと期待される純収益の現在価値の総和を求めることにより対象不動産の試算価格を求める手法である（この手法による試算価格を収益価格という。）」とされている。このようにして、3種類の試算価格を出したうえで、試算価格の調整を行って、鑑定評価額が決定される。ここでは、3種類の試算価格のうち、どの試算価格により説得力があるかを吟味して決定することになる。

賃料の鑑定についてもここで説明する。まず、注意すべきは、新規賃料と継続賃料とは別に考えられているということである。新規賃料の鑑定評価額は、不動産の価格の鑑定評価額と同様に一定の客観性が備わるが、継続賃料は、その鑑定手法の1つである差額配分法というものが、きわめて主観的で

ある。すなわち、差額配分法とは、直近合意の賃料と現在の新規賃料とに乖離がある場合に、一挙に新規賃料にするのでは変動を求められた当事者にとって酷な場合、差額の一部だけを賃料改定で反映させるというものである。したがって、賃料が上昇する局面では、継続賃料の鑑定評価額は新規賃料ほど上がらないし、賃料が下降する局面では、継続賃料の鑑定評価額は新規賃料ほど下がらない。賃料改定に差額のどの程度を反映させるかについては、何らかの計算式があるわけでもなく、主観的な判断になる。差額配分法というものを最初に私が知ったとき、あまりにいい加減な手法であると驚いたことを覚えている。

　ただ、よく考えるとこの手法にも十分な理由がある。つまり、継続賃料がどういう場合に不動産鑑定に持ち込まれるのかというと、それは、賃貸借の当初の賃料が不適切になって、契約当事者間で改定賃料の合意ができない場合である。その場合、意味がある鑑定の賃料とは、仮にその紛争が裁判所に持ち込まれたら、裁判所が決定するであろう賃料である。その裁判所がこの差額配分法的な思考を基礎に継続賃料を判断するから、不動産鑑定士も、かかる判断を基礎にして鑑定せざるをえないのである。もっとも、裁判所も何の根拠もなく差額配分法的思考を基礎にしているわけではない。そのような継続賃料の決め方が社会で一般的だという事情が背景にある。

　新規賃料は、積算法、賃貸事例比較法、収益分析法という3種類の手法で試算賃料を出したうえで、調整が行われて、決定される。不動産鑑定評価基準では、それぞれ次のように説明されている。すなわち、積算法とは、「対象不動産について、価格時点における基礎価格を求め、これに期待利回りを乗じて得た額に必要諸経費等を加算して対象不動産の試算賃料を求める手法である（この手法による試算賃料を積算賃料という。）」とされている。また、賃貸事例比較法は、価格の鑑定における取引事例比較法と同様の手法であり、この手法による試算賃料は、比準賃料と言われる。収益分析法は、「一般の企業経営に基づく総収益を分析して対象不動産が一定期間に生み出すであろうと期待される純収益（減価償却後のものとし、これを収益純賃料とい

う。）を求め、これに必要諸経費等を加算して対象不動産の試算賃料を求める手法である（この手法による試算賃料を収益賃料という。）」とされている。

　なお、継続賃料の場合、上記差額配分法だけでなく、利回り法およびスライド法による試算賃料をも出す。これらの試算賃料を調整して継続賃料を決定すべきことを不動産鑑定評価基準では定めている。同基準では、利回り法は、「基礎価格に継続賃料利回りを乗じて得た額に必要諸経費等を加算して試算賃料を求める手法である」とされている。また、スライド法は、「直近合意時点における純賃料に変動率を乗じて得た額に価格時点における必要諸経費等を加算して試算賃料を求める手法である」とされている。

(3)　不動産の公的な評価額

　不動産の評価額が公的に示されることがある。公示価格、基準地標準価格、固定資産税評価額、相続税評価額の4種である。このうち、基準地標準価格は、実質的には公示価格同様の評価方法で決められており、公示価格が毎年1月1日現在の価格を示すものであるのに対し（毎年3月に公表される）、基準地標準価格は、毎年7月1日現在の価格を示すものとなっている（毎年9月に公表される）ところに違いがある程度であるから、この2つを同視すると、3種類ということになる。

　公示価格は、地価公示法に基づき公示される地価である。一般の土地取引価格に対しての指標を与えるとともに、公共事業の土地取得の補償金算定の基準とすることに役立てる目的で、国土交通省に設置された土地鑑定委員会が標準地を選定し、その正常な価格を公示するものである（同法1条）。公示価格は、各標準地において2人以上の不動産鑑定士の鑑定評価額を基礎に決められるため（同法2条1項）、過去の土地取引価格を反映した価格となっており、常に市場価格の反映が遅れる。したがって、公示価格と市場価格とが大きくズレることもあり、一般の土地取引では、公示価格がそれほど重要な土地価格の指標にはなっていない。なお、基準地標準価格は、都道府県知事が基準地を選定し、1人以上の不動産鑑定士の鑑定評価額を基礎に定める

（国土利用計画法施行令9条1項）。

　固定資産税評価額は、各地番の土地ごとに固定資産税徴収のために評価されているもので、固定資産税課税台帳に登録される。固定資産税評価額は原則として3年ごとに評価替えがなされる。固定資産税評価額の決め方は、平成6年度の評価替えにおいて大きく変更された。それまでは、固定資産税評価額は時価の2、3割が一般的であるとも言われていたが、全国一律に地価公示価格の7割を目処に一挙に引き上げることとされた。しかし、評価額を上げて税率をそのまま乗じるのでは税負担が一挙に上がってしまうので、固定資産税評価額の上昇に応じて課税標準を調整することとされた。固定資産税課税台帳は公開されていないが、自己の固定資産税台帳記載に登録されている価格をその所在の市町村の他の土地の評価と比較するために、毎年一定期間土地価格等縦覧帳簿は縦覧できる。

　なお、固定資産税は、毎年1月1日現在の固定資産の所有者に課されるものであり、同日現在の登記簿上の所有者に課される。したがって、令和5年1月1日現在のある土地の登記簿上の所有者が甲であり、同年3月5日に甲乙間で同土地の売買契約が締結され、同年5月31日に同土地の所有権移転登記が甲から乙になされた場合でも、令和5年の固定資産税は同年1月1日現在の登記名義人である甲が納税義務を負う。しかし、甲としては、令和5年5月31日には土地所有権が甲から乙に移転するので、移転後は乙に税負担をしてもらいたいと思うのが当然である。したがって、売買契約書では、この点を明記するが、問題は、どのように甲乙間で配分するかである。この場合、売買契約書では固定資産税の起算日を1月1日にするのか4月1日にするのか、どちらにするのかを明記することが通常である。東京では圧倒的に1月1日を起算日とするものが多い。その場合は、令和5年度の固定資産税は、令和5年1月1日から同年12月31日までの所有に対して課されるものとの理解で、1月1日から5月31日までは甲が負担し、6月1日から12月31日までは乙の負担として配分するという意味である。起算日を4月1日とする取扱いは関西でみられると聞くが、その場合、令和5年度の固定資産

税は令和5年4月1日から令和6年3月31日までの所有に対して課されるものとの理解で、4月1日から5月31日までは甲が負担し、6月1日から翌年3月31日までは乙の負担として配分するという意味となる。

　相続税評価額は、相続税を計算するための当該財産の評価額であるが、市街化された地域では宅地の面する路線ごとに付された路線価によって計算する。路線価は、当該路線に面した標準的な地形を前提とした価格であるから（その平方メートル当たりの単価が路線価として路線ごとに付される）、具体的な相続税評価額の対象土地が、間口が狭かったり、奥行きが長すぎたり、不整形であったり、大きすぎたりする場合は、適宜調整して当該区画の評価を行うことになる。路線価は、国税庁のウェブサイトの路線価図で公表されているので、容易に確認できる。毎年改定され、公示価格の8割程度を示すものとされる。

　以上でわかるように、近年、固定資産税評価額も相続税評価額の計算に用いられる路線価も公示価格を基準に整備が進んでおり、公示価格の基礎となる不動産鑑定評価額は、これら公的な評価額の基礎でもある。

3　土地家屋調査士・司法書士

(1)　土地家屋調査士

　土地家屋調査士は、不動産登記のうち表示登記に関する専門家として国家資格を有する者である。不動産売買において土地家屋調査士の助けが必要な場合は、土地の境界確認書を売主が用意する場合である。単なる土地の面積の測量であれば、現地でポイントさえ指示すれば、測量対象土地の面積を測量士が直ちに測量することができる。このような単なる測量図と境界確認書とは異なる。売買土地の面積を測量する場合は、測量する土地が所有権移転を第三者に対抗できる売買土地そのものでなければ意味がない。したがって、売主が買主から求められるのは、売買土地の境界確認書であり、その境界確認書に基づく売買土地の測量図である。

　土地家屋調査士は、表示登記の専門家であるから、売買土地の筆界がどこ

第1部　不動産の売買

であるかを最も正確に判断できる知識と経験がある。しかしながら、前述したように、筆界の確認は容易ではなく、資料が不十分であれば、土地家屋調査士であっても判断できない。そのような場合であっても、少なくとも、隣地所有者との間では、「ここが境界を画するポイントであることに争いがない」ということを土地境界確認書で明らかにし、それを買主に渡すことが多い。それ以上を求めようとすると、前述の筆界特定手続が必要である。しかし、これには時間と費用がかかる。

　土地境界確認書の作成にあたり、土地家屋調査士は、売主や隣地所有者に対して、「この地点とこの地点を結ぶ線が関係資料からすると境界と思われますが、よろしいですか」などと言いながら現地で了解を得た地点で、土地境界確認書を作成し、その境界確認書に測量結果も表示される。通常、その地点には既存の境界石や鋲がある。土地境界確認書には立ち会った関係土地所有者が署名して捺印する。立会い日と署名捺印日は異なる。境界確認書は、関係土地所有者の数だけ作成し、各自1通を保有することが普通である。土地家屋調査士は、国家資格を有する専門家であるので、一般的には信用できるが、売主や近隣土地所有者のほうが長くその売買土地を知っているのであるから、例えば、示された地点に境界石や鋲がなければ、なぜ、そこが境界を画する地点なのかを土地家屋調査士に質問することが必要である。なお、このようにして測量した面積が登記簿上の面積と異なる場合がしばしばある。その場合、表示登記の面積を更正する登記申請を行うことが手堅いが、もともと、境界確認書の示す境界が筆界であることを明らかにする資料が乏しければ、法務局が更正登記を行わない。したがって、食い違いがあるままで売買することも多く、その場合は、売買契約書において、登記簿面積と実測面積を併記することが多い。

　土地を分筆して売却する場合は、分筆の登記をしなければ、土地所有権移転登記をなしえない。したがって、売主は、土地家屋調査士の協力を得て分筆登記をすませて、そのうえで売買契約を締結することが手堅い。分筆登記の完了前に売買契約の締結を行いたい場合は、当該分筆登記の完了を停止条

件として売買契約を締結すべきである。売主として当該分筆登記は予定どおりできると考えていても、法務局に14条1項地図がなければ、筆界を明確にすることは必ずしも容易ではないからである。また、当該土地の周囲の土地所有者から全員境界確認書をとっていても、その内容が法務局にある14条1項地図と異なっていたり、その他法務局に保管されているその他の資料と食い違いがあれば、分筆自体が予定どおり進まないおそれがある。このような事態が、売買契約の売主の責に帰すべき債務不履行と構成されないように、分筆登記は、売買契約の停止条件とすることが売主にとっては手堅い処理である。

(2) 司法書士

司法書士は、司法書士法に基づく国家資格であり、不動産登記だけでなく商業登記の専門家でもある。不動産登記について言えば、表示登記は、上記のとおり土地家屋調査士の専門分野だが、甲区や乙区のいわゆる権利に関する登記の専門家は、司法書士である。司法書士は、前述のとおり、買主が売買代金決済時点で完全な所有権を第三者に対抗できるかたちで取得するために、重大な役割を果たす。特に、不動産の所有権を制限する既存の登記が抹消されて、負担のない所有権移転登記ができることを確保するために、いかなる書類が必要なのかは、司法書士に確認してもらうべきことである。

近時、司法書士による不動産登記の当事者の本人確認は厳しく行われている。これは、非常に重要なことである。不動産取引は、大きな金額が動くので、とんでもない悪人が登場することがある。したがって、売主がいかなる人物なのかについて買主は十分な注意が必要である。甲から乙が購入した土地を乙が丙に売却するというきわめて単純な土地取引でも、丙の立場では十分な注意が必要なのである。乙が登記簿上所有者であれば、丙は、それ以上乙の所有者としての地位を詮索しないで、土地を購入するのが普通である。しかし、甲が乙にだまされるなどして土地所有権移転登記手続に必要な書類を乙に交付したために甲乙間の所有権移転登記がなされていたという事案もないわけではない。その場合、甲乙間の所有権移転原因がなければ、土地所

有権は甲から乙には移転していないので、甲から乙への所有権移転登記は無効である。したがって、いくら乙が登記簿上名義人であっても、乙から丙には所有権は移転しない。登記に公信力がないと言われるゆえんである。このような悲惨な事例で丙を保護するために、判例は、虚偽表示の場合の善意の第三者保護規定である民法94条2項を類推適用している。しかしながら、この法理で救える事案と救えない事案とがある。私も長い弁護士経験で1回だけ、甲乙間の所有権移転が真に甲の意思に基づいているのか、疑いが生じうる事案に遭遇したことがある。したがって、このようなことが、世の中にないわけではないということに注意が必要である。売主の前主がなぜ売主に売却したのか、その売主がなぜ当該物件を売却するのか、しかもなぜ売却を急ぐのか等の事情がどうも解せないような場合は、取引自体慎重にすることもありうる選択肢である。信頼できる宅建業者が仲介を行う場合は、一定程度このリスクは回避できるが、完全ではない。このような事例を完全になくすためには、司法書士による当事者の本人確認は非常に重要である。甲乙の所有権移転登記が司法書士の厳格な本人確認の下、適正になされていれば、丙において生じうる悲劇は避けることができるからである。

　なお、いかなる法令でも、法令が制定された時点で想定されている事案は限られている。不動産登記法とその関係法令も同様である。しかも、登記制度は、全国共通に運用されなければ登記を必要とする取引に支障をきたす。東京では受け付けられる登記が大阪では受け付けられないというのでは、安心して経済活動ができない。しかも、日本の不動産登記は、登記できる事項が限定的である。これは、一般の国民が理解しやすい登記とするために必要なことではあるが、登記に柔軟性が欠けることにもなる。したがって、先例のない登記を申請する必要性に迫られないかは取引前に十分検討すべきであり、これは、表示の部でも権利の部でも同様に重要なことである。このような問題は、信頼できる土地家屋調査士および司法書士と十分な事前打合せが必要であって、しかも、新たなアイデアを思いついた早めの段階から意識しておくべきことである。登記が受理されるか否かわからない問題について

は、地方法務局が相談にのるし、難しい問題は法務省で検討がなされる。過去にすでに論じられた問題は、法務省の民事局長の回答等というかたちで膨大な登記先例集に記載もされている。その先例と異なる取扱いを求めることはハードルがきわめて高いことに留意が必要である。

4 建築士

(1) 開発用の土地

　建築士が不動産取引において占める役割は大きい。買主が自社ビルや収益ビルを建設する目的で更地を取得する場合、建築士の意見を聞くことは重要である。宅建業者が土地利用規制等について説明しなければならないことは当然であるが、宅建業者が知っていることは限定的である。しかも、特段の事情がない限り、対象土地の一般的規制以上の説明をすることは期待されていない。しかし、買主としては、想定している建物が、当該土地で現実に建築できるのかは重要な問題である。この見込みでミスをすると、売買価格の値付けを間違うことになるからである。場合によっては、買う目的が達成されないという重大な事態にもなりかねない。売主としては、買主が何を期待してそこまでの値段を付けたのかわからないので、買主の見込み違いのツケを売主に回すことは筋違いである。したがって、買主は、このミスを必ず自己の責任で避けなければならない。そのためには、建築の専門家である建築士に土地の売買契約締結前に十分な相談をしておくべきである。もっとも、土地を取得できるか否かもわからない段階では、大まかな建築計画であっても定めることは難しいが、当該土地において、一定の用途で、一定の容積を確保できる建物を建設することが可能なのか否かは最低限建築士に相談しておくべきことである。媒介の宅建業者がゼネコンやデベロッパーである場合は、この種のサービスまで宅建業者に期待できるであろうが、宅建業者がゼネコンやデベロッパー以外であれば、宅建業者には期待できない。用途地域ごとに定められている指定容積率を宅建業者から説明されても、当該土地で建築基準関係規定や条例の各種規定に合致させたかたちで、現実にどれだけ

の容積を確保できるかは判断ができないからである。とりわけ、土地の売買価格が巨額である場合は、この見込みでミスをすることは買主が大きな損失を被ることにもなるので、十分な費用をかけて建築士に相談をする理由と必要性がある。

なお、建築士の資格や業務については、**第4部第1章5**で別に解説する。

(2) 既存ビル

デューデリジェンスの物的状況の調査報告は、エンジニアリングレポート（engineering report）という。物的状況の調査には、土地と建物があるが、このうち、建物の状況の調査は建築の専門家である建築士が行う。建物の仕上げや構造を確認し、建築確認通知書や竣工図書どおりに建設されているか、竣工後に建物の改変をしている場合は、必要な建築確認や竣工検査がなされているか、設備を含めた建物の劣化や損傷はどの程度か、アスベスト等の有害物質の使用状況等を確認する。どこまで詳しく調査をするのかは依頼主の指示によるが、費用と必要性とのバランスの問題である。依頼主は、通常、買主であるが、売主が参考資料として売主で取得したエンジニアリングレポートを買主に交付することもある。旧耐震時代の建物については、買主が耐震診断を求めることが多いので、事前に売主で耐震診断を行うことが少なくない。なお、既存設備の劣化状況等から、今後、いつ頃どのような修繕を行う必要があるか、それにはどの程度の費用がかかるかの判断も可能になるため、これらの判断もエンジニアリングレポートに記載されることが一般的である。

既存ビルについては、前述のとおり、それが違反建築物なのか、既存不適格建築物なのか、最新基準適合建築物なのかで、取得のリスクが大きく異なる。特に取得後、購入した建物を改変して収益を上げたり、利用をしたりすることを計画している場合は、その計画が法律的にも、経済的にも、物理的にも可能であることを取得前に確認することが重要である。これは、建築士の協力なくしては不可能なことである。

なお、前記1で言及した宅地建物取引業法の平成28年改正に関連し、今

後、いわゆるインスペクション（inspection）と称する中古物件の調査が増大すると思われ、エンジニアリングレポートが単に大型取引だけでなく一般の取引にも活用されることになると思われる。

5 地中の調査

(1) 土壌汚染の調査

　土壌汚染対策法で義務づけられた土壌汚染の調査は、環境大臣又は都道府県知事が指定する者に行わせなければならず（3条1項、4条2項、5条1項）、かかる「指定する者」は、指定調査機関と呼ばれる（4条2項）。任意の土壌汚染の調査も指定調査機関に依頼する場合が多い。土壌汚染の調査は、ただやみくもに行うのではなく、汚染のリスクの高いところはより精度を高めて行うため（調査地点を定めるメッシュの切り方がより細かくなる）、買主が行うのではなく、売主が売買契約締結前に行って、その調査報告書を作成することが多い。しかも、その結果、汚染が判明した場合は、汚染を残置したままでは買主候補が現れにくいので、売主が行政当局と相談のうえ、土壌汚染対策法および条例（土壌汚染対策法とは別の規制を条例が行う場合がある）に従って、対策工事についても適宜指導を受け、汚染の除去工事を行ったうえで、売買契約を締結することが少なくない。

　汚染のリスクが高いかどうかを判断するにあたっては、土壌汚染対策法上の調査では地歴調査を行うことになっているが[29]、実際に行われる地歴調査がどの程度信用できるのかがポイントである。この地歴調査を行った後の調査の流れは、土壌汚染対策法、同法施行令、同法施行規則および各種ガイドラインで客観的に規定されているため、指定調査機関が行うのであれば、誤りようもないと言えるが、地歴調査の信用性は、情報の収集にそもそも限界があるので、さまざまなものがあるということを疑っておくことが賢明で

---

[29] 土壌汚染対策法施行規則3条2項を受けて、環境省が平成24年8月17日付（平成29年3月31日改正）「土壌汚染状況調査における地歴調査について」と題する通知を発している。

ある。土壌汚染の調査にあたっては、土壌汚染対策法の特定有害物質だけでなく、前述のとおり、油汚染にも留意が必要である。どの範囲で調査すべきか、という問題があるが、建物建設の際に敷地外に運び出すことが予定されている土壌については油汚染を無視できない。また、土壌汚染対策法の制定前の平成11年から存在するダイオキシン類対策特別措置法の対象物であるダイオキシン類にも留意が必要である。

　ダイオキシン類対策特別措置法では、その調査対策の責任は、都道府県にあり（29条、31条）、対策費用は、原因者に対して公害防止事業費事業者負担法により請求することとされている（2条2項3号、ダイオキシン類対策特別措置法31条7項）。しかし、都道府県が対策を行う場合はきわめて限定的であるから、ダイオキシン類の土壌汚染も土壌汚染対策法の特定有害物質による土壌汚染と同様に瑕疵として売買契約上取り扱うべきであり、売買契約時に調査すべきである。

(2)　その他の地中障害物

　土壌汚染のほかは、売買契約締結前に地中障害物等について的確に調査をすることは難しいことが多い。既述のとおり、地中に存在する過去の建物の基礎杭等は土地取引の際に必ずしも除去されないで残っていることがある。このような状況を買主が承知で購入していれば問題ないのだが、買主が後に転売する際は、地中に埋まっている基礎杭等の地中障害物を正しく転得者に知らせなければ、瑕疵担保責任（改正民法では第6部補論で説明するが、「契約不適合」責任）を転得者から追及される。

　土地を購入する者は、売主に対して、売主の建物の基礎杭等が残存していないかどうかを聞くだけでは不十分で、過去に当該土地について売主の先代の建物の基礎杭が残存しているおそれがないかを確認する必要性がある。契約時に地中障害物を完全に把握することは困難なので、地中障害物が判明した場合の処理を売買契約上に規定しておく必要がある。

　地中障害物と言ってしまっては語弊があるが、埋蔵文化財も土地開発の事業のスケジュールを遅らせる大きな障害である。周知の埋蔵文化財包蔵地で

土木工事を行う場合は文化庁長官への届出義務があり（文化財保護法93条1項、92条1項）、文化庁長官から記録の作成のための発掘調査の指示を受けるリスクがある（同法93条2項）。調査費用は開発者負担となる。なお、周知の埋蔵文化財包蔵地でない土地で埋蔵文化財が発見された場合も届出義務があり、現状変更の停止等の命令が出ることがあることにも注意が必要である（同法96条1項・2項）。

第1部　不動産の売買

第5章

売主の責任

1 瑕疵担保責任

(1)　はじめに

　第6部補論で詳述するが、平成29年の民法改正では、「隠れた瑕疵」概念を追放し、「契約不適合」責任を規定した。その不動産取引に与える影響は大きなものがあると考える。しかし、改正民法施行前の取引（すなわち2020年3月末日までの取引）にはなお改正前の民法の規定が適用され、かつ、改正民法下でもこれまでの判例実務は、改正民法の条文と明らかに矛盾しない限り尊重されるべきであるから、以下は改正前の民法下で形成されてきた判例実務を正確に説明することに主眼を置く。改正民法下で論点となる法律上の問題は、第6部補論を適宜参照されたい。

(2)　瑕疵担保責任をめぐる各種法律の関係

　売買契約の瑕疵担保責任の基本は、民法で規定されているが、瑕疵担保責任を考える場合は、その他の法律にも留意が必要である。商人間の売買には引渡し後6か月以内に買主は売買の目的物を調査して瑕疵を売主に通知しなければ瑕疵担保責任を追及できないとする商法526条が適用される。会社間の売買は、これに該当するので、この条文を見落としてはならない。また、宅建業者を売主とし非宅建業業者を買主とする売買には、2年未満の瑕疵担保責任特約を無効とする宅建業法40条が適用される。また、新築住宅の売買には前述の品確法の適用があり、94条で瑕疵担保責任につき、民法の特則が定められている。さらに、事業者と消費者との契約には消費者契約法が適

用される。そこで、会社が不動産を個人に売却する場合は、消費者契約法にも留意する必要がある。

　実務上多く用いられる契約書の書式には瑕疵担保期間を引渡し後2年とするものが多い。これは、上記宅建業法40条で、宅建業者が非宅建業者に売却する場合は、2年未満の瑕疵担保責任とする特約は無効とされていることからである。2年を確保しておけば、まず、問題ないであろうという発想からだが、新築住宅では、構造耐力上主要な部分等の瑕疵には前記のとおり品確法で10年間の責任を負うので、2年の期間を定める書式ではもはや対応はできない。なお、2年の瑕疵担保責任を特約で定めておけば、商法526条の関係では、526条を適用しないとの合意があるといえ、引渡し後6か月以内に検査して瑕疵を通知すべしとする同条の規定に従った通知も不要と解する（特約で1年の瑕疵担保責任期間を定めた事例ではあるが、同様の解釈を行った判決がある）30）。

(3) 瑕疵概念

　一昔前までは、企業間の不動産売買契約でも、B4判の大きさ1枚の簡単な売買契約書の書式を使用していた例が少なくなかった。しかし、今やそのような時代ではない。そもそも、上記宅建業法の2年の縛りも、引渡しを受けて2年も経過すれば、季節が2回めぐるのだから、購入物件の大方の瑕疵は把握できるだろうという考えで決められたものである。しかし、2年を経過しても発見できない問題もあり、特に、耐震性能やアスベストや土壌汚染等は、専門家にわざわざ依頼して調査しないとわからないのであって、2年間で問題が自然に発現することは期待できない種類の問題である。

　つまり、現代は、使用していて何か不都合が発生しなければ、瑕疵として扱わなくてもよいという時代ではなく、ある問題があるために、その問題がない物件よりもさまざまな支障があれば、現実にその問題で買主が何らかの現実的な被害を受けることがなくとも、その問題は瑕疵として取り扱われる

30）東京地判平成21年4月14日 Westlaw Japan2009WLJPCA04148002。

とも言える。地震がまだ発生していないのだから耐震性に劣った建物を購入しても損害を受けてはいないだろうといった論法は、通用しないのである。これは、瑕疵概念が本質的に変わったというのではなく、不動産に求められる社会的な期待が、時代の変遷とともに変わってきたことによるものである。社会的な認識が変われば、法令の規制が生まれることもあるが、法令の規制がなくとも、社会的な認識が変化し、かつて気にしなかった問題を気にするようになると、従来は瑕疵とまでは認識されていなかった問題も瑕疵として認識されるようになる。このことは、不動産価格に如実に反映される。

瑕疵か否かの判定は、客観的な指標によるというよりも、売買契約当事者間でいかなる性状または機能の不動産を売り買いするという認識であったのか、という点に重点を置いて判断されるべきであるが[31]、その点がクリアでなければ、客観的な指標によるしかない。その客観的指標としては、その問題が契約時に判明していたら、マーケットは減価して評価していたのかという判断基準が有用である。多少なりともその問題ゆえに減額がなされていたであろうと判断されれば、それは、まさしく、その問題が瑕疵であることを裏づけていると言えるからである。

(4) 瑕疵担保責任の内容

民法改正前の瑕疵担保責任は、損害賠償が基本であったが、改正民法では修補請求権が認められた。その問題については**第6部補論**で詳述するが、かつて、瑕疵修補請求権が品確法でも新築建物に限定されていたことには理由がある。というのは、中古建物の場合は、どのように修補すべきかが判然とはしないからである。新築建物の場合は、設計図書どおりの工事を求めうる点で違いがある。また、土地の場合も同様であり、例えば、土壌汚染がある土地の瑕疵の修補請求とは一体何を求めるべきことになるのか判然としない。掘削除去を求めることが可能なのか、現位置浄化を求めるしかないの

---

31) 土壌汚染についての最判平成22年6月1日民集64巻4号953頁、判時2083号77頁参照。私は第一審から売主代理人を務めたが、第一審勝訴、第二審逆転敗訴、最高裁再逆転勝訴となった事案である。

か、どちらも可能であるが、一体どちらを請求できるのか。修補の方法が一義的に決まらない瑕疵は、常にこの問題をはらむ。

(5) 損害賠償の範囲

瑕疵担保の損害賠償の範囲については、瑕疵担保責任が法定責任か契約責任かで履行利益まで請求できるのか否かが論ぜられることがあった。しかし、損害賠償の範囲ほど裁判を予測することが困難なことは少なくない。裁判官ごとにかなり考え方が異なる。ただし、従来の瑕疵担保責任の損害賠償は、瑕疵が契約時に判明していたらいくら減価して取引されていたであろうかを検討し、その差額は少なくとも賠償すべきとする考え方で、学説判例ともに異論はなかったように思われる。

もっとも、裁判所がこの考え方に忠実であるかは疑わしい場合も経験することがある。私自身の経験で言えば、次のような事案がある。それは、土壌汚染の事案であったが、仮に、その土壌汚染が契約時に判明していれば、掘削除去費用相当額だけ売買価格が減価されたであろうということを立証するため、不動産鑑定書を提出した。しかも大手不動産鑑定機関2社の鑑定書を提出した。しかし、裁判所は、かかる不動産鑑定書を考慮せずに、買主の現実に受けるであろう不利益は限定的であるという理由で、その減価額からすると一部の損害賠償しか認めなかった。その事案は、契約時において買主は当分転売を予定してはいなかった事案ではあったが、転売すると、差額分の不利益は目に見えて明らかになる事案であった。差額分は、転売時に損害を被るのではなく、売買契約を締結した時点で損害として被るのであるが、この点を裁判所が理解していないと感じたことであった。

(6) 瑕疵担保責任期間

瑕疵担保責任期間も改正民法では大きな変更があり、かつ、現行法との違いがわかりにくいので、改正民法下の「契約不適合」責任期間については、第6部補論を参照されたい。民法改正前は、瑕疵担保責任期間は、買主が瑕疵の事実を知った時から1年であった（改正前570条、566条3項）。それでは、瑕疵の事実を知ったのが引渡しから相当時間が経ってからでも、それか

ら1年以内であればいつまでも瑕疵担保責任を追及できるのかという問題がある。これについては、最高裁判決[32]で瑕疵担保請求権も消滅時効が適用され、引渡し時点から時効期間が開始するとされ、決着がついた。会社間の売買契約であれば、商事時効が適用されるので、5年となる（改正前商法522条）。

瑕疵の事実を知った時から1年以内に買主は何をすべきかという点について、判例は、「少なくとも、売主に対し、具体的に瑕疵の内容とそれに基づく損害賠償請求をする旨を表明し、請求する損害額の算定の根拠を示すなどして、売主の担保責任を問う意思を明確に告げる必要がある」[33] としていた。この請求を行えば、この請求権の消滅時効期間満了までに訴訟で請求すれば時効は中断する。

なお、瑕疵担保責任期間についての特約は、前述の宅建業法および品確法の強行法規に抵触しなければ可能である（相手方が個人の場合は消費者契約法の規定にも留意しなければならないが）。そこで、短期間の瑕疵担保責任期間が有効になりうる。しかしながら、前述のとおり、瑕疵の中には自然と発現してくるものばかりではないので、引渡しを受けてから相当期間経過しないと判明しないものもある。このような瑕疵の場合、しばしば特約期間を経過して判明することがある。したがって、気の毒な買主が生まれることもある。近時、裁判所は、かかる買主を救済するために、売主の信義則上の説明義務違反による買主の損害賠償請求権を認めることがある。これについては、後記3で述べる。

2 表明保証責任

(1) 表明保証条項

近時、企業間の不動産売買契約書では表明保証条項（representations & warranties）を入れることが増えたが、これは、アメリカ式契約につきもの

---

32) 最判平成13年11月27日民集55巻6号1311頁、判タ1079号195頁。
33) 最判平成4年10月20日民集46巻7号1129頁、判タ802号105頁。

の条項で、日本企業同士で不動産売買契約を締結する場合に必然的なものではない。しかし、なかなか利用価値があり、純粋の日本の契約に挿入してもさして違和感はないし、日本式売買契約では明確ではない点も明確になる利点がある。一番良い点は、売買対象の土地建物についての売主の表明保証がなされる点であり、これは、買主が「これこれの表明保証をしてくれ」と要求し、売主が、これに答えて行うもので、表明保証した事項には誤りがないということが書かれる。

　もっとも、表明保証は、当該不動産についてだけではない。また、表明保証は、売主だけが行うものではなく、買主も求められる。通常は、サイニング時点とクロージング時点で表明保証すべきことがそれぞれ列挙されている。サイニング時点の表明保証条項については、その時点の事実を正確に記載すればいいが、クロージング時点の表明保証条項は、契約締結時点ではまだ現に存在する事実ではない。したがって、クロージング時点の表明保証条項を契約に盛り込むということは、それがみたされていなければ、相手方はクロージングを拒むことができるということを意味する。

　売主と買主の双方がほぼ共通して表明する事実としては、適法に設立された法人であるとか、倒産状態ではないとか、契約締結について会社の必要な手続をすべて完了している等である。売主だけが表明保証する事項で重要なものは、不動産の属性や権利関係に関することである。不動産の属性や権利関係についての表明保証条項に違反があったことが判明すると、買主は、売主に対して損害賠償を請求できるとの条項を入れる。なお、表明保証条項のうち重要な事項について違反がある場合は、契約を解除できるとの規定を置く。

　私が最初に不動産売買契約の表明保証条項をドラフトしたのは前出のダービン・ディマーチ弁護士の指導の下であった。25年以上も前のことだが、ここまで書くのかと思って、いまだに覚えている事項に、売買対象物を構成する各地番の土地は連続しており、その他の土地によって間隙が生じていないという事項があった。また、当時は、土壌汚染対策法の制定の動きもなかっ

た時代であったが、平成3年の土壌の汚染に係る環境基準は存在していたので、この基準値以上の土壌汚染がないことを売主に表明保証もしてもらったことも思い出深い。同弁護士も、その取引の外資の依頼者も、異常に土壌汚染に神経質であったことが、私が土壌汚染に最初に関心を持ったきっかけであった。

　最近の不動産売買契約の表明保証条項では、不動産の属性の観点では相当に詳細な事項を売主に求めている例が多い。例えば、当該物件に建築基準法や消防法等の法令または適用条例の違反がないことや、売主が買主にデューデリジェンス資料として渡した資料に含まれていない当該物件の価値に影響を及ぼす他者との契約や協定がないことや、売主が買主に開示した土壌汚染報告書やエンジニアリングレポートには、売主の知る限り事実に反する記載はないことや、当該物件には土壌汚染対策法その他の環境法規の規制基準値を超えた汚染はないことや、隣接土地所有者との間で境界紛争がないこと等さまざまである。

　買主は、売主に対して、ストレートな表明保証を求めたがるが、売主としては、ひょっとして認識していない問題があるかもしれないとの不安から、不安な事項の表明保証を拒否したり、拒否しないまでも「知る限り」という限定をつけることを条件とすると答えたりすることになる。しかし、買主としては、後で知らなかったと言われても困るので、「知りうる限り」であればよいが、「知る限り」では受けられない等の交渉を行うことにもなる。このような攻防を経て表明保証条項を固めていくことになる。なお、契約文言を細かくつめていく作業が苦手というか、そんなことよりも重要なことはもっと別にあるだろうという日本的常識に流される売主や、早期に売却したい売主は、何でも簡単に表明保証しがちである。このような売主は、簡単に表明保証することにより、リスクを引き受けていることにもなる。表明保証違反の効果については次に述べる。

(2)　表明保証違反の効果

　表明保証違反の効果は売買契約書で明記する。ただし、上記のとおり、表

明保証条項の重要な部分に不動産の属性や権利関係に関わる事項が含まれるので、表明保証違反の責任と瑕疵担保責任との関係が問題になる。瑕疵担保責任を表明保証責任で代替させようという意図が明らかでない限り、瑕疵担保責任は法定責任として別途存在すると考えるべきであろう。代替させたい場合は契約において、どのように代替させるのかを明示すべきである。しかし、そのように考えると、両者は別個独立して並列して存在するのかという議論になるが、売主に表明させている事項は、買主としては、その事項があるものとして契約を締結しているものである。したがって、何が瑕疵であるのかを、結晶化（crystallize）させているとも言えるので、両者は無関係ではない。表明保証条項で言及している不動産の属性については、その条項の記載を基準に瑕疵か否かを議論すべきであり、表明保証条項を無視して瑕疵の基準を議論することはできないと考えるのが原則であろう。したがって、表明保証条項では触れられていないが、後日、契約時点では当事者が想定しなかった問題点が出てきた場合にのみ、法定責任としての瑕疵担保責任をあらためて論じることが可能ということになるであろう。

　表明保証違反の場合、買主がどのような救済をいつまで受けられるのか、具体的には、どのような違反であれば解除権を行使できるのか、また、解除権や損害賠償請求権はいつまで行使できるのかは、契約書で明記すべきである。明記していない場合に、どのように考えるべきかは判然としないが、消滅時効の一般原則に服すると解すべきであろう。

　なお、表明保証条項違反が詐欺行為にならないかという問題もある。表明保証したことが事実と違うことを売主が知りながら、または違いうることを知りながら、それを隠して、買主に契約を締結させ代金を支払わせた場合は、状況によっては、詐欺を構成することもありうる。もっとも、次の点を考慮すべきである。

　第1に、表明保証条項を定める場合は、表明保証違反の場合の契約の取扱いを契約で定めたとおりにすることに主眼がある場合が少なくない。単に瑕疵の基準を設定するような表明保証条項などは、このような性格を持つ。し

たがって、買主も売主が表明保証したとおりの事実があるのか疑いを持ちながらも契約を締結し、代金を支払う場合もあると思われる。そのような場合は、表明保証の内容が事実と信じて契約したとまでは言えず、事実に反しているかもしれないが、反している場合は、契約で規定したとおりの対応をしてもらえば、それで満足であるとの意図で契約をしたり、代金を支払っているとみられる。そうであれば、詐欺とは言えない。

第2に、買主が売主にささいなことまで何でも表明保証させようとしている場合は、ささいな事項の表明保証が買主の契約締結や代金支払いの動機になっているとは考えがたい。このような場合も詐欺とは言えない。したがって、表明保証したことが事実と違うことを知りながら、または違いうることを知りながら、売主が契約締結等を行っていても、それが詐欺行為を構成するのか否かは事案ごとに慎重な検討が必要である。詐欺を構成する場合は、表明保証違反の効果として契約で定めた効果以上に、民法の原則に従って、詐欺による契約の取消しや不法行為による損害賠償の問題にも発展する。つまり、契約法理を超えた処理の問題となる。

3 信義則上の説明義務違反

(1) 売主の説明義務

民法では、売主が買主に対して売買の目的物についての説明義務を負うことはどこにも規定されていない。規定がなくとも、目的物の隠れた瑕疵（契約不適合）については、瑕疵担保請求権（契約不適合責任）に基づいて、売主の法的責任を追及できるので、しかるべき解決が図りうるとも言える。ただし、瑕疵担保責任（契約不適合責任）は、免責特約や責任期間短縮特約が可能である。そこで、瑕疵（契約不適合）を知りながら免責特約を行っても無効であることは民法が手当てしているし（572条）、宅建業者が非宅建業者に土地建物を売却する場合は、責任期間を2年未満に特約しても無効である（宅建40条）。

このように、売主の説明義務を認めなくとも、不動産売買において不都合

が生じないように法令の整備がされているようにも見えるが、権利行使期間を徒過した以上瑕疵担保責任（契約不適合責任）を追及することはできないとして処理するのでは買主に気の毒ではないかと思われる場合もある。例えば、第1に、商法526条の関係である。引渡しを受けてから6か月以内に検査して瑕疵（契約不適合）を通知をすることが瑕疵（契約不適合）の性質上難しい場合がある。第2に、仮に2年間の瑕疵担保責任（契約不適合責任）を特約していても、2年間であろうと、この期間内に瑕疵（契約不適合）を見つけることが難しい場合がある。第3に、瑕疵担保責任（契約不適合責任）期間の特約がなくとも、また、売主が瑕疵（契約不適合）の存在を明らかには知らなくとも、瑕疵（契約不適合）が存在する可能性があることを売主が知っている場合は、その可能性を買主に知らせると買主が瑕疵（契約不適合）に注意を向けることができるが、知らせないと買主が瑕疵（契約不適合）に注意できない場合があり、漫然と権利行使期間を徒過することがある。

　以上のような問題があるので、特に売主が宅建業者である場合は、信義則上の説明義務を認めて、その義務違反があれば、買主は、売主に対して損害賠償を請求できるとする数多くの裁判例が生まれた。宅建業者の説明義務の点は、後述するが、近時は、売主が宅建業者であるかは問わずに、同様の義務を売主に認める場合がある。例えば、東京地裁判決[34]は、土壌汚染の事件であるが、土壌汚染の調査を行うべきか否かを買主が売主からの情報なくして適切に判断することは困難であることから、土壌汚染を発生せしめる蓋然性のある方法で土地の利用をしていた場合は土壌の来歴や従前からの利用方法について買主に説明すべき信義則上の義務が売主にあるとした。同事件では、買主が商法526条の6か月の期間内に通知をしていないので、瑕疵担保請求はできないとも判示している。この判決の考え方を進めると、売主からの情報提供がないと瑕疵が把握しがたい事案では、売主に信義則上の説明義務を広く認めることになりかねない。また、これより先の東京地裁判

[34) 東京地判平成18年9月5日判時1973号84頁。

決35)は、地中埋設物の事件で免責特約があった事案であるが、売主を悪意とまでは認定していないながら重過失があるとして、民法572条を類推適用して免責特約を無効とした。瑕疵があることを知っていなくとも、知らないことに重過失ありとして同条を類推適用することの是非は議論が分かれるところと思われるが、この事件でさらに興味深いのは、売主が買主から地中埋設物の存否について問合せがあった場合に、誠実にこれに関する事実関係について説明すべき債務を負っていたとして、売主の説明義務違反に基づく債務不履行責任もあるとした点である。

宅建業者ではない売主にいかなる法律上の根拠をもって説明義務を認めるのかであるが、不動産取引における売主の買主に対する注意義務として、一定の範囲で判例上認められたものというべきものであろう。なお、契約締結前の説明義務であれば、債務不履行として整理してよいのか（契約がない中で債務が発生するとは考えにくいから）という疑問があるが、この点については、第6章の宅建業者の説明義務の項で説明する。なお、宅建業者ではないと思われる地下駐車場の賃貸人が、駐車場の賃借人に対し賃貸借契約締結の際に過去の同駐車場の集中豪雨時の浸水被害を説明しなかったことが、信義則上の説明義務に反するとして不法行為責任による損害賠償責任を認めた裁判例もある36)。信義則上の説明義務が売主だけでなく賃貸人にも認められることがあることに留意しておく必要がある。

(2) 容認事項

以上のような信義則上の説明義務が宅建業者だけではなく広く売主一般に認められるのかは、まだ、裁判例の集積が乏しいと思われる。また、何を説明すべきかという問題もある。買主が当然に期待するであろうことで、その合理的期待を満たさないおそれがある事情があれば、開示されないまま売却されると、将来的に紛争になりうる。ただ、買主が物件に当然に期待するレベルというものも、一等地の新築超高層ビルと場末の安普請の古い建物とで

35) 東京地判平成15年5月16日判時1849号59頁。
36) 名古屋地判平成28年1月21日判時2304号83頁。

は天と地ほどの差があるのであり、一律に議論することはできない。

　売主としては、売買後に売買の是非を何らかの理由で蒸し返されることほど嫌なことはない。したがって、実務的には、売買契約に「容認事項」を明記する事例が増えている。つまり、売主として買主が知っておきたいであろう物件の問題点を「容認事項」として明記し、買主が「容認事項」記載の問題点は承知のうえで購入するということを契約で明記するのである。明記するため、隠れた瑕疵（契約不適合）にはなりえないし、説明義務もみたす。私は、依頼者である売主から聞かれれば、買主の立場になって知っておきたいと思うことで、買主がすぐにはわからないことは、できるだけ容認事項に明記することを勧めている。ささいなことはどうでもいいが、重要と思われる点は、今や、売買において正確に説明することが手堅い処理であると思う。もっとも、売主がどこまで説明すべきかはわからないことも少なくない。というのは、買主が物件のどこを気に入って購入を決断するかは売主にはわからないことが多いからである。しかも、信義則上の説明義務というものは、契約責任を超えて求められるものであるから、「さすがにそれを言わずに売却するのはよくないよ」という問題が論点になると考えるべきであり、何から何まで説明することが法的義務として求められるとは言えない。「聞いていない」とはクレーマーの常套文句であるから、ささいなことに過度に反応する必要もない。

第1部　不動産の売買

第6章

宅建業者の責任

1　宅建業者の契約関係

　前述したが、宅建業法上、不動産の売買（交換も）、または、不動産の売買（交換も）もしくは貸借の代理、媒介を業とする場合は、宅建業の免許を必要とする（3条1項、2条2号）。賃貸を業とするだけでは宅建業の免許は不要である。宅建業者が関わる契約の類型としては、不動産の売買を自ら業として行う場合と、不動産の売買または賃貸借を媒介することを業として行う場合が多いので、以下においては、宅建業者が、自ら売主となる場合と、売買の媒介を行う場合について議論を整理する。なお、媒介の場合は、売主からの依頼を受けて媒介する場合も、買主からの依頼を受けて媒介する場合も、売主買主双方から頼まれて媒介する場合もある。また、賃貸人からの依頼を受けて媒介する場合も、賃借人からの依頼を受けて媒介する場合も、賃貸人賃借人双方から頼まれて媒介する場合もある。

　媒介契約は、専門家としての役務の提供を求められる点では委任契約類似の要素がある。注意すべきは、売主も宅建業者の場合は、売主も売主の媒介業者も宅建業者としてそれぞれ宅建業法上説明義務があること、また、買主の媒介業者は、宅建業者として宅建業法上説明義務があるだけでなく、媒介契約上も説明義務があることである。以下に、宅建業者としての説明義務はどう理解すべきかを説明する。

2 宅建業者の説明義務の根拠

宅建業者の説明義務については、宅建業法35条の重要事項説明義務、31条の信義を旨とし誠実に業務を遂行すべき義務（以下「信義誠実義務」という）および47条の重要な事実について故意に事実を告げず、または不実のことを告げる行為の禁止（以下「重要事実告知義務」という）等を根拠に、売買契約に付随する信義則上の義務（宅建業者が売主の場合）または媒介契約に基づく善管注意義務として、数多くの裁判例が積み重ねられている[37]。

宅建業法35条は、重要事項を限定列挙しており、これを説明しないことが違法であることは明らかである。また、この重要事項は、宅建業者が知っていたか否かは関係がなく、知っていなければならないこととして、宅建業者に調査義務がある事項である。

宅建業法47条の重要事実告知義務は、平成18年の宅建業法改正前までは抽象的な規定にとどまっており、その範囲が明確でなかったが、条文上「故意に」とあり、知っていながらわざと告げないことによって相手方等が重大な不利益を被るおそれのある事実を伝えなかったことが問題とされていたものであり[38]、この点の基本的な考えは今日も変更がない。

一方、宅建業法31条の信義誠実義務については、「ここでとくに業務処理の原則として信義誠実の原則を規定したのは、免許を受けて宅地や建物の取引という社会的に重要な仕事を業として行う者には、とくにこの信義に従って誠実に業務を処理するということが強く要請されるからである」[39]と説明されていたように、免許を受けた者としての職責が強調されていたもので

---

[37] 裁判例が多数にのぼるため、比較的最近の裁判例を中心に、私の法律事務所（小澤英明法律事務所）のホームページの「専門分野」「企業不動産法務」の中に、「不動産取引における説明義務」の項目を設け、随時、更新の予定である。適宜参照されたい。

[38] 建設省計画局不動産業課監修、宅地建物取引業法令研究会編著『新宅地建物取引業法の解説』（住宅新報社、1982）207頁参照。

[39] 建設省計画局不動産業課監修、宅地建物取引業法令研究会編著・前掲注38）105頁。

ある。

3 売主としての宅建業者の説明義務違反

まず、宅建業者が売主として関与する場合の説明義務違反について検討する。特にしばしば問題になる重要事実の不告知について以下に裁判例を概観する。過去の裁判例で、不告知がいかなる事実に関して問題とされているのか、その場合、過失により知らなかった事実についても宅建業者が知るべきであったとして調査説明義務違反が認定されているものがあるのか、さらに、宅建業者の説明義務違反についていかなる場合に債務不履行とされ、いかなる場合に不法行為とされるのかをみる必要がある。過去の裁判例を分析すると以上の論点については、以下のように言うことができる。

(1) 宅建業者の説明義務の対象

前述のとおり、宅建業者には宅建業法35条による重要事項説明義務があり、同条の重要事項は限定列挙されている。かかる限定列挙された事実について説明責任があることは争いないところであり、これを超えてどこまでを重要事実として説明すべき責任があるのかが問題となる（以下35条に列挙された事項を「重要事項」といい、それを超えて説明すべき義務があるとされる事実を「重要事実」という）。なお、前記第4章1で特筆すべき重要事項として、土壌汚染、アスベスト、耐震診断に言及したが、これらについて社会の関心は高く、「重要事項」に該当する事実でなくても、「重要事実」として説明義務のある事実があるかは常に意識しておかなければならない。過去の裁判例では、物件の土地利用規制や権利関係に関するものと物件の性状や環境に関するさまざまな事実が問題とされている。ここでは判断が難しい、物件の性状や環境に関することについて、どういう事実が重要事実として問題となったのかを説明する。

まず、物件の性状（広義）に関していえば、雨漏り、地盤沈下、地中埋設物、冠水、防災設備の不備、地下の配管、腐食した配管、シロアリ被害、自殺者物件、土壌汚染、危険な擁壁、汚水管の欠陥、改修マニュアル違反、開

発行為の不備などの事例が訴訟で争われている。

　これら物件の性状（広義）においては、重要事実か否かを判断するにあたって、物件に瑕疵があるかどうかがいずれの裁判例においても問題とされている。

　環境に関していえば、近隣地の高層建物建設等による日照・通風・眺望被害、近隣の大規模開発等による環境変化、騒音、大気汚染、眺望、方位、近隣の嫌悪施設、隣人との紛争、隣地建物からの視線などの事例が訴訟で争われている。

　これら環境においては、重要事実か否かを判断するにあたっては、説明がされればその購入条件での購入はなかったと解される事実が重要事実と把握されている。また、環境に関する裁判例において、裁判所は、宅建業者の説明義務につき、その専門的知識の範囲である重要事項を超えて説明すべき場合があることも認めているが、それは問題を意図的に隠すとか買主から特に注文をつけたとかの特段の事情がある場合とされている。

　以上のとおり、物件の性状についての説明義務が問題とされるには、まず、物自体に瑕疵があるかどうかが前提となる。一方、環境が問題となる事案では、その事実を認識したなら買主がその購入条件での購入を断念すると社会通念上解される事実が重要事実とされている。

(2)　宅建業者の調査義務

　重要事実とは、その事実を認識したなら買主が当時の購入条件での購入を断念すると社会通念上解される事実であると考えた場合、売主である宅建業者がその事実を知らない場合も重要事実不告知の問題が発生するのだろうかという点が問題になる。発生するとすれば、知るべき義務が前提となる。前述のとおり、告げなかった事実が宅建業法35条の重要事項であれば、知らなかったということは宅建業者の免責事由にはならない。しかし、それ以外の事実にまで調査義務が及ぶのかがここでの論点である。なお、契約で調査を特に依頼された場合は別問題（新たに契約上の調査義務が発生するため）であるので、ここではかかる特別な事情がない場合を前提にする。

この点について、裁判所の傾向を読み取るのは必ずしも容易ではない。調査が宅建業者の一般的な知識や経験の水準を超えた専門的知識や特殊な経験を必要とすれば調査義務はないとの判断に傾くだろうし、調査が宅建業者であれば簡単であるけれども宅建業者ではない買主であれば困難な場合は調査義務があるという判断に傾くだろうし、調査に特段の時間がかかる場合は調査義務がないという判断に傾くだろうし、調査に特段の費用がかかる場合も調査義務がないという判断に傾くだろう。数多くの裁判例から気になる事案の裁判例を読み込んで、個別事案でどのように判断すべきかを検討するしかない。しかしながら、調査義務がなくとも、「調査はしていませんが、このような点は気になりました。」というレベルの報告でも買主には非常にありがたい場合があるので、「それくらい、言ってあげればよかったでしょう。」と思われることは、調査しなくとも告げておくべきであったという判断になりうることに注意が必要である。要するに、善良な常識ある宅建業者であれば、調査又は注意を喚起したであろうと思われる場合は、その問題点を告げておかなければ、説明義務違反の責任を宅建業法31条の信義誠実義務違反として問われるリスクがある。裁判所のこの点の判断は、とりわけ買主が個人である場合に、買主保護に傾きやすいことに注意が必要である。

(3) 説明義務違反の責任の法的性質

　信義則上の説明義務違反を認めた裁判例の中でも、これを契約に付随する義務違反ととらえ債務不履行責任とするものと不法行為責任とするものとがある。また、そのいずれかを明示しなかったり、いずれも成立するかの記載をするものも少なくない。これらのいずれの責任であっても結果が同じであれば区別する実益がないので、過去の裁判例でこの問題が精密に論じられていないことも理解できる。しかし、契約責任であれば引渡しから5年または10年を経過して消滅時効で請求権は消滅していると思われるところ、不法行為責任であれば、売却時点から20年の除斥期間（改正民法では消滅時効）が過ぎていないため請求権が消滅していないという違いが生じる場合もあろう。ただ、宅建業者の信義則上の説明義務違反といっても事案はさまざま

で、悪質きわまる事案から、うっかりミスというべき事案まである。したがって、一律に論じることは問題であり、事案に即して検討すべきものであろう。ただし、信義則上の説明義務は、売買契約締結前に課されるため、売買契約が成立していない段階の行為をとらえて、これを債務不履行責任と整理するのは矛盾があるように思われる。このことを考えると、性質としては不法行為責任とすべきと考えるべきであろう[40]。

4　媒介業者としての宅建業者の説明義務

(1)　売主側の宅建業者の説明義務

売主側の宅建業者の宅建業法上の説明義務は、重要事項については、宅建業者としての売主の説明義務と同視することができる。しかし、重要事項を超えた重要な事実については、一般的に売主と媒介契約を締結してから物件を知ることになることから、売主ほどに物件の個性は把握できない。そのため、説明すべき事実に差があるであろう。

問題は、売主としては買主にあえて説明したくない事項を、売主側宅建業者として説明すべき義務があるのかという点である。売主側の媒介であっても、宅建業者であることから、前項で述べた宅建業法上の説明義務はある。したがって、その義務の判断に従って、重要な事実を説明すべきと考えるにもかかわらず売主がこれを妨げる場合は、売主に対しては、宅建業者として一定の説明義務があることを理由に説明せざるをえないことを理解してもらうしかない。どうしても理解してもらえない場合は、媒介行為を止めるしか

---

[40]　不動産の売買の事件ではないが、契約締結前の信義則上の説明義務が問題になった事例である最判平成23年4月22日民集65巻3号1405頁では、「契約の一方当事者が、当該契約の締結に先立ち、信義則上の説明義務に違反して、当該契約を締結するか否かに関する判断に影響を及ぼすべき情報を相手方に提供しなかった場合には、上記一方当事者は、相手方が当該契約を締結したことにより被った損害につき、不法行為による損害賠償責任を負うことがあるのは格別、当該契約上の債務の不履行による賠償責任を負うことはないというべきである。」としている。

ない。その場合は、売主としては、別の媒介業者を選ぶということになろう。このような場合に、売主が当該事実を隠すと、売主にも説明義務違反が認定されるリスクは一般的には高まるであろう。

(2) 買主側の宅建業者の説明義務

買主側の宅建業者の宅建業法上の説明義務は、重要事項については、売主側の宅建業者の説明義務と同視することができる。しかし、重要事項を超えた重要な事実については、特に物件の個性に関する事実は、売主や売主側媒介業者に比べると、把握が困難であろう。

ただ、買主側の宅建業者は、単に、宅建業法上の説明義務を超えて、媒介契約上の媒介義務者としての説明義務がある。これは、買主の購入目的から買主の知りたい情報を集めてこれを買主に提供するという義務があると考えられるからである。したがって、買主側の宅建業者は、単に、売主や売主側宅建業者から流れてくる情報を買主に流して説明するだけでは足りない。しつこく売主または売主側宅建業者に疑問点を質すことが必要であろう。特に、近時、宅建業者に社会が専門家として期待している役割は高く、また、法規制も相当に詳細であることから、専門家として買主の購入判断に必要な情報を収集して、これをわかりやすく買主に開示することは、今や、買主側媒介業者の当然の義務であると解される。これを怠って買主に損害を与えた場合は、媒介契約の債務不履行として損害賠償責任を負う。

(3) 双方媒介業者の説明義務

売主買主双方の媒介業者を1社が兼ねている場合は、売主側媒介業者および買主側媒介業者としての宅建業法上の説明義務に加えて、上記の買主に対する媒介契約上の媒介義務者としての説明義務をすべて有することになる。

第7章

入札の諸問題

1 裁判所による不動産競売の問題

　不動産競売物件を取得するのはかなりリスクのあることである。それは、不動産競売において、物件所有者は物の瑕疵につき瑕疵担保責任（契約不適合責任）を負わないにもかかわらず（民法568条4項）、競売に関わる執行官の現況調査報告書も評価人の評価書もかなりお粗末なものが多いからである。特に、近年、土壌汚染、地中埋設物、建物に使用されているアスベスト等の目視ではわからない問題が物件価格に大きな影響を及ぼすところ、これらの調査を執行官や評価人がどこまで対応すべきかの行為準則が未だ確立していないからである（執行官の民事執行手続の現況調査における注意義務としての一般論は最高裁平成9年7月15日判決（民集51巻6号2645頁参照））。
　そもそも、この種の問題が執行官の職責か、評価人の職責かも判然としないかたちで調査が行われている。法律の建前からすると、閉鎖した戸を開けるといった実力行使の権限が執行官には与えられている（民事執行法57条3項）のに対し、評価人には与えられていない（民事執行法57条3項が58条4項では準用されていない）こと等から、物理的性状の把握は執行官の責任であり、把握された物理的性状に基づく経済的評価は評価人の責任と解するしかないが、現場の実情は、執行官の指示で評価人が動くという現象が少なくないようである。不動産競売において、いわゆる3点セット（物件明細書、現況調査報告書、評価書）が買受申出希望者に開示される。現況調査報告書と評価書は、それぞれ執行官と評価人が作成して執行裁判所に提出したもの

が開示されるのであるが(現況調査報告書の記載事項は民事執行規則29条、評価書の記載事項は同規則30条にある。)、隠れた瑕疵がありそうな物件については、執行官と評価人が共同で現地調査を行っているのが実態のようである(執行官と評価人の相互協力については同規則30条の2にある)。しかし、どこまで調査しているのか、大いに疑問があるのが現実である。問題物件では、評価人が問題に気づいたまま素通りはできないので、例えば、土壌汚染については調査を行っている例もあるようだが、多くは、目視を超えたサンプル調査まではなされておらず、目視もかなり大まかなものにとどまっている。

サンプル調査までできないと言うのであれば、当該不動産の過去の利用履歴を関係者からヒアリングして、ヒアリング結果を詳細に現況調査報告書又は評価書に記載すべきである。しかし、現実には不十分な場合が多い。執行裁判所や執行官や評価人の言い訳は、不動産執行には、時間的制約、経済的制約及び調査活動上の制約があるというものだが、不動産執行は債権回収の最終手段であって一刻を争うものではなく、また、調査費用は執行費用として競売代金から先に支払われ(民事執行法42条2項)、裁判所や執行官や評価人に費用負担を強いるものでもないので、多くの場合、かかる言い訳は説得力のないものである。執行官や評価人の注意義務がどこまであるのかは、今後の判例の積み重ねを見る必要がある。

買受人が隠れた瑕疵による被害を回復できる手段としては、執行官の過失を理由とした国家賠償請求訴訟の提起である。なお、評価人は公権力の行使に当たる公務員ではないという理由でその過失により競落人が損害を被ったとして国家賠償請求をしても認められない可能性がある[41]。したがって、執行官の過失と構成できるかを検討する必要がある。この過失の判断は事案により、また、時代により変わりうる。不動産競売市場の健全な発展のためには、不動産競売など危険すぎて手を出せないと人々が思うことのないように(合理的経済人が安心して参加できるように)、執行裁判所を含めて努力が必

41) 東京地判平成23年1月31日判タ1349号80頁参照。

要である。

2 民間入札の問題

(1) 媒介拘束条件付入札

　民間入札は、さまざまな方式があるので、すべてをひとくくりにした議論はできないが、巨額の不動産取引では、売主に代わって大手宅建業者が入札すべてを取り仕切ることがある。それ自体、問題ではないが、問題があるのは、入札条件において、入札手続きで買主候補者が決まれば、その者はその宅建業者と媒介契約を締結しなければならず、売買契約が成立すれば、媒介報酬を支払わなければならないと定めている場合である（以下、「媒介拘束条件付入札」という）。このような媒介拘束条件付入札には以下に述べるように問題がある。

(2) 媒介拘束条件付入札における利益相反

　売主を甲、入札を仕切る業者をＡ、買主を乙とすると、媒介拘束条件付入札では、乙は、自らの利益を守る宅建業者を選択する余地がない。入札文書の提示で、媒介契約の申込みがＡから入札参加者全員に対して行われ、乙が入札に応じたことで、媒介契約の受諾を行ったと、一応は整理できるが、かかる媒介契約で公正な取引が可能になると考えるのはよほどのお人よしである。しかも、入札文書において、「入札参加希望者は売主には直接接触をしないでください。」と通常挿入されている。そこで、入札前の段階では、入札参加希望者の質問にはＡが甲に代わって答え、そのＱ＆Ａはしばしば入札参加希望者全員に共有される。Ａは、あたかも公正な仲介者を装うわけだが、以上のような仕組みは、必然的に双方代理の利益相反行為を生じさせ、買主に大きな不利益を与える。

　第一に、利益相反により買主への情報提供が十分には行われない。Ａは売主にやとわれているわけだから、売主に嫌われないことが行動原理となり、売買物件のマイナス点を積極的にさがして買主に知らせるインセンティブがない。入札参加希望者はＡに対してしかヒアリングできないので、Ａは入

札参加希望者からの質問には、「売主によると、」という逃げの文言つきで、おざなりの回答をする。第二に、媒介契約が入札後の買主候補者決定後に締結される。しかし、その段階以降には実質的な媒介はなされない。いくらで入札金額を入れるかが買主の最大の関心であり、入札後に売買価格の交渉は予定されていないからである。本来的に買主を守る必要がある入札前段階の買主サイドの媒介者は存在しない。第三に、入札前、Ａは、入札参加希望者に対して、「あと少し入札申出金額をあげないと危ないですよ。」などとデタラメを言う可能性がある。入札を仕切る以上は、買主候補者全員に対して公平でなければならず、「あなただけに教えるが……」みたいな振る舞いは入札を仕切る者としてあってはならない。しかし、入札参加希望者をすべてＡは把握でき、入札参加希望者の相談相手の別の媒介業者を排除できるので、でたらめが通用し、売主の利益を不当につりあげることに成功しうる。第四に、利益相反により、Ａは買主候補者に適正な売買価格を告げることができない。Ａにとっては売買価格を上げることが自らの報酬という利益を極大にすることであるから、適正価格を買主にアドバイスできる立場にない。

(3) 一般の両手媒介との比較

　日本の法律のもとでは、媒介業者もいわゆる「両手」の媒介が可能で、売主と媒介契約を締結する者が買主と媒介契約を締結することも許されるのだから、媒介拘束条件付入札も許されるのではないかとの疑問もあるかもしれない。しかし、そこには大きな差がある。一般の両手媒介の場合、売主の媒介業者であるＡに買主が媒介を依頼する必然性はない。しかし、媒介拘束条件付入札の場合、買主はＡを媒介業者とすることを強いられる。これは、買主が利益相反による不利益を避けられないことを意味する。一般の両手媒介も利益相反事情があることはしばしば指摘されるが、買主が両手媒介を嫌えば、買主独自の媒介業者をやとって、その者に売買交渉を任せて、利益相反を回避できる。しかし、媒介拘束条件付入札の場合はその余地がないのである。それが嫌ならその物件をあきらめればよいという理屈もあるかもしれないが、それは、利益相反を買主の真の了解なく横行させることになり、市

場をゆがめるものであって、不公正な取引方法である。

(4) 不公正な取引方法

公正取引員会は不公正な取引方法を指定しているが、媒介拘束条件付入札は、その一般指定12項の「法第2条第9項第4号又は前項に該当する行為のほか、相手方とその取引の相手方との取引その他相手方の事業活動を不当に拘束する条件をつけて、当該相手方と取引すること」に該当すると私は考えている。「相手方」は「入札参加希望者（買主）」であり、「その取引の相手方」とは「入札参加希望者（買主）に対して媒介行為を行う媒介業者（A以外の媒介業者：B）」であり、「不当に拘束する条件」とは、「他の媒介業者（B）への依頼を行わないという条件」であり、「当該相手方と取引すること」とは、「入札参加希望者（買主）に入札させて媒介契約を押し付けること」である。不公正な取引方法に該当するから当然に契約が無効というわけではないが、上述のようにそのもたらす害悪が甚だしいので、原則として、公序良俗違反として無効と解されるべきと私は考えている。

(5) 森トラスト事件

ところで、媒介拘束条件付入札と思われる事例で、媒介手数料を入札手続き書類では定めていなかった事例で、裁判所が商法512条所定の正当な報酬を媒介業者が請求できるとした裁判例がある（第一審は東京地裁平成21年12月9日判決金判1331号52頁、第二審は東京高裁平成23年3月9日判決金判1384号59頁、最高裁への上告申立ては受理されず、第二審判決が確定した。以下この事件を「森トラスト事件」という）。

以上から、森トラスト事件では、私の検討では「A」として表示した媒介業者（みずほ信託銀行と中央三井信託銀行と三菱UFJ信託銀行）と買主である森トラストとの間で成立した媒介契約は媒介拘束条件付取引であり、公序良俗違反で無効と解すべきものである。売主は農林漁業団体職員共済組合であり、売買対象物件は「虎ノ門パストラル」と呼ばれていたものである。

第 2 部

収益不動産

第1章

共同ビルの権利関係

　共同ビルには、さまざまに考慮すべき法的論点があるが、ここではしばしば問題になり、議論の整理が必要なものとして、共有ビル、分有土地、団地、信託された区分所有建物、共同ビルの管理、共同ビルの区分・再区分の各問題を取り上げる。

1 共有ビル

(1) 共有ビルの特質

　共有ビルは少なくないが、注意すべき点がいくつかある。そもそも、共有関係について、民法は最低限のことだけを取り決めている。共有は親しい者の間ではうまくいくが、関係が崩れると、うまくいかない。民法の簡単な条文では足りなくなる。したがって、民法では、共有物分割請求権を定め、共有物分割禁止特約は、5年を超えては定められないことにしている（256条1項）。

　区分所有関係は、共有の特殊形態であり、共有物分割請求権はない[1]。

　区分所有関係にない共有ビルは、共有物分割請求の対象であり、現物分割が事実上できない以上、分割請求をする場合は、売却して代金を分配するか価格賠償による分割となる。このように、共有ビルは、潜在的に共有形態を終了させるリスクがあることに注意が必要である。もっとも、共有者の1人に経済的余裕があれば、共有物分割の請求を受けることは脅威ではない。他の持分を買い取ればいいからである。

共有ビルが多い一因は、土地を手放すことをためらう者が多いからである。特に信用ある企業が共有者としてパートナーになってくれれば、管理運用をすべて当該企業に任せて、確実な収入を得られるから安心である。したがって、開発にあたって買収が困難な地主がいる場合も、共有ビルの共有者として当該地主が共有持分を有するかたちで残ってもらうことで、開発が可能になる場合がある。

(2) 共有者間の建物賃貸借

共有ビルの管理運営に長けた共有者Aが共有者B（複数の場合もある）から共有者Bの権利を借り上げて、そのうえでテナントC（複数の場合もある）に転貸することがよくあるが、このAのBからの借上げを法的にどうみるかが問題となる。この借上げについては、契約書では「持分賃貸借契約」という表題をつけているものもあるが、単に「賃貸借契約」としているものもある。

かかる契約の解釈の可能性としては、いくつかありえる。第1は、共有者

---

1) 区分所有法で明示はされていないが、12条で区分所有建物の共有については13条から19条までに定めるところによるとされており、これらの条文に共有物分割請求権が定められてはいないから、区分所有では共有物分割請求権は認められていないと解されている（稲本洋之助＝鎌野邦樹『コンメンタールマンション区分所有法〔第3版〕』（日本評論社、2015）84頁）。民法は制定時から区分所有の規定を208条に設けており、共有物分割請求ができないことを257条で明記していた。民法208条は、区分所有法の制定に伴って削除された。この経緯からも、区分所有関係に共有物分割請求がないことは明らかである。なお、区分所有関係を解消すれば、民法の共有に戻り、共有物分割請求ができ、売却して売却代金を分配すればよいところ（必ずしも建物取壊しを要件にする必要はない）、区分所有法には区分所有関係の解消という制度がなく、建替えの制度しかないため、老朽マンション問題を深刻化させている。この問題については、小澤英明「建物区分所有関係の解消——建替え方式を廃止して売却方式を導入することについて」マンション学9号（2000）89〜94頁参照。また、アメリカでは区分所有関係の解消という制度が設けられていることについては、同「アメリカのマンション法——建替えおよび復旧についてのヒント(上)・(下)」判タ997号81〜89頁・999号66〜75頁（1999）参照。

AB 間の共有物の使用の取決めに関する契約とする解釈であり、第2は、共有者 AB を賃貸人としてそのうちの A だけを賃借人とする共有建物の賃貸借とする解釈であり、第3は、共有者間の共有建物の共有持分の賃貸借とする解釈である。第1の解釈の難点は、AB 間では A に対して通常の建物賃貸借の賃借人としての権利義務を認めることが AB の意思にそう場合が多いであろうところ、A の賃借人としての保護が借地借家法の借家人同様には制度的に確保できないところである。第2の解釈の難点は、A の賃借権が混同で消滅しないかという疑問を生じさせるところである。借地借家法15条の自己借地権は、借地権者が複数である場合のみ認められるものと整理されているところから、建物について自己借家権を認めるのも借家人が複数である場合に限られるのではないかという疑問が提起されうる。第3の解釈の難点は、共有持分の賃貸借ということがどういう意味なのかが判然としないところである。その法的意味または効果が何かが不明である。

　参考となる裁判例として、東京高裁判決[2]がある。この事例は、4階建てのビルであり、もともと甲、乙の持分2分の1ずつの共有であった。甲乙の間では「乙の持分部分についての賃貸借」が締結され、建物全体を甲が使用していた。その後、甲の持分を丙が競売で取得して、さらにその後、丙は乙から乙の持分を取得して、建物全体の所有者になり、占有している甲に対して建物の明渡しを求めたものである。丙の議論は、上記賃貸借は、共有物の使用の取決めにすぎず、競売により、甲が共有者ではなくなったのだから、甲が建物を使用する根拠になりえないというものであった。

　これに対する東京高裁の判示は、以下のとおりである。「建物の持分権は、建物そのものとは異なり、一つの権利であるが、本件の場合のように、建物について二分の一ずつの持分を有する共有者両名のうちの一方が、その持分権に基づいて、他方に対し、右共有建物の使用収益を認め、その代わりにその対価の支払が約束される契約（『本件賃貸借』と表現されてきている。以

2）東京高判昭和63年8月30日判時1292号94頁。この判決には吉田克己教授の解説（判タ707号（1989）63頁）もある。

下右契約に基づく権利も『賃貸借』という。)は、共有物の使用方法についての合意を含むものの、対価を支払って相当期間建物そのものを全面的に使用するという建物自体の賃貸借と同様の効果の発生を目的とするものと解されるから、特段の事情がないかぎり、その性質上建物賃貸借に準ずる契約と解するのが相当であり、民法、借家法等の規定の趣旨にしたがいその効力を考えるべきである。」。

ここでは、契約が「乙の持分全部についての賃貸借」という表現で締結されていたことも原因ではなかったかと思われるが、「その性質上建物賃貸借に準ずる契約」と判示して、建物賃貸借そのものであるとまでは言い切ってはいない。しかし、その考え方は、その契約を通常の建物賃貸借と同様に見ようとするものであり、このように解することは、当事者の意思にも合致していると考える。

実質的に第2の解釈がなされているわけであるから、第2の解釈上の難点を克服できないかが問題となる。借地借家法15条が民法179条との関係で論じられることがあるが、民法179条は、所有権および他の物権(または、所有権以外の物権とこれを目的とする他の権利)の同一人への帰属の問題であるから、本件が混同の問題であるとするならば、520条の債権債務の同一人への帰属の問題である。しかし、そうであれば、借りる権利と貸す義務は同一人には帰属していないと言え、混同はないと解することがむしろ正しいのではないだろうか。すなわち、借りる権利は甲にあるが、貸す義務は甲および乙にあり、貸す義務は分割できないので、権利と義務が同一人に帰属しているとは言えないからである。

それでは、第2の解釈で難点はないのだろうか。検討すべき問題に利益相反の問題がある。仮に、Aが60％、Bが40％の持分を有している場合を考える。賃料の改定にあたり、AB間で意見の対立がある場合は、当然ながら、問題となるのは、AがBにいくらを支払うべきかであるから、Aが賃貸人の立場で口をさしはさむことはありえない。法律的に整理すると、賃貸人としてのAの賃料債権と賃借人としてのAの賃料債務は混同で消滅し、残る賃

料債権と賃料債務は、AB間のものだけであるから、賃料増減請求の賃借人の立場にはBしかいないと考えればよいように思われる。問題なのは、例えば、AとCとの転貸借が終了し、新たにテナントDを入居させたい場合に、Bが反対すれば、Dへの転貸は無断転貸になるのかという点である。この点については、賃貸借の賃貸人の地位になおAが残っているから、賃貸人の意思決定では過半数の持分を有するAの判断で決せられてよいと考える。たしかに、賃借人Aから承諾を求められてはいるが、賃貸人ABの意思決定が問題であり、ここには利益相反関係はないと考えられるからである。

以上のとおりであるから、共有者間の建物賃貸借は、いくつか検討すべき論点があるので、契約においては、Aの地位は借地借家法の借家人と同等の権利義務があること、また、賃貸借期間の転貸については、Aの単独の判断でなしうること等を明記しておくことが賢明であると思われる。そのようにしても、共有者間の意思に反することはないと思われる。

(3) 共有持分譲渡禁止特約

共有ビルの持分の譲渡を他の共有者の承諾にかからしめている契約がある。また、譲渡するにあたって、他の共有者に先買権を認め、その手続を詳細に定める場合もある。このような特約がある中で、かかる特約を無視して共有持分が処分された場合、どうなるのかという問題がある。

共有ビルが民法上の組合契約の組合財産でない限り（676条）、共有持分譲渡禁止特約に反しても、その譲渡は有効であり、特約違反の債務不履行による損害賠償の問題が残るだけであると整理できる。ただ、いかなる場合に民法上の組合契約があるとみるのかが問題である。共同でビルを建設する場合、竣工までは民法上の組合契約の意識が高い場合も多いと思うが、竣工後は、その意識がない場合がほとんどであると思われる。上記(2)の共有者間の建物賃貸借契約が締結されている場合は、組合契約とは矛盾するので、組合契約は存在しないと考えられるであろう。民法上の組合契約が成立している可能性がある場合は、共有持分譲渡禁止特約を無視した共有持分の取得は、他の共有者に対抗できないことを考慮し、避けるべきである[3]。

この種の共有持分譲渡禁止特約は、共有ビルの共有持分を有する企業にとっては大きな関心事である。想定もしていなかった第三者の登場を阻止したいからである。単純な禁止特約だけでは、共有持分の財産的価値を失わせるので、先買権を共有者に認め、その権利が行使されなければ、譲渡できるとするものが多い。

(4) 共有者間協定の承継

共有者間では、共有物の使用収益に関してさまざまに取り決めることが普通であるが、かかる共有者間協定が、共有持分の譲渡に伴って当然に譲受人に承継されるのかという論点がある。実務的には、共有者間協定は、共有持分の譲渡ごとに巻き直すのが普通であるが、仮にこれが共有者の誰かの非協力でできない場合や、これを怠った場合どうなるのかという問題である。

関係する条文としては、民法254条があるが、254条の一般的な解説では、例として、管理に要した費用を支出した共有者は、他の共有者に対して有するその費用の償還請求権を、その後者の特定承継人にも主張することができるということを挙げる程度で、これ以上、同条について立ち入った検討を行っているものは乏しい。共有者間の取決めは、登記することも認められない中で、どこまで承継人に当然に承継されると解すべきかの問題である。

この種の取決めが承継人を拘束しないと解すると、共有者は、他の共有者から共有持分を取得した者から翻弄される可能性があり、かかる帰結は、共有者間で共有者間取決めを行った意図にも反することになる。そこで、この論点については、民法254条を広く解することで、自動的に承継されるという方向で考えてよいと思われる。なお、直接に参考になる裁判例はみあたら

---

3) 共有登記があれば、組合財産である可能性があるのだから、第三者は注意すべきであると説明されることもある。谷口知平ほか編『新版 注釈民法(17)』(有斐閣、1993) 149頁 [品川孝次] 参照。なお、東京高判昭和27年2月29日高民5巻4号150頁では、「組合は社団法人と異りそれ自身権利主体たり得ないため権利帰属の関係において組合員は権利主体として組合財産に属する個々の対象につき持分を有するものと解されるが組合員はその組合員たる地位の承継によらずしてかゝる物権的持分を自由に処分し得るものではない。」と判示している。

ないが、判例も同条に単に費用償還義務の承継の機能だけを認めているわけではない[4]。

なお、区分所有者間の取決めは規約に規定しておかなければ、区分所有者の特定承継人を拘束しないと考えられる[5]。

2 分有土地

(1) 分有土地とは

分有とは、実務上用いられている用語にすぎないが、要するに建物の敷地が区分されていて、それぞれの区分された土地は、別々の所有者によって所有されているが、それらの区分とは無関係にその敷地に建物が建っている土地の状態を指す。つまり、ある建物の敷地が別々の所有者により区分されている状態である。特に、建物が区分所有されていたり、建物が共有されていたりしている場合にこのような現象が見られるが、むしろ、このような現象は、土地を集めてその上に建物を共同で建設した場合に起きる現象であると言うべきかもしれない。その土地の価値に応じて、建物の床面積や位置や、建物の共有持分の割合も定められ、土地所有者間では公平が確保されている状況である。このような状況は、それらの土地所有者すなわち建物区分所有者または建物共有者がその土地において共同体とでも言うべき関係を保っている場合は問題が明らかにならないが、そのうちの1人が何らかの理由によりその土地の所有権と建物の権利を第三者に売却しようとする場合に問題を生じさせる。一体、これまでのそこにおける土地と建物の関係は何だったのかが問題になるからである。

(2) 分有土地と区分所有建物

分有土地に区分所有建物が建っている場合を検討する。単純化するため

---

[4] この論点については、山田誠一「共有者間の法律関係——共有法再構成の試み(1)」法学協会雑誌101巻12号(1984)16〜19頁において学説史の整理がなされており、同102巻1号(1985)106〜116頁に判例の整理がなされている。

[5] 最判平成9年3月27日判タ947号204頁参照。

[図表1] 土地分有概念図

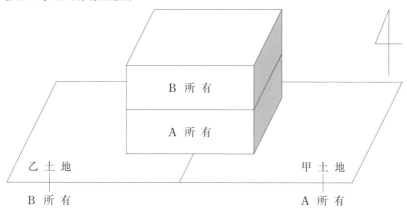

に、図表1のとおり、ある建物敷地の東半分の500坪の甲土地をAが所有し、西半分の500坪の乙土地をBが所有し、この全体の土地上に区分所有建物が建っており、1階をAが所有し、2階をBが所有しているとする。AもBもそれぞれ所有している土地の価値は同じであると考えて、建物も同じ床面積の区分所有建物を所有することで満足しており、当然のことながら、地代のやりとりはない。建物は、甲土地にも乙土地にもまたがっているとする。この場合、Aが所有している1階部分の建物のうち、乙土地に突き出している部分につき、一体、Aはいかなる権利を有していると言うべきなのだろうか。

　分有土地の土地利用権の性質については十分な議論がないが、考えられる解釈は以下のとおりである。第1の解釈は、AがBから乙土地を使用貸借していると考えるものである。第2の解釈は、AとBが共同でBから乙土地を使用貸借していると考えるものである。第3の解釈は、AとBが共同でBから乙土地を賃借していると考えるものである。この場合、AがBに支払うべき地代は、同時にBとAが共同でAから甲土地を賃借していることに着目して、そこにおいてBがAに支払うべき地代と相殺しているとみ

る。地代の金額は判然としないが、相当地代のやりとりがなされているとみるわけである。これは、土地の利用関係を借地借家法15条に定める自己借地権とみるものである。

　Aから甲土地と1階部分の区分所有建物を取得することを考えている企業とすると、これらを購入してどういうリスクがあるのかが問題となる。例えば、Bから乙土地部分に突き出ている1階の西側部分の撤去を求められたらどうなるのかという問題がある。さすがに、Bはそのようなことを言わないとしても、Bから乙土地と2階部分の区分所有建物を取得したCから言われたらどういうことになるのかという問題である。この問題を考えるには、分有土地の敷地利用権について法的な整理が必要である。

　第1の解釈は、そもそも区分所有建物といえども構造部分は共用部分であり、その共用部分は甲土地にも乙土地にもまたがっていることを見ていないところに問題がある。つまり、専有部分だけでなく、共用部分が存在する法的根拠を示していないので、不十分な説明である。したがって、第2の解釈または第3の解釈のいずれかで考えるべきであろうが、第2の解釈は、全体的にAとBがギブアンドテイクの関係でつりあっているから地代のやりとりをしていないだけであることをみていないところに難点がある。バランスがくずれた専有部分の所有をすれば、そのバランスを解消する金銭的やりとりがなされるはずであり、このようなバランスが崩れた状況の処理の説明をできない。第3の解釈は、以上の第1の解釈の難点も第2の解釈の難点もないし、土地利用権が借地権であるので、Aとしては1階部分を区分所有登記すれば、上記Cにも土地利用権を対抗できる。したがって、第3の解釈が最も合理的であり、第3の解釈をすべきものと考える。長屋の縦割式区分所有建物であっても、互いに建物所有目的の土地賃借権があるとみるべきであるとした東京地裁判決[6]があり、第3の解釈がこの判決とも整合的である[7]。

6) 東京地判平成25年8月22日判時2217号52頁。

なお、分有土地に共有建物が存在する場合も、区分所有建物の共有である構造部分と同様に見ればよいので、第3の解釈で対応が可能である。

3　団　　地

(1)　団地とは

　区分所有法には団地の規定がある。少しわかりにくい。典型的には、区分所有建物が何棟か集まって存在しており、それらの区分所有者が共有している土地（以下、「核」という。）を介して、それら全体又はその一部を一定の管理に服させる仕組みが団地の制度である（区分所有65条）。それらの所有者は、「団地建物所有者」と定義されている（区分所有65条）。マンションA棟とマンションB棟があり、敷地が共通で、各棟の区分所有者は、全体敷

7）長屋（2つ以上の住宅を1棟に建て連ね、各住宅が壁を共通にして、別々に外部への出入口を持っているもの）の場合（本文の図とは異なって建物が垂直に区分されている状況を想定されたい。つまり甲土地にA所有建物があり、乙土地にB所有建物があるという状況の場合）も共通の壁の中央部分で建物を区分し、壁を共有と見ないということは、ABの双方にとって不都合である。どちらかの一方が壁の中心線から建物を取り壊すことが他方の承諾なく可能になれば、他方の建物の強度にも影響がある。したがって、共通の壁は少なくても共有と解すべきである。言い換えると、共通の壁が区分所有法4条1項の「構造上区分所有者の全員又はその一部の共用に供されるべき建物の部分」として存在するということは否定できず、それは同法によって区分所有の目的とはならないと考えるべきである。ただ、その場合、共通の壁以外は単独所有にできるのかという問題がある。それを当事者が望むならば否定すべきでもないと思われるので、この点は、区分所有登記がどのようになされているかにより判断すべきように思われる。しかし、その場合も共通の壁は共有状態であって、双方の土地にまたがっているので、少なくともその共通の壁の所有のためにそれぞれの土地を使わせてもらっているとの関係があるし、一般には一棟の長屋全体で建築基準法等の公法上の規定をクリアしていることが多いと思われることから、共通の壁だけに着目することでは不十分である。したがって、一棟の長屋全体の敷地につき、互いに建物所有の目的の土地の賃借権があると見て処理すべき場合が多いと思われ（東京地判・前掲注6）参照）、本文で述べた横割の区分所有建物と同様に土地利用の権利関係を考えてよいと思われる。

地を共有しているなどという場合は、わかりやすいが、核となる共有土地は、敷地全体に及ぶ必要はない。二棟の敷地は別々でも、その間の通路が両棟区分所有者全体の共有でもよい。

　さらに核となるものは、土地でなくとも、「附属施設」であってもよい（区分所有65条）。すなわち、A棟やB棟とは別の独立した建物（独立した集会場を想定されたい。）でもよい。ここで「附属施設」とは一体何なのかという問題があるが、区分所有法3条に「附属施設」という言葉が出てくる。同条の「附属施設」とは、附属の建物と建物の附属物であると解されている[8]。「附属施設」の定義はストレートにはないのだが、区分所有建物の共用部分として管理対象になる部分について規定のある法2条4項から、このような解釈が導かれている。独立した集会所の建物は、「附属の建物」である。それならば、「建物の附属物」とは何か。マンション標準管理規約では、附属施設については、具体例として、「塀、フェンス、駐車場、通路、自転車置場、ごみ集積所、排水溝、排水口、外灯設備、植栽、掲示板、専用庭、プレイロット等建物に附属する施設」が挙げられている。これらを「建物の附属物」と見てよいだろう。これらを共有の核として、団地建物所有者は、これらを管理する団体を構成しているわけである。

　なお、このような共有の核となる土地や附属施設について、団地建物所有者は当然にこれを管理する団体を構成するのだが、区分所有建物（マンションA棟やマンションB棟）が当然にかかる団体の管理対象になるわけではない。区分所有法65条を素直に読むと、当然に管理対象になるようにも読めるが、後述する区分所有法68条により、規約で管理対象にできるだけである。

(2)　団地共用部分とは

　附属施設の中で、建物については、これを規約で団地共用部分とできる（区分所有67条1項）。そもそも団地関係の核になる共有の附属施設の建物なのだから、わざわざこのようなことを規定しなくとも団地共用部分になるの

---

8) 稲本＝鎌野・前掲注1) 28頁。

が当然なのではないかとの疑問が起きるが、団地共用部分としなければ、その持分の処分が区分建物と分離して処分が可能であるので、団地共用部分とする意味がある[9]。

(3) 団地管理規約の及ぶ範囲

団地関係を形成させる共有の核があるということを根拠に、団地管理組合が、規約により、両棟の敷地や両棟の管理を行うことができる(区分所有68条)。ただし、この共有の核を根拠に団地管理組合が管理対象を拡張できるという点が曲者で、わずかの核で、規約により、広範囲の土地に、また、広範囲の建物に団地管理組合の管理が及びうる。そこで、事案によっては、想定外に他の棟(例えばA棟)の区分所有者から自己の区分建物が存在する区分所有建物(例えばB棟)の管理に口出しされる可能性がありうる。どこまで、共有の核によって規約により、団地管理組合の管理対象が広がりうるかであるが、これには、区分所有法68条の制約がある。

区分所有法68条は、わかりにくいが、1項の柱書は、団地関係が成立している場合、次の要件を満たせば、規約によって共有の核以外に管理を及ぼすことを認めます、というのが、「次の物につき第66条において準用する第30条第1項の規約を定める……」の意味である。法68条1項の1号と2号はどういうものかと言うと、1号は土地又は附属施設(例えば、独立した建物の集会所)の組み入れについて、2号は区分所有建物(例えば、A棟やB棟)の組み入れについて規定している。

1号の土地から説明すると、例えば、A棟の敷地の一部に駐車場があり、この駐車場をA棟だけでなくB棟の居住者にも利用させる場合はB棟の区分所有者もこの駐車場の管理に利害関係を有する。したがって、団地管理組合によって管理をしたいという動機がはたらくが、その駐車場用地がA棟の敷地の一部であれば、団地管理組合の規約で組み入れるための決議だけでなく、A棟の区分所有者の頭数と共有持分の各4分の3以上の同意が必要で

---

[9] その他、団地共用部分とする効果については、稲本=鎌野・前掲注1)477頁以下参照。

ある。

　2号の区分所有建物について説明すると次のとおりである。区分所有建物A棟とB棟がある状況を想定する。A棟敷地とB棟敷地を隔てた通路は、A棟区分所有者全員及びB棟区分所有者全員で共有されているとする。この通路が団地関係を形成させる核であるが、これを根拠に団地管理規約を定める場合、その管理の対象をその核だけでなく、A棟及びB棟にも及ぼせたいと考える場合にどうしたらいいのか、と言う問題である。どのような制約があるかという問題だが、この場合、区分所有建物ごとに頭数と議決権の各4分の3の決議をとりなさいというのが、区分所有法68条1項柱書の「第2号に掲げる建物にあつては……」の文章の意味である。また、その文章の中に「その全部につきそれぞれ」というのは、A棟及びB棟の両方につき、棟ごとにこの議決をとりなさいということである。つまり、団地関係が形成されている場合、共有の核について団地の管理を及ぼすだけでなく、区分所有建物の管理にも団地としての団体の管理を及ぼす場合には、団地全体で規約を定めると同時又はそれ以前に、各区分所有建物の集会で以上の決議をとりなさいという趣旨である。このように、各区分所有建物まで団地の団体（団地管理組合）で管理するとなると、そこで定める区分所有建物についての管理規約ができあがり、各区分所有建物で独立した管理規約が規定できないことになるのかが問題になるが、この点は、規定はできるが、つねに、団地全体で定める管理規約が優先する関係に立つと解すべきことになる。

4　信託された区分所有建物

(1)　議決権の不統一行使

　区分所有建物の典型例は、いわゆる分譲マンションであるが、社会には数多くの事業用の区分所有建物も存在している。居住用であろうと事業用であろうと、区分所有建物が証券化される場合があり、その典型は、信託銀行に区分所有建物が信託譲渡される場合である。信託の場合は、専有部分の実質的所有者が受益者ながら、法的所有者が受託者である信託銀行であり、そこ

[図表２] 区分所有建物信託概念図

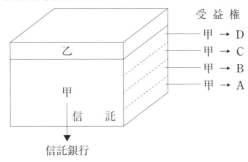

にズレがあるために、検討すべき問題がある。特に議決権をどのように考えるべきかという問題がある。

単純化するために、図表２のとおり、５階建て建物が各階ごとに区分所有されて、甲が１階から４階までを所有しており、乙が５階を所有しているという事例を考える。甲が信託銀行に１階から４階までのすべての区分建物を信託譲渡し、各階ごとに信託受益権が発生し、これを１階部分の信託受益権はＡ、２階部分の信託受益権はＢ、３階部分の信託受益権はＣ、４階部分の信託受益権はＤにそれぞれ譲渡したとする。

以上の事例において、管理組合における信託銀行の議決権行使をどのように考えるべきかという問題がある。Ａ、Ｂ、Ｃ、Ｄの各受益者の意見がバラバラの場合に、議決権の不統一行使ができるのか、不統一行使をする場合に頭数はどのように考えるべきかという問題がある。

まず、一般に１人が複数の専有部分を所有する場合の原則的な議決権の考え方を確認する。区分所有法では、集会の決議は、区分所有者の過半数と議決権の過半数をもって決するとされる（39条１項）。この場合、議決権の割合は、共用部分の共有持分の割合で決するが、区分所有者の過半数とは、区分所有者の数の過半数であり、１人で数個の専有部分を所有している場合でも１人と計算され、異論はない。単に共用部分の共有持分の割合で決するのではなく、頭数でも決するという考え方の根底には区分所有者の共同利益の

保持（共同生活の保持）は、共用部分の共有持分だけの議決では不十分であると考えられたからのようである[10]。また、議決権は、区分所有者1人が1つの議決権を有すると解され[11]、区分所有者が複数の議決権を有するとは考えられていない。

　以上の考え方が、受益者が複数で受益者ごとに意見が異なる信託の場合も維持されなければならないかがここでの論点である。信託の場合は、受益者ごとに実質的所有者が異なることから、頭数は1人ではなく実質的な所有者の数だけカウントすべきではないかという疑問が生じる。すなわち、受託者である信託銀行としては、各受益者に対して忠実義務を負うものであるから、1つの意見で議決権を行使しなければならないとすると、複数の専有部分について受益者を異にする信託を発生させてはならないということにもなりかねない。信託行為は、信託法でも認められた正当な私法上の行為であり、この許される行為を事実上妨げるような法令の解釈は、その解釈が他の正当な権利や利益を守るために必要であるといった特段の理由がない限り合理性がないように思われる。しかも、頭数での多数決をも必要とした事情が、共同生活の保持という観点で挿入されたという立法経緯を考えると、形式的所有権ではなく、実質的所有権で考えることがよりふさわしいと思われるからである。

　この点についての参考にすべき判例文献は乏しい。わずかに山野目教授が建替え決議の催告において、複数の専有部分を有する区分所有者の不統一な回答を許すべきではないと論じた論文が参考になるが、そこでも、「不統一行使が認められている株主の議決権の場合には、異なる者から株主の信託を引受けているといった実際上の背景がある……けれども、区分所有者の回答について類似の事情は、ふつう考えにくい」という説明があり、信託の場合は別に考えうる余地が示唆されている[12]。

　山野目教授が言及される株主の議決権の不統一行使は、会社法313条にあ

---

10) 稲本＝鎌野・前掲注1) 232頁。
11) 稲本＝鎌野・前掲注1) 227頁。

るが、これは、その前身の商法239条ノ4を承継している。239条ノ4は、昭和41年商法改正で新たに設けられたものであるが（その時点では商法239条ノ2）、それ以前は株主の議決権も不統一行使について定めた規定はなかった。規定がない時代も、昭和41年の商法改正時点では、実質的な理由があれば、不統一行使を認める立場が圧倒的であるとされていた[13]。法律改正がなければ不統一行使を認められないという硬直的な考え方はとられていない。不統一行使を認めている現行の会社法313条3項では、他人のために株式を有する者でないときは、不統一行使を拒否できるとあり、他人のために株式を有する場合は、手続が遵守されていれば、不統一行使を拒否できないとされている。他人のために株式を有する場合の典型が信託の場合であるから、信託の場合に不統一行使を区分所有の管理組合の総会で認めることは、会社法の考え方とも整合性がとれていると言える。

　それならば、信託の場合は常に頭数を受益者の数を基準にカウントしなければならないのかという疑問も生じうるが、これは、受託者がそれを望むときにカウントすればよいと考える。例外的な対応であるから、例外的な処理を望む者がその要求をした場合に限定すれば足りると考えるからである。

　以上のとおり、この論点については、裁判例もなく学説も乏しいが、信託の場合実質的に複数の所有者がいるために複数の議決権行使を認めることが必要な場合があるということは異論がないと思われる。また、かかる議決権行使を認めることが集会での議事の決定を規定した区分所有法39条の文言に直接抵触するとも読めない。したがって、専有部分ごとに個別の信託がなされているため実質的な所有者が複数であることを信託銀行が証明でき、管理組合がそのことを議決前に確認できる場合は、複数の議決権行使と、受託者の義務履行上の必要性からの議決権の不統一行使が認められ、頭数も実質

---

12) 山野目章夫「区分単位の合意形成——専有部分の共有と売渡請求」法律時報70巻3号（1998）120頁以下参照。
13) 岩原紳作編『会社法コンメンタール7』（商事法務、2013）231頁以下［松尾健一］参照。

的所有者の数で数えられるべきものと解する。

(2) マンション管理適正化法

以上に述べたように、区分所有建物が信託された場合は、実質的な所有者である受益者ごとに考えるべき論点がある。しかし、このことは、信託された複数の専有部分の受託者が同一の場合、専有部分の所有者の数を数えるにあたり、常に受益者という実質的所有者の数で考えるべきであるということまで意味するものではない。規制法において、区分所有者の数が問題になることがあるが（数が規制の要件となるような場合）、とりわけ、規制の違反に罰則があるような場合は、文理解釈に従う必要がある。

例えば、マンションの管理の適正化の推進に関する法律（マンション管理適正化法）は、「マンション」の定義として、「二以上の区分所有者……が存する建物で人の居住の用に供する専有部分……のあるもの並びにその敷地及び附属施設」（2条1号イ）と定義しているが、ある建物のすべての専有部分が1つの信託銀行に信託されているような場合は、受益者が複数であっても、この「マンション」の要件はみたさず、同法の適用はないと解すべきである。

5 共同ビルの管理

(1) 区分所有建物

区分所有建物は、居住用のマンションだけではなく、オフィスビルでも商業ビルでも多数存在する。オフィスビルや商業ビルで区分所有となっているものには、もともとの地主が開発には同意するものの、土地の権利を手放したくないために、土地の価値に見合ったビルの区分所有建物（敷地の利用権は土地の共有持分というものが多いであろう）を取得したものが少なからず存在する。これは、通常は等価交換方式で、土地を開発業者に売却する代わりに、開発業者がそこに建設するビルの一部を地主が区分所有建物として取得することで生まれる。このほか、ビルの一部を取得したい投資家を念頭に置いて、開発したビルを当初から区分所有とする場合も多い。また、開発事業

としてリスクが大きい場合等、デベロッパーが共同で資金を出し合って開発することがある。その場合も、ビルを持ち続ける形態として、区分所有が選択されることが多い。お互いあまり干渉しなくてもすむ権利関係だからである。このように区分所有となるいきさつにはさまざまなものがあるが、区分所有建物も所詮は共有ビルの特殊な一形態というべきものであるから、その管理は、区分所有者らが共同で行わざるをえない。

　ところで「管理」とは一体何であろうか。「保存」や「変更」とはどう違うのであろうか。共同ビルで、このような保存、管理、変更というものがどのように決まるのか、また、決めるべきかを整理しておく必要がある。

　保存行為を各区分所有者が行うことができることについては変わりがないが、「管理」や「変更」についての取扱いについては、区分所有法は改正を繰り返している。実は、昭和37年の区分所有法制定時は、「共用部分の変更は、共有者全員の合意がなければ、することができない。ただし、共用部分の改良を目的とし、かつ、著しく多額の費用を要しないものは、共有者の持分の4分の3以上の多数決で決することができる。」（12条）とされていた。これは、民法の共有物の変更に関する「各共有者は、他の共有者の同意を得なければ、共有物に変更……を加えることができない。」（251条）という規定に影響されている。しかし、もともと、民法の共有は、すべての共有物に適用される規定であり、長期の関係を前提とする不動産の共有には適合的ではないので、そのまま区分所有の共用部分のルールにすることも適合的ではなかったのであって、制定時から上記のとおり、民法の原則を修正している。

　しかし、その修正でも実際は適切に対応できなかったので、その後、昭和58年、平成14年と変更され、現在では、「共用部分の変更（その形状又は効用の著しい変更を伴わないものを除く。）は、区分所有者及び議決権の各4分の3以上の多数による集会の決議で決する。ただし、この区分所有者の定数は、規約でその過半数まで減ずることができる。」（区分所有17条1項）とされている。ややわかりにくいが、要するに「変更」というには、「その

形状又は効用の著しい変更を伴うもの」であるのであって、そのような変更を伴わないならば、いくら多額の費用がかかっても、それは「変更」ではなく、次に述べる「管理」の問題とするというルールを採用したわけである。つまり、それまで大規模修繕のように多額の費用がかかるものが4分の3という特別多数決の要件をみたす必要があるために大規模修繕をタイムリーになしえず、マンション管理がきわめて難しいという困った状態に至っていたが、いくら多額の費用がかかっても修繕であれば、また、単なる修繕だけでなく模様替えであっても、それは「管理」の問題として処理できるようになったのである。

このように「変更」に該当する行為がかなり限定的になった結果、「管理」概念が広くなった。管理行為は、規約に別段の定めをしていない限り、区分所有者および議決権の各半数で決せられる（区分所有18条1項・2項）。いわゆる普通決議（区分所有39条1項）で決せられる。

なお、ソフトバンクモバイルが原告となりライオンズマンション札幌定山渓壱番館管理組合を被告にして、同マンションの屋上に携帯電話の無線基地局を設置することに関する賃借権の確認を求めた事案で、地裁と高裁の判断が分かれた興味深い事案がある。すなわち、札幌地裁は請求を棄却したが[14]、札幌高裁は控訴を容れて、一審判決を破棄し、原告の請求を認容した[15]。総会では通常の管理行為として過半数の決議を得て原告と被告の理事長は賃貸借契約を締結しているが、地裁は、マンションの共用部を民法602条の期間を超えて第三者に賃貸することは、区分所有者の団体が決議することではなく、民法の原則に基づいて、特段の事由がない限り、共有者全員の同意が必要であるとした。

これに対して、高裁はマンションの共用部分の賃貸借については、民法602条の適用が排除されるとした。そもそも、本章1の冒頭でも説明したが、民法の共有の関係は、いつでも共有物分割請求を行える者どうしの関係

14) 札幌地判平成20年5月30日金判1300号28頁。
15) 札幌高判平成21年2月27日判タ1304号201頁。

を規律しているのであって、この共有物分割請求権を奪われた区分所有関係で、602条を持ち出すべきではない。誰のために、全員同意を求めるのか説明がつかない議論である（マンションが取り壊されるまで、マンションの共用部分の有効活用が図れなくなる）。高裁の判断が出たので救われたが、地裁判決のままであれば、マンション管理上不都合なことがさまざまに起きたであろう。

(2) 共有建物

共有建物の管理も、区分所有建物とほぼ同様のルールに従わなければ、適切に現実の要請に応えることができないはずである。「変更」は全員同意が必要なのであるから、その「変更」は、区分所有建物並みに限定的に規定しなければワークしないはずである。しかし、現実は、この点を十分に意識しないで管理に関する共有者間協定を締結している場合が多いようである。共有者間では通常、持分譲渡につき、他の共有者の同意を要するとか、他の共有者に先買権を与えるので、困った第三者が共有者として現れることが少ないとも言えるが、そのような制約を課する規定だけで常に十分に対応できるとは限らない。その場合に、極小の共有持分しか持たない共有者に建物の管理について主導権を与えないように十分に注意を払う必要がある。

なお、敷金返還債務は共同賃貸人の不可分債務と解されているから、ある共有者がその義務を果たせない場合に他の共有者が自己の共有持分割合を超えた支払いを求められることもあることに留意すべきである。

6 共同ビルの区分および再区分

(1) 共有建物から区分所有建物へ

共有建物から区分所有建物に変更する場合は、共有物の変更であるから、共有者の全員同意で建物を区分所有建物化し[16]、土地は敷地権登記を行うということになる。新登記の権利部には区分前の権利部が移記される（不動

---

16) 香川保一編著『不動産登記書式精義(上)〔新訂〕』（テイハン、1994）909頁。

産登記規則130条)。区分所有建物化が共有物分割を目的としていたら、さらに、共有物分割で専有部分の共有持分の変更をする必要が出てくる。また、それまで共有者間で建物の管理に関して協定を結んでいたであろうが、区分所有建物にする場合は、規約を作成する必要があり、規約では足りない部分は別途協定を結ぶということになる。専有部分の処分について他の区分所有者の同意が必要であるとか、他の区分所有者には先買権を与える必要があるとかは管理規約で定める内容でもないので、別途、協定を結ぶことになる。

(2) 区分所有建物の再区分

例えば、1棟の建物が10階建てであるとして、1、2階を1つの専有部分とし、3階〜10階を1つの専有部分とし、前者をAが後者をBが所有していたとする。ところがBが、資金が必要になって、3階〜10階のうち、10階部分だけをほしいという者に対して、10階部分をさらに区分し(すなわち「再区分」し)、売却したい場合にどういう手続が必要になるのかという問題である。

そもそも、専有部分の表示の変更が必要となるが、この再区分の登記申請は、当該専有部分の所有者が単独でできる[17]。しかし、規約については、前提となる専有部分の区分が変更になるので、再区分により既存の規約に適合しない部分が生じ、規約を変更する必要がある場合がある。規約変更には当然区分所有法の制約がある。すなわち、区分所有者および議決権の各4分の3以上の多数決によることが必要となる(区分所有31条1項)。

---

17) 登記制度研究会編『不動産登記総覧書式編(1)』(新日本法規出版、2005) 641頁。

第2章

賃 貸 借

　新規の事業用賃貸借は、借地であれば定期借地、借家であれば定期借家の形式をとることが多い。定期借地と定期借家で大きく異なるのは、定期借家では賃料の増減請求権を特約で排除できるが（借地借家法38条9項）、定期借地では排除できないところである（同条項に相当する条項がない）。当然ながら、手続において留意すべき点は多々あるが、詳細は、他の書物に譲り、ここでは、いくつかの特に注意すべき論点のみとりあげる。なお、定期借地や定期借家は、期間満了で賃貸借を終了させることは確保できるが、特約を工夫しても、期間内に賃貸借を賃貸人から終了させることまではできない。賃料の不払いの場合に、相当期間の催告のうえ、解除を行うことはできるが、ささいな契約条項の違反をとらえて、解除を行うことは無理である。無断譲渡転貸でも、信頼関係を破壊しない特段の事由があれば、解除できないとするのが判例であり、この判例の考え方を基礎にした、期間内の賃借人の保護という考え方は、定期借地や定期借家の制度導入によっても失われていない。

1　借地借家法の対象

借地借家法の適用があるのか否かで議論がある場合がある。
(1)　借　　地
借地で議論があるのは、広大な借地で、一部に工場施設等の建築物があるが、その他は広い駐車場や緑地帯があるような場合である。建築確認で敷地

としていないような土地まで建物所有目的の借地ということには困難がある。しかし、配送センターの駐車場のように、建物の利用に密接不可分であって、その借地が確保できない場合は、建物敷地部分の借地も大きく価値を損なうか価値を失う場合がありうる。このような場合は、駐車場部分の借地は、それ自体では借地借家法の対象土地ではないが、建物敷地部分の借地に従属的な借地として、その契約の終了は、建物敷地部分の借地契約の終了に従うと解すべきものと考える。

　ゴルフ場の場合、ゴルフコースに借地が混在していることがある。ゴルフ場の建物はクラブ施設程度であるが、クラブ施設の利用が主でゴルフコースの利用が従とは強弁できない。また、ゴルフ場全体が借地ということは考えにくく、問題となる事例は、買収できなかった土地が借地として混在している場合である。借地借家法の適用がない借地である以上、期間が満了すれば地主に返還するのが当然で、新たな契約の締結にあたって協議がととのわなければ仕方がないとも言える。もっとも、借地契約の解釈として、ゴルフコースが維持されている以上は、そのゴルフコースの維持に不可欠な借地部分は借地契約を更新する黙示の合意があった等の議論もありうるが、事案によるのであって、当然にかかる解釈が妥当するとも言えない。このような借地は、その借地権を対抗するための登記も設定されていないのが通常であるから、宇奈月温泉事件（大判昭和10年10月5日民集14巻22号1965頁）の品川彌治郎のような男が登場して、借地部分の土地を購入して、対抗力のない借地権（民法上の土地賃借権）を否定してかかるということもありえないわけではない。このような事例では背信的悪意者論で対抗できるが、地主の相続人から、期間満了を理由に明渡しを求められるような場合はそのようなわけにもいかず、ゴルフコースの価値が場合によっては大きく損なわれる実質的なリスクがある。当初の借地契約が甘いとツケが回ってくる。上記黙示の合意論等で対抗するしかないだろう。

　(2)　借　　家

　借家で議論があるのは、建物内の駐車場、建物外壁設置の看板、屋上の利

用である。いずれも、独立した区画について排他的支配を内容とする占有を伴うとは通常言いがたく、そのため、借地借家法の対象となる借家とは通常言えないが、建物内の賃貸借部分と密接不可分な部分の使用契約は、上記配送センターの駐車場の場合と同様に使用期間は、建物の賃貸借期間に従うと解すべきと考える。なお、最高裁判決[18]では、建物売主が借家人に認めた看板の建物買主による撤去請求を権利濫用で認めなかった。看板設置権が賃貸借契約と同様に当然に保護されているとの判断をしてはいないが、結果的には同様の判断となっている。

屋上利用で問題になるのは、太陽光発電施設の設置である。特に、この施設設置に融資をする金融機関からすれば、確実に一定期間当該施設が運転されなければならず、建物所有者が変わった場合に、その屋上利用が新建物所有者に否定されてしまうのであれば問題である。屋上の空きスペース利用は、通常排他的支配を伴うとは解しがたいので（鍵をかけて入る区画を定め、当該区画の使用者を明示すれば、排他的支配があるとの考えもあるかもしれないが、広告塔所有目的の屋上の賃貸借は、屋外の賃貸借とみるべきようなものであり借家法の適用がないとした大阪高裁判決[19]もあるので注意が必要である）、借地借家法の対象から外れ、また、屋上部分の賃貸借を登記するすべもない。したがって、建物所有者に対し、屋上賃貸借契約において、建物譲渡時には買主に屋上賃貸借の義務を承継させることを義務づけるのが限界である。

2　借地契約

(1)　借地法の借地権と借地借家法の借地権

借地借家法が制定されたのは、平成3年であり、施行は平成4年である。借地借家法で定期借地権が導入された。以後は、定期借地ではない、いわゆる普通借地で借地を供給することはきわめて少ない。特に事業用借地ではそうである。定期借地は、一般定期借地と事業用定期借地があり、借地借家法

---

18)　最判平成25年4月9日判時2187号26頁。
19)　大阪高判昭和53年5月30日高民31巻2号421頁、判タ372号89頁。

制定時には、一般定期借地は期間50年以上、事業用定期借地は10年以上20年以下という期間の制限があった。その後、事業用定期借地は、10年以上50年未満であれば、可能となった。事業用借地は公正証書によらなければならない（同法23条3項）。

　ところで、借地借家法の施行前に成立した借地法における借地権は、期間の点では、借地法の規定が適用される（借地借家法附則5条〜7条）。これは、「旧法借地権」と略称され、借地借家法の普通借地権よりも、借地権保護が強いと一般に考えられている。そもそも、借地法の下では、期間途中に期間を超えて存続すると思われる建物を新築する場合、どうなるのかが判然としなかった。遅滞なく賃貸人が異議（借地法7条の「異議」）を述べれば、更新拒絶の正当事由が具備し、本来の期間満了で期間が満了すると解すれば、明確なのであるが、異議を述べたことは1つの事情として顧慮されるものの、だからといって、当然に更新拒絶の正当事由が備わるわけではなく、更新拒絶の正当事由が備わるのかどうかは、総合的に判断すべきとする学説が一般的であり、裁判例も、更新拒絶の正当事由が備わるとは判断しなかった[20]。私は、若い時に、この論点についてのこのような解釈がどうも理解できなかった。異議を無視しても、建設することで、無理やり更新にもっていけるのではないか、それはおかしくないかと思った。今でも違和感があるが、今では、社会にはこのように腑に落ちにくい解決もあるという一例として理解している。このような解釈の下、社会一般では、地主の異議があっても、取壊し、新築という行為が蔓延し、「旧法借地権」は半永久的な利用権だという認識が一般化したものである。

　このような判然としない状況だったので、借地借家法では、更新後の再築については、この点の処理が一定程度明確になった。地主の承諾に代わる裁判所の裁判の制度だが（同法18条1項）、承諾に代わる裁判がなされるには、

---

20) この論点についての一般的な解釈は、借地法7条を解説した幾代通＝広中俊雄編『新版 注釈民法(15)』（有斐閣、1989）455頁下から4行目以下457頁3行目まで［鈴木禄弥＝生熊長幸］参照。

第2章　賃　貸　借

「借地権者が残存期間を超えて存続すべき建物を新たに築造することにつきやむを得ない事情がある」という要件がある。「やむを得ない事情」とは、狭く解されうるから、借地借家法の普通借地権は、旧法借地権ほど保護されないという認識が広まっていると思われる。

以上のほか、借地借家法の普通借地と「旧法借地権」については、いくつかの差があるが、借地借家法の普通借地は、ほとんど利用されていないと思うので、これ以上言及しない。利用されないのは、上記の再築の場合の「やむを得ない事情」等の判断いかんでは、旧法借地権に近いものになりうるという危惧からであろう。

(2)　事業用定期借地

平成3年の借地借家法の制定により事業用定期借地制度が導入された。ただし、当時、事業用定期借地は期間が10年から20年までのものしか認められなかったが[21]、平成20年1月からは期間が10年から50年までのものも認められるようになった。ところで実務上悩ましいのは、「事業用」とは何かという問題である。条文上は、「専ら事業の用に供する建物（居住の用に供するものを除く。次項において同じ。）」（借地借家法23条1項）とある。事業用ではないことにつき争いがないのは賃貸マンションであるが、長期療養が必要な入院患者をかかえる病院等はどうなのかと聞かれたことがある。「居住用」というからには生活の本拠地としての使用であると解すべきだと考えるので、そのような病院等は「事業用」と解する。一方、リゾートマンションは、生活の本拠地とする人と別荘利用する人とが混在しうるので、「事業用」とは言えない場合が多いだろう。また、老人ホームは生活の本拠地として、「事業用」とは言えない場合が多いだろう。事業用定期借地は公正証書によらなければならないので（同条3項）、この悩ましい論点については公証人の見解も参考にして個別の案件ごとに検討するしかない。

(3)　定期借地権マンション

定期借地権マンションとは、土地利用権が定期借地権の準共有持分またはその転借権の準共有持分である居住用の区分所有建物により構成される建物

145

である。デベロッパーが地主から定期借地権の設定を受け、マンションを建設し、定期借地権の準共有持分付区分所有建物を分譲するか、定期借地権の転借権の準共有持分付区分所有建物を分譲するかの方法がある。

　私自身、定期借地権マンションの法律相談を本格的に受けたことがない。したがって、この定期借地権マンションの法律問題については、経験で多くを語ることはできないが、少し考えただけでも大きな問題が潜んでいること

21) 現在の借地借家法23条2項が23条1項と別に規定されていて、そこに名残がある。2項の20年バージョンが先にあり、平成20年1月から事業用借地が50年まで認められ、1項が追加されたという歴史的経緯がある。なぜ、1項と2項を別に規定したのか、わかりづらい。公証役場の説明を読むと、30年以上であれば普通借地もあるので、定期借地であることを区別するために、1項に記載されている事項を書面で明確にすべきという立法趣旨であり、30年未満はそもそも普通借地はありえないので、その事項の明示をしなくとも、事業用であれば定期借地とできるということのようである。しかし、非常にわかりづらい。30年未満と30年以上に差はないと考えてよい。なお、平成19年までは、外資系クライアントに20年から50年までの間に期間を設定する定期借地が認められない理由を説明しづらくて四苦八苦した。当時は、質の高い建物が定期借地の対象になるべきではないからという説明であったと記憶する。「ロードサイドのファミリーレストランとかパチンコ店などをイメージしてできているのです」とか説明していて何だか自分の頭がぼーっとしてきたものだった。普通借地や普通借家の正当事由がなければ更新拒絶ができないということなども、外資系クライアントには正確に説明はしづらかったが、「要するに借りている人が適正賃料を払い続ける限り、賃貸人からは賃貸借は終わりにできないのです」、「それなら、賃料はどう変更するのだ」、といったやりとりをして、賃料増減請求の仕組みを説明すると理解してくれたものだった。「郷に入れば郷に従え」ということで、ルールを疑うことはしない、ルールは知ればいいというのが外資の行動パターンであるということがよくわかった。ただし、いくつかの大きな論点で、ルールが不明であることもあり、そのような場合に、ルールが何かを明確に示せないと、「こいつ、できない弁護士だな」みたいに見られていないか気になったものである。そういう場合に、私も若かったので、「学説の通説はこれこれで、少数説はこれこれです」などといった説明をしたが、「学説とは何だ。裁判所でどういう判断になるかを聞いている」などと言われたものだった。しかし、「それが予測できないほど参考になる裁判例が乏しかったりするのです」と内心つぶやいたりした。英米法には、学説という言葉の適切な翻訳語すらない気がする。

がわかるので、注意を喚起しておきたい。それは、定期借地権マンションは、敷地利用権が土地の共有持分である一般のマンションと同様に、老朽化した場合に難点を抱えており、しかも、その問題がより深刻であるということである。一旦、管理が放置されだすと、スラム化することが予想される。多くの論者が指摘するように、期間満了が近づくにつれて、補修に費用をかけることが惜しまれるので、加速度的に建物が劣化すると考えられるからである。スラム化すると次のような問題が生まれる。

地主は、期間満了時点で、ぼろぼろのマンションにさまざまな居住者が残ったままでいる事態を想定しておくべきである。建物の収去義務が契約上は借地人にあるとしても、収去されないリスクがあることを考える必要がある。したがって、定期借地権マンションでは、信用力の高いデベロッパー（その子会社等、かかるデベロッパーが責任をとることが事実上期待できる者を含む）を定期借地の借地人とし、マンション分譲は定期借地権の準共有持分の譲渡ではなく、定期借地権の転借権の設定としなければ、つまり、そのデベロッパーに最後まで面倒をみてもらうスキームをつくらなければ、地主にとっては非常に危険な事業となる。区分所有者が１人でも残っていれば、その者に対する収去明渡しを訴求し、確定判決で執行するまで多大の労苦と費用がかかる。また、借家人が１人でも残っていても、退去明渡し請求について同様である。期間満了時期が近づくと、ほとんどタダのような金額でマンションを購入する者も出てくる可能性があるし、そのような買主であれば、どのような借家人を住まわせるかもしれない（失うべきものがあまりない者が居住すると厄介である）。このようなことを考えると、マンションの転売につき、承諾するか否かの裁量権を、借地人として残るデベロッパーに必ず留保しておかなければならないだろう。しかしながら、このような売却に対する制約は、定期借地権マンションの価格を低くする要因となる。

3　借家契約

(1)　定期借家の期間の特約

借地借家法の定期借地や定期借家の立法技術がお粗末であり、本来、更新拒絶に正当な理由を要しない借地や借家というものを法定すればよいだけだったのに、定期借地とは更新しない借地契約とし、定期借家とは更新しない借家契約とする制度の組立てを行っているので、定期借地について契約としての同一性を有しながら期間を延長させる更新の合意を行うことも、定期借家について契約としての同一性を有しながら期間を延長させる更新の合意を行うこともできないという建前となって、契約の柔軟性を失わせる原因をつくっている。特に契約期間の延長を頻繁に行う必要がある定期借家では大きな問題なので、私は、定期借家導入時期に、このような制度の組立てを批判した。しかし、私の批判は顧慮されず、現在の窮屈な規定となってしまっている[22]。

例えば、私が若い弁護士から質問を受けた事例に次のようなものがあった。それは、期間3年で、その後、当事者の一方が希望すると、2年間は延長があり、当初期間も含め5年経てば、そこで再契約が合意されない限り、借家契約は終了するという規定を有する定期借家契約であった。若い弁護士から、この契約はどう解釈すべきかを聞かれた。5年では確定的に終了させる意図が感じられるので、5年の定期借家で、ただし、3年経てば、賃借人からは中途解約ができると解すれば、一番当事者の意向にそっているのではないかと私は話した。2年間延長がありうるという表現をとらえて、これは更新を認めている契約であるから定期借家ではないといった議論が出ないかを若い弁護士は当然に気にしていたが、そういう揚げ足取りをするような解釈はとるべきではないと話したことだった。

また、別の機会に、ある定期借家契約が2年間の延長を2回借家人に与えていた。これも、更新を認める契約として、定期借家ではないということにならないかを、若い弁護士から聞かれたことがある。2回の「延長」の権利を行使するには、一定の条件があった。私は、「延長」という言葉があるが、

---

[22] この点については、小澤英明＝オフィスビル総合研究所『定期借家法ガイダンス』（住宅新報社、2000）32頁以下参照。

再契約の予約が規定されていると理解すべきであると思うと話した。つまり、最初の契約、1回目の2年契約の予約、2回目の2年契約の予約が、最初に全部合意されたと解することができる。つまり、3つの契約が同時に最初に成立し、ただ、期間が接続しているだけと考えればよいのではないか、そのように解すれば、定期借家の定義にも抵触しないと話した。これを、2年間の延長を2回だけ借家人に与えたからといって、普通借家と考えると、当事者の意図にまったく反するし、そこまでして、これを普通借家と解すべき実体的理由は何もない。

このように、定期借家で期間の延長を認めるには、以上のような何らかの解釈の支えが必要となる。立法の過失というべきことで、このような悩みが生まれているのであるが、解釈する場合は、当事者の意思を尊重した帰結となるように契約を解釈することに努めるのが良き法律家であり、立法の過失につけこむような硬直的な解釈は避けるべきである[23]。

以上の2つの事例は、実際に存在した事例であり、依頼者は、この不動産を取得することを検討している企業であった。もし、更新のオプションを定期借家の賃借人に与えたい依頼者から、新たな契約を締結する段階で弁護士が相談を受ける場合は、より手堅い対応をすべきである。すなわち、定期借家の再契約の予約権を賃借人に与える方法を助言すべきであろう[24]。もし、賃貸人として、長期の拘束を受け入れることに支障がなければ、長期の定期借家として、賃借人に中途解約権を与えることを助言すべきである。いずれも可能であるが、前者は、予約権行使の条件を設定しうる。後者は、この種

23) 小澤＝オフィスビル総合研究所・前掲注22）では、立法の過失を明らかにするために、さまざまな問題の発生を指摘しているが、定期借家の立法の過失で多くの善良な人々を苦しめるべきではないので、適宜そのような人々を救済する解釈が判例によって形成されることを願う。ただ、そのような判例が形成されるまでは慎重な法務対応が望まれる。
24) 定期借家の再契約の予約については、小澤英明「不動産賃貸借法の立法論と解釈論について——定期借家の再契約の予約をトピックとして」日本不動産学会誌60号（2002）65頁以下参照。

の対応はできないが（賃貸人側から期間内に解約する特約は多くの場合無効であるから）、手続はクリアで定期借家か否かについての疑義を生じさせる余地がない。

なお、定期借家期間の途中で期間を延長したいという希望が出る場合もある。この場合も、単純に延長の合意ですまされればよいが、そうすると定期借家から普通借家に転換しないかという危惧を払拭できない。そこで、一旦、既存契約を合意解約して新たな期間の定期借家契約を締結するか、追加的期間の再契約を新たに締結するか、いずれかの方法をとることになる。いずれの場合も、新たな契約の前に、借地借家法38条3項の書面交付による定期借家の説明を、面倒ではあるが、再度行う必要がある[25]。

(2) 定期借家の賃料の特約

定期借家の大きな魅力の1つは、賃料増減請求権を定めた借地借家法32条の適用を排除できるところである。すなわち、借地借家法38条9項では「第32条の規定は、第1項の規定による建物の賃貸借において、借賃の改定に係る特約がある場合には、適用しない。」とある。したがって、賃貸借期間の

---

[25] 賃貸借契約書と事前説明書面とは別の書面でなければならないと解するのが判例である（最判平成22年7月16日判タ1333号111頁）。なお、同事案は、公正証書で賃貸借契約書が作成され、当該賃貸借契約は契約の更新がなく、期間の満了により終了することについて、あらかじめ、その旨を記載した書面を交付して説明したことを相互に確認する旨の条項が入っていた事案である。それ以上に別書面を交付したことの主張立証をしていないとして、別書面を交付して説明したとの認定を行うことが経験則または採証法則に違反する違法があると最高裁は判断したのだが、そもそも契約書の原案は別書面ではないとする判断自体疑問があるし（より事実を正確に記載すると、公正証書による契約書は平成15年10月31日作成のところ、それ以前の平成15年10月29日に私製の賃貸借契約書が締結されているようである）、より疑問があるのは、公正証書で契約前に書面の交付を受けて説明されたことを確認したと記載してあるのに、その交付が立証されていないとした点である。このような判断をするのならば、公正証書が単なる普通の私製証書と何ら変わらないことになる。公正証書を見て定期借家と信じて建物を購入したような場合、一体、どういうことになるのだろうか。別書面の探索をしない限り、安心して買えないことになる。

賃料を契約で確定させることができ、このことが、投資家にとっては、大きな魅力となる。もっとも、借地借家法32条は、期間が長期の場合は重宝な規定でもある。長期間のあるべき賃料を予測することは難しいからである。

定期借家で借賃の改定に係る特約がある場合は、借地借家法32条の適用がないとあるので、期間内の賃料改定について何らかの特約があれば、同条は適用ないと解すべきであるが、何が「借賃の改定に係る特約」なのか疑義が生じる場合もありえるので、借地借家法32条に頼らないということを明らかにしたい場合は、「借地借家法32条を適用しない」との文言を契約上入れておくべきである。

定期借家では賃料の定めは自由なので、歩合賃料条項、ネット賃料条項等さまざまな工夫が可能である。ポイントは、疑義を残さない決め方にすることであり、例えば、歩合賃料を売上高に連動させる場合は、売上高に何が入るのかを詳細に規定する等の対応が必要である。

(3) **新築建物の賃貸借**

新築建物の賃貸借契約は、通常、予約契約を締結し、その後に本契約を締結する。予約契約は精粗さまざまである。粗い予約契約であれば、対象建物のどのスペースを、どのくらいの期間、どのくらいの賃料で賃貸借するかを規定するだけのものもある。

建設工事着工前に予約契約を締結することもあるし、建設中に予約契約を締結する場合もあるし、竣工後に予約契約を締結する場合もある。竣工後に締結するくらいなら「予約契約」ではなく、「本契約」を締結することで足りるのではという疑問もある。しかし、予約契約とは、本契約を後日締結することを前提とした契約であり、建物が着工もされていないとか、竣工もしていないとか、竣工しているということとは無関係に成立しうるものである。新築建物の賃貸借は、講学上の「一方の予約」（売買契約に関する民法556条および559条による賃貸借契約への準用）もありうるが、多くは、「双方の予約」であって、さらに本契約で取り決めるべき事項が残されていることを前提とした契約である。

新築建物の場合は、竣工までに設計変更もありうる。そのため、予約契約締結時点の契約面積と竣工した建物の賃貸面積が多少は変わることがあるということを見越して、本契約とせずに予約契約とするという場合もあり、そのような場合は、予約契約に本契約の詳細な条項を添付することもある。竣工日までに確定面積で本契約を締結するという内容の予約契約とすればよいわけである。新築建物の場合は、竣工のできあがりがどういう姿となるのかというだけでなく、いつ竣工し、賃借人に引き渡されるのかが、予約契約締結時点では読めないことが多い。したがって、新築建物の場合は、賃貸部分の位置、形状、確定面積のほか、引渡しできる日がクリアになってから本契約を締結するという意図で予約契約を締結することが多い。

昭和の旧式の予約契約では、引渡期日は、「○年○月○日をめどとし、変更があっても賃借人は一切異議を唱えない。」といった賃貸人に一方的に有利な条項が多くの予約契約の中に見られた。しかし、問題は、引渡しがいつできるかわからないことであり、このような一方的条項しかなければ、賃借人としては、新築建物での営業計画が立たない。本来的には、本契約をいつまでに締結するのかが予約契約に規定されないと、賃貸人としても賃借人としてもいずれも将来の予測ができないので困る。そこで、予約契約ではいつまでに本契約を締結するのかを規定することが望ましい。しかし、本契約の締結を一定期日までに締結するとの予約契約を締結しておきながら、本契約の締結期日（つまり締結すべき日）までに引渡しがいつになるか賃貸人が約束できない場合は、本契約を締結すべき時点でも、引渡期日（つまり引き渡すべき日）をどのように本契約で設定するかが難しい。

例えば、予約契約を令和5年1月31日に締結し、「引渡期日は、令和6年9月30日をめどとし、変更があっても賃借人は一切異議を唱えない。」といった規定を定めながら、「本契約は令和6年1月31日までに締結するものとする。」と定めている場合を考えてみる。令和6年1月31日になっても、引渡期日を令和6年9月30日に設定することに賃貸人が自信がなければ、どのような本契約を締結するのかが問題となる。遅延リスクを賃貸人がすべ

て引き受ければ、ストレートに引渡期日を令和6年9月30日にすればいい。しかし、そのリスクを引き受けたくない場合、賃貸人としては、本契約締結の時期をずらすことを賃借人にお願いしてみるということになろう。しかし、賃借人がこれに応じない場合は、どのように引渡期日を約束するのか考える必要がある。そこで、「令和6年3月31日までに引渡期日を同年9月30日ないし同年12月31日までの間の期日に設定する。」との文言ではいかがかと賃借人に申し入れてみてもよいかもしれない。賃借人がこれで受けてくれれば、本契約が締結できる。しかし、これでは困る場合、賃借人は、予約契約を解除できるかという問題がある。本契約締結時において引渡期日を確定期限で約束しないことや不確定期限として令和6年12月31日まで遅れる期限設定を申し入れることが予約契約の債務不履行という見方もできる。しかし、「一切異議を唱えない。」との文言をどう解釈するかという問題がある。損害賠償の請求等はできないという意味はあるだろう。そうなると、賃借人から賃貸人の予約契約の債務不履行で予約契約を解除できるが、損害賠償の請求はできないということになろうか。もし、これが、「引渡期日を令和6年9月30日ないし同年10月31日までの間の期日に設定する。」との申し入れであれば、「令和6年9月30日をめど」とした賃貸人の約束にも反していないとの解釈もあろう。そうなると、そのような提案を賃借人は受け入れざるを得ないということになるかもしれない。ただ、賃借人としても引渡期日を1週間前に指定されるのでは困るとの考えもあろう。そうなると、「『引渡期日を3か月前までに、令和6年9月30日ないし同年10月31日までの期日に設定する。』という文言であればいいよ。」といったやり取りがされて、合意に達するかも知れない。「3か月前」では難しい、「1か月前」にしてくれと賃貸人が言うかもしれない。こうなると、交渉の争点はしぼられる。あとは、その建物の種類等や、予約契約締結時に双方が有していた意向や予見すべきであった事情等から、許される範囲の本契約条項かが議論されるべきということになろう。

　このように、一方の予約ではなく、双方の予約は、本契約としてどの範囲

が予約契約で許容される内容なのかが判断しづらいことが少なくない。しかし、新築建物の賃貸借ではつきものの論点であるから、留意すべきである。最近の裁判例としては、名古屋駅新ビルの賃貸借の予約契約に関し、開業時期が1年遅れる見込みとなったことに関し、賃借人予定者であったヨドバシカメラからの予約契約の解除の是非が問題となったものがある[26]。裁判所は、予約契約での開業時期の記載が「平成28年春」という幅のある期間を示す表現でかつ「予定」という文言があること等から、平成28年春に開業させることを債務とする合意が成立していないとして、ヨドバシカメラからの解除を認めず、予約金8億3000万円余の返金及び違約金8億3000万円余の合計16億6000万円余の請求を認めなかった。開業時期の遅れの原因は、建設工事の杭孔内の内壁の崩落だったようである。事案によっては、ここまで紛争が大きくなることもあるので予約契約の条項には十分な注意を払う必要がある。

(4) 賃貸借期間の開始日

賃貸借期間の開始日は、有償で使用することを許された最初の日ということになるので、賃貸借契約で引渡期日と定めた日から開始する。賃貸人の都合で引渡しが遅れれば、賃貸借期間は開始しているが、引き渡されていないのだから、賃料は発生していないことになる。ところで、フリーレントを定める場合がある。これは、特に、優良テナントを勧誘するために使われる手法である。「賃貸借期間は5年としますが、最初の3か月間だけフリーレントにします。」ということで契約が成立しても、最初の3か月が使用貸借であるわけではなく、5年間の賃貸借契約が成立しているが、フリーレント期間の存在のため、賃貸借全期間の賃料総額が月額賃料に賃貸借期間を乗じた金額より安くなるという実質を有する。同様の目的を達成したいのなら、賃貸借全期間の月額賃料を値下げすればいいだけではないかという疑問はもっともだが、もっぱら、他のテナントとの関係で、坪あたりの月額賃料を下げ

---

[26] 名古屋地判平成29年5月30日金判1521号26頁。

たくないという動機が働いて、また、テナントが特別待遇をされているという気持ちにもなるので、フリーレントが多用される。

　ところで、このような値引きのフリーレントのほか、引渡しから営業までテナント仕様の内装を行う期間、実際、賃借部分を使用できないことに着目して、同期間の賃料をタダにするか、割り引くことも行われる。これも一種の値引きと言えるが、賃貸借物件について完全な使用ができない期間について、しばしば見られる。このような場合は、引渡期日以外に営業開始日を定めて、営業開始日から賃料から正規の賃料を発生させるといったことになるが、賃貸借期間はあくまでも引渡期日から開始するとみてよい。

(5)　耐震性と更新拒絶・解約申入れの正当事由

　詳細については後述するが、地震に脆弱な建物を所有し、これに耐震補強等も行わず、漫然と不動産経営を行うと、大地震が到来し、建物が倒壊したような場合、所有者は、被害者に対して、土地工作物責任を負うことがある。この点については第5部第1章において詳しく述べる。したがって、地震に脆弱な建物を所有すること自体、企業にとっては大きなリスクである。そこで、耐震性に問題をかかえている疑いのある建物については、耐震診断を行い、かつ、必要な耐震補強を行うことが望ましい。

　しかし、このような建物は、多くの場合、築後長期間が経過しており、耐震補強のコストに見合う収益を上げられない。そのような場合に、建物を取壊し、新築建物を建設したいと所有者の企業が考えるのは当然である。この場合、ネックとなるのは、賃借人である。戦後の住宅難の時代と比べると状況が激変した現在（むしろ、空家が社会問題である）、住宅の借家人は事情を話すと多くの場合、取壊しのための借家契約の終了について了解してくれるだろう。問題は、徒歩圏のお客が大事な商人である。医院や歯科医院も同様である。建物所有者にとっては、取壊しの必要性があり、一方で賃借人にはその場所での事業継続の必要性がある。もっとも、賃借人にとっても、当該ビルでなければならないという必然性がある場合は少ないため、近隣で同等の賃料負担で同等の代替店舗等を見つけられればよい場合が多い。しかし、

それが難しい場合もある。

　かつての法律家の常識は、建物が地震に対して脆弱であるという事情は、更新拒絶または解約申入れの正当事由を根拠づけないというものであった。地震は、いつ来るかわからないが、目の前の店舗営業者は退去を求められると明日からの生活の資にも欠くという事情がありうるので、個別の事例での判断を求められる裁判所としては、借家人保護に傾かざるをえないからである。しかし、かつての判例が形成された時代に比較して社会が大きく変わっており、この問題についてはあらためて検討が必要である。正当事由の判断においても、地震で被害が生じた場合のことを裁判所が考えるべきことではないという考え方は今や通用しないと思う。実際、裁判例も近年、地震に対して脆弱であることを理由にして、借地借家法28条の「財産上の給付」による正当事由の補完がなされ、更新拒絶や解約申入れを認める判決も出るようになった[27]。

　後述するように、阪神大震災の反省から制定された耐震改修促進法も年々規制が強化されており、用途や利用者や脆弱性の程度により、きめこまかく耐震改修の必要性を考慮して、この問題を検討すべきである。つまり、不特定多数の者が利用する建物や避難弱者（老人、子供、病人等）が利用する建物では、地震時に発生しうる火災等にこれらの利用者が適切な行動をとることは期待できないのであるから、耐震性により多くの考慮がされるべきである。また、地震の場合は建物倒壊自体で一瞬にして被害に遭うことも考えら

---

[27] 判例集未登載であるが、昭和51年築のアパート（東京都目白駅まで徒歩20分）につき解約申入れの正当事由を認めた東京地判平成19年3月28日、築後約70年が経過した建物（東京都中央区）の事務所につき解約申入れの正当事由を認めた東京地判平成19年1月22日、昭和39年築の建物（東京都港区）の飲食店につき解約申入れの正当事由を認めた東京地判平成20年7月31日等がある。いずれも財産的給付で正当事由が補完されている。テナントにも当然さまざまな人がいるわけで、再開発地区に入ってデベロッパーから立退き交渉を受けて、「ああ、ついに俺にも運が向いてきたらしい。ゼウス様……」と言ったか言わぬか、ゴネ得に全力を尽くした伝説の歯科医もいたらしい。

れ、屈強な青年であろうと逃げる余裕もないことがある。したがって、地震に対する脆弱性の程度は最も大きな考慮要素である。

東京地判平成28年3月18日（判時2318号31頁）では、耐震改修促進法に基づき定められた東京都の「東京における緊急輸送道路沿道建築物の耐震化を推進する条例」に従って耐震診断を行うことが義務づけられ、その診断の結果、耐震指標を著しく下回る値が出た建物につき、賃貸人から賃借人に対する普通借家の更新拒絶を立退料3,000万円の提供と引換えに認めた。ヨーロッパから輸入する日用雑貨の店舗を賃借人は本件建物で経営しており、賃貸借開始は平成5年であり更新拒絶がなされたのは平成25年である。昭和49年に建築された建物であった。今後の判例の方向性を示す裁判例である。

(6) マスターリースの終了とサブリースの帰趨

甲が乙に建物を賃貸し、乙がこれを丙に転貸する場合、甲乙間の賃貸借をマスターリース（master lease）と呼び、乙丙間の賃貸借（すなわち転貸借）をサブリース（sublease）と呼ぶ。マスターリースが終了したからといってサブリースが当然に終了するものでもない。ただ、マスターリースが終了した場合、乙が丙に建物を貸すことを可能にする法的権限がなくなり、それはサブリースの賃貸の賃貸人としての義務履行を不能にするので、丙からの乙の責めに帰すべき履行不能を理由とする債務不履行によるサブリースの解除事由となる。

しかしながら、甲と乙が合意してマスターリースを解約した場合、信義則上甲はマスターリースの終了を丙に対抗できないとするのが判例である[28]。もっとも、その場合、サブリースはなお乙丙間で継続するのか、サブリースの賃貸人（すなわち転貸人）の地位が甲に移転するのかは判例上明確ではない。後者の処理が現実的で簡明でもあるように思えるが、事案によっては、後者の処理だけですませることがよいのか疑問が生じうる。例えば、丙に

---

28) 最判昭和37年2月1日裁判集民58号441頁。

とっては乙が重要であり、乙だから入居したとか乙だから多額の敷金を預託したという事情がある場合がある。したがって、丙が甲を直接の賃貸人とすることを明示または黙示で認めた場合を除いて、サブリースの賃貸人（すなわち転貸人）の地位は甲に移転するが、サブリースの敷金等返還債務はなお乙も甲とともに重畳的に負うと理解すべきではないかと思う。乙が重畳的に負いたくなければ、免責的に甲に承継されることにつき丙の同意を得るべきであろう[29]。

　マスターリースが乙の債務不履行で解除された場合は、甲は丙に退去明渡しを請求することができるとするのが判例である。普通借家であるマスターリースの期間満了の場合は、事案により慎重な検討が必要であるが、最高裁判決[30]で合意解約の場合と同様の判断を行ったものがある。ただし、同判決は転貸借開始の事情を考慮し、信義則を理由としているので、事案によってはマスターリースの終了を転借人に対抗させてもおかしくない場合もありうる。

　以上は、マスターリースの終了の場合のサブリースの帰趨についてサブリースで特約を定めていない場合であるが、マスターリースの終了は、いかなる場合でもサブリースの終了事由となるとサブリースで当初から特約していた場合はどうなのかという論点がある。この点を考える場合は、そもそも賃貸借の期間途中の終了についての特約は、賃借人からの中途解約を除くと、基本的には認められないと考えるべきであることに思いを致すべきである。

29) 平成29年の民法改正により、AがBに賃貸していた建物をAがCに売買した場合、AC間でCからAに賃貸する賃貸借契約を締結すれば、Bの承諾なく、CAのマスターリース、ABのサブリースという関係を成立させることができるようになった（改正法605条の2第2項）。この場合、マスターリースが終了した場合、サブリースのAの地位がCに移転することも規定された。マスターリース、サブリースの関係が改正民法605条の2第2項の経緯で発生した場合は、このように、マスターリースの終了とサブリースの帰趨がクリアになる。

30) 最判平成14年3月28日民集56巻3号662頁、判タ1094号111頁。

この点を説明すると次のとおりである。すなわち、定期借家の制度が導入されるまでは、普通借家しかなく、普通借家の場合は、期間の満了があっても賃貸人からの更新拒絶には正当事由が必要であって、その正当事由がなかなか認められないため、更新の権利を認めないタイプの借家を導入しようということで、定期借家が導入された。言い換えると、期間内の借家人保護は、普通借家も定期借家も同様であり、普通借家における更新拒絶の正当事由以上に、契約を終了させるべき事由がなければ、期間内は終了しない。この法理は、強行法規的なものであり、期間内終了の特約を乗り越えるものであって、賃貸借の期間途中の終了についての特約は基本的には認められないと考えるべきものである。

　したがって、サブリースにいくらマスターリースの終了事由がサブリースの終了事由であると規定しても、それはほとんど意味がなく、ただ、そのマスターリースの終了事由をもってサブリースの終了の正当事由があるといってもいい事案かを個別に考えていくしかない。この種の特約がなくても、甲乙間のマスターリースが終了した場合にサブリースの丙にその終了を対抗できる事由の場合、すなわち、マスターリースの債務不履行解除といった場合以外は、サブリースの終了事由たりえないという結論になるであろう。

　このように説明すると、一般的に建物賃貸借契約で、解除事由を詳細に規定する意味がどこにあるのかという当然の疑問が出てくる。たしかにそれほどの意味はない。建物賃貸借の解除事由として裁判所が尊重するのは賃料の不払いである。しかも、不払いのうえ、賃貸人から賃借人に対する相当期間の催告期間を付与した解除でなければならない。これ以外は、解除は一般的にかなり難しい。賃借人の無断譲渡転貸による賃貸借契約解除でも、信頼関係違反に至らない特段の事情があるとして解除が認められない場合があるのが判例であることを思うとこのような帰結に不思議はないであろう。ただ、解除事由に賃貸人が望む終了の各種事由を列挙すると、その事由が発生した場合に賃借人に賃貸借の終了を交渉する機縁にはなる。稀に、単に形式的に解除事由に該当するだけでなく、実質的にも、当該解除事由による解除を認

めてよいのではないかと思われる場合もあるかもしれない。その限度で、詳細な解除事由も意味はある。

(7) 建物賃貸借の中途解約と違約金条項

建物の賃貸借期間を設定した場合、賃貸人も賃借人も特約がなければ中途解約はできない。また、特約があっても、上記(6)で説明したように、賃貸人からの一方的な賃貸借の解約はまず無理である。中途解約条項は、賃借人のためにあると言える。ところで、賃貸借期間の途中に賃借人が賃貸借を終了させたいが中途解約条項がない場合、賃借人はどうしたらいいのかという問題がある。日本では賃借権の譲渡や転貸借は、賃貸人の承諾を得ることが民法の原則なので、賃貸借を終了させたい賃借人にとって中途解約条項がない場合は困ったことになる。賃借権の譲渡や転貸借が認められれば、自分が使う必要がない場合も、賃借権の譲渡や転貸借で対応できるが、その道がないか、難しいからである。

期間途中で勝手に退去した賃借人についてはどう考えるべきであろうか。このような賃借人に対しても、賃貸借契約は継続している以上、賃貸人の賃料請求権は失われないが、空室を放置し続けることは、賃貸借物件の維持管理上も問題を発生させるので、このような場合は、通常、賃料不払いによる催告解除を行うことになる。その場合、賃貸人には、かかる賃借人の債務不履行による損害賠償請求が可能であるが、何が賠償されるべき損害かは議論を呼ぶ論点である。期間10年の定期借家で6年まで賃料を払ったが、以後払わず退去したような事例を考える。契約どおりに賃借人が賃料を払っていれば賃貸人が収受し得た4年間の賃料が払われないので、4年間の賃料が損害賠償の対象のようにも思われる。しかし、賃貸人は契約解除を行うことで、次のテナントを入れることができるのであるから、4年間の賃料合計額を損害として賠償請求しても当然には認められない。このようなことを考えると、賃貸借契約締結時点で、賃借人に中途解約は無条件では認めたくないが、違約金を支払って、中途解約をすることは認めてもよいと賃貸人が考えるのももっともなことである。

そこで、単純に、残期間の賃料全額を違約金として支払うならば中途解約を認めるという違約金条項を当初から賃貸借契約に入れることがある。これは、残期間が短ければ、損害賠償額の予定として認められるが、残期間が長ければ問題になる。過重すぎる違約金の定めを認めてよいのかという問題である。この問題は、改正前民法420条1項で「当事者は、債務の不履行について損害賠償の額を予定することができる。この場合において、裁判所は、その額を増減することができない。」と規定していることとの関係で取扱いが難しかった。この難しい事態を切り開く裁判所の論理が、一部公序良俗違反により無効というものであった[31]。つまり、原則として、当事者間の違約金の定めのとおりに違約金は認めるが、例外的に、その違約金の定めどおりであれば公序良俗違反というべき事態を招く場合は、その定めの一部を無効にして、公序良俗違反に至らない限りで違約金条項の効力を認めるものである。この公序良俗違反の判断は、契約法の領域を超えるものであるから、契約法の領域の改正前民法420条1項後段の制限がきかず、この制限違反でもないという論理であった[32]。

　裁判所がこのような判断を出すということは、違約金条項をより合理的な内容に向かわせる要因となる。裁判所に違約金条項を干渉されるくらいなら、合理的な内容をもつ違約金条項を定めたほうが得だとの判断になるからである。実際に、典型的なオフィススペースを内容とする賃貸借と賃借人の注文まで聞いて賃借人仕様で建設またはリノベーションした建物では、賃借人が期間途中で退出する場合の賃貸人の損害は大きく変わるのであって、事案ごとに当事者が納得する違約金条項を協議したうえで契約締結に至ることは望ましいことである。

---

31) 東京地判平成8年8月22日判タ933号155頁をはじめとして、同様の判断枠組みをとっている裁判例は少なくない。事案によって裁判例は分かれるので、関連裁判例をリサーチして検討対象の事案と比較することをお勧めする。
32) 平成29年改正民法420条1項では、この後段が削除された。その影響は大きいと思う。この点については**第6部補論**を参照されたい。

典型的なオフィススペースの賃貸借であれば、適正賃料まで下げれば通常次の賃借人を入れることはできる。仮に、適正賃料がそれまでの賃料より低ければ、差額につき賃貸借期間の残余期間は損害があるとも言えるので、そのような損害を違約金に入れることは合理的であろうし、次の賃借人から賃料が入るまでの空室期間については既存の賃料をフルに損害とすることも合理的であろうし、次の賃借人を見つけるための仲介業者に支払う仲介手数料も損害とすることは合理的であろう。その他、賃借人交替に伴い通常生じる損害も含めて考えてよい。このようなことを想定して、単純に1年間や2年間の賃料相当額を中途解約の違約金として定めていても、多くの場合は問題ないであろう。

　大型商業施設のように次の賃借人を見つけることにかなり難しさがある場合は、居抜きで賃借する次の賃借人を今の賃借人が見つけてくれば中途解約を認めるといった規定を置くこともある。賃料が同一であればよいが、賃料が下がるような場合はどうかといったことも想定して中途解約条項を定めることになる。

(8) 建物使用細則

　建物使用細則は、建物の使用に関する細かなルールであり、これも賃貸借契約の一部を構成すると考えられる。そのように考えると、その変更にも賃借人の同意が必要なのかという問題がある。しかし、使用細則は、状況によって適宜賃貸人が変更できるようにしておかなければ、硬直的な建物の運営管理となる。それは、賃借人にとっても望ましくない結果をもたらすことがある。したがって、建物賃貸借契約で、使用細則は適宜賃貸人が変更できるとする条項を入れておくことが望ましいし、多くの場合、それで不都合はない。もっとも、ある賃借人にとって、変更後の使用細則の内容であればそもそも賃借しなかったというような重大な変更の場合は、別途検討が必要である。このような場合まで使用細則変更承諾条項が入っているからという理由で、変更に何ら異議を賃借人が言えないのは不合理だからである。想定外の特別の不利益変更は、かかる承諾の対象外と考えるべきであろう。

このように言うと、使用細則の変更をどこまで賃貸人ができるのかは不明ではないかという疑問も起きるであろう。しかし、法律的な解釈とはそういうものである。法律条文ですら、素直に読めば、ある状況がある条文に該当するように読めても、当該条文の趣旨から、該当しないという解釈もある。これは、社会の変化が異なる解釈を求めるという場合もあるが、当該条文に関係しそうなすべての事態を想定して条文が起草されてはいないことに原因がある場合が多い。すべてを想定できれば神様である。このルール策定の限界という問題は、非常に重要なことであって、法律家も多くの経験を積んではじめて実感することである。法律だけでなく、判例が重要な理由はここにある。なお、使用細則変更承諾条項が入っていないからといって、使用細則のいかなる変更も賃借人の承諾が必要であるとの判断は短絡的である。一定の合理的使用細則の変更可能性については賃借人の黙示の承諾がなされていると解釈することが合理的な場合が少なくないからである。

　ある賃借人に使用細則上は認められない使用を認めることができるのかという問題が発生する場合もある。例えば、テナントがカメラの販売店であって、カメラの修理等を行うにあたり、一定の化学薬品をごくわずかに日常的に使用するという場合もあるかもしれない。消防法上の危険物ではあっても、保管量がわずかであるところから規制がかからないが、危険物を持ち込むことは禁止するとの使用細則がある場合、かかる危険物の保管を特例として認めてよいかという問題である。特例で認めることが、他のテナントとの賃貸借契約上賃貸人の安全確保義務を履行していないことにならないかという問題である。建物使用細則はテナント全員に等しく適用されているという他のテナントの期待が、賃貸借上の賃借人の権利というべきところまで高まっていれば、他のテナントとの賃貸借契約上の債務不履行と解される場合もあろうが、この判断も実質的に行うべきであろう。危険物の実際の危険度合いに応じて判断すべきものである。賃貸人としては、賃借人に定期的に保管状況を報告させ、適宜その遵守がなされているかを立ち入って検査する等の対応を行っていれば、野放図な保管ではないので、危険がコントロールさ

れていることになり、かかる特例を認めても、他のテナントとの関係で賃貸借契約不履行ということにはならないだろう。

(9) 借家人の死亡や行方不明

居住用建物では、借家人がある日突然死亡したり、行方不明になると賃貸人としては非常に困る場合がある。特に、相続人も縁故者も不明で現れなければ、放置された貸室内の動産の処理等につき、対応に途方にくれることになる。このようなことは、借家人が高齢者の場合に限らない。したがって、このような場合に備えて、必ず緊急連絡先等を契約時または更新時に確認するということが重要になる。しかし、これらの情報が誤っていたり、古くなっており、連絡する段になって連絡できないという場合もある。このような万一の場合に備えて、賃貸借契約上どのように対応すべきかを検討する。

(i) 借家人が死亡した場合

建物賃貸借契約の借家権が一身専属的権利ではないことから、借家人が死亡した場合、相続人がいれば、建物賃貸借上の権利義務が承継されるということは異論がない。したがって、借家人が死亡した場合は、法定相続人を弁護士に調査してもらい、把握できる住所に連絡をとってみるということが負担は大きいが常識的な対応ということになる。しかし、把握できる住所に連絡をしても連絡がとれないという場合はどうしようもない。こういう場合、もはや法定相続人を気にせずにすべてを処理したいと思うのは当然のことである。

そこで、このような場合を想定して、例えば、「同居の親族なくして賃借人が死亡した場合は、本賃貸借契約は当然に終了する」といった特約を賃貸借契約に入れた場合、これは特約として有効であろうか。すべての場合に有効とまでは言えないだろうが（店舗兼住宅等を考えるとわかる）、事案によっては有効と解釈できるのではと私は思っている。特に、住宅は今やありあまるほどあり、空家が問題になるくらいであるから、この種の特約が不合理である場合はきわめて稀であろう。しかし、借家人の死亡を終了事由とする特約が一般的には借家人保護の観点から無効であるからこそ、終身建物賃貸借

という形態の賃貸借が特別に「高齢者の居住の安定確保に関する法律」52条で創設されたという事情はある。たしかにそのとおりだが、だからといって、借家人死亡を終了事由とする特約がすべて無効であるとまで考える必然性はない。このような特約を契約条項に入れておけば、ひととおり法定相続人を調べても連絡がとれない場合は、借家人が死亡した時点で賃貸借が終了したとして対応を考えてよい場合が多いと思われる。

そのような場合に備えて、貸室内に残された残置物についても工夫が必要であり、「前項により本件賃貸借契約が終了し、死亡後1か月以内に賃借人の法定相続人が貸室内の動産につき引き取りにこない場合は、かかる動産の所有権は放棄されたものとみなして賃貸人はこれを自由に処分することができる。発生した換価代金（もし、あれば）は、賃貸借終了時から動産撤去時までの明渡し遅延の損害金とみなす」といった規定を入れておくことも考えられる。

なお、以上の特約があるからといって、同居の親族がなくて借家人が死亡した場合、賃貸人が法定相続人への連絡をとる努力もしないのは適切ではない。以上の特約が必ず有効とまでは言えないからである。したがって、法定相続人に連絡をとるように努力して、それでも連絡がつかない場合に、初めて、以上の特約に依拠して対応すべきものである。

(ⅱ) 借家人が行方不明となった場合

借家人が行方不明の場合は、借家人が生存しているという前提で対応することになるが、賃貸人に行方を知らせずに行方不明になるというのはかなりの異常事態であり、さまざまな事情がありえる。借家人が犯罪に巻き込まれたとか借家人の責めに帰すべき事由がない場合もあろう。したがって、賃貸人にとっては迷惑な事態ではあっても、常識的対応で進むしかない。この種の迷惑はビジネスリスクとして割り切るしかない。

ここでも、まずは、緊急連絡先等に連絡をして、状況次第では警察等の立会い等も求めて、貸室内の状況を把握し、一定期間経過後は、室内の動産類を撤去して適宜賃貸人が処分できるようにするしかないであろう。したがっ

て、そのような事態を考慮した特約文言を賃貸借契約に入れておくことが賢明である。すなわち、「借家人が行方不明になり、連絡がつかなくなった場合は、賃貸借契約は当然終了し、賃貸人は、貸室内に入り、残置された動産類を適宜処分しても借家人は一切異議を唱えない」といった文言である。「借家人が行方不明になり、連絡がつかなくなった場合」という状況になるには、一定の常識的探索が必要になるであろうことから、室内の動産類の撤去等はその探索等を経てから行うことになる。

　しかしながら、令和4年12月12日、最高裁判所は、家賃債務保証業者が定めた①無催告解除条項（賃借人が賃料等を3か月以降滞納した場合は、家賃債務保証業者が無催告で賃貸借契約を解除できるとの規定）と②明渡しみなし条項（賃借人が賃料等を2か月以上滞納し、家賃債務保証業者が合理的な手段を尽くしても本人と連絡が取れず、賃借物件を相当期間利用していないものと認められ、かつ再び占有使用しない意思が客観的に看取できる事情が存するときは、賃借人が明示的に異議を述べない限り、賃借物件の明渡しがあったとみなすとの規定）について、いずれも消費者契約法10条に該当するという判決を下した[33]。この訴訟は、適格消費者団体が登録家賃債務保証業者に対して起こした差止等請求事件であり、第一審の大阪地裁は①の条項は有効、②の条項は無効とし、原審である大阪高裁は①②ともに有効としていたものである。最高裁判決では、賃貸借契約の当事者でもない家賃債務保証業者の一存で賃借人の権利が制限され、法律に定める手続きによらず明渡しと同様の状態に置かれるのは著しく不当であるとして、消費者契約法10条に規定する条項に当たるとして、適格消費者団体による差止請求を認容した。

　そこで、この最高裁判決が出たあとは、借家人が行方不明になり、連絡がつかない場合に、賃貸借契約が当然終了するとの文言は、もはや、消費者契約法10条違反で無効なのではないかという疑問が生じうる。この最高裁判決の事例は、家賃債務保証業者が借家人本人と連絡がとれない場合ではある

---

33) 最判令和4年12月12日民集76巻7号1696頁。

が、家主が連絡を取れない場合と、かかる特約条項の解釈で差をつけるべき合理的理由もないようにも思えるのは確かである。しかしながら、この最高裁判決で問題としているのは、賃貸借契約の終了もないのに、保証会社が「合理的な手段を尽くしても賃借人本人と連絡が取れない状況にあること」等の事情がある場合に、「本件建物の明渡しがあったものみなすことができる旨を定めた」規定の有効性である。最高裁が強調しているのは、賃貸借契約が終了していない場合に、そのようにみなすことは、消費者契約法10条に違反するのかという論点であって、最高裁の回答は、「YES！違反します。」というものである。それならば、前記にて示唆したように、賃貸借契約で「借家人が行方不明になり、連絡がつかなくなった場合は、賃貸借契約は当然終了し、」といった特約も同様に無効なのであろうか。この点については、当然には答えは出ない。かかる特約を無効にして、公示送達をして裁判所で判決をとりなさいとすることが消費者の利益をどこまで守るのかは、私には甚だしく疑問に思われる。裁判所の門前に貼られた公示送達（民訴法111条）の知らせは、実質的な借家人保護にはならないからである。それよりも、「借家人が行方不明になり、連絡がつかない」ということを確保するために、賃貸人に汗をかいてもらった方が、よほど借家人の利益を守ることになる。その意味で、なお、前記にて示唆した文言あるいは、それをもっと工夫した文言で、対応することに意味は十分あるように思う。

⑽ 建設協力金方式の長期建物賃貸借

スーパーマーケットの店舗等にかつてよく見られた土地利用形態に、地主が事業者の資金で建物を建設し、建設した建物を長期で事業者に賃貸する建設協力金方式の長期建物賃貸借がある。これは、借地権の設定を嫌う地主が事業者の要望に応えて行われた。借地借家法が制定された平成3年当時、前述のとおり（前記2）、同法で導入された事業用定期借地は期間が10年から20年までのものしか認められず、一方、一般定期借地は期間が50年以上と使い勝手が悪かった。また、それ以前は定期借地という制度がなかったのだから、地主が土地の賃貸を望まなかったのも理由があった。

そこで、地主は、土地活用はしたいが、借地にして土地をとられたら大変だという防御本能が働いて建設協力金方式が流行した。しかし、事業用のための定期借地が期間10年以上で自由に決められるようになった（期間50年以上は一般定期借地だが、事業用でも一般定期借地を使えるので）平成20年以降は、定期借地で期間の終わりが明確な借地契約ができるようになったので、建設協力金方式は、その存在意義が薄くなった。

もっとも、平成19年以前に開始した建設協力金方式の建物賃貸借は相当数にのぼり、多数残存しているので、この権利関係も理解しておく必要がある。典型的なものは、建物の設計は事業者の希望を取り入れ、工事代金は全額事業者が地主に建設協力金として差し入れるもので、竣工したら、建設協力金の一部を敷金として振り替え、残りを保証金として（「保証金と呼んで」と言うほうが正確だろうが）取り扱うことを合意する。「保証金」は、地主から事業者に順次返済していくが、当初10年間は無利息とするとする扱いが多かった。「保証金」は一種の借入金である。したがって、借家人である事業者が倒産して、管財人が契約解除を行っても、当然に期限の利益の喪失があるべきものではないが、裁判例[34]によっては、保証金の期限の利益が失われるとしたものもあるので、注意を要する。建設協力金方式の建物賃貸借は長期間の賃借人が借りることを前提として成り立つものであるから、中途解約を禁止し、中途解約をした場合は、保証金および敷金の返還請求権を放棄する旨を定める特約を付すことが多い。このような特約の有効性が争われた事例がある[35]。期間20年の賃貸借で、賃借人が破産したため破産管財人の解約申入れで賃貸借開始時から2年半たらずで解約された事例である。破産管財人側は、今や削除された民法621条で破産管財人による解除の場合に損害賠償を請求できないとしていた規定を根拠に、建設協力金の放棄により返還義務が消滅したとの主張はできないとしてその返還を求めていたが、裁判所は、特約で予定された放棄額の半額の限度で特約の有効性を認めた。

34) 名古屋高判平成12年4月27日判時1748号134頁。
35) 東京地判平成14年4月26日 Westlaw Japan2002WLJPCA04260012。

なお、現在は、定期借地が柔軟に使えるようになったので、建設協力金方式が活用された事例の多くは定期借地で代替できるようにも思う。しかし、事業者によっては事業がうまくいかない場合は、地主に建物を引き取ってもらいたいし、地主もそうしたいという意向がありそうに思う。また、建設協力金方式は、あくまでも借家なので、定期借家にして賃料の増減請求を排除することができる（借地借家法38条9項）。定期借地の場合は地代の増減請求権を排除できないので、賃料確定を希望する当事者には、建設協力金方式は、なお定期借地にはないメリットがある。

4 アメリカの賃貸借の常識

(1) 土地と建物

外資系企業や外資系ファンドと不動産取引を行う場合に、相手方は、賃貸借という言葉でどういうイメージを持つのかを知っておくことも、取引上誤解をうまないために有益なことがある。私の知識や経験も限定的なので、以下は、アメリカ法ではどう考えられているのかを多少説明するにとどめる。

そもそも建物を土地と切り離して別個の不動産とすることは、日本に特有のことで、アメリカではこれらは一体である。一体で、real property とか real estate とか呼ぶ。real property のほうが物を示し、real estate が権利を示すような感じがするが、明確な区別もない印象である。建物を念頭に置いた記述でも、land と表現されることがある。建物は土地が隆起したようなものと考えているわけである。また、不動産についての物権的な権利は、interest と表現され、right とは表現されない。アメリカの不動産の権利に関する翻訳でしばしば「権益」などとあるが、これはおそらく英文の原文に interest とあるので、ストレートに「権利」と訳しづらくて、こんな訳語になっているのだろうと思うが、多くの場合、「権利」と訳して不都合はない。なお、不動産の物権的な権利ではなく、使わせてもらう権利を license と呼ぶことがある。登記は、日本のように誰が見てもわかりやすいように登記事項が限定されているのではなく、登記所に登記書類をファイルするというも

ので（イメージ的にはどさっと書類を提出するという感じである）、したがって、どういう負担があるのかを正確に知るには専門家に見てもらうことが必要だということになる。

(2) 賃借権

leasehold interest は、賃借権[36]と呼ばれるが、イメージとしては日本でいう賃借権とはかなり異なったものであり、所有権の期間割りの印象である。つまり、不動産の所有権を丸い完全な形のケーキとしたら、賃借権とは期間で区切ったケーキの1切れのようなもので、これを切り出した所有者は残期間の権利しかない。したがって、賃借人が賃貸借期間の不動産使用にうるさく言われることは少なくて、期間満了時に返してほしい状態を当初に特定しておけば、その状況で返しさえすればよいことになる。契約でさまざまに特約が可能であるが、賃貸借期間中に許された使用しかしていなければ、期間が満了した時点で存在している状態で返せばよくて、原状回復義務が原則などということはない[37]。更地に一定の建物を建てる場合も、期間満了では、そのまま建物ごと土地を返せばよいのが原則である。期間満了時に返してもらう必要はあるものの、期間途中では賃借人以外の者が使うことにうるさくなくて、転貸借はもともと自由か、特約で賃貸人の承諾が必要とされていても、承諾の取得が困難なこともない。

賃貸人と賃借人は、lessor、lessee と表現するか、landlord、tenant（landlord と tenant とは対概念である）と表現する。日本語でも賃貸人と賃借人といったり、貸主（地主とか大家ともいう）と借主といったりするようなものである。tenant というのは商業ビルの借主かと留学前に誤解していたが、居住し

---

[36] アメリカの不動産賃貸借については、小澤英明「日本の借地・借家法の根本的検討——アメリカ法との比較」日本不動産学会誌35号（1994）36頁以下にて解説したことがある。

[37] 日本では賃貸借終了時に原状回復のうえ目的物を返還すべきことを規定する賃貸借契約が圧倒的に多い。しかも、平成29年の民法改正で賃貸借終了時の原状回復義務が明定された（改正法621条、599条1項、622条）。この問題については第6部補論を参照されたい。

ている借家人も tenant である。

　アメリカでは、公的資金が投入された住宅は別として、例外的な州を除いて、住宅ですら契約自由であり、正当な事由がない限り更新拒絶ができないなどの制約はない。オフィスビルや商業ビルは当然に契約自由である。

　不動産に関する明渡し訴訟につき裁判所の迅速な対応を可能にする法整備がなされている。ただ、賃貸借の終了の原因が賃借人の賃料不払いにある場合は、強制執行までに賃借人が延滞の賃料を支払って賃借人たる地位を回復するとする州が多い。賃料不払いで解除したのだから何が何でも終わったという処理にはならない。

第3章

不動産の運営管理

1 不動産の運営管理の専門分化

(1) 不動産の証券化の影響

　不動産の証券化が始まって、不動産の運営管理も専門分化が進んでいる。不動産の証券化に伴い、不動産の権利が金融商品化し、金融商品取引法等により、これら金融商品化した不動産の権利の取扱いに関する各種規制が生まれている。これらの規制のうち、宅地建物取引業者が関与する場合の宅地建物取引業法上の規制については、第1部第4章1で触れたが、それ以外については、本書の主題から離れ、また、解説する専門図書も多いので、本書ではとりあげない。ただし、不動産の証券化に伴って、どのように不動産の運営管理の専門分化が進んでいるかは今や収益不動産を保有している企業一般にとっても常識として知っておくべきことであるし、その専門分化がこれら業務に携わる企業に期待される善良な管理者としての注意義務のレベルにも影響を与えることから、以下に、その専門分化が生じた背景および専門分化の内容を説明する。

　そもそも不動産の証券化って一体何なんだという問題がある。日本ではアメリカの影響を受けて平成10年頃から始まったと言われている。「証券化」というと、株式のようなイメージだが、また、たしかにそういうイメージがぴったりするものも少なくないのだが、そのようなものばかりではない。「不動産の証券化」とは、キャッシュフローを生み出す不動産に投資するためのスキームをつくることと理解したほうがわかりやすい。そこで行われること

は不動産の投資に特化した仕組みづくりである。

　その仕組みは、株式会社のように幅広い活動を行ってさまざまなリスクを負うという仕組みではない。不動産の投資に特化した主体をつくりあげ、そこに投資家が資金を流す仕組みである。そこでの投資家は、まさに不動産投資からのリスクだけにさらされ、不動産投資からのリターンだけを得られる。したがって、その投資主体が倒産隔離を確保できるように入念に仕組みづくりが行われるのである。つまり、肝心の不動産投資とは異なる活動を行ってその活動から影響を受けて倒産するようなことが絶対ないように仕組みがつくられる。投資主体には、エクイティ（equity）だけでなく、デット（debt）の資金も流入させることがあるので、そのデットの返済が滞って投資主体自体が倒産ということはあるのだが、不動産投資以外の別の事業から影響を受ける倒産はない。

　また、投資主体は、単なる貯金箱のようなもので、受け身である。投資判断等は、すべて外部の専門家に任せるのであって、投資家は、その貯金箱からリターンを得るだけである。つまり、投資主体は無能であってよく、リターンとリスクの帰属主体となるだけでよい。

　このように仕組みをつくりあげることで、投資家は、安心して資金をこの投資主体に流せるのである。したがって、時には多くの投資家がその仕組みの魅力に吸い寄せられて集まる。投資家の権利が、あたかも株式のように細分化して流通するように加工されると、その処分可能性が高くなるので、さらに投資を呼び込むことができる。不動産の証券化の典型であるリート（REIT：アメリカでは real estate investment trust と呼ばれるものの略称である）が上場されることがあるが、それは、まさにこのように多くの投資家の投資にふさわしい投資主体についての投資家の権利が証券取引所で売買できるようになることを意味する[38]。

(2)　運営管理の各業務

(i)　アセットマネジメント

　アセットマネジメント（asset management）とは、この投資主体にとって、

頭脳の役割を果たすことである。したがって、その業務を行うアセットマネジャーに期待されるのは、その投資主体の投資で収益を上げることだけである。一番収益を上げるアセットマネジャーが一番偉いということになる。投資家の、投資家によらない、投資家のための仕組みの中で、「投資家によらない」投資決定を行うのがアセットマネジャーである。このアセットマネジャーの投資判断が投資主体の成功のすべてを決める。

　不動産から収益を上げていくには、プロパティマネジメント業務、リーシングマネジメント業務、コンストラクションマネジメント業務があると言われているが、アセットマネジャーは、これらの業務を行う専門家を選定し、指導監督を行う[39]。

　(ii) プロパティマネジメント

　プロパティマネジメント (property management) とは、投資主体にとって、比喩的に言えば、手足の役割を果たすことである。手足というと、語弊はあるが、アセットマネジャーの指図で不動産管理の実務全般を行うのがプロパティマネジャーである。維持修繕、設備管理、清掃、警備等のハード分野だけでなく、経理、渉外、事務、報告等のソフト分野も行う。要するに、ビルの日常的運営のすべてを行う。これが業種としては従来の日本の不動産管理会社のイメージに近い。しかし、収益を上げることに血眼になっているアセットマネジャーにタイムリーに報告を上げ、管理している不動産に日々発生する諸問題をタイムリーに処理していかなければならないので、昔の、

---

[38] 不動産の証券化の仕組みを組み立てるにはエンジンが必要であり、その役割を果たす者がスポンサー (sponsor) である。これは、しばしば、投資主体のセットアップを行い、投資主体による投資をスムーズにスタートさせるために、当初、自己の所有する不動産を投資主体に売却したり、要するに、投資主体が不動産投資に特化してスタートできるようなお膳立てをすべて行う。ただ、そうやって投資家を集め、投資家のために動いているかのようにふるまいながら、他方で、自己の不動産を高値で投資主体に取得させかねないなど、利益相反のおそれもある。したがって、不動産の証券化においては、そのような利益相反が生じないように、厳しい規制がなされている。

[39] 山内正教『不動産アセットマネジメント』(住宅新報社、2004) 26頁。

どちらかと言えば、のんびりした（なつかしい昭和の）不動産管理会社というイメージとは遠いと言うべきかもしれない。いつ、首を切られるかも知れないので、プロパティマネジャーは決して安穏とした立場に置かれてはいないからである。

(ⅲ) リーシングマネジメント

リーシングマネジメント（leasing management）とは、不動産の収益を生み出す賃貸業務を担当するものである。内容としては、賃貸企画業務、テナント誘致業務、契約管理業務、テナントとの賃貸借変更等の交渉業務、テナントの入退室関連業務である。これらの業務の対価は、オーナー（投資主体）から支払われるが、テナントの斡旋を外部の仲介業者が行った場合、外部の仲介業者が規制の限度の仲介手数料（1か月の賃料）を要求するので、リーシングマネジャーに別途支払うことができない。したがって、実際は、リーシングマネジャーの業務は、アセットマネジャーまたはプロパティマネジャーが兼務していることが多いと言われている。それらの業務の一環として、対価が支払われているのである。日本の借地借家法で賃貸借契約の条項を特約でさまざまに工夫するのも限界があるので、日本ではアメリカに比べると、リーシングマネジャーの役割がかなり小さい。

(ⅳ) コンストラクションマネジメント

コンストラクションマネジメント（construction management）は、施主が工事の設計や施工を発注するにあたり、施主に専門家としてさまざまな助言をすることを意味することが多く、このような意味でのコンストラクションマネジメントについては、第4部第1章2でも紹介する。ここでは、収益不動産を投資主体が保有する場合に、必要とされる専門業務としてのコンストラクションマネジメントを説明する。この業務は、ビルの技術的問題点を予測し、発見して、必要な対策を講じるものであり、具体的には、改修・修繕の必要性の検討、大規模または中規模の改修・修繕計画の立案および施工業者の選定または工事管理、大規模または中規模の改修・修繕計画の収支計画の策定または効果検証、工事に関するテナントへの説明または行政庁との

折衝等を含む。日本では、まだ、この業務の専門分化が十分ではなく、しばしばプロパティマネジャーが兼務していると言われている。

(v) ファシリティマネジメント

ファシリティマネジメント（facility management）とは、上記(i)〜(iv)のサービスがオーナー向けのサービスであったのに対して、テナント向けのサービスである。賃借スペースの効率的利用を図ることが目的であり、アメリカでは、ファシリティマネジメント専門の業者がいるだけでなく、大きなテナントでは内部にファシリティマネジメント部門を抱えている。日本でも外資企業を中心にテナント内部にファシリティマネジメントを担当する相当数の人材を有し、常に、テナントにとって、賃借スペースをどのように活用することが有益かを検討し、提案し、賃貸人等の外部と折衝している。

2 法令上の重要な義務等

(1) 消防法上の管理権原者の義務

多くの国民は、消防署の立入検査等を甘くはみていない。建築行政が多くの違反建築物の横行をみすごして、一般国民から甘くみられているのとは違う。なぜ、建築行政が違反建築物の横行を許しているのかは、マンパワーの不足もあるけれど、大金をつぎこんでできた建物の使用停止や除却命令を出しにくいという行政担当者の心情があり、その背後には、後述するが、国民の意識の低さがある。一方、消防行政が厳しいと受け止められ、また、それは当然であるとの意識があるのは、日本が歴史的に大火で悲惨な経験を繰り返してきたからであろう。

ところで、多数の者が出入りする一定の建築物については、その管理権原者は、防火管理者を置いて、防火管理上必要な業務を行わせなければならない（消防法8条1項）。すなわち、その建築物ついて、「消防計画の作成、当該消防計画に基づく消火、通報及び避難の訓練の実施、消防の用に供する設備、消防用水又は消火活動上必要な施設の点検及び整備、火気の使用又は取扱いに関する監督、避難又は防火上必要な構造及び設備の維持管理並びに収

容人員の管理その他防火管理上必要な業務を行わせなければならない。」(同条1項)と定めている。

　この管理権原者とは、一体誰かが問題になる。平成10年頃、日本の不動産の証券化が開始した頃であるが、東京消防庁に出向いて、管理権原者は一体誰と考えるべきかについて、現実的な対応を求めたが、なかなか認めてもらえなかった記憶がある。一般に、管理権原者とは、「防火対象物又はその部分における火気の使用又は取扱いその他法令に定める防火の管理に関する事項について、法律、契約又は慣習上当然行うべき者」といわれ、これだけではなかなかわからないが、要するに、消防に関する具体的な計画を立てることができる者である。今や、証券化された不動産は、共用部分については、アセットマネジャーを管理権原者と考えてよい（専有部分については個々のテナント）といった現実的な対応がとられている[40]。

(2) 建築基準法の定期報告・検査等

　違反建築物が横行しているのが日本の実態ではあるものの、前述したように、今や、違反建築物に対する国民の目も20年ほど前に比べると格段に変わってきているように思われる。それでも、違反建築物であることが建物所有者にとって大きな関心事となるのは、その処分時点であって、売却に迫られ、違反建築物であるがゆえの低評価に驚くまでは、違反建築物であることに関心が薄いのが現状である。

　しかし、平成25年10月に福岡市の診療所で発生した火災被害（死者10人）等の事故を反省し、平成26年に建築基準法が改正され、建物の定期調査および検査報告制度が強化された。

　すなわち、従来は、定期調査や検査が義務づけられる建築物または建築設備は、法令で定められた一定の建築物・建築設備の中から特定行政庁が指定することになっていた。しかし、その指定はきわめて限定的であったので、ほとんどの建物が定期調査や検査の義務を受けないものであった。

---

　40) 消防基本法制研究会編著『逐条解説消防法〔第5版〕』(東京法令出版、2014) 123
　　　～126頁等参照。

そこで、平成26年の改正により、安全上、防火上または衛生上重要なものとして政令で定める建築物（建基令16条1項参照。例えば、病院・診療所等で患者の収容施設があるもの、百貨店等の不特定多数の者が利用する建築物で一定規模以上のもの）や政令で定める建築設備・防火設備（同条3項）については、法令により一律に定期調査・検査の対象とし（報告の時期は、建築物の用途、構造、延べ面積等に応じて概ね6月から3年までの間で特定行政庁が定める。建基則5条1項）、それ以外の法令で定められた一定の建築物・建築設備・防火設備については特定行政庁が地域の実情に応じた指定を行うことができ、所有者にその状況を調査させ報告させることとした（建基12条1項、3項）。また、定期調査・検査を行う者は、一級建築士、二級建築士または建築物調査員資格者証の交付を受けている者とした（同条1項、3項）。

　さらに、一定の要件の下、特定行政庁または建築主事等は、建築物または敷地の所有者、設計者、工事施工者、工事監理者等に設計図や施工図を含めた各種書類や帳簿の提出を求めることができることになった（建基12条6項）（令和6年4月1日施行）。

(3)　**建築物衛生法による維持管理**

　あまり知られてはいないが、建築基準法とは別に「建築物における衛生的環境の確保に関する法律」（「建築物衛生法」と略称される）という法律がある。これは、専ら建築終了後の環境衛生上の維持管理について規制するものである。対象は、興業場、百貨店、集会場、図書館、博物館、美術館、遊技場、店舗、事務所、学校および旅館の用に供される相当程度の規模（原則延べ面積が3,000㎡以上）を有する建築物で、多数の者が使用、利用するものである（2条1項、令1条）。管理基準は、建築物衛生法施行令2条に具体化されているが、空気環境の調整、給水および排水の管理、清掃、ねずみ、昆虫等の防除関係である。

　なお、リノベーション時等において特に注意が必要なアスベストに関する規制は、この法律では規制されていないが、法令の規制の詳細は第1部第3章4で述べた。

3 建築物と省エネルギー

(1) 建築物省エネ法

建物におけるエネルギー消費量は日本全体の3分の1を占めるとも言われてきた。そこで、従来から「エネルギーの使用の合理化等に関する法律」（昭和54年に成立したいわゆる「省エネ法」）の「第5章　建築物に係る措置等」（平成27年改正前省エネ法72条以下）で、規制がなされてきた。例えば、延べ面積300㎡以上の建築物を新築したり、増改築したりする場合には、省エネのための措置を届け出て、エネルギー消費量の定期報告（住宅の場合は2,000㎡以上のみ）を行うべきことが義務づけられていた。しかし、より一層の省エネの実現をめざして、平成27年に「建築物のエネルギー消費性能の向上に関する法律」（いわゆる「建築物省エネ法」）が制定され、建築物の省エネ性能をより積極的に向上させることとなった。これは、省エネ法の第5章該当部分を独立させ、建築物にのみに適用させる規制を定めたものである。そのため、省エネ法に基づく修繕、模様替え、設備の設置および改修の各届出、定期報告制度は、平成29年4月以降は廃止された。

平成27年に気候変動枠組み条約に基づく国際的な取組みとしてパリ協定[41]が締結された。パリ協定による日本の貢献として、温室効果ガスを2030年度46％削減（2013年度比）、2050年カーボンニュートラルが表明された。その実現に向け、建築物分野でも取組みを強化する必要があり、建築物省エネ法は令和元年（第一次改正）、令和4年（第二次改正）と法改正が行われた。第二次改正の施行日は公布の日（令和4年6月17日）から3年以内とされているが、改正法では、省エネ性能の向上のみならず再エネ設備の利用促進も目的とされたことから法律名も「建築物のエネルギー消費性能の向上等に関する法律」とされている。

建築物省エネ法において、省エネ性能の向上を促す対象は、空気調和設備、機械換気設備、照明設備、給湯設備、昇降機（建築物省エネ法2条、同施行令1条）とされており、これらのエネルギー消費量を基礎として評価され

るエネルギー消費性能をもとに建築物省エネ性能基準が定められている。

建築物省エネ法の規制的措置としては、対象となる特定建築物について新築時等の建築物省エネ性能基準への適合義務を課し（建築物省エネ法 11 条 1 項）、所管行政庁または登録建築物エネルギー消費性能判定機関による適合性判定制度を創設し、基準に適合しなければ建築確認が下りないというものである（建築物省エネ法 12 条 8 項）。適合義務の対象である特定建築物は、当初は大規模（床面積が 2000 ㎡以上）な非住宅建築物（住宅と非住宅とが複合している建築物については非住宅部分が大規模であるもの）であったが、第一次改

41) パリ協定（Paris Agreement）は、1994 年に発効した気候変動枠組条約（UNFCCC：United Nations Framework Convention on Climate Change）に基づく第 21 回締約国会議（COP21、2015 年）で採択され、2016 年に発効した気候変動問題に対処する国際的な条約である。気候変動枠組条約に基づく各国の取組みについては、COP3（1997 年）で採択された京都議定書（Kyoto Protocol）により定められていたが、先進国にのみ温室効果ガスの削減義務を課していたことから、地球全体への効果が薄いのでは、との議論もあり、2013 年～2020 年までの第二約束期間（第一約束期間は 2008 年～2012 年であるが、世界全体で 1990 年レベル 5％削減を目標とし、日本は 6％削減を約束していた）については、日本を含む主要国が参加しなかった。そこで 2020 年以降の将来枠組みについては、途上国も含め全地球的に参加できる取組みが求められていたが、こうした中で採択されたのがパリ協定である。同協定では①長期目標として、世界の平均気温の上昇を工業化以前より 2℃よりも十分低く終え、1.5℃までに制限する努力を継続すること、②緩和の目標として、今世紀末までに温室効果ガスの人為的排出量と吸収量の均衡を達成するため、できる限り速くピークに達し迅速な削減に取り組むこと、③各国は貢献（NDC：Nationally Determined Contribution いわゆる削減目標）を作成、提出、維持し、5 年ごとに更新すること。先進国は絶対量の削減目標に取り組み、途上国は自国の緩和努力を強化すること（森林吸収源の強化、国際的な移転にも言及）、④適応についても目標を定めること、⑤気候変動に関する悪影響の損失と損害について認識すること、⑥世界全体の実施状況を 5 年ごとに把握すること（いわゆるグローバル・ストックテイク）、⑦その他、先進国の資金提供、技術移転、能力開発について言及していること、等である。なお、京都議定書からパリ協定までの紆余曲折については、鷲坂長美『環境法の冒険』（清水弘文堂書房、2017）178～197 頁参照。パリ協定については、鶴間健介「パリ協定の締結——温室効果ガス削減のための公平で実効的な枠組みへの参加」時の法令 2032 号（2017）4 頁以下参照。

正で中規模（300㎡）以上の非住宅建築物となっている（同施行令4条）。増改築が300㎡以上となる特定建築物も対象になる。既存の建築物の増改築も一定のものは対象になる。一方、特定建築物を除く300㎡以上の建築物（住宅も含む）については、建築物省エネ性能基準を確保するために、新築、増改築時における届出制度が設けられ、所管行政庁は基準に適合せず必要があると認めるときには指示することができるとされている（建築物省エネ法19条1項、2項）。

この規制的措置については、第二次改正が施行されれば、大幅に強化される。具体的には特定建築物という概念を廃止し、高い開放性を有する建築物等を除き住宅部分や300㎡未満の小規模なものも含め、原則すべての建築物について建築物省エネ性能基準の適合義務を課すこととしている（改正建築物省エネ法10条1項）。このことにより、前述の届出制度は廃止され、さらに、第二次改正前において設けられていた建築士の小規模建築物のエネルギー消費性能に係る評価・説明制度（建築物省エネ法27条）も廃止される。なお、増改築の場合の適合義務の範囲は、増改築後の建物全体とされているが、第二次改正後は増改築部分のみとされる。その他、第二次改正で適合義務対象が拡大することにともなう手続きの合理化も行われる予定である。

建築物省エネ法では、いわゆる省エネ法のトップランナー制度[42]と同様の制度が設けられている。規格住宅を供給する住宅事業者で、分譲型の戸建て住宅事業者（150戸以上）や請負型の住宅事業者（注文戸建ては300戸以上、賃貸アパートは1000戸以上）については、最も優れた住宅事業者が採用している性能の基準に照らして、国土交通大臣が、勧告、公表および命令を行うことができる（建築物省エネ法28条、30条、31条、33条）。この点について第

---

[42] 省エネ法のトップランナー制度は、平成10年の省エネ法の改正で民生部門と運輸部門の省エネ対策の一つとして導入された制度である。機器等（家電、自動車、建築材料等）のエネルギー消費効率基準を策定する際には、商品化されていて、最もエネルギー消費効率の優れているものの性能や将来見通しを勘案して策定し、目標年度までに事業者にその達成を求めるものである（省エネ法149条）。

二次改正では分譲型の共同住宅等いわゆる分譲マンションも新たに対象となる（改正建築物省エネ法 21 条、23 条、24 条、26 条）。

建築物において優れた省エネ性能を表示するための措置として、現行では、建築物省エネ性能基準に適合していることの認定を受けた場合の表示（建築物省エネ法 41 条）のほか、建築物の販売、賃貸事業者の努力義務としてのエネルギー消費性能表示（建築物省エネ法 7 条）[43]がある。第二次改正では、建築物におけるより一層の省エネ対策を進め、省エネ性能の高い建築物が選ばれる市場環境の整備等を図る必要性から、エネルギー消費性能表示を拡充し、国土交通大臣が販売、賃貸事業者の建築物省エネ性能の表示すべき事項等を定め、それに従って表示していないときには勧告、公表、命令ができる（改正建築物省エネ法 27 条、28 条（改正法 2 条による改正後））こととしている。なお、現行の表示制度は廃止される。

建築物省エネ法の誘導措置として、建築物省エネ性能基準を超える誘導基準に適合することについて認定を受けた建築物については、そのために通常の建築物の床面積を超えることになる場合、容積率の算定基礎となる延べ面積にはカウントしないとする容積率の特例も定められている（建築物省エネ法 40 条、第二次改正後は 35 条）。

建築分野における再生可能エネルギーの利用拡大の取組も求められることから、第二次改正では、全国一律ではないが、市町村が地域の実情を踏まえ、太陽光パネルなど再エネ設備の設置が促進されるような仕組みが構築さ

---

[43] 建築物における優れた省エネ性能を表示するため、建築物省エネ法 7 条に基づくガイドラインに準拠した制度として、BELS（Building‑Housing Energy‑efficiency Labeling System）が運用されている。これは、新築、既存を問わず住宅、非住宅の建築物全体の省エネ性能を第三者評価により 5 段階で表示するものである。建築物省エネ法以外にも建物の省エネに関係する基準が定められている制度がある。住宅性能表示制度は、品確法によるものであり、省エネルギー対策等級等が定められている。また、都市の低炭素化の促進に関する法律による低炭素建築物の認定制度や長期優良住宅の普及の促進に関する法律による長期優良住宅に係る認定制度にも省エネルギーに関する基準も設けられており、基準レベルの強化が予定されている。

れている。具体的には、市町村は再エネ利用促進区域について促進計画を策定することができ、当該区域において、建築主には建築、修繕しようとする建築物について再エネ設備の設置を努力義務として課し、条例で定める用途や規模の一定の建築に係る設計について建築士には設置可能な再エネ設備導入効果等の説明義務を課している。さらに、区域内の再エネ設備の設置については建築基準法の形態規制の特例許可の対象とされている（改正建築物省エネ法60条～64条（改正法2条による改正後））。

(2) 温対法

平成10年に「地球温暖化対策の推進に関する法律」（いわゆる「温対法」）が制定された。これは、平成9年に採択された京都議定書を受けたものであり、当初は政府の基本方針の策定と国等の実行計画の策定等を定めるものであったが、国際的な動向に従いその内容が拡充され、建築物に関係するものもある。まず、温室効果ガスの排出量を算定公表する制度（温対法26条～29条）であり、これは平成17年の京都議定書の発効を契機として法改正されたもので、事業活動に伴い一定量以上の温室効果ガスを排出する者（原油換算1500kl/年以上等）に、自らの温室効果ガスの排出量を算定させ、それを報告させる制度である。この報告対象となる温室効果ガスの範囲は、エネルギー起源CO_2以外の温室効果ガス（すなわち、非エネルギー起源のCO_2およびメタン等のCO_2以外の温室効果ガス）の排出量も報告対象に含まれ、さらに、平成20年改正で、事業所ごとではなく、事業者の排出量の全体で報告義務を判断するようになった。コンビニ等はすべての店舗から排出される排出量を報告しなければならない。次に京都議定書の第一約束期間が始まる平成20年の法改正で導入された排出抑制指針（現在は排出削減指針）に基づく取組み（温対法23条、24条）では、事務所ビル等の業務部門からの排出抑制指針（現在は排出削減指針）として、建築物省エネ法の対象とされる空調設備、換気設備、照明設備、給湯設備、昇降機のほか断熱材の導入等建物に係る事項も定められている。

(3) 東京都環境確保条例

　東京都は、平成12年に、地球環境問題等の新しい環境問題への対応を図るため、それまでの東京都公害防止条例を全面改正し、「都民の健康と安全を確保するための環境に関する条例」（いわゆる「環境確保条例」）とした。条例では、新たな環境問題への取組として、①地球温暖化対策計画書制度や②建築物環境計画書制度が設けられた。①は、温室効果ガスの排出量の多い事業所（原油換算1,500kl/年以上）に対し、知事の定める地球温暖化対策指針に基づく計画（3年ごと）を作成させ公表するとともに、対策結果についても公表することとするものである。②は、大規模ビル等の建築物の建築主（制度創設当時は延べ面積10,000㎡超）に対し、知事の定める配慮指針に基づき環境配慮措置を講じさせ、エネルギー利用の合理化、資源の適正利用、自然環境の保全等の環境配慮措置を記載した建築物環境計画書を提出させて公表するというもので、環境配慮した建築物の状況を公表することでそうした建築物の市場性を高め普及させることも目的としていた。

　地球温暖化対策計画書制度（上記①）については、平成17年の条例改正で制度強化が図られており、新たに温室効果ガスの排出概況（排出概況確認書）や地球温暖化対策計画の計画期間（5年ごと）の排出状況や対策の進捗状況の報告（排出状況報告書）を毎年度求め、その内容を評価し、地球温暖化対策の推進が不十分であると認めるとき等は指導助言・勧告できる、という制度に改められた。

　平成20年の条例改正では、地球温暖化対策をさらに強化するため、地球温暖化対策計画書の提出義務のある事業所（指定地球温暖化対策事業所）のうち、原則3年連続で温室効果ガス排出量が原油換算で1,500kl/年以上の大規模な事業所（特定地球温暖化対策事業所）に対しては、温室効果ガスの排出量削減義務を課し、達成できなければ他から調達してでも削減義務を達成することを義務づける制度が導入された[44]。対象事業所は工場等のみならずオフィスビルも含まれる（住居用部分は除く）。この排出量規制は、平成22年4月から開始し、5年ごとに削減義務を果たしたか否かを問題にし、義務

を果たしていない義務者には罰則その他の制裁が課される。削減義務率については、第1計画期間（平成22年度から5年間）は6％または8％、第2計画期間（平成27年度から5年間）は15％または17％、第3計画期間（令和2年度から5年間）は25％から27％と強化されてきている。排出量削減義務を果たさない義務者は、他から「振替可能削減量」という排出枠を取得して削減義務を果たすことが認められた。いわゆる排出量取引である。この環境確保条例改正については、別著[45]で詳しく論じているので、ここではごく簡単に説明するにとどめる。

　削減義務量を算定するための基準となる量を「基準排出量」と呼び、原則として過去3年度の排出量の平均値で算定する（環境確保条例5条の13）。そして、5年間の計画期間において基準排出量の一定割合の削減義務率（第3計画期間においては工場等の産業部門25％、オフィスビル等の民生部門27％、同条例5条の12、同条例施行規則4条の16）による排出量削減が義務づけられた（同条例5条の11）。排出量の削減義務者は、原則として対象となる事業所の所有者である。賃貸ビルはテナントの協力がなければ削減に限界があるので、テナントは所有者の削減に協力する義務があるとされ、とりわけ大量に温室効果ガスを排出するテナント（5,000㎡以上の床面積を使用して事業活動を行っているテナント等、同条例施行規則4条の25）には、テナント独自の義務として積極的に地球温暖化対策を推進する義務が課される（同条例7条）。

　義務者が削減義務を達成できない場合は、知事から削減義務量に不足した量の1.3倍に相当する量の充当記録を命じられる可能性、すなわち措置命令を受ける可能性がある（同条例8条の5第1項）。削減義務を果たすために、自ら削減した排出削減量に、取引によって他から取得した振替可能削減量を加えることができる（同条例5条の11第1項）。

44) 排出量取引の対象である温室効果ガスは二酸化炭素のみで条例では「特定温室効果ガス」と定義している。
45) 小澤英明＝前田憲生＝浅見靖峰＝諸井領児＝柴田陽介＝寺本大舗『東京都の温室効果ガス規制と排出量取引——都条例逐条解説』（白揚社、2010）参照。

5年ごとに削減義務の履行の有無をチェックするので、期間中に、この条例の規制対象事業所の建物を購入する場合は、購入前の温室効果ガスの排出量を引き継ぐ。そこで、売買にあたっては、売主がすでに排出した量を把握する必要がある。この環境確保条例が規制対象事業所の建物の私的取引に与える影響等注意すべき点については、前掲書に詳しく説明したので、参照されたい。

　建築物環境計画書制度（上記②）については、平成17年の条例改正で、特定マンション（住居用の延べ面積2,000㎡以上）についての環境性能表示制度が設けられている。このマンション環境性能表示制度は平成20年、31年の条例改正を経て、建築物の熱負荷の低減（断熱性）、省エネ設備、再エネ利用、長寿命化（維持管理・劣化対策）、緑化について3段階の星の数で評価し、マンション広告においてマンション環境性能表示の表示義務がある（同条例23条の3）。特定マンションにいたらないものについての任意の制度も設けられている（同条例23条の3の2）。また、平成20年の条例改正で、省エネ性能表示制度が設けられ、平成31年の条例改正においては、建築物環境計画書制度の対象建築物のさらなる拡大等の措置（延べ面積2,000㎡超）が講じられるとともに、省エネ性能表示制度については環境性能評価書制度に改正された。

　なお、脱炭素社会の実現に向けた実効性のある取組を強化するために、令和4年に条例改正が行われ、令和7年度から建築物環境計画書制度の内容が充実されるとともに新たに建築物環境報告書制度が設けられている。具体的には、まず、建築物環境計画書制度については、大規模ビル等についての再エネ利用の検討を再エネ設備等の整備義務とし、省エネ基準への適合については住宅を含め強化することとしている（改正条例20条の2、20条の3、20条の4）。次に、中小の新築ビル等（延べ面積2000㎡未満）については、その供給事業者（年間都内供給延べ面積20,000㎡以上ハウスメーカー等）を対象に断熱・省エネ性能の確保、再エネ設置、ZEV（Zero Emission Vehicle）充電設備設置等の義務付けが行われ（改正条例23条の7、23条の8）、当該措置の適合状況等を記載した建築物環境報告書の提出が求められている（改正条例23条

[図表３] 建築物省エネ法

（現行法）

	省エネ基準	
	300㎡以上	300㎡未満
新築 非住宅	適合義務	努力義務（建築士の説明義務）
新築 住宅	届出義務（指示・命令等）	努力義務（建築士の説明義務）（注文戸建て・賃貸のトップランナー制度）
増改築	増改築後の建物全体に適合義務	

（令和４年改正法）

	省エネ基準	
	300㎡以上	300㎡未満
新築 非住宅	適合義務（高い開放性等の一定のものを除く）（審査等の合理化が図られている）	
新築 住宅		
増改築	増改築を行う部分のみが対象	

の11)。この環境報告書についても知事の指導・助言・勧告が定められている[46]。

(4) まとめ

以上、要するに、建築物の省エネルギー政策は、現在、国レベルでも地方公共団体レベルでも最優先課題のひとつとなっており、制度も次々につくられている。そのため、全体像がわかりにくいものになっている。読者の便宜のために、図表３ないし図表６を作成した。適宜参照されたい。図表３は建築物省エネ法の現在施行されている内容と令和４年の改正法（公布の日から３年以内に施行）による改正後の内容について示している。図表４と図表５は、現在施行されている東京都環境確保条例の内容について、図表４は既存の建築物の所有者等にかかる規制を、図表５は建築物を新築または増改築する建築主に係る規制内容について示している。また、図表６は令和４年12月22日に公布された東京都環境確保条例の追加の改正部分（令和７年４月１日施行）について示している。

46) 建築物環境報告書についても、建築物環境計画書と同様、社会的な評価等において提出義務のない建築主も義務のある建築主と同様に扱うことができるよう、任意で参加できる制度が設けられている。

[図表4］東京都環境確保条例（地球温暖化対策計画書制度）

非住宅の建物等の所有事業者等（ビルオーナー等）		
指定地球温暖化対策事業所 （前年度の温室効果ガス1,500kl/年以上）		削減目標、削減計画を記載した地球温暖化対策計画書の提出義務と公表 知事の評価、表彰、指導助言、勧告
		テナントの協力義務 特定テナント（床面積5,000㎡以上又は電気使用量600万kw/h以上）の計画書提出
	特定地球温暖化対策事業所 （温室効果ガス3年連続1,500kl/年以上）	温室効果ガスの削減義務と排出量取引 （2020年度〜2024年度で25％〜27％）
その他 （温室効果ガス30kl〜1,500kl/年未満で都内の事業所の合計が3,000kl/年以上）		地球温暖化対策報告書（排出量等）の提出義務と公表 知事の指導、助言、勧告
（上記以外）		地球温暖化対策報告書の任意提出

[図表5］東京都環境確保条例（建築物環境計画書制度等）

建築主（建築物の新築等をしようとする者）		
特定建築主 （延べ面積2,000㎡以上）		建築物環境計画書の提出義務 （環境配慮措置とその評価、再エネ検討、省エネ基準適合） 知事の公表、指導、助言、勧告
	特定マンション建築主 （住居用延面積2,000㎡以上）	広告等におけるマンション環境性能表示義務、説明努力
	特定マンション建築主を除くマンション建築主	広告等における任意のマンション環境性能表示、説明努力
	特別大規模特定建築主 （延べ面積50,000㎡超の開発者で延べ面積2,000㎡超）	住宅・ホテル・病院・百貨店・学校等の環境性能評価書の買受人等への交付義務、説明努力
その他建築主		建築物環境計画書の任意提出 知事の公表、指導、助言、勧告
	任意の計画書提出マンション建築主	広告等における任意のマンション環境性能表示、説明努力

第3章 不動産の運営管理

[図表６] 東京都環境確保条例（令和４年条例改正、令和７年度施行）
（建築物環境計画書制度の強化と建築物環境報告書制度の創設）

建築主（建築物の新築等しようとする者）	
特定建築主 （延べ面積2,000㎡以上）	建築物環境計画書制度の強化 （太陽光等再エネ設備、ZEV充電設備の整備義務） （適合義務のある省エネ性能基準の強化）
その他建築主のうち特定供給事業者 ＊特定供給事業者とは規格建築物の請負業者や規格建築物を新築、分譲、賃貸を業とする者（いわゆるハウスメーカー等）で、延べ面積2,000㎡未満の建築物を年間都内供給面積２万㎡以上供給する者（10㎡以下の物や離島等の物は除く）	建築物環境報告書制度の創設 （太陽光等再エネ設備、ZEV充電設備の整備義務） （省エネ性能設備の整備義務） 知事の公表、指導、助言、勧告 （特定供給事業者以外の建物供給事業者についての任意提出）

4 住宅宿泊事業（民泊）

　いわゆる「民泊」について規定した住宅宿泊事業法が平成29年６月９日に成立した。同法の説明を、「不動産の運営管理」のこの章におさめるのも落ち着きが悪いが、企業としての「民泊」への関わりは、「民泊」対象の、同法で定める「届出住宅」（２条５項）の運営管理が多いであろうから、便宜上ここでふれる。

(1) 「民泊」とは

　いわゆる「民泊」は、住宅の所有者が自分が使用しない間の住宅を他人に有償で使用させることを言う。近年、外国会社が自社のウェブサイトに「民泊」のホストから得られた利用可能な物件情報を掲載し、これらとゲストとの希望とのマッチングサービスを行って、急速に「民泊」の利用者を増やし、注目を浴びた。経済的に言えば、シェアリングエコノミーの一種で、インターネットで需要と供給をきめ細かくマッチングできるところにポイントがある現代的なビジネスである。マッチングサービスを行う企業は、ただ、両者が出会う場をプラットフォームとしてネット上で提供する程度で、宿泊契約の締結に深く関与しない。そのため、宿泊契約の締結および履行の事務

コストを削減できる。したがって、それだけホストとゲストの満足度が高まる。もちろん、幾多のバリエーションがあると思うが、このように、基本は契約当事者の自己責任が支配する経済行為に関わるビジネスであって、国や地方公共団体が契約当事者の利益を守るために深く関与し出すと、このビジネスの本来の魅力を失ってゆく。しかしながら、ホストもゲストも素人である、この宿泊ビジネスを自由に放任すると、これら素人が痛い目に遭いかねないし、時には第三者に思わぬ迷惑もかけかねないという側面も否定できない。従来、宿泊を業とするのであれば、旅館業法の許可をとるしかなく、旅行業者も旅館業法の対象となる宿泊場所以外の宿泊場所を斡旋するわけにもいかなかった。これらの法律が想定していない宿泊ビジネスが「民泊」ビジネスとして登場してきたため、従来の法制では対応できなくなった。そこで、「民泊」を対象とする法規制が必要となって、住宅宿泊事業法ができたのである。

(2) 住宅宿泊事業法の基本

　住宅宿泊事業法は、いわゆる「民泊」を規制するが、「民泊」事業とは、旅館業法の許可を受けた旅館業者以外の者が、1年間で180日を超えない範囲で住宅に人を有償で宿泊させる事業である（2条3項）。180日を超えて宿泊させるならば、もはや同法では対応できず、旅館業法の規制対象となる。

　「民泊」は、二種類に分けられる。家主居住型か家主不在型である。家主が居住する住宅の一部を民泊に利用するものが家主居住型であって、家主自身が「住宅宿泊事業者」として管理義務を負う。一方、家主不在型は、民泊に利用する間、家主が不在となるもので、家主は、なお「住宅宿泊事業者」であるものの、管理業務を、住宅宿泊事業法に基づき登録した住宅宿泊管理業者に委託しなければならない（11条1項2号）。なお、家主居住型であっても、大型住宅の場合（居室数が5以上の場合）は、同様に住宅宿泊管理業者に管理業務を委託しなければならない（11条1項1号、規則9条2項）。

(3) 住宅宿泊管理業

　宿泊者の衛生の確保（5条）、安全の確保（6条）、宿泊者名簿の備付け（8

条)、周辺地域の生活環境への悪影響の防止に関する必要な事項の宿泊者への説明(9条)、苦情への対応(10条)等は、住宅宿泊管理業者を置くべき場合は住宅宿泊管理業者の職責となる(11条2項)。

　住宅宿泊管理業を営むには、上記のとおり、登録が必要であるが、登録要件は緩い。法25条に登録拒否事由が列挙されているが、厳しいものではなく、参入はきわめて容易であるように思われる(国土交通省関係住宅宿泊事業法施行規則6条の2ないし9条)。ただし、国および都道府県の行政監督を受け、各種規定の違反に罰則もある。

　当然のことであるが、家主である「住宅宿泊事業者」からの委託を受けて、善良な管理者としての注意義務をつくす必要があるので、上記列挙した職責を十分果たしえない場合は、家主に対して民事上の責任を負う。

(4)　住宅宿泊仲介業

　宿泊サービスの仲介は登録された旅行業者がなしうる。もっとも、旅行業者も、これまでは旅館業法で認められた宿泊場所の宿泊サービスの仲介しかなしえなかったわけであるが、住宅宿泊事業法の施行により、同法で規定される「届出住宅」の宿泊サービスもなしうることになった。ただ、「届出住宅」の宿泊サービスの仲介を行えるのは、旅行業者だけではない。同法に基づいて住宅宿泊仲介業の登録を受けることで(登録を受けると「住宅宿泊仲介業者」となる)、旅行業者以外の者が同サービスを提供できるようになった。旅行業法で登録を受けた旅行業者は、住宅宿泊事業法の登録をあらためて受けなくとも、「届出住宅」の宿泊サービスの仲介ができる(46条1項)。インターネットでホストとゲストとのマッチングサービスを提供する業者は、この住宅宿泊仲介業を行う者と言える。

　以上のとおり、旅行業者は当然に住宅宿泊仲介業を営むことができるので、住宅宿泊事業法における住宅宿泊仲介業に対する規制は、旅行業法における旅行業者に対する宿泊サービスの仲介の規制に準じて定められており(住宅宿泊事業法55条1項で住宅宿泊仲介業約款を定めなければならず、56条1項で同業務の料金公示も必要となる)、それを超えることがない。

外国住宅宿泊仲介業者（定義は61条1項）も、日本の「民泊」の仲介を行う以上、住宅宿泊仲介業の登録を受けなければならず、観光庁長官の監督を受ける（63条）。

(5) **住宅宿泊事業と賃貸借**

「届出住宅」の宿泊事業、すなわち、日本で許される「民泊」の宿泊契約は、ホストの目が行き届かずに一般のホテルや旅館に比較すると、長期の宿泊も許すことになるので、賃貸借に類似してくる。しかし、一般の賃貸借よりも短期であるだけでなく（年間180日を超えられない）、宿泊者に占有はなく、「住宅宿泊事業者」がなお占有し、「届出住宅」の清掃も安全確保も、家主が自ら又は委託した住宅宿泊管理会社を通じて行うという違いがある。このことは明確にしておくことが望ましい。賃貸借と同視できるのならば、その仲介も宅地建物取引業法の宅建業者の免許が必要になってくるのではないかとの疑問もあるからである。もっとも、特区民泊に関しての説明の中ではあるが、平成26年12月5日付の国土交通省土地・建設産業局不動産業課長の各都道府県主管部長に対する「国家戦略特別区域法における国家戦略特別区域外国人滞在施設経営事業と宅地建物取引業法の関係について」と題する通知（国土動第87号）において、「宅建業法の適用の有無は、従来より、施設の使用に係る契約の内容によって実質的に判断しており、提供される施設に生活の本拠を有しないと考えられる滞在者を対象として、寝具等を備えた施設を紹介・あっせんする事業については、宅地建物取引業には該当しないものである。」との国土交通省の見解が示されている。したがって、宿泊サービスについて賃貸借の性格を否定できない場合も、これに係る住宅宿泊仲介者が宅建業法上の規制に服するとの見解を国土交通省がとることは考えにくい。

しかしながら、住宅宿泊事業法のもとの宿泊事業が短期の賃貸借にかなり似ていることも事実である。そのため、「宿泊者の判断に影響を及ぼすこととなる重要なものにつき、故意に事実を告げず、又は不実のことを告げる行為」が住宅宿泊仲介業者にも禁じられることから（57条1号）、住宅宿泊仲

介業者が、賃貸借の媒介業者に対して求められる説明義務（近時は、高い程度の説明が求められる傾向にある）類似の説明義務を求められかねないとの心配もある。しかし、「届出住宅」に関して、多くの説明義務を住宅宿泊仲介業者に求めることは、民泊サービスの自滅行為にもなるように思う。ホストとゲストの出会いのプラットフォームの提供を超えた多くの義務を住宅宿泊仲介業者に求めると、民泊ビジネスが窒息すると思うからである。民泊のホストもゲストも宿泊契約に関しては、ネット情報を駆使して自己責任で締結することが基本であって、利用者であるゲストに対して過度にパターナルな保護を与えること自体、「民泊」に適合的ではないと思う。

第3部

不動産開発

第1章

土地所有権とは

1 民法の規定

　土地所有権は、「法令の制限内において、その土地の上下に及ぶ。」（民法207条）。また、土地に限らないが、「所有者は、法令の制限内において、自由にその所有物の使用、収益及び処分をする権利を有する。」（同法206条）。いずれも、「法令の制限内において」という制限がある。

　前述したように、農地を除くと、土地取引を規制する法律は日本にはほとんどない。他の資本主義国もほぼ同様であると思われる。これは、土地をばらばらにして土地所有権の対象とし、それぞれに土地所有者を定めれば、あとは、これを最も効率よく利用する者に土地が流れるように処分の自由を確保することが、社会の富を最も増大させるという考え方によるものである。しかし、土地使用については、他国と同様に、日本でも膨大な法規制があり、処分の自由と対照的である。ところで、「使用」と「収益」はどのような差があるかであるが、収益とは、物を使用して得られる果実を収受する権利と解されている。かつては土地から収穫される米を年貢として納めなければならなかったことから、収益の自由を使用の自由と別に分けて把握する理由があったと思うが、金銭で税金を納める現代において、土地の使用収益は一体として理解でき、分けて理解する必要はないように思われる。つまり、許されている土地の使用により得られる便益を享受できる自由として、土地の使用収益権を理解できる。

2　土地所有権の淵源

　司法修習生時代、土地所有権に基づく請求を原告が行う場合に、被告が原告の土地所有権を争えば、原告は、原告の前主が土地所有権を有していたことと、その土地所有権の原告への移転の法律原因を主張すればよく、その前主が土地所有権を有していたことを被告がさらに争えば、前々主がかつて土地所有権を有していたことと、その土地所有権の前主への移転の法律原因を主張すればよいと民事裁判教官の河野信夫先生から習って、ホウと思ったことがある。つまり、このように現在の土地所有権の帰属を確定するには、土地所有権の移転の連鎖をさかのぼっていき、被告が了解できる過去の土地所有者以後の土地所有権の移転を裁判では問題にすれば足りるわけである。もっとも、被告が意固地でしつこく過去の土地所有権の帰属を争えば、きりがないので、過去のしかるべき時点で、取得時効で土地所有権の帰属を確定するしかないことになる。これも聞いて、ホウと思ったことであった。取得時効というものが法学部時代はピンとこなかったが、こういう使い方があるということも理解できたからである。

　もっとも、取得時効を持ち出さなければ、この土地所有権の連鎖はどこまでさかのぼり、行き着くところはどこなのかという疑問も感じたことであった。これは、一般には、明治5年の地租改正における地券発行が日本の近代的土地所有権の起源であると考えられている。地租改正前は、米の収穫量を基準として地租を課していたところ、地租改正により、全国の土地の所有者から地価を基準とした地租を徴収する租税制度に改められたわけである。ただ、この土地の所有者はどのように判定して、地券は誰に発行されたのであろうか。詳細は、他の書物を参照していただきたいが、検地帳等に記載されていた持主の自己申告と提示資料等に基づいて土地の調査を行って、土地の持主と認めた者に地券を交付したようであり、このような土地の持主が確定できない土地が官有地に編入されたというのが実態のようである。「持主」と記載したが、これは、法制史でいう、土地の「所持」をしている者の意味

である。興味深いのは、民法上の土地所有権とは異なるが、地券発行前から、土地所有に近い、土地の「所持」という概念があったということである。「幕藩時代には私人の土地に対する直接支配の権利を示すものとして、『所持』の語が用いられ、土地の所持者を『地主』と呼んでいた」[1] と言われる。一般に、明治5年の地租改正により土地の売買の自由が認められたという理解がされているが、制約がありながらも、それ以前から土地の譲渡がなされていたようであって、地租改正で、それまで影も形もなかった土地所有権が突如として現れたというものではなさそうである。その後、上記官有地への編入の不備を正すために、明治32年に国有土地森林原野下戻法が制定された。この法律は重要だが、本書の記述に直接関係がないので省略する。

　以上のようにして、近代的土地所有権は整備されたが、入会権の慣習は無視できないので、民法上も、共有の性質を有する入会権（263条）と共有の性質を有しない入会権（294条）として規定が置かれ、現在まで規定が残されている。入会権というと、古くさくて、企業法務に一体何か関係があるのかという疑問があるかもしれないが、私は、初版校了前の半年の間に2回も入会権について相談を受けた。1つは、入会地に太陽光発電施設を設置するにあたって、いかに権利を設定し、その権利を対抗できるのかというものであった。今1つは、入会地に地熱発電の掘削をする場合の権利設定上の注意点は何かというものであった。これまで、薪炭の採取程度の利用しか念頭になかった入会地が再生可能エネルギー関係で開発適地として見直されると、入会権にも注目が集まる。加藤雅信教授から、入会権は、誰の土地でもないとするほど土地利用の需要が小さくもなく、誰かの所有としないと紛争が起きる程度に需要が大きくもなく、その中間の需要に応えるもので、「離村者

---

1) 古舘清吾『近代的土地所有権の形成と帰属』（テイハン、2013）34頁。地租改正の経緯を含めて、現在の土地所有権がどのようにして形成されてきたかについては、同書に詳しい。なお、土地の「所持」という概念を前提とするものであるが、江戸時代に土地の売買が相当程度行われていたことについては、日本近世史の水本邦彦教授からもうかがったことがある。

失権の原則」が働く領域とお聞きしたことがあったが、まさに、そのとおりと思う。ここで入会権に立ち入ることはしないが、民法上慣習が優先されることは明らかであるから、まず、入会地に関する現地の入会権者間の規約を確認することから始める必要がある。

3 農　　地

　農地については、農地法が存在するために、他の土地とは異なり、その処分が自由ではない。かつては、農地を宅地利用に転用する場合の法律上の論点だけが企業の関心事であったが、近時、農業に参入する場合の法律上の問題点も企業の関心事となった。

　農地法は、農地改革の産物であり、昭和27年に制定された。農地改革を実行するための法律が自作農創設特別措置法であり、これに基づいて、不在地主から農地を強制的に買収し、耕作者に払い下げられたものである。農地法の精神は、耕作者が所有者であるべきだというものである。これは、制定当時は社会の実情に即していたが、農業離れが進み、耕作放棄地が多数存在する中で、漸次見直しが進んでいる。しかし、今なお農地を誰が取得してもよいという法制度にはなっていない。そのため、土地所有権の処分は自由ではない[2]。

　企業が農地を宅地化する目的で取得する場合のプロセスは次のとおりである。なお、不動産登記簿の地目である「宅地」は、住宅地だけでなく商業地も含まれる。不動産登記上、地目としての宅地は、「建物の敷地及びその維持若しくは効用を果すために必要な土地」の意味だからである（不動産登記規則99条、不動産登記事務取扱手続準則68条）。ここでは、郊外で農地を取得

　2）農地についてはさまざまな問題がある。本書の目的から離れるので詳述はしないが、かなり以前から、「農地問題をひとことで要約すれば、『転用期待が元凶となって、農業に長けた者に農地が集積するという市場経済の競争メカニズムが機能していない』ということになる。」（神門善久『日本の食と農』（NTT出版、2006）199頁）と指摘されている。

してショッピングモールを開発しようとする場合を念頭に置く。農地を転用して宅地化するのであるから、農地法5条で都道府県知事の許可がなければ取得できない。ただし、市街化区域内の農地であれば、農業委員会に届出て所有権を取得できる（同法5条1項6号）。同法5条は、権利の移転と土地の転用とが伴う場合で、権利移動を制限する3条と転用を制限する4条とを合わせた内容となっている。

　市街化区域外の土地を開発するには、後述するように、原則として市街化区域に編入される必要がある。また、大規模開発を前提にする場合は、計画的な市街化が可能と判断しなければ、都道府県知事は、農地法5条の許可も出さない。したがって、最初は、市街化できないリスクを抱え込んで不動産業者（乙）が土地を地主（甲）から買収していって、ある程度かたちになった段階でショッピングモールの開発者（丙）に土地の権利を譲渡するということになろう。しかし、都道府県知事の許可がないと、土地所有権自体は、甲から移動しない。したがって、甲乙間の売買では、同許可を停止条件とする土地所有権移転仮登記を行い、乙丙間の売買でも、同許可を停止条件とする土地所有権移転仮登記を行い、同許可が出た際に本登記を申請するということになる。このような農地の売買で注意が必要なのは、甲乙間の売買契約締結後許可が出ないまま長期間が経過した場合である。乙の甲に対する許可申請協力請求権が消滅時効にかかるのではないかという問題である。売買契約時から消滅時効の期間は開始するが、売主が消滅時効を援用することは権利濫用となるとの裁判例が複数存在する。しかし、かかる援用は権利の濫用ではないとする裁判例もあり、注意を要する。乙だけでなく、丙の立場で乙の権利を取得する際も、この点に十分注意し、丙の権利を認める甲の書面をあらためて取得する等の対策を検討すべきである。

　近年、農業に参入したいという企業が増えてきた。かつては、農業生産法人に該当しない法人は、農地を賃借することも所有することもできないとされたが、平成21年改正により、一般の企業でも農地を賃借することはできるようになった（農地法3条3項）。もっとも、農地を賃借する場合も、農地

を適正に利用していない場合は賃貸人から解除できる賃貸借契約であること（同項1号）、賃借人が「地域の農業における他の農業者との適切な役割分担の下に継続的かつ安定的に農業経営を行うと見込まれること」（同項2号）、賃借人としての法人の業務執行役員等（会社法の取締役だけでなく、実質的に業務執行についての権限を有し、地域との調整役として責任をもって対応できる者とされている）のうち、1人以上が耕作または養畜の事業に常時従事すること（同項3号）が必要である。農地法3条3項2号の上記要件だが、「適切な役割分担の下に」とは、「例えば、農業の維持発展に関する話合い活動への参加、農道、水路、ため池等の共同利用施設の取決めの遵守、獣害被害対策への協力等をいう」と解説されている（「農地法関係事務に係る処理基準」（平成12年6月1日）参照）。村の掟を守ってもらうということであろう。農村の防衛のためにも企業の事業採算性の検討のためにも、事前に企業が負担すべき事項ができるだけ明確になっていたほうがよい。なお、同項3号の「法人の行う耕作又は養畜の事業」には、農作業だけでなく、営農計画の作成やマーケティング等を含むと解説されている（同「農地法関係事務に係る処理基準」参照）。

　また、平成27年の農地法改正により、農地を所有できる法人を「農地所有適格法人」と呼ぶことにし、従来の農業生産法人に求められた議決権・構成員要件や役員要件が見直され、より民間企業が参入しやすくなった（2条3項）。

　なお、都市部の農地については近年生産緑地問題（いわゆる2022年問題）が話題となっていた。これは、指定を受けた約8割の生産緑地が2022年に指定から30年を経過して指定解除されることで、都市環境や不動産市場の急激な変動が生じるおそれがあるとされていた問題である。この生産緑地問題への対策として、①生産緑地法の改正（平成29年5月）、②都市農地の貸借の円滑化に関する法律の制定（平成30年6月、同年9月施行）、③都市計画法・建築基準法の改正（平成29年5月）、④都市緑地法の改正（平成29年5月）が行われた。

生産緑地法の改正によって、生産緑地地区の都市計画決定後30年経過するものについて、買取り申出可能時期を10年延長できる特定生産緑地制度が創設された。10年経過後は、改めて所有者等の同意を得て繰り返し10年の延長ができる。国土交通省が地方公共団体向けに実施した調査によると、令和4年12月末時点において、平成4年に定められた生産緑地（全生産緑地面積の約8割）の約9割が特定生産緑地に指定されたとのことである[3]。

同改正では、生産緑地地区の面積要件（500㎡以上）が、市区町村の条例により300㎡以上に引下げ可能となり、また、生産緑地地区内において、農作物等加工施設、農作物等直売所、農家レストランが設置可能となるなどの規制緩和も図られた。さらに、田園住居地域の創設（都市計画法、建築基準法の改正）、農地を都市緑地法3条の緑地に定義し、生産緑地等の保全方針を追加（都市緑地法の改正）、農地法による契約の自動的更新制度の適用がなく、相続税納税猶予を受けたままの生産緑地の賃貸借が可能となる（都市農地の貸借の円滑化に関する法律）など、都市部の農地保全のための法整備が進んだ。

4 山　林

山林については、農地における農地改革のような改革が行われなかったので、大地主が今なお存在する。高度成長ととともに市街化の波にのまれた山林は、巨額の開発利益を山林所有者にもたらしたが、この波が届かなかった山林は、今や、その経済的価値の下落とともに、荒廃が急速なスピードで進んでいる。まとまった良質の木材を需要に応じて供給するシステムが確立していないといわれる日本林業の将来は課題が山積みになっているが、年々深刻になるのは、土地の境界の不明化と土地所有者の不明化である。これらの問題のために、計画的な施業を行うにも、事業をスタートさせる前に意欲が

---

[3] 国土交通省「平成4年に定められた生産緑地の約9割が特定生産地に指定されました」（令和5年2月14日）（https://www.mlit.go.jp/report/press/toshi07_hh_000211.html）。

くじかれ、事業に取り組めないケースが多いと言われている。計画的施業のために必要な路網整備は、日本は特に遅れていると言われるが、土地の境界も土地の所有者も不明であると、この整備はさらに遅れる。山林の開発が各種土地利用規制に服することは当然だが、それ以前に、この土地の境界や所有者不明土地の問題がある[4]。

　土地の筆界がなぜ明確でないかは前述したが、山林の土地を念頭に少し詳しく説明すると次のとおりである。国土調査法による地籍図が全国的に整備されればよいのだが、なぜ、これが進んでいないかというと、以下の事情がある。

　国土調査法による地籍図とは、いわゆる地籍調査により作成される地籍図である。地籍調査とは、主に市町村が主体となって、一筆ごとの土地の所有者、地番、地目を調査し、境界の位置と面積を測量する調査である。地籍調査が行われることにより、その成果は法務局に送られ、登記簿の記載が修正され、地図が更新されることになる。

　国土調査法3条2項で、国土調査の作業規程の準則は国土交通省令で定めることとされている。これを受けて、地籍調査作業規程準則が定められている。同準則20条で、現地調査の通知は、「現地調査を実施する地域内の土地の所有者その他の利害関係人又はこれらの者の代理人（以下「所有者等」という。）に、実施する地域及び時期並びに調査への立会いをすべき旨を通知」しなければならないとされる。しかし、土地の所有者等の所在が判明していても土地の所有者等が立会いを拒否したり筆界案に同意しなかったりすれば、市町村は、一方的に筆界を決定できないし、また、土地の所有者等の所在が不明でも客観的な資料があれば筆界の調査ができるが、客観的な資料が

4）登記と実態との乖離が災害対策や地域環境整備などの障害になっていることについては、小柳春一郎「土地の公示制度の課題――取引安全円滑と情報基盤」論究ジュリスト15号（2015）90頁以下に詳しい。なお、山林の境界の現実と法的問題については、寳金敏明＝右近一男編著『山林の境界と所有――資料の読み方から境界判定の手法まで』（日本加除出版、2016）が詳しい。

なければ筆界の調査はできない。当たり前のことが規定されているようにも思われるが、客観的な資料がますます不明になっていく現状では、客観的資料で筆界を確認する作業は困難の度を日ごとに増しており、いずれ新たな国土調査では「筆界未定」の朱書ばかりになりかねない。土地の所有者等が確認しないというだけで「筆界未定」とする処理は厳格にすぎて弊害が大きいので、作業準則の見直しが必要であると思われる。並行して、前述の筆界特定制度の申立人を登記名義人に限定する現行制度を改正し、地方公共団体その他の利害関係者にも広げる必要がある。

また、所有者不明の土地がなぜ生まれるのかというと、以下の事情がある[5]。

土地所有権は誰に対しても主張できる権利としての性格を与えられているが、その所有者が誰なのかが公示されなければ、土地所有権を有する者、すなわち土地所有者を判断できない。この公示の役割を担うのが不動産登記制度である。不動産登記で物権（土地所有権がその代表的な権利である）の変動を公示していない限りは、第三者は、物権の変動はないものとして対処できる。したがって、土地所有権の譲渡を売主買主間で約束しても、不動産登記でこれを公示しなければ、なお、売主を土地所有者として取り扱えば足りる。一方、土地所有者の死亡の場合は、相続登記がなされないと、所有者が公示されないため、当該土地について何らかの利害関係を有する者が相手にすべき土地所有者を判断できない。売買の場合は、売買の登記がされない限り、売主を土地所有者として扱えばよいが、相続の場合は、相続の登記がされない限り、土地所有者として扱うべき者が不明となるという違いがある。放置された土地については、それを有していた土地所有者もその法定相続人も関心が極端に低くなっているので、土地所有者が死亡したまま長期間登記が放置される傾向がある。相続が繰り返されると、法定相続人は等比級数的

5）所有者不明の土地の状況については吉原祥子氏を中心とした東京財団の研究成果がある（「国土の不明化・死蔵化の危機──政策研究（失われる国土Ⅲ）」（東京財団、2014）等参照）。

に増えることにもなり、法定相続人の把握がより困難となる。放置された土地は、積極的な土地利用を誘引しないので、かかる傾向はさらに続く。ただ、当該土地利用を計画的に整備する必要が社会的に生じると、相続登記が適正になされていないということは大きな問題となる。なぜなら、その権利保護手続を行うにあたって、権利者が不明なため多大の手間がかかるからである。同様の問題は、法人の死亡とでもいうべき解散（事実上の解散を含む）後も放置されたままの土地についてあてはまる。

　以上のとおり、所有者不明の山林の土地が増えており、背景に土地所有権の法律上の移転の原因はあっても登記がなされていないという事情があることから、土地所有者を把握するにあたり、土地の登記に頼らないという異常な状況も生まれている。すなわち、森林法は、平成23年の改正の際、議員修正により、地域森林計画の対象となっている民有林について、新たに当該森林の土地の所有者となった者は、その旨の届出を行わなければならないとの規定が挿入された（10条の7の2第1項）。この届出違反には過料の制裁もある（同法213条）。これは、考えてみれば、奇妙なことである。登記も終えていない者が対外的に「私が所有者である。」とどうして言えるのかという問題がある。本来、登記によってはじめて対世的主張が可能であると考えると、登記の移動で所有者を把握すればよいだけとも言えるが、登記が放置されていることから、このような届出をさせる現実の必要性が生じたとも言える。この届出内容が林地所有者台帳に記載されることとされた。したがって、林地については、登記簿と林地所有者台帳の2種類の公的記録が所有者情報として併存する関係になるが、林地所有者台帳は、公開されないので公示機能は果たせない。森林行政に必要な範囲で活用されるという整理であった。

　なお、森林については、森林簿という公的記録が別途存在する。これも、森林行政の必要により作成されてきたものであり、中に「森林所有者」の記載がある。森林法の「森林所有者」は、森林の土地の所有者を意味しないので注意が必要である。すなわち、「森林所有者」は、「権原に基き森林の土地

の上に木竹を所有し、及び育成することができる者」（同法2条2項）と定義されている。

　以上の混沌とした状況に終止符を打つべく、平成28年の森林法改正により、不動産登記情報、林地所有者台帳の情報、森林簿の情報を整理する林地台帳を市町村が作成すべきことが規定された（改正森林法191条の4以下）。その整備には多くの労力が必要と思われるが、林地台帳の整備・運用が円滑に進められるように、標準的な作業手順や具体的な事務手続等を定めた「林地台帳及び地図整備マニュアル」（平成28年10月）と「林地台帳及び地図運用マニュアル」（平成29年3月）とが林野庁から公表された（令和2年6月改訂）。

5　土地所有権放棄の可否

(1)　概　　説

　土地所有権の放棄ができるかという論点に最初に出会ったのは、平成10年頃の外資による日本不動産の買収が行われたときである。日本の企業がまとめて不動産を売却する、いわゆるバルクセールがなされたときに、その中に千葉県の山林が含まれていた。ゴルフ場の開発のため取得していたようだったが、収益不動産にしか関心のなかった外資にとって、その土地を取得することは重荷でしかなかった。しかし、バルクセールなので買わざるをえなかったのである。そこで、上記論点を聞かれた。その頃、土地所有権の放棄ができるのかどうかは、ほとんど議論がされていなかったが、今でも十分な議論はされていない。ただし、都市縮小時代を迎えて関心の集まる論点となった。無主の不動産は国庫に帰属するという現行法の下では、結論として、放棄はできないと私は解する。放棄を認めれば、マイナス資産となった土地は、放棄することでその義務から逃れることができ、無主の不動産として国庫に帰属することになり（民法239条2項）、これを許すと管理に困る土地がなだれを打って国に帰属することになる。このような結果は、土地所有者に価値のある間だけ土地の利益を独占させ、価値を失った場合には管理の

負担を国民に押しつけることにつながるのであって、不合理であることは明らかだからである。特に土地所有者が価値を失わせた場合は、その不合理さが顕著となる。

　しかし、相続放棄は許されるのだから、相続財産に不動産があれば、相続放棄で可能ではないかという論点がある。この論点については次のように考えることができる。相続財産に土地が含まれており、相続人全員が相続放棄をして相続人がいない場合は、相続人のあることが明らかでないときとして[6]、相続財産管理人が選任され、清算される。土地が処分できずに残余財産として残る場合は、国庫に帰属する（民法 959 条）。国庫に帰属するのは、国庫に引き継がれるときと解するのが判例である[7]。土地も含め不動産は所轄財務局長に引き渡される。具体的には、相続財産管理人の引継書に基づいて、国庫帰属による所有権移転登記手続を国が申請する。しかし、実際には、財務局が国有不動産の管理にかかる予算措置を講ずるのが困難である等の理由から、相続財産管理人の下で、権限外行為許可審判を得たうえで、現金化（換価）されて、家庭裁判所に納入するという方法がとられるのが通例で、不動産を国庫に引き継ぐことは稀であると言われている[8]。ただ、今後は、現金化できない土地が残余財産として残ることも増えると思われ、その場合は、この相続財産管理人による清算を経たうえでのことであれば、国が引き取らざるをえない。もっとも、相続財産管理人を選任して清算手続をするには費用がかかり、そもそも債務超過で相続したくないという理由で相続人が相続放棄をするのであるから、相続人が相続財産管理人の選任を請求することも考えられない。結局、相続財産から不十分でも債権回収ができると

---

6) 相続人がいないことが明らかな場合も相続人のあることが明らかでない場合と同様に民法 951 条以下の規定を適用すべきとするのが通説である。なお、相続人が判明することもなくはないという理由もあるが、相続財産の清算手続を行う必要があるからである（谷口知平＝久貴忠彦編『新版 注釈民法(27)〔補訂版〕』（有斐閣、2013）676 頁［金山正信＝高橋朋子］）。
7) 最判昭和 50 年 10 月 24 日民集 29 巻 9 号 1483 頁。
8) 谷口＝久貴編・前掲注 6) 775 頁［久貴忠彦＝犬伏由子］。

判断する債権者がイニシアティブをとって相続財産管理人を選任したような場合に限り、放置されていた土地が残余財産として残り、これを国が引き取らざるをえないということになるのであろうが、数は限られるであろう。相続財産管理人が選任されない場合は、結局、相続人もいない死者の名義の土地が国庫に帰属することもなく、放置されたまま残るという事態になると思われる。

　会社が解散しても清算が結了しない限り会社は存続する。また、破産により会社が解散する場合、破産管財人が社有不動産を財団放棄しても、それは会社の自由財産に復帰し、以後、通常清算の手続で処理されるが、通常清算の遂行に著しい支障があるとして特別清算が選ばれ（会社法510条）、さらには特別清算の見込みがないとして破産のやむなきに至る（同法514条）と解されている。すなわち、放置不動産を任意で引き取る者がいなければ、会社から放置不動産を法的に手放すことはできず、会社は解散し実態を失っても、放置不動産は、事実上放置され続けるという状況になる[9]。

(2)　相続土地国庫帰属法

　以上に述べたように近年土地所有権の放棄が許されるのかは人々の関心を呼ぶ論点になっていた。とりわけ相続された土地が適切には管理されていない状況が増えたことにより、立法で解決することが検討された。かくして、令和3年（2021年）、「相続等により取得した土地所有権の国庫への帰属に関する法律」（以下「相続土地国庫帰属法」という）が制定された。令和5年4月27日から施行された。これは、相続等（相続又は遺贈）により土地を取得した相続人から申請があった土地のうち、一定の要件を満たしているものを、法務大臣の「承認」という行政処分を経て国庫に帰属させる制度である。承認申請者は、負担金を納付しなければならず、負担金納付時に所有権が国に移転する（同法11条）。負担金は10年分の管理費用を考慮して政令で算定される金額とされており（同法10条1項）、具体的には同法施行令5

---

[9] 以上については、濱田芳貴「会社の清算ないし破産と不動産の放棄について」金判1329号（2009）8頁以下が詳しい（特に17頁）。

第 1 章　土地所有権とは

条に定められた。どのような土地が対象になるかだが、建物が存在したり、担保権が設定されていたり、土壌汚染が存在していたり、境界が不明で争いがある土地は対象外であり、申請ができない（同法2条3項、同法施行令2条）。これらの土地に該当しなくとも、法務大臣は、崖地、管理処分を阻害する工作物等が存在する土地、地中埋設物がある土地、隣地との争訟によらなければ管理処分ができない土地、その他、「通常の管理又は処分をするに当たり過分の費用又は労力を要する土地として政令で定めるもの」については、承認をしなくてもよい。しかし、そうでなければ承認をしなければならない（同法5条1項、同法施行令4条）。国庫に帰属させるには、このように制約がある。このような制約はあるものの、経済的価値が乏しい、こまぎれの土地が国庫に多数帰属してゆくと、国の管理の費用と責任は莫大なものになるように思われる。

　この法律が成立して、不要な土地を国庫に帰属させる手続きが整備された以上、今や、土地所有権の放棄はできないと解すべきである。ただし、相続放棄は権利であるから、相続放棄に伴う土地の処理は(1)において述べた通り、今後も悩ましい問題が残っている。相続土地国庫帰属法は、あくまでも相続された土地についての国庫帰属の方法を定めたものである。

6　「真の土地所有者」論

　甲が乙と土地売買契約を締結し、乙が代金を全額払って甲から乙に土地が引き渡されれば、土地所有権は甲から乙に移転する。当事者の意識として残代金決済がなされた時に土地所有権が移転するという意識であろうから、これは、そうみるしかない（民法176条）。しかし、この土地所有権の移転は、甲乙という当事者間における移転であり、土地所有権移転登記が乙になされない限り、第三者に土地所有権の移転は対抗できない（同法177条）。

　この民法177条は初学者にとって、なかなか乗り越えられない壁で、私も大学で最初に習った際にどうにも腑に落ちなかった。つまり、甲がその後に同じ土地を丙に売却した場合に、甲に登記が残っていることに依拠して甲か

ら土地を買った丙に、乙は所有権を対抗できないという結論はわかっても、乙に土地所有権が移転しているのだから、丙に移転できる土地所有権など甲には残っていないはずで、理屈の整合性がないとして、腑に落ちなかったわけである。もっとも、丙が背信的悪意者であれば、丙は乙の土地所有権取得を争えないと判例で手当てされているので、事案は適当なところに落ち着くわけであるが、甲が丙に何を渡せるのかという根本的な疑問は解消できないのである[10]。

　しかしながら、民法177条の有難さは弁護士業を行うと身にしみてわかるのである。つまり、何かで土地所有者の判定ができないと、怖くて土地など購入できなくなるからである。上記設例で、甲から乙にいくら当事者間で土地所有権を移しても、その移転を公示してくれなければ、誰が土地の所有者かわからず、この土地の買主としては、大きなリスクを負うことになるからである。甲に登記があるのに、後で乙が、「あれは私が先に取得した」と言い出して、それが通るなら、土地は怖くて買えない。自分が一生汗水たらして貯めた貯金でやっと買った土地にそのようなことを言われたら、買主は泣くに泣けない。そのような買主の立場に立てば、「土地所有権を取得したなら、ちゃんと登記をして自己の権利を明らかにしてくれ」ということになるのは当然である。民法177条について、「取引の安全」ということが立法理由と説明されるが、自分が買主の身になれば、すぐにわかることである。土地所有権が対世的に主張できる物権である以上、登記移転もしていないで、土地所有者として権利を主張すべきではないということになる。その意味では、アメリカ法で登記による対抗要件具備が、perfectionと呼ばれることのほうがしっくりくる。甲乙間で土地売買の残代金決済を行っても、また、引渡しを行っても、まだ登記していない以上は、完全には土地所有権は移転しないと理解したほうがわかりやすい。ただし、甲乙間で土地売買もなく土地

---

[10] 法律学者が過去この論点でどれだけ説明に苦しんでいるかは、鎌田薫『民法ノート物権法(1)〔第3版〕』(日本評論社、2007) 61頁以下の「『二重譲渡』の法的構成」に詳しく紹介されている。

所有権移転の原因もないまま、ただ、乙に実態のない所有権移転登記がなされても、それは、意味のない登記であって、それを信じた第三者は原則として救われない。これが日本の登記は公信力がないと言われる理由であり、登記だけでは判定できず、「真の土地所有者」という概念を、登記を離れて議論せざるをえないが、少なくとも、買主が代金も支払い、引渡しを受けても、登記を経ていない以上、まだ、かかる買主を「真の土地所有者」として遇すべきではないと考えるのである。しかし、このように考えるには、障害となりうる最高裁昭和28年2月18日の大法廷判決[11]があるので、この判決を詳しく検討する。

この事案は、次のようなものであった。自作農創設特別措置法に基づき、大分県農地委員会（被告）は、買収計画において、渡辺綱造（以下「渡辺」という）名義の農地につき同人を対象とした計画を策定したのであるが、同人から土地を購入したが登記を得ていない平尾縫太郎（原告）から、同計画は違法であるとして、取消訴訟が提起されたというものである。農地改革では不在地主の農地が買収の対象になったのだが、渡辺は不在地主で原告は在村地主であった。したがって、原告を相手にする買収計画であれば買収要件をみたさないものであった。このような事情がある事案で、第一審の大分地裁判決も第二審の福岡高裁判決もいずれも原告の請求を認めたので、被告が上告した。最高裁は大法廷判決で、上告を棄却したが、11対3で意見が分かれ、少数意見が出されている。

多数意見は、「自作農創設特別措置法（以下自作法と略称する）は、今次大戦の終結に伴い、我国農地制度の急速な民主化を図り、耕作者の地位の安定、農業生産力の発展を期して制定せられたものであつて、政府は、この目的達成のため、同法に基いて、公権力を以て同法所定の要件に従い、所謂不在地主や大地主等の所有農地を買収し、これを耕作者に売渡す権限を与えられているのである。即ち政府の同法に基く農地買収処分は、国家が権力的手

---

11) 最判昭和28年2月18日民集7巻2号157頁。

段を以て農地の強制買上を行うものであつて、対等の関係にある私人相互の経済取引を本旨とする民法上の売買とは、その本質を異にするものである。従つて、かかる私経済上の取引の安全を保障するために設けられた民法177条の規定は、自作法による農地買収処分には、その適用を見ないものと解すべきである。」というものである。なお、真野毅裁判官の補足意見がある。

　少数意見の霜山精一裁判官は、「私的取引による変動たると、公権力による変動たるとを問わず、登記を怠つている買主に比して動的安全を保護することがより必要であると認められる場合には民法177条を適用しなければならない。」とする。この引用部分はまさに民法177条の精神である。

　少数意見の井上登裁判官と岩松三郎裁判官は、霜山精一裁判官の少数意見に加えて、「多数説は、その法律上の特段の明規がないにも拘わらず、唯国が行政権を発動して土地を買収するのであるから、所謂『真の所有者』を探査すべき義務があり、民法177条の適用による保護を与うべきではないとするものの如くであるが、到底賛同することはできない。そもそも、真の所有者が誰であるかということそれ自体が、民法の規定により決定せらるべきことであり、国が行政権の発動により土地を買収する場合であるからというて実体法によらずして（特別措置法にも真の所有者を決定すべき特別な実体法規を定めてはいない。）決定さるべきものではない。いうまでもなく民法176条は物権の移転は当事者の意思表示のみに因りその効力を生ずと規定して居るがこれには177条及び178条の制限があるのである。不動産に関する物権の得喪及び変更は、その登記をしなければ之を第三者に対抗できないと規定しているのが177条である。例えば土地所有者甲が乙にその所有権を譲渡してもその登記を経ない限り、当事者間ではともかく、第三者の関係では乙はその所有権の取得、すなはち所有権の移転を対抗できないのである。換言すれば、乙は所有権の移転が対抗できない結果第三者からは依然甲が所有権を保有していることを主張され得る状態にあるのである。」との意見を述べている。この部分は、私には当然のことと思われる。また、「それにも拘らず多数説がこれを嫌う根底には設例の乙を『真の所有者』なりと考え、国の買収

によつて『真の所有者』が権利を失うのは不都合だといつたような素朴なセンチメントが支配して居るものと思うが、設例乙の如き者が不利益を蒙ることは多数説を採つても、国の買収以外の場合には常に生ずることであり、民法177条が登記を怠つた者よりは第三者を保護することとして取引の安全を計つた為めの当然の結果である。自ら法の定めた権利擁護の手段を怠つたが為めに受くる不利益は已むを得ないのであつて、これは国の買収の場合たると、私人の売買の場合たるとによつて区別さるべき理由はない。」とする。

　少数意見の筋が通っていると思えるのだが、なぜ多数意見が反対の見解をとったのかが興味深いところである。おそらくは、井上、岩松の両裁判官が指摘しているように「センチメント」が支配したからと思うが、そもそも、原告に登記が備わっていれば、当該土地は農地買収の対象にはなりえないのに、つまり、農地買収の要件をみたさないのに、登記がないことで渡辺を相手にして無理やり買収することが、国が違法なことを強行しているのと同様であると感じられたのかもしれない。つまり、本来登記さえそなわれば国が思いとどまらなければならない権力的な行為を行うことのためらいがあったのではないかと考える。換言すると、買収ありきのレベルの問題より手前のレベルの問題で買収をためらわせる事情が本件ではあったように思われる。原告もまた不在地主であれば、「センチメント」はなかった事案である。

　以上のとおりの特殊事情のある事案であるから、本判決を土地収用一般の収用対象者の判断の基礎にするのは大きな疑問があるが、収用実務では、この判決に影響を受けて、登記によらず、「真の所有者」探しをするようである。その労力や計りしれず[12]、本判決の影響は大きい。国家権力による買上げだから民法177条の適用がないとした論理には大きな疑問があり、この

---

12) 九州の事例であるが、道路用地のための土地取得にあたり、わずか200㎡にもみたない土地の登記名義人の法定相続人を確定するため、家系図が何枚にも折り重ねなければならない横長の図面に作成されていたものを見たことがある。登記に住所、氏名を表示していない者は不利益を受ける制度に変更しなければ、当該土地の利害関係人が被る不合理な負担が今後ますます大きくなるであろう。

判決は、結論というよりも、理由が再吟味されるべきではないかと考える。多数意見の「センチメント」を考慮すると、本件は、強制的な買収ができるか否か自体の判断が、誰が所有者かにより左右されるものであったから、自作法の精神から民法177条の特別扱いをする、すなわち、登記によらず所有者を判断するという判断もありえたのではないかと思う。しかも、この事案では、被告は、渡辺から原告に土地売買がなされて当事者間では決済も終わっていることを知っていたものであり、いわば背信的悪意者類似の立場に立っていたと思われ、その理由からも原告を勝たせることが可能だったのではないかと考える[13]。この判決は、以後の収用の事案に大きな影響を与えているが、他方、租税の滞納処分では登記された名義人を相手にすれば足りることは確定した判例であって[14]、国家権力の処分であっても、民法177条は大前提とされているのであり、前記昭和28年の最高裁判決の射程範囲は限定されると考えるべきである。

7 所有者不明土地問題

(1) 令和3年民法・不動産登記法改正

これまでも述べてきたように、近年、所有者不明土地問題は大きな社会問題としてクローズアップされてきた。特に、経済的価値の乏しい土地は放置され、登記も長年更新されないという状況であるので、先に述べたように、山林においては特にこの問題が顕著であった。もっとも、このような土地であっても、道路を新設するなどの公共的目的で土地収用をする場合など土地の使用が必要な場合がある。そこで、所有者不明土地を公共的事業のために利用することを可能とする「所有者不明土地の利用の円滑化等に関する特別

---

[13] この判決には多数の評釈がある。本文で述べたように、誰が所有者かで買収できるか否かも違ってくるという事情を特に考慮すべきことは、高柳信一教授もその評釈で強調しており、むしろ、多数意見の「善解」として、多数意見も同様のことを述べたかったのではないかと「推察」している(『行政判例百選(1)〔第2版〕(別冊ジュリスト92号)』(有斐閣、1987) 30頁)。

[14] 最判昭和31年4月24日民集10巻4号417頁。

措置法」が平成30年（2018年）に成立した。しかし、所有者不明土地の問題は、土地を公共的事業に利用する場合だけに生じるわけではない。そこで、令和3年（2021年）、不動産登記の情報だけでは誰が所有しているか、また、所有者の所在がわからないという問題（一般に「広義の所有者不明土地」問題という。これに対して住民票や戸籍謄本等を調査してもなお不明な場合を一般に「狭義の所有者不明土地」問題という）を一定程度解決するために、民法と不動産登記法の改正（以下、この項において「令和3年改正」という）が行われた[15]。

令和3年改正は、広義の土地所有者不明問題に直接的に解決策を提供するものではない。住民票や戸籍謄本で一定程度探求してもなお、所有者が不明である場合や所在不明な土地所有者がいる場合の解決策を提供するものである。ここで制度化された解決策は、単に公共事業の必要がある場合だけのものではない。

令和3年改正においては、相続登記が義務づけられることになった（改正不動産登記法76条の2）。これは、所有者不明土地問題の多くが、故人の名前のまま登記が更新されずに放置されていることから生じているので、この問題を解決するためである。また、相続の連鎖により時には法定相続人が数百人にものぼるなどして、その全体を把握することが容易ではなく、ごくわずかの共有持分についての権利者不明や所在不明が土地の処分や適切な管理を不能にする場合があるという問題に対応するために、所在等不明共有者の持分取得制度（民法262条の2）と所在等不明共有者の持分譲渡権限付与制度（民法262条の3）が創設された。さらに、所有者不明土地の管理制度（民法264条の2）と管理不全土地の管理制度（民法264条の9）が創設された。以下に略説する。

---

15) 令和3年改正の解説としては、荒井達也『Q＆A令和3年民法・不動産登記法改正の要点と実務への影響』（日本加除出版、2021）が詳しく、また、行き届いている。

(2) 相続登記の義務化

相続登記の義務化については、不動産登記法を改正して「所有権の登記名義人について相続の開始があったときは、当該相続により所有権を取得した者は、自己のために相続の開始があったことを知り、かつ、当該所有権を取得したことを知った日から3年以内に、所有権の移転の登記を申請しなければならない」（不動産登記法76条の2第1項）とされた。この義務は、改正不動産登記法の施行日（令和6年4月1日）より前に登記名義人について相続開始があった場合も遡及適用され、相続による所有権取得を知った日又は施行日のいずれか遅い日より3年以内に相続登記手続きを行わなければならなくなった（改正法附則5条6項）。したがって、この法律改正よりずっと前に相続が開始していながら登記を放置していた不動産（土地だけでなく建物も入る。）であっても、名義人の相続人は、今回の法改正によって登記義務が生じることになる。ただし、義務を負うのは、あくまでも、登記名義人の相続人であるから、登記名義人の相続人からさらに相続して所有権を取得した者には登記義務はないことになる。

登記義務がありながら、登記しない者は10万円以下の過料に処せられる（同法164条）。もっとも、この相続登記義務は、相続登記に代わる簡易な申告制度による申告を行うことで義務を履行したものとみなされる（同法76条の3第1項、2項）。つまり、相続登記義務者が登記官に対し、①所有権の登記名義人について相続が開始したこと、②自らがその登記名義人の相続人であることを申出さえすればよい。申告にあたっては、申出人が相続人の一人であることがわかる限度での戸籍謄本等を提出する必要がある。この申出があれば、登記官は、相続人申告がなされた旨の付記登記を行う（同法76条の3第3項）。

なお、相続登記後、相続人間で遺産分割がなされれば、その遺産分割によって所有権を取得した者は、遺産分割の日から3年以内に所有権移転登記の申請義務がある（同法76条の2第2項）。

(3) 所在等不明共有者の持分取得制度・持分譲渡権限付与制度

共有者の一部が誰なのかもわからない、又は誰であるかはわかるが所在がわからないという状況は、数次の相続を繰り返している場合は、しばしば発生する。もっとも、これらも、戸籍謄本や住民票から相続人を追っていくことで、相当程度は判明するが、それでもなお不明な場合、すなわち、狭義の所有者不明土地の状況において、当該共有持分を他の共有者に帰属させる制度（持分取得制度、民法262条の2）、又は第三者に処分する制度（持分譲渡権限付与制度、民法262条の3）が創設された。持分取得制度では、裁判所が一定金額を取得者が供託するように命じる（非訟事件手続法87条5項）。持分を失った者は、供託金の還付請求ができるが、持分の時価相当額が供託額を超えた場合、取得した者に対し、その差額を請求できる（民法262条の2第4項）。

(4) 所有者不明土地・管理不全土地の管理制度

これまで、財産に着目した管理人による管理制度はなく、既存の不在者財産管理制度も、所在不明者の財産全体を管理人が管理する制度であった（民法25条）。令和3年改正において、新設された所有者不明土地の管理制度（同法264条の2）と管理不全土地の管理制度（同法264条の9）は、いずれも一定の土地建物を対象とした管理制度である。

(i) 土　　地

所有者不明の土地というのは、狭義の所有者不明土地の意味であり、一定の探索は必要である。管理不全の土地というのは、所有者は特定できその所在も判明しているが、管理されていない土地であり、こちらは放置され続ければ他人が迷惑を被る場合に裁判所から管理人の選任命令が出る。所有者不明の土地は、管理されていない土地でもあるので、そのまま放置され続ければ他人が迷惑を被る場合もあるが、「放置されていてもったいない。私が使えるものなら使いたい。」という場合もあるため、この制度は、このようなニーズにも応えうるものとなっている。どのような場合かは、条文上は裁判所が「必要があると認めるときは」とあるだけで、個別事案における解釈に

任されている。利害関係人の申立てで動き出す制度であるので、「利害関係人」としてどこまでの範囲の者を認めるのかという問題でもある。民間の買受希望者も利害関係人に含めることが適切な場合もあると柔軟に解しうる[16]。

(ⅱ) 建　　物

土地の管理制度の規定が準用されるが（民法264条の8第5項、264条の14第4項）、管理命令は建物の敷地利用権にも及ぶことが規定されている（同法264条の8第2項、264条の14第2項）。また、建物の取壊しも裁判所の許可を得て認められる場合もあると解されている（ただし、管理不全建物の場合は建物所有者の同意が必要）。例えば、建物所有者が死亡したが相続人全員が相続放棄をし、倒壊するリスクがあるようなケースが例として挙げられている[17]。空き家問題の一部は、この制度を利用して解決が可能かもしれないが、建物取壊し費用をどのようにして確保するのかという問題は残る。なお、区分所有建物の専有部分や共用部分にはこの制度は適用されない（区分所有6条4項）。管理組合の自治に任せるべきだとか、権利関係が複雑になる懸念があるとかの理由によるもののようである。

8　大深度地下

前述したとおり、土地所有権は、法令の制限内において、その土地の上下に及ぶ（民法207条）。このうち、土地の下にどこまで及ぶのかが議論されて生まれたのが平成12年に制定された「大深度地下の公共的使用に関する特別措置法」（以下「大深度地下使用法」という）である。この法律は、一定の地中深い部分の一定の公共的使用であれば、土地所有者の承諾なく、都道府県知事の使用の認可により地下を使用でき、原則として補償の支払いを要しないというものである。当時、私は、温泉井戸など1,000mの深さまで井戸を掘ることもあるのだから地中深く土地所有権が及んでいないとは言えない

16) 荒井・前掲注15) 131～132頁。
17) 荒井・前掲注15) 136頁。

とする審議会答申に異議を唱えて、1,000m深く掘ることが容認されているからといって、そこまで土地所有権が及んでいると解しなければならない理由はないと議論した[18]。この議論は、今もって正しいと考えているが、この点は、後述する地下水利用権に関連して別途説明する。

　大深度地下利用が議論され出したのは、バブル経済で都心の地価が急騰し、地下鉄をはじめとする地下の公共施設の整備に大きなコストがかかり、事業に支障をきたすようになっていたことと、地下工事の技術が発展し、地下のさまざまな利用可能性が広がったことという事情を背景としている。そこで、「大深度地下」の定義は、建築物の地下室の用に通常供されることがない地下の深さとして政令で定める深さ（地表から40m）、または、通常の建築物の基礎杭を支持することができる地盤（いわゆる支持層）の上面から政令で定める距離（10m）を加えた深さのうち、いずれか深いほう以深の深さの地下とされた（大深度地下使用法2条1項、同法施行令1条、2条3項）。地下室の深さを考える際は、国立国会図書館の書庫の地下室が念頭に置かれ、支持層については東京都江東区南砂のマンションの基礎杭等が念頭に置かれて議論がされていた。地中深いところまでいかないと支持層に到達しないような地盤が緩いところを除くと、地表から40m以下の深さであるから、案外浅い地下も対象に入るものだと当時思った記憶がある。地下鉄工事等を円滑に進めたいということと、地表の土地所有者の利益を害したくないという2つの要請からこのような定義になったものと言える。

　対象地域は、首都圏、近畿圏、中部圏の一部区域であるが、これは、上記のとおり、地価高騰による補償費増大という懸念が背景にあったことから、「人口の集中度、土地利用の状況その他の事情を勘案し、公共の利益となる事業を円滑に遂行するため、大深度地下を使用する社会的経済的必要性が存在する地域として政令で定める地域」（大深度地下使用法3条）と規定されたことによる。

---

18) 小澤英明「国民共有財産としての大深度地下——将来の世代の利益のために」自治研究74巻3号（1998）97～107頁参照。

大深度地下使用法が、大都市圏の比較的浅い地中での地下鉄の整備等に役立ったことは評価されるべきであるが、この法律があるがゆえに、この法律で認可をもらえない限り、他人の土地の下の深い部分を使用するにも必ず他人の承諾が必要ではないのかという疑問が生じうる。例えば、地熱開発は、地表から1,000m以下の深さ（地熱の世界では大深度とは1,000m以深を通常意味するので、大深度地下使用法とはまったくスケールが違うことに注意が必要である）に熱源があることがむしろ多い。しかも、近時は傾斜掘削の技術が発達して、熱源まで傾斜させて井戸を掘削することができる。その場合、熱水や蒸気を運ぶ管は地中で斜めに設置されるため、その管を地表に投影した経路の土地の所有者全員から承諾を得なければかかる傾斜掘削ができないのかが問題になる。

　上記のとおり、大深度地下使用法が定義する大深度地下は浅いところまで含んでいるので、浅いところの地下利用は、同法による認可要件をみたさないとできないわけだが、例えば、地下100m以深であれば、もはや土地所有権は及んでいないとして土地所有者の承諾も必要なく、また、都道府県知事の大深度地下使用法の認可も必要ないとの議論が可能かもしれない。このように自由に掘削していける深さがあるのか否かが、あらためて論点として浮かんでくる。地下深い土地利用は、利用計画を整備したうえで行うことが望ましいと一般的には言えるように思われるところから、法整備としては次の2つの選択肢があるように思う。1つは、大深度地下使用法の目的を広げ大都市圏に限らない利用を可能にする法改正を行うというものである。今1つは、同法を改正するのではなく一定の深さよりさらに深いところには土地所有権が及ばないとして割り切って、かかる地下空間の利用を計画的に行える法制度を考えるというものである。

9　地下水利用権

　地下水利用権[19]を考える場合は、利用可能性のある地下水、すなわち帯水層[20]の地下水を念頭に置く必要がある。広義の地下水は、地下の水すべ

第 1 章　土地所有権とは

てを指すため、単に帯水層の水だけでなく、地下水として地上から汲み上げることが困難な土壌の間隙に含まれた水すべても含む。しかし、そのように地表から汲み上げることが困難な地下水は、地下水利用権を議論する場合は議論の対象から除外すべきである。除外することで、地下水利用権の法的性格がより明確になると思われる。

地下水利用権は土地所有権に付従する権利であると解するのが判例であるが[21]、その意味は、土地所有権または土地所有者により井戸を掘削する権利を与えられた者が井戸を掘り地下水を利用する権利があるということである。地下水は、地下を流動するものであるから、土地所有者がこれを支配している状態ではなく、汲み上げられていない段階は、空気同様に誰の物でもないと理解すべきであり、換言すると国民共有の財産であって、公水であると言える。地下水利用権は、地表の土地所有権を根拠に地下の帯水層にアクセスできる権利と理解するとよりわかりやすい。

地下水利用権に関する裁判例は多くはないが、温泉利用権となると、多数の裁判例がある。温泉は希少な地下水だからである。温泉掘削で紛争が生じないように、温泉法があり、温泉を湧出させるための井戸の掘削が都道府県知事の許可の対象とされている（4条1項）。この許可制度が新規掘削と既存の温泉井戸との衝突を調整する役割を果たしている。同法は、戦前の道府県

---

19) 温泉利用権を含む地下水利用権の詳細は、小澤英明『温泉法——地下水法特論』（白揚社、2013）を参照されたい。地熱発電についての問題も同書で詳しく述べたのであわせて参照されたい。水法は日本では研究が少ない分野だが、建設省で長年河川行政に携わられた三本木健治氏の一連の著作がある。実務的なものとしては、三本木健治『判例水法の形成とその理念』（山海堂、1999）があり、参照価値が高い。また、宮﨑淳「水資源の保全と利用の法理——水法の基礎理論」（成文堂、2011）も必読の文献である。
20) 地層をつくる粒子の間隙や岩石中の微小な割れ目が水を自由に通す程度に大きい層を透水層というが、このような透水層の中で、地下水で満たされた（飽和された）部分が帯水層と呼ばれるものであり、これが地表から井戸で汲み上げることで利用可能となる地下水である。
21) 大判明治29年3月27日民録2輯3巻111頁。

221

令による温泉取締規則の集大成であり、戦前から温泉掘削は自由ではなかった。戦前は、温泉掘削に伴う民事訴訟も多かったが、既存の温泉井戸に影響を及ぼす新規井戸の掘削は、権利の濫用として不法行為と解された[22]。戦後は、このような衝突は、行政事件となることが多い。すなわち、温泉法の許可を与えた場合は、かかる許可を与えたことの取消訴訟として既存温泉業者から争われ、許可を与えなかった場合は、かかる不許可の取消訴訟として許可申請者から争われる。

温泉法の条文からは、既存の温泉に影響を与えるものでなければ、新規掘削の許可を与えなければならないとも読めるが（4条1項1号）、実際は、影響を与えるおそれがあれば、不許可とされており、その判断に合理性があれば、裁判所も多くはかかる不許可処分を支持してきた[23]。

ただし、この合理性を客観的に判断することは難しい。掘削の許可不許可の判断を行う場合に、都道府県に置かれている審議会の意見を聞くこととされている（温泉法32条）。審議会は有識者で構成されるが、個別の案件について精密な判断をしようとすれば莫大な費用がかかるので、多くの審議会では、各都道府県の中でも区域を分けて、掘削許可基準（既存の1番近い温泉井戸の湯口からの距離等の基準）を定めていることが多く、かかる内規に従って判断しているようである。ただし、近年、地熱開発への関心が高まっており、地熱も地下の熱水を利用するので、井戸を掘削するためには温泉法の許可が必要だが、既存の温泉の泉源とは、泉源の分布が大いに異なるために、既存の内規の見直しも必要とされる。

[22) 大判昭和7年8月10日新聞3453号15頁。
[23) 現在の温泉法4条1項は、平成13年改正によりそれ以前と変わったものである。これは新たな4条1項3号以下を追加するための機械的な条文の整理であったのだが、従来の4条が4条1項1号と2号に分けられた際に、1号は、本来、「……影響を及ぼすおそれがあると認められるとき」と2号と同様の規定をすべきところ、立法の過失で、誤って、「……影響を及ぼすと認められるとき」とされてしまったと私は考えている。4条1項1号および2号は、改正前の4条と同様に解すべきものである。

なお、温泉利用権を土地所有権とは独立した物権とする見方も学説上あるが、温泉利用権が支配できる温泉の範囲すら不明であり、また、仮に土地所有権とは独立して温泉利用権が譲渡される慣習があっても、その公示方法が確立されていない場合がほとんどと思われ、そうであれば、これを土地所有権と独立した物権であるとは解せない[24]。温泉利用権を土地所有権と独立した物権であると主張したくなるケースの多くは、土地所有者甲が温泉事業者乙に温泉井戸を掘削することを認めたあとに、土地所有権を丙に譲渡し、丙が乙の温泉利用権を否定しにかかるという事案であって、背信的悪意者論で解決できる事案であり、温泉利用権を物権としなければ解決できない事案ではない。

地下水利用権を土地所有権と独立した物権と考える裁判例も学説もほとんどない。日本では地下水が豊富でもあるため、地下水利用権どうしが衝突して紛争になった事例は少ないが、これも権利濫用の法理で解決されている[25]。温泉による温泉法のような利益調整を図りうる法律は存在しないが、飲用資源を地下水に頼る地方公共団体では、地下水に関する各種条例を制定しつつあり、中には、平成24年に改正された熊本県の地下水保全条例のように、地下水採取を当該地方公共団体の長の許可にかからしめているものもある。これは、重点地域に指定された地域での一定規模以上の揚水設備による地下水の採取を許可にかからしめるものである（同条例25条の3）。3年間の経過措置があるが、既存の地下水利用者にも適用がある。この種の条例が整備されれば、地下水利用の調整がされるであろうが、整備されなければ、将来紛争が生じうるのではないかと思われる。実際に、飲料メーカー等は、過去長い期間にわたって、地下水を相当大量に汲み上げていると思われ、近隣で他人が同じ地下水資源を汲み上げて利用しようとすると紛争が起きうるであろう。この種の紛争が社会問題化した事例は仄聞しないが、外資の進出もありえるので、今後現実の問題として紛争が発生しうると思われる。その

24) 鷹ノ湯事件、大判昭和15年9月18日民集19巻1611頁。
25) 小松園事件、大判昭和13年6月28日新聞4301号12頁。

ためにも、温泉法にならったかたちの、地下水に関する法律または条例がいずれ整備されるであろう。

平成26年に水循環基本法が制定された。これで、地下水を含む水の公水性はより明らかになったと思われる（同法3条2項）。それまで、地下水を帯水層の水に限定しないで考えていたため、地盤を支える土壌に含まれる水は土地の構成物であるとする学説が多かったこともあり、地方公共団体が条例を制定するにあたり困難を抱えていたが、その困難が緩和されたと言える。

10　都市公園

平成29年（2017年）の都市公園法の改正により、公募対象公園施設の公募設置管理制度（以下、この項では単に「新制度」という）が創設された。これは、都市公園内で飲食店、売店等の公募対象公園施設の設置と、当該施設から生ずる収益を活用してその周辺の園路、広場等の施設の整備、改修等を一体的に行う者を、公募により民間事業者から選定する制度である（都市公園法5条の2）。

そもそも、日本の「公園」制度は、地域制公園（自然公園法で定めている国立公園、国定公園、都道府県立自然公園など、国又は地方公共団体が一定区域何の土地の権限に関係なく、その区域を公園として指定し土地の利用の制限や一定の行為の規制等によって自然景観を保全することを主な目的とするもの）と、営造物公園（国又は地方公共団体が一定区域内の土地の権限を取得し、目的に応じた公園の形態をつくり出し、一般に公開するもの）とがあるが、都市公園は、この営造物公園に入る。国のものも地方公共団体のものもあり、いずれも都市公園法で規律される。

かつての都市公園は、オープンスペースの確保のためには重要な機能を果たしていたが、市民が楽しめ、くつろげる使いやすい場とはいいがたいものが多く、その活用が望まれていた。民間の資金が入れば何でもいいわけでもないが、少なくとも民間事業者は事業がうまくいかないと倒産することもあるので、利益を生み出す工夫をする。利益は需要に応えることでしか生まれ

ない。事故が起きなきゃいいよ、みたいなことではやっていけないのである。そこで、民間活力を都市公園の整備や運営にも活用しようというのが新制度の狙いである。

　従来も、都市公園の公園管理者である地方公共団体や国以外の者が公園施設の設置及び管理の許可を公園管理者から受けて、公園施設の設置管理する制度があった（都市公園法5条）が、設置管理許可の期間は最長10年であり、これでは投資を回収するという観点からは短い場合が多く、民間事業者が参入しづらいという課題があった。そこで、飲食店や売店という事業の核となる収益施設（「公募対象公園施設」：同法5条の2第1項）の設置又は管理を行う民間事業者を公募により選定し、事業者が設置する施設から得られる収益を公園施設（「特定公園施設」：同条2項5号）の整備に還元することを条件に、特例措置をインセンティブとして認めるのが新制度の特徴である。特例としては、設置管理許可期間を20年までとし（同条5項）、建蔽率を上乗せして認め（同法4条、同法施行令6条2項）、一定の施設（駐輪場、看板、広告塔など「利便増進施設」：同法5条の2第2項6号、同法施行令12条1項）の占用を認めるものである。

第2章

土地利用規制

1 民間主導のまちづくりを支援する都市計画

　都市計画という言葉からは、市町村域全体にわたる大きなスケールの都市計画をイメージしやすいが、もっと小さなスケールの都市計画（以下、便宜上「ミクロの都市計画」という）もある。後述する地区計画が典型例であるが、既成市街地で活用可能な各種の新しい都市計画は、比較的小さなスケールの都市計画が多く、しかも、これらは、民間主導のまちづくりを支援するものが多い。つまり、市町村が都市計画を定めて民間がこれに従うというよりも、市町村が民間活力をうまく利用して望ましいまちづくりをめざすことを目的として定められたものが多い。

　もっとも、まちづくりは、多くの関係者間の利害調整が不可欠である。企業が多くの負担を負いながらもまちづくりに尽力するには、成功する場合の経済的利益が成功に至るまでに負わなければならない負担より大きいという見通しがあるからで、この見通しなくまちづくりに尽力することはない。そのためもあり、民間主導のまちづくりを支援する各種制度は、いきおい、規制緩和、とりわけ割増し容積率の付与という方向に流れる。この規制緩和の流れを含む戦後のまちづくりに対する歴史的評価は後日を待つ必要がある[26]。しかしながら、高度利用、言い換えると多くの床の需要がある、経済的なポテンシャルの高い地域では、これまでの規制緩和がダイナミックな都市更新をもたらしてきたことも否定できない。

　そこで、以下では、この種の民間主導のまちづくりを支援する都市計画と

して、①ミクロの都市計画の代表例である地区計画と、②容積率の割増しを可能にする都市計画と、③容積配分の特例を認める都市計画と、④民間から

26) 規制緩和を受けるに値する社会貢献を行うことを規制緩和の要件とすべきとの発想がもっと強くあってよかったのではないか等の反省はありうる。なお、都心部以外に目を転じると、耐震性や防火性の建物に更新を促したという点を除くと、また、土地区画整理事業を含む一定の新開発事業（住宅公団や電鉄系等の民間デベロッパーの開発）を除くと、戦後のまちづくりに対する評価はより厳しいものになるであろう。単体規制は成果を上げているが、集団規制となると、見られた状態ではないという評価が一般的ではないかと思われる。これは、集団規制であろうと、土地所有権に対する制限である以上は、法律によらざるをえないのではないかという考え方が広く共有され、また、その制限は必要最小限でなければならないのではないかとの誤解（そのように解しなければならない理由はないが、そのような考え方の下立法がされてきたことについては、生田長人『都市法入門講義』（信山社出版、2010) 242頁以下参照）を基礎にして、法的強制力のある規制を条例で行うことが十分にできてこなかったという背景がある。まちづくり条例については後述する。なお、建築士法の制定に尽力した内藤亮一が1962年に、ある座談会で、建物の安全と衛生規制は70点、ゾーニングは40点、ハウジング（一般住宅政策）は50点、宅地政策（サブディビジョン（subdivision）という土地分割も入れて）は0点に近いと、その時点の日本の建築行政を評価しているが（速水清孝『建築家と建築士――法と住宅をめぐる百年』（東京大学出版会、2011) 277頁参照)、60年以上経った今も、宅地政策、とりわけ小規模開発に関する土地政策の貧弱さは続いていると言わざるをえないだろう。なお、都市計画というと、あるべき都市のあり方を示し、その姿に土地利用を誘導すべき計画であると理解すべきであろうが、そのような都市全体を動かすだけの都市計画は現実には存在しない。道路等の公共施設の整備についての計画はまだしも、国や地方公共団体が先導してあるべき土地利用状況を導くことができると考えることは、地震や津波で既存市街地が潰滅してしまったような地域を除くと、現在の日本では幻想に近い。すでに市街地ができあがっており（残念ながらとても美しいとは言えないが）、個々の土地には土地所有者がいるため、その土地所有者を納得させるだけの内容を都市計画がもたなければ土地所有者は少しも動かないからである（ただし、土地区画整理事業や市街地再開発事業は、個々の土地所有者が拒否権を行使しえず、その意味で有効な都市計画の実現手段となりうる）。絶望すべきではないが（地区計画はこの絶望的状況を打開すべく用意されているとみられないこともないが)、この現実に目を向けない机上の都市計画論はほとんど無意味である。

の都市計画提案制度を紹介することにしたい。ただし、その詳細を述べる前に、土地利用規制一般についてまず解説を行うことにする。なお、開発を事業として行う場合の各種の法的仕組みについては、第3章以下に、開発許可、土地区画整理、市街地再開発を別途取り上げる。

(1) 土地利用規制一般

　建物を建設するには、その建物の計画がその時点の建築基準法の基準に適合していなければならない。そのためには、その建物計画が建築基準関係規定に適合していることの確認を受ける必要がある（建基6条）。日本では建築基準に適合していることの確認を得られれば建築可能であることが原則であり、ヨーロッパ各国が建築を許可制の下に置いているのと大きな差がある。したがって、建築基準関係規定とは何かが重要であるが、これには、建築基準法施行令もしくは建築基準法施行規則または建築基準法を根拠とする条例だけでなく、建築物の敷地、構造または建築設備に関する法律とこれに基づく政省令または条例も含まれる（建基令9条）。

　例えば、建物を建てるにあたり、三大都市圏の既成市街地では500㎡以上の土地の区画形質の変更（区画の変更をもたらす道路の新設や、盛土切土を行う土地の造成が含まれる）を伴う工事を行う必要がある場合は、後述のとおり、その工事の計画について開発許可を得なければならない（都計29条）。その開発許可が必要な敷地での建物の計画であれば、かかる開発許可を得ているかどうかも、建築確認の際に審査される。なぜならば、都市計画法29条は、建築基準関係規定の1つだからである（建基令9条）。

(i) 建築基準法の集団規定とゾーニング

　建築確認においては、申請された建築計画が建築基準関係規定に適合しているかどうかを審査するのであるが、建築基準法の中には都市計画を受けた建築規制が数多く含まれており、その規制に適合しているかも審査対象となる。このような建築規制は、建築基準法では集団規定と呼ばれ、構造や設備に関する規制等の建物単体についての規制、すなわち単体規定とは区別される。

都市計画を受けた集団規定の代表的なものが用途地域による規制である（都計8条1項1号）。第1種低層住居専用地域、第2種低層住居専用地域、第1種中高層住居専用地域、第2種中高層住居専用地域、第1種住居地域、第2種住居地域、準住居地域、近隣商業地域、商業地域、準工業地域、工業地域、工業専用地域、田園住居地域の13種類ある。この用途地域に応じて、建設が可能な建物の用途、敷地に対する建蔽率、敷地における容積率が、法律のメニューの中で決められる（用途につき建基48条・別表第二、建蔽率につき53条、容積率につき52条）。

田園住居地域は2018年に新設された用途地域であり、2022年に生産緑地の指定解除期限が到来し一斉に市場に放出されることが予期されたために、都市農地のあるエリアで田園と市街地の共存を図る目的で新設された。ただし、農地としての使用継続で特定資産農地として認定されることにより、固定資産税や相続税の優遇をさらに10年間延長できることになったので、2022年の市場一斉放出という事態は発生しなかった。用途は住居専用地域とほぼ同様の規制である。農地の造成や農地の農地以外のものへの用途変更に市町村許可がいる。

用途地域の用途制限は建築基準法で詳細が規定されているが、注意すべきは、各用途地域で原則的には認められない用途でありながら、特例で特定行政庁（市町村の建築主事）により許可される場合があることであり、これは特例許可と呼ばれる。「その許可に利害関係を有する者の出頭を求めて公開により意見を聴取し、かつ、建築審査会の同意を得なければならない。」（建基48条15項）とされている。影響が大きいので用途地域の抜本的改正は行われにくく、制限構成の基本は住宅の環境保全であると言われている。

用途地域の形態制限には、①容積率・建蔽率、②道路斜線・隣地斜線・北側斜線、③絶対高さ、④日影規制、⑤外壁後退距離、⑥最低敷地規模がある（建基52条ないし56条の2）。周辺の採光空間を確保する一定の天空率（建基56条7項、平成15年に新設）を満たす設計であれば、②の斜線制限の規制には適用除外とされる。斜線制限で達成しようとした採光空間を確保するた

のもので、建物デザインの自由度の幅が広がったと言われている。また、道路斜線制限では、反対側の道路境界線から道路斜線が立ち上がるが、建物を道路からセットバックさせれば、ミラーのように道路斜線の立ち上がる位置を道路から遠ざけて、高い建物を建てることができる（建基56条2項）。これをセットバック緩和と呼んでいる。なお、道路斜線制限は適用に限度があり、道路から一定の距離まで斜線の制限があり（同56条1項1号）、無限定に斜線の制限があるわけではない。

　都市計画図には、用途地域が色塗られるが、このようにゾーンに分けて都市計画規制を行うことを一般にゾーニング（zoning）と呼ぶ。都市計画法においては、ゾーニングの主たるものは地域地区であり、用途地域も地域地区の1つである。すなわち、地域地区には、①用途地域以外にも、②特別用途地区、③特定用途制限地域、④特例容積率適用地区、⑤高層住居誘導地区、⑥高度地区または高度利用地区、⑦特定街区、⑧都市再生特別地区・居住調整地域・居住環境向上用途誘導地区・特定用途誘導地区（都市再生特別措置法による）、⑨防火地域または準防火地域、⑩特定防災街区整備地区（密集市街地整備法による）、⑪景観地区（景観法による）、⑫風致地区、⑬駐車場整備地区（駐車場法による）、⑭臨港地区、⑮歴史的風土特別保存地区（古都における歴史的風土の保存に関する特別措置法による）、第1種歴史的風土保存地区または第2種歴史的風土保存地区（明日香村における歴史的風土の保存及び生活環境の整備等に関する特別措置法による）、⑯緑地保全地域、特別緑地保全地区または緑化地域（都市緑地法による）、⑰流通業務地区（流通業務市街地の整備に関する法律による）、⑱生産緑地地区（生産緑地法による）、⑲伝統的建造物群保存地区（文化財保護法による）、⑳航空機騒音障害防止地区または航空機騒音障害防止特別地区（特定空港周辺航空機騒音対策特別措置法による）がある（都計8条）。これらは重畳的に指定することが可能である。

(ⅱ)　都市計画図

　都市計画図は市町村で入手できるが、通常販売されているものは、総括図と呼ばれるものであり、都市計画図にはほかに計画図というものがある（都

計14条、都計則9条)。総括図には重要な都市計画情報を盛り込むことが求められるが、これに盛り込むべき情報は限定されている。すなわち、①区域区分に関する都市計画、②地域地区に関する都市計画、③促進区域に関する都市計画、④都市施設に関する都市計画、⑤市街地開発事業に関する都市計画、⑥市街地開発事業等予定区域に関する都市計画、⑦地区計画、防災街区整備地区計画、歴史的風致維持向上地区計画、沿道地区計画および集落地区計画に関する都市計画である(都計則9条)。

　区域区分というのは、都市計画区域をさらに市街化区域と市街化調整区域に分けるもので(都計7条)、後者では原則として新たな建物が建てられない(例外も多いが)。スプロール防止にきわめて重要な都市計画である。区域区分については**第3章1**において説明する。

　(ⅲ)　**各種の都市計画**
　　(ア)　**地域地区**
　地域地区は上述のとおりであるが、用途地域以外について説明する。

　特別用途地区は用途地域をさらに細かい用途でゾーニングできることを可能にする制度で、用途地区を補完するものである(都計9条14項)。かつて特別用途地区の種類は限定されていたが、平成10年の都市計画法改正で限定列挙の規制はなくなり、市町村が独自に定めることが可能となった。特別用途地区の指定の目的のために、建築物の建築の制限や禁止に関して必要な規定が条例で定められる(建基49条1項)。用途地域の規制を特別用途地区で緩和する場合は国土交通大臣の承認が必要となる(同条2項)。

　特定用途制限地域とは用途地域が定められていない土地の区域(ただし、市街化調整区域は除く)で用途規制を行いたい場合に指定される(都計9条15項)。これは、平成12年の都市計画法改正で区域区分が選択制とされたため、区域区分を行わない場合の非線引き白地地域での用途に関する土地利用規制が必要になる場合に備えての規定である。

　特例容積率適用地区は、未利用容積の移転を可能にするための制度であるが(都計9条16項)、東京駅周辺と宇都宮駅東口地区にしか実例が存在しな

い。東京駅の復元はこの制度のおかげで可能になったが、この制度が汎用性を持ちにくい問題点については後述する。

　高層住居誘導地区とは平成9年に追加された地域地区制度である。住居系用途地域では、住宅の用途に供する部分の床面積が延べ床面積の3分の2以上である場合に、容積率の緩和（建基52条1項5号）、斜線制限の緩和（建基56条1項2号ハ）、日影規制の適用除外（建基57条の5第4項）を認めることで、高層住宅の建設を誘導するためのものである。第1種住居地域、第2種住居地域、準住居地域、近隣商業地域、準工業地域のうち、用途地域による容積率指定が400％または500％の地区に定めることができる。高層住宅の建設を誘導したい土地に定められる（都計9条17項）。東京の東雲キャナルコート（江東区東雲1丁目地区）および芝浦アイランド（港区芝浦4丁目地区）に指定されているが、都心居住が少ないことが課題であった時期にその課題解決のために導入された制度で、上記2事例以外は活用されていないようである。

　高度地区と高度利用地区は異なる。高度地区は高さを規制する地区で最高限度または最低限度を規制する（都計9条18項）。一方、高度利用地区は、土地の高度利用と都市機能の更新を図るべき土地に地区指定を行うもので、容積率の最高限度および最低限度、建築物の建蔽率の最高限度、建築物の建築面積の最低限度ならびに壁面の位置の制限を定める（同条19項）。そのため、個々の敷地が小さければ単独では建物が建てられなくなり、共同でオープンスペースを確保して高度利用を図らざるをえなくなり、再開発が促進されることになる。後述する地区計画の1つの高度利用型地区計画と紛らわしいが、同地区計画とは異なり、適正な規模の公共施設が整備されている土地であることを前提としていない。むしろ、再開発により公共施設の整備を行うことが期待されている土地に多く指定されている[27]。都市再開発法による市街地再開発事業は高度利用地区等に指定されることが要件となる（都市

---

27) 和泉洋人『容積率緩和型都市計画論』（信山社出版、2002）38頁。

再開発2条の2第1項1号)。

　特定街区は、街区単位で計画的な市街地を整備するために、一般的な、容積率、建蔽率、斜線制限その他の形態規制がすべて解除され(建基60条3項)、独自に容積率、建築物の高さの最高限度および壁面の位置の制限を定めるところに特徴がある(都計9条20項)。特定街区は、街区内の建築物の容積率、高さの最高限度だけでなく、壁面の位置の制限まで行うので、建てられる建築物の形態をほぼ決めるほどの制限を伴うが、そのかわり一般的に定められる容積率、建蔽率、斜線制限等の形態規制が適用されないため、容積率の緩和を受けられる余地が大きい。緩和もあるが制約も可能であるため(本来、容積率緩和の目的ではなく、街区内の建築の詳細な規制を可能にするものであるから、指定容積率以下の容積率に抑えることもできる)、特定街区の都市計画を定めるには利害関係者の同意が必要である(都計17条3項)。利害関係者とは、特定街区内の土地の所有者、対抗力を有する借地権者、登記した先取特権者、質権者、抵当権者およびこれらの仮登記権者、差押権者、買戻権者である(都計令11条)。新都市計画法制定の昭和43年より前の昭和36年から建築基準法の中で制度化されたものである。当初は、公開空地の確保が特定街区の容積率緩和の絶対要件であったが、現在では、街区内の建築物を観光まちづくりの拠点となる宿泊施設等、地方公共団体が地域の特性を勘案して当該地区に誘導すべきと考える用途に供する場合、街区内に屋上緑化や相当程度の樹容の樹木を植栽する場合、街区内に地域整備のための広域的な公共公益施設を整備する場合、街区内において歴史的建造物が保全または修復される場合も容積率緩和の理由としうる運用がなされている(都市計画運用指針)。

　都市再生特別地区は、平成14年に成立した都市再生特別措置法により指定される地区である(都市再生36条1項)。バブル経済崩壊後の地価の下落に直面した日本経済の再建を都市政策の転換で実現しようとしたものである。すなわち、それまでは都心部に集中する業務機能を郊外へ分散することが基本の考えであったところ、都心部に業務機能だけでなく、住機能、商業

機能、文化機能などを追加配置して都心部を総合的な機能をもった高度利用市街地に改造しようとする考え方に転換が図られたものである[28]。都市再生特別地区は、都市再生緊急整備地域の中で定める。同地域は都市再生の拠点として政令で定められる（都市再生2条3項）。都市再生特別地区では誘導すべき用途、容積率の最高限度および最低限度、建蔽率の最高限度、建築面積の最低限度、高さの最高限度ならびに壁面の位置の制限を定める（都市再生36条2項）。用途地域による容積率は適用されないが（建基60条の2第4項）、建蔽率の規制は適用される。また、低層住居専用地域の絶対高さ制限は既存の規制を緩和できない（適用除外規定がない）。都市再生特別地区では、誘導すべき用途の建築物には、用途規制および特別用途地区の規制は適用されない（同条3項）。斜線制限も適用されない（同条5項）。日影規制も適用されないが、同地区外の日影規制区域の建物に日影を生じさせる場合は適用される（同条6項）。都市再生特別地区は、政令で定められた都市再生緊急整備地域内で定められているので、国の主導的な関与が前提となる。一般の集団規定の適用が除外されるという、まさに「特区」として特別な対応を認める地区である。しかも、いかなる建築が可能であるかの基準を明示して建築確認で適否を判断するというものであるから、早期に特別の容積割増しを獲得できる可能性がある。また、民間活力を利用して都市再生を図ることを前提としている。なお、平成26年に施行された改正都市再生特別措置法は、コンパクト・シティづくりをめざすため、立地適正化計画（都市再生81条1項）を制度化し、同計画で指定された特定用途誘導地区は、病院やスーパーマーケット等の地域住民の生活や社会活動に不可欠な施設を特定して、用途制限を緩和し（建基60条の3第3項）、容積率の割増し等が可能である（都市再生109条2項）。また、同改正法で導入された居住調整地域は、立地適正化計画の区域のうち居住誘導区域以外の区域を対象に定められ（都市再生89条）、3戸以上の住居等の新改築や住宅等への用途変更、またはその

---

28) 生田・前掲注26) 327頁。なお、都市再生特別地区については、同書335頁以下に充実した説明があるので、参照されたい。

ための開発行為（0.1ha以上のもの）に対して、市街化調整区域と同様の規制がかけられ（都市再生90条、都市再生令37条）、住宅地化を抑制することを目的としている。

　防火地域および準防火地域は市街地における火災の危険を防止または除去するために定める地域である。それぞれの地域における建築物の規制がある（建基61条～66条）。

　特定防災街区整備地区は、平成9年に制定された密集市街地整備法により密集市街地の一定区域を限り、当該区域に防火上特別な制限を課すもので、火事または地震が生じた場合の延焼防止および避難機能の確保を図るものである。同地区内の建築物は原則として耐火建築物または準耐火建築物としなければならない（建基67条）。建築物の敷地面積の最低限度等が定められる（密31条3項）。

　景観地区は、平成16年に制定された景観法に基づき定められるものである（景61条）。建築物の形態意匠の制限を行うとともに（景62条）、必要に応じて、建築物の高さの最高限度または最低限度、壁面の位置の制限、敷地面積の最低限度を定める。景観法の制定とともに美観地区制度は廃止された。なお、景観地区における建築物の建築等を行う場合は、その計画が景観地区内の建築物の形態意匠の規定に適合するものであることにつき、市町村長の認定を受ける必要がある（景63条）。また、開発行為等について条例で必要な規制を定めることができる（景73条）。景観地区内の形態意匠の規制に反した違反建築物について市町村長が是正措置命令を出した場合、関与した工事の設計監理者や工事請負人や宅地建物取引業者まで市町村から各監督官庁に通知され、各監督官庁は、しかるべき行政処分を行うべきことについても定められている（景65条）。

　風致地区とは、「都市の風致を維持するため定める地区」とされている（都計9条22項）。「風致」とはおもむきの意味であるが、自然的要素に富んだ土地の自然的景観をなるべく残そうとするための地区と解されている。風致地区内では建築物等の建築、建築物等の色彩の変更、土地の形質の変更、木竹

の伐採等の行為が都道府県知事または市町村長の許可に服する（都計58条1項、風致地区内における建築等の規制に係る条例の制定に関する基準を定める政令3条）。

駐車場整備地区は、駐車場法による地区である。同地区内では市町村が条例で一定規模以上の建築物には一定の駐車施設を設けなければならない旨を定めることができる（駐20条）。

　(イ)　促進区域に関する都市計画

促進区域は、一定の土地利用を促進すべき区域として定められるもので、市街地再開発促進区域、土地区画整理促進区域、住宅街区整備促進区域および拠点業務市街地整備土地区画整理促進区域がある（都計10条の2第1項）。一定期間内に事業が開始されなければ原則として市町村等が事業を行うこととされている。

　(ウ)　都市施設に関する都市計画

都市施設には、交通施設（道路、都市高速鉄道等）、公共空地（公園、緑地、広場等）、供給施設または処理施設（水道、電気供給施設、ガス供給施設、下水道、汚物処理場、ごみ焼却場等）、水路（河川、運河等）、教育文化施設（学校、図書館、研究施設等）、市場その他が含まれる（都計11条1項）。都市計画に定められた都市施設が都市計画施設である。なお、必ず都市計画で定めるべき都市施設もある（都計13条1項11号）。都市計画施設の区域内で建築物等の建築を行おうとする者は都道府県知事の許可を要する（都計53条）。階数が2階以下で地階を有さず、主要構造部が木造、鉄骨造、コンクリートブロック造またはこれらに類する構造であれば、許可が下りる（都計54条3号）。土地所有者の負担が軽微であるとして、かかる制限は補償なくして可能であると解されている。

　(エ)　市街地開発事業に関する都市計画

市街地開発事業の代表的なものは、土地区画整理法による土地区画整理事業と都市再開発法による市街地再開発事業である。いずれも土地の計画的再編成を伴うが、後者は共同の建築行為を伴う。両事業に共通の事業手法は、

交換分合と呼ばれるものであり、事業前の土地に対する権利が事業後の整備された土地（および建物）に行政処分により移動する。権利の対象物が変わってしまうという点できわめて特色があり、これまでの計画的市街地整備に重要な役割を果たしてきた。

　市街地開発事業には、ほかに密集市街地整備法による防災街区整備事業等がある（都計12条）。

　土地区画整理事業には個人施行、組合施行、会社施行、都道府県または市町村施行、国土交通大臣施行、独立行政法人都市再生機構施行、地方住宅供給公社施行がある。このうち、個人施行、組合施行、会社施行の場合は、必ずしも土地区画整理事業を都市計画に定めなくとも施行できるが、その他の施行者の場合は、土地区画整理事業について都市計画に定められた「施行区域」においてのみできる（区画整理3条4項・5項、3条の2、3条の3）。

　一方、市街地再開発事業の場合も、土地区画整理事業の場合と同様の施行者主体がありうるが（国土交通大臣施行はない）、施行者がいずれの場合も、高度利用地区の区域、都市再生特別地区の区域、特定用途誘導地区の区域または特定地区計画等区域（都市再開発2条の2第1項4号に定義があるが、一定の要件をみたす地区計画、防災街区整備地区計画または沿道地区計画の区域）でなければ施行できず、また、個人施行以外は、都市計画で市街地再開発事業として定められた「施行区域」でしか施行できない（同条2項～6項）。これらは、都市計画事業として施行される（都市再開発6条）。

　市街地開発事業が都市計画で定められた場合は、施行区域内は都市計画施設の区域内と同様の建築規制がある（都計53条）。

　　(オ)　市街地開発事業等予定区域に関する都市計画

　市街地開発事業等予定区域は、本来の都市計画（市街地開発事業に関する都市計画または都市施設に関する都市計画）が決定されるまでの暫定的な区域であり、大規模な面的事業を開始する前の段階で事業施行の障害となる乱開発や投機的土地取引を防止するための制度で（都計12条の2）、買取請求権を土地所有者に付与して土地利用規制を行うものである（都計52条の4）。市

街地開発事業の中で代表的な土地区画整理事業や市街地再開発事業は収用事業ではないので、この予定区域の制度はない。

(2) 地区計画

(i) 地区計画の意義

　地区計画はミクロの都市計画の代表例である。都市全体のマクロの都市計画とは区別される。各種の地区計画があることから、ここで詳しく紹介する。

　都市計画法では、「地区計画は、建築物の建築形態、公共施設その他の施設の配置等からみて、一体としてそれぞれの区域の特性にふさわしい態様を備えた良好な環境の各街区を整備し、開発し、及び保全するための計画」(12条の5第1項)と説明されている。用途地域が定められている土地の区域ではどこでも定めうるが、用途地域が定められていない土地の区域では一定の要件に該当する区域でなければならない（同項）。

　地区計画は、街区単位よりは広い土地を対象にするが、都市全体といった広大な土地を対象にするものではない。そのような比較的狭い土地の範囲を対象にする都市計画とでも言うべきもので、その地区内の住民にはその地区の中の道路や公園等がどのように整備されるべきかについて関心が高いが、その地区の外の都市住民には関心が薄くなるような狭い地区についての都市計画である。

　したがって、地方公共団体は、本来的には、その計画づくりをサポートする立場で、主導する立場ではない。その計画づくりも計画に従った市街地の整備もその地区住民が推進することが期待されているものである[29]。

　昭和55年に導入された当時は、一般の用途地域の規制等ではミクロの地区の整備には粗い規制しかできないため、よりきめ細かな規制は当該地区の住民にイニシアティブをもたせて計画させようという意図でできたものである。したがって、一般規制に対する上乗せ規制が主たるものであった。しかし、近年では、地区計画を市街地整備の誘導に用いるために新制度が多くつくられており、これは、一般規制を緩和することを認めることにより、市街

地整備を進めようとするものである。容積率緩和の地区計画は、かかる後者の緩和型地区計画にみられるものである。

地区計画の中心は地区整備計画と呼ばれるもので、地区施設[30]の配置および規模、建築物の用途の制限、容積率の最高限度または最低限度、建蔽率の最高限度、建築物の敷地面積または建築面積の最低限度、建築物の敷地の

---

[29] 住民主導のまちづくりが結実するのが地区計画であると整理できれば美しいが、世の中はそのように理想的ではない。一般住民からすると、日常生活を送るのが精一杯（という気分）で、自分がすぐに得するわけでもない「まちづくり」に熱心になれない。このあたりが、日本国民の現在の水準でもあり（暇な人だってたくさんいるのだが）、「まちづくり」に熱心になって他人の土地に口を出すとかえって恨まれかねない。マンションの理事会の理事になり手がいないことを見ただけでも、「まちづくり」のルールづくりやルールの遵守に人々が熱心になることはなかなか期待できない。したがって、地区計画も、開発で利益を得られる企業か地方公共団体が推進するしかないというのが多くの地区の実情であろう。ただ、あまりにその傾向を強調するのもどうだろうか。多くの地域で歴史的建造物の保存運動や景観保護の運動など、まちの個性や魅力の喪失に危機感をもって活動している人々は少なくないのであって、他人の「まちづくり」にフリーライドする人々ばかりではないからである。「まちづくり」の仕上げの段階は、土地の所有者や借地権者に頼らざるをえないのであるから、地区計画を策定してあとは市町村にお任せするというのではなく、かなりの理想論で言えば、建築協定の活用が望ましい。しかし、現行の建築協定制度は団体法理を内包しておらず、まちを育てるという観点からは致命的な制度的欠陥があるように思われる。この点について、小澤英明「建築協定の再生」土地総合研究8巻3号（2000）64～70頁を参照されたい。また、それならどういう制度が望ましいのかについては、1つの理念型を示したこともある。小澤英明「イリタヤ国の登録景観設計士制度見聞記」鈴木博之＝増田彰久＝小澤英明＝オフィスビル総合研究所『都市の記憶──美しいまちへ』（白揚社、2002）第4章を参照していただければありがたい。なお、近年少しずつ増えているエリアマネジメント（area management）と呼ばれる、ガイドラインによる地区の土地利用のコントロールは、法的規制を追求するのではなく、その手前の緩やかなコントロールで満足するものだが、日本の現状にはかえってふさわしいのかもしれない。

[30] 主として街区内の居住者等の利用に供される道路、公園、その他都市計画施設以外の施設である道路または公園、緑地、広場その他の公共空地のことである（都計12条の5第2項1号、都計令7条の4）。

地盤面の高さの最低限度、壁面の位置の制限、壁面後退区域における工作物の設置の制限、建築物等の高さの最高限度または最低限度、建築物の居室の床面の高さの最低限度、建築物等の形態または色彩その他の意匠の制限、建築物の緑化率の最低限度、垣または柵の構造の制限、現に存する樹林地、草地等で良好な居住環境を確保するため必要なものの保全に関する事項、現に存する農地で農業の利便の増進と調和した良好な居住環境を確保するため必要なものにおける土地の形質の変更その他の行為の制限に関する事項で、必要なものを定めることができることとされている（都計12条の5第7項、都計令7条の6）。なお、地区整備計画は、特別の事情があるときは、定めないことが認められている（都計12条の5第8項）。

　地区計画は、市町村の定める都市計画とされるが（都計15条の都道府県が定める限定列挙の都市計画には含まれていない）、上述のように地方公共団体は、本来は地区計画の計画づくりをサポートする立場であるから、地区計画の案の作成段階で地区計画手続条例の定めるところにより、その案に係る区域内の土地所有者等の一定の利害関係者（都計令10条の4）の意見を求めて作成することになっている（都計16条2項）。これは、意見を求めるのであり、特定街区の場合とは異なり、同意を得るものではない[31]。なお、地区計画手続条例の中で、住民や利害関係人が地区計画の案の内容としたい事項を申し出る方法を定めることができるものとされている（同条3項）。

　地区計画を定めた場合の法的効果としては、開発行為を行う場合に開発許可を行うか否かの判断の基準になる（都計33条1項5号）。開発許可を必要としない開発行為を行う場合は、その行為をする前に市町村長への届出が必要となり（都計58条の2第1項）、市町村長は、その開発行為が地区計画に合わない場合は、設計の変更その他必要な措置をとることを勧告することができる（同条3項）。ただし、この勧告違反に対する制裁はない。

31) 住民の意見を反映させるための公聴会の開催等は、都市計画一般については、都市計画を定める地方公共団体が必要あると認めるときだけでよい（都計16条1項）。

地区計画が定められたからといって建築行為を直ちには規制しない。しかし、市町村が地区整備計画の内容として定めた「建築物の敷地、構造、建築設備又は用途に関する事項」を建築基準法の制限とすることを条例で定めれば、その内容に反する建築物は建築確認を得られない（建基68条の2)[32]。かかる条例がない場合は、事前届出および勧告の対象となるだけである（都計58条の2第1項・3項）。

　なお、地区整備計画には「地区施設の配置及び規模」を規定する（都計12条の5第7項1号）こととされているが、「最終的には、その実現は地権者の責任と負担に委ねられており、道路についてのみ道路位置の指定及び予定道路の指定という実現補助手段が用意されているが、通常の都市施設に関する都市計画のように都市計画事業の対象となるわけではない。このため、地区にふさわしい地区施設が計画的に見て十分適切に定められているとは言い難い状況となっている」[33]と言われている。

(ⅱ)　地区計画の種類

　地区計画は昭和55年に導入されたが、その後数多くの種類が制度化され、わかりづらいものになったため、平成14年に整理され、大きく分けて、地区計画（都市計画法によるもの）、防災街区整備地区計画（密集市街地整備法に

---

32) 建築基準法の制限とする場合には地区計画の規制には制約がある。建蔽率の最高限度は30％以上、容積率の最高限度は50％以上でなければならない（建基68条の2第1項、建基令136条の2の5第1項2号・3号）。このように制約があるのは、地区計画は対象地区の土地所有者等の同意は必要とされていないことによる。すなわち、土地所有者の同意なく土地所有権に対する規制を厳しくすることができるが、その規制が厳しくなりすぎると、土地所有権の財産権侵害の懸念を招きかねないとの理由からである。

33) 生田・前掲注26) 183頁。予定道路の制度とは、地区計画に道路の配置・規模が定められている場合であって、特定行政庁が土地所有者等の利害関係人の同意を得るなどして指定する道路である（建基68条の7第1項）。後述する開発許可による土地開発、土地区画整理事業、市街地再開発事業とセットで利用されなければ、地区計画は、その都市計画としての役割を十分に果たすことはできないと言うべきであろう。

よるもの)、歴史的風致維持向上地区計画(地域における歴史的風致の維持及び向上に関する法律によるもの)、沿道地区計画(幹線道路の沿道の整備に関する法律によるもの)、集落地区計画(集落地域整備法によるもの)に分けられた。そのうち、ここでは、都市計画法で定める「地区計画」の地区整備計画の一般型（((i)参照)のバリエーションと考えられる再開発等促進区、開発整備促進区、誘導容積型、容積適正配分型、高度利用型、用途別容積型、街並み誘導型、立体道路型の地区計画について説明する[34]。

これらはおしなべて規制緩和型の地区計画である。地区計画制度が導入された当初は基本的に土地利用規制の詳細化や強化を進めることを目的とした規制強化型がほとんどであったことに対比される。これは、規制強化型では地区計画の実現が図れないからという事情も大きいように思われる。計画を動かすには動かす動機づけが必要だからである[35]。

なお、関心のある地域にどのような地区計画が定められているかは、市町村のウェブサイトからたどることができる。例えば、東京都新宿区のウェブサイトを開くと、「地区計画一覧」があり、その詳細を見ることができる。同区では令和5年7月18日現在、地区計画が30地区で策定され、一般型が18地区、街並み誘導型地区計画が5地区、再開発等促進区が8地区、高度利用型が1地区である。神楽坂周辺でも、神楽坂3、4、5丁目地区は街並み誘導型地区計画が定められ、神楽坂通り地区は一般型地区計画が定められ、赤城周辺地区は街並み誘導型地区計画が定められている。なお、四谷駅周辺地区には再開発等促進区と街並み誘導型地区計画が合わせて定められている。

34) ただし、より正確に言えば地区整備計画（都計12条の5第2項1号）と再開発等促進区（3項）および開発整備促進区（4項）とは別に規定されており、誘導容積型以下の地区計画が地区整備計画の中のバリエーションとしての位置づけを与えられている（12条の6〜12条の11)。すなわち、再開発等促進区や開発整備促進区は地区整備計画の一種ではなく、それらの地区を地区計画として定めたうえで、別途地区整備計画を定めることになっている（都計12条の5第5項）。

35) 規制強化型地区計画と規制緩和型地区計画については、生田・前掲注26) 194頁以下参照。

(ア) 再開発等促進区

再開発等促進区とは、①現に土地の利用状況が著しく変化しつつあり、または著しく変化することが確実であると見込まれる土地の区域であること、②土地の合理的かつ健全な高度利用を図るため、適正な配慮および規模の公共施設を整備する必要がある土地の区域であること、③当該区域の土地の高度利用を図ることが、当該都市の機能の増進に貢献することとなる土地の区域であること、④用途地域が定められている土地の区域であること、という要件をみたす土地の区域において、土地の合理的かつ健全な高度利用と都市機能の増進とを図るため、一体的かつ総合的な市街地の再開発または開発整備を実施すべき区域として、定める地区計画である（都計12条の5第3項）。条文だけを見るとイメージがつかめないが、工場跡地等相当規模の低未利用地区等において良好なプロジェクトを誘導する目的がある。

用途地域で定められた容積率の制限も、建蔽率の制限も、高さ制限も、斜線制限も、用途制限も適用しない道が開かれている（建基68条の3）。そのため使い勝手がよいということで、工場跡地等に限らず都心部でも再開発の切り札として広く活用されている。

(イ) 開発整備促進区

大規模集客施設対応の地区計画である。平成18年の都市計画法改正により、従来大規模集客施設の立地が可能であった地域のうち、多様な用途を許容する、商業地域等を除いた地域（すなわち、第2種住居地域、準住居地域および工業地域ならびに非線引き白地地域）ではその立地を一旦制限し、これらの地域で大規模集客施設を立地させようとする場合は、この開発整備促進区という地区計画を定めることを必要とするように定めたものである（都計12条の5第4項）。イオンモールの新店の計画を可能にするため名古屋市の茶屋新田地区に定められた事例等がある。商業地域、第1種住居地域および工業専用地域では開発整備促進区は定められない。

(ウ) 誘導容積型地区計画

誘導容積型地区計画とは、道路等の公共施設の適正な配置および規模が整

備されていない土地の区域において現状の整備状況に応じた暫定容積率と整備ができた場合に土地の特性に応じて認めうる目標容積率を地区計画で定めることで、公共施設の整備を伴った土地の有効利用を誘導しようとする地区計画である（都計12条の6）。なお、誘導容積型地区計画内においては、状況により、暫定容積率ではなく目標容積率で容積率を適用できる場合がある（建基68条の4）。つまり、公共施設の整備に協力すれば目標容積率まで使用可能とし、公共施設の整備と土地の有効利用を一体的に誘導することができる。東京都港区汐留西地区のように誘導容積型地区計画と街並み誘導型地区計画とを合わせて定めた事例等がある。同地区では、土地区画整理事業により道路整備が行われるまでの間は暫定容積率600％を適用し、道路整備が行われると目標容積率700％が適用される計画とされた。

(エ) 容積適正配分型地区計画

容積適正配分型地区計画とは、地区計画の区域で高度利用を図るべき区域と容積を抑えるべき区域とを分けて、地区の特性に応じたきめ細かな容積率規制を行うもので、容積の配分は、当該地区計画の用途地域で定められた総容積の範囲で行われる（都計12条の7、建基68条の5）。

(オ) 高度利用型地区計画

高度利用型地区計画とは、すでに公共施設の整備がなされている土地の区域において、建築物の敷地等の統合の促進、小規模建築物の抑制、敷地内の有効な空地の確保により土地の高度利用と都市機能の更新を図るため建築面積の最低限度を定めるとともに、建蔽率の低減の程度等に応じて容積率の緩和を行う地区計画である（都計12条の8、建基68条の5の3）。高度利用と都市機能の更新を図ることを目的とする。第1種低層住居専用地域および第2種低層住居専用地域および田園居住地域では認められない。札幌市札幌駅前通北街区では、高度利用型地区計画と街並み誘導型地区計画とを合わせて定めている。

(カ) 用途別容積型地区計画

用途別容積型地区計画とは、住居と住居以外の用途とを適正に配分する地

区整備計画とも呼ばれるが、住居の用途の容積率をそれ以外の用途の容積率より高く設定できるところに特徴がある（都計12条の9、建基68条の5の4)[36]。バブルの絶頂期に大都市の都心部等で居住者人口が減少していく状況を止めるために制度化されたものである。東京都千代田区神田和泉町地区では、街並み誘導型地区計画と用途別容積型地区計画とを合わせて定めている。

　(キ)　街並み誘導型地区計画

　街並み誘導型地区計画とは、幅員の広い道路沿いに比べて道路の整備水準が低い街区の内側で土地の有効利用が進んでいない市街地の実態に鑑みて、前面道路幅員による容積率制限、斜線制限という全国一律の形態規制を緩和して、地区の特性に応じたきめ細かな規制誘導を行おうとするものである。しかしながら、前面道路幅員による容積率制限や斜線制限というものが、地区の採光や通風といった環境確保のための制限であることから、これらを緩和した場合に環境水準が悪化することを防止するために、壁面の位置の制限、建築物の高さの最高限度、壁面後退区域における工作物の設置の制限は、必ず地区計画の中に定めなければならない（都計12条の10、建基68条の5の5）。この地区計画は相当多くの地区で定められている。

　(ク)　立体道路型地区計画

　道路の上空または路面下において建築物を建設したいという需要がある場合があるが、道路における土地利用は従来、厳しく制限されてきた。これは、道路が通行の場としての安全性を確保しなければならないだけでなく、非常時の避難路、消防活動の場、日照、採光、通風等の確保を図る空間としても利用されてきたことから十分理由のあることであるが、場所によっては、また、道路の種類によっては、このような厳しい制限を緩和しても、道路の機能および市街地環境を悪化させないことが可能な場合もある。このよ

---

36)　この緩和の根拠には、住宅用途の発生集中交通による公共施設への負荷が商業等他建築物の用途に比較して小さいという知見があるとのことである（和泉・前掲注27) 75頁)。

うな場所で道路の上空または路面下の建築物の建設を可能にするため、平成元年に立体道路制度が創設された。これは、道路の立体的区域を定め（道路法47条の17）、道路と建築物等の一体的整備を行うべき区域として立体道路型地区計画（自動車専用道路および自動車の沿道への出入りができない高架道路等が対象である）を導入し（都計12条の11）、道路内の建築制限について特例を定める建築基準法の改正を行ったものである（建基44条1項3号）。道路の立体的区域の上下空間の利用は道路占用許可が不要である。なお、平成26年の道路法改正により、それまでは道路を新設または改築する場合にのみ立体道路制度が認められていたが、かかる制限がなくなり、既存の道路についても認められるようになった。

(3) 割増し容積率の検討

(i) 容積率と建蔽率

容積率とは建築物の延べ面積の敷地面積に対する割合である（建基52条）。容積率は、公共施設の整備状況等に応じて当該地域の環境に見合う密度に建築物の建築を制限するための規制である。

建蔽率とは建築物の建築面積の敷地面積に対する割合である（建基53条）。建築面積とは建築物の外壁またはこれに代わる柱の中心線で囲まれた部分の水平投影面積である（建基令2条1項2号）。建蔽率は敷地内で一定の広さの空地を確保して市街地環境を確保し防火上の安全性の向上等を図るものである。

建蔽率も容積率も用途地域の種類に応じて限度がある。一般的な市街地を対象とする容積率制度は昭和38年の建築基準法改正により創設された容積地区制度で導入されたが、容積率制限は、昭和43年の新都市計画法の制定、昭和45年の建築基準法改正で、用途地域に関する都市計画として都市計画区域内に全面的に適用されるようになったものである[37]。建蔽率と容積率によりどれだけのボリュームの建築物が建てられるかのおおよその目処がたつので、この2つの規制は、市街地開発にあたっては最も重要な土地利用規制の指標となる[38]。ある土地に建てる建物でどれだけの床面積を確保でき

るかは、その土地の収益性を直接左右することなので、土地利用の需要が大きい地域では、獲得できる容積率の大きさに土地価格が比例すると言えるほどの意味を持つ。したがって、割増し容積率を確保できるのであれば、その割増しを追求する経済的動機が働くことになる。

容積率の制限は、「建築物に係る諸活動が道路、公園、下水道等の公共施設に与える負荷と公共施設の供給・処理能力の均衡を図る」とともに「建築物の空間に対する占有の度合いの増大を抑える」ことを通じて市街地環境を確保することを目的とすると解されている[39]。

なお、用途地域で定まる容積率は指定容積率と呼ばれる。斜線制限による制約を考慮した容積率を基準容積率と呼ぶ。

(ⅱ) 建物と敷地の関係

建築確認は、計画されている建築物がその敷地とされる土地に適法に建てられるのかを確認することであるが、その敷地とは何かが問題となる。建築確認申請においては、敷地を明示して申請することになるが、1つの敷地には1つの建築物しか許されないのが原則であり、「一建築物一敷地の原則」ともいわれる。ただ、例外として、用途上不可分の関係にある2以上の建築物も1敷地の中に存在することが許される（建基令1条1号）。したがって、1つの敷地に用途上不可分でもない建築物が複数建築されることは原則としてないが、特定街区は、その街区を1つの敷地として複数の建築物が建築されることを許容する。これは、都市計画としてその街区内で建築される建築物の壁面の位置まで定め、その街区内で建築物の占める場所を特定するの

---

37) 容積地区制度の導入およびその後の容積率制度の全面導入とそれまでの絶対高さ制限（住居地域外は31mであった）の撤廃（第1種住居専用地域の10m制限を除く）の経緯については、大澤昭彦『高さ制限とまちづくり』（学芸出版社、2014）51頁以下に詳しい。

38) 最終的にどれだけの容積率の建築物が建設できるかは、絶対高さ制限（建基55条）、道路斜線制限（56条1項1号）、隣地斜線制限（同項2号）、北側斜線制限（同項3号）等により決まる。

39) 和泉・前掲注27) 2頁。

で、敷地内の空地の位置と規模を完全にコントロールできるからである。なお、連担建築物制度等、ほかに1つの敷地に複数の建築物の建設が許される場合があるが、これについては後の(4)「容積配分の特例」で述べる。

　(iii)　割増し容積率を可能にする制度

　割増し容積率を可能にする制度としては、総合設計、高層住居誘導地区、高度利用地区、特定街区、都市再生特別地区、各種の地区計画（再開発等促進、高度利用型地区計画、用途別容積型地区計画）[40] が挙げられる。総合設計以外は、都市計画を伴うものであるから、割増し容積率を確保するために時間と手間がかかるのが一般的である。

　平成2年のバブル経済崩壊の後、日本は土地価格が低迷したが、平成13年に誕生した小泉内閣は、その回復を図るべく都心部の再生を標榜して、都市再生特別措置法の制定による都市再生特別地区制度を導入した。その結果、都心部で高層建築が急激に増加した。都市計画の各制度についてはすでに概略説明したので、ここでは都市計画を必要としない総合設計制度についてのみ説明する。

　なお、割増し容積率を認めることは、近隣との紛争を招きやすい。したがって、これを可能にする各種制度を活用するにあたっては、後述する各地方公共団体が定めるまちづくり条例についての正しい理解が必要である。また、平成16年に制定された景観法のその後のまちづくりに与えている影響は大きく、景観法を根拠にしたまちづくり条例および景観法を直接の根拠にしていないものの景観保護に配慮した各地区の自主条例には十分に留意した

---

40) ほかに街並み誘導型地区計画制度も前面道路幅員による容積率制限や斜線制限を緩和することを主たる目的としているので、容積の割増しにつながる地区計画であるが、指定容積率からの割増しを認めるものではない。この点については、国土交通省「都市計画運用指針（第12版）」（令和5年7月）において、街並み誘導型地区計画では、「高度利用地区、高度利用型地区計画、用途別容積型地区計画又は容積適正配分型地区計画との併用を行う場合を除き、容積率の最高限度は、用途地域に関する都市計画において定められている容積率以下とすべきである。」（216頁）とある。

うえで、割増し容積率を可能とする各種制度の活用を図る必要がある。

●総合設計制度

総合設計制度は、建築物の設計において一定の広さの敷地内に公開空地を確保する見返りに容積率の割増しを認めるというものであり、昭和45年の建築基準法の改正で導入された（59条の2）。いわゆる地方分権一括法により平成12年から建築確認は市町村の自治事務となり、総合設計許可も各市町村が判断することになった。

法律の条文上は、「その敷地内に政令で定める空地を有し、かつ、その敷地面積が政令で定める規模以上である建築物で、特定行政庁が交通上、安全上、防火上及び衛生上支障がなく、かつ、その建蔽率、容積率及び各部分の高さについて総合的な配慮がなされていることにより市街地の環境の整備改善に資すると認めて許可したものの容積率又は各部分の高さは、その許可の範囲内において」一般の基準を超えることができるものとされるというものである。空地をより多く確保する建築物に容積率の割増しを認め、斜線制限を緩和するものであるが、敷地面積の規模が一定以上でなければならない（建基令136条3項）。第1種低層住居専用地域、第2種低層住居専用地域または田園居住地域では3,000㎡以上でなければならない。近隣商業地域または商業地域では1,000㎡以上でなければならず、その他の用途地域では2,000㎡以上でなければならないのが原則である。

市町村によっては、独自に総合設計許可の基準を要綱で定めているが、多くは、国土交通省が出している通知または技術的助言（「総合設計許可準則」、最新のものは令和3年12月20日付け国住街第186号）を参考にしている。東京都では東京都都市整備局が令和4年2月に「東京都総合設計許可要綱」を発表しているが、これによると、総合設計を、一般型総合設計、住宅供給促進型総合設計、共同住宅建替誘導型総合設計、長期優良住宅型総合設計に分け、それぞれの型に応じて要件と効果を定めている。

総合設計は許可を要するが、平成14年の建築基準法改正で「確認型総合設計制度」と呼ばれる制度が導入された。これは、住宅用途の建設を緩和す

るためのもので特殊のものであるが、一定の地域には公開空地と引換えに割増し容積を認める基準が政令で一律に定められ（建基令135条の17）、建築確認で容積率を緩和でき、より手軽に高容積率を実現できるものである（建基52条8項）。

(iv) 各種割増し制度の関係

以上、検討できる容率割増し制度は多数あり、それぞれが都市計画的配慮に密接に結びついているものの、同種の目的を違う制度で追求しようとしているようにもみえ、全体像を理解することが難しい。1つの整理は、次のようになろう。なお、便宜のため、割増容積率制度の制度間比較表を後出のとおり図表1として作成したので、参照されたい（254頁以下）。

まず、都市計画にさわらないで当該敷地だけで割増し容積率を確保する手段としては建築基準法上の総合設計制度があり、これは、都市計画を新たに定めたり変更したりすることなく割増し容積率を確保できるので利用されることが非常に多い。

その他は都市計画の手法による。特定街区は、本来、街区単位の都市計画というべきだから、性格としては地区計画に近いが、新都市計画法の制定（昭和43年）より前から存在しているので別格扱いである。特定街区と地区計画との違いは、特定街区は壁面の位置まで決めてかかる規制が直ちに建築基準法上の効果も持つことから具体的な建築計画と不可分であるという点である。しかも規制緩和だけでなく規制強化もできる。そのため、特定街区の中の土地所有者等の利害関係者の全員の同意がなければ定められないという制約がある。

割増し容積率を、それと引換えの都市計画的規制と連動させる手法は近年増えている。これには、地区計画で規定するものと、それ以外のものとがある。後者には、都市再生特別措置法による都市再生特別地区がある。これらの場合、割増し容積率を実現するには、土地整備が不可欠な場合が多いから、後述する開発許可に係る土地開発事業、土地区画整理事業、市街地再開発事業とセットで初めて実現されることであろう。このうち、特に市街地再

開発事業の役割は大きいが、市街地再開発事業を行うには、一定の地区の都市計画決定が前提となる。詳細は、**第5章1**で述べるが、①高度利用地区、②都市再生特別地区、③特定用途誘導地区、④特定地区計画等区域でなければならない。

　地区計画で定める再開発等促進区、高度利用型地区計画、用途別容積型地区計画は、いずれも都市機能の更新を目的にしているが、それ自体にその更新を具体化する手法を持っているわけではなく（ただし、一定の地区計画は、市街地再開発事業を可能にするが）、高い容積をもらいたければ、それに見合う建物を建設すべきという制約を課して、都市機能の更新を誘導するための道具としての制度である。再開発等促進区は、工場跡地等相当規模の低未利用地区等において良好なプロジェクトを誘導する目的で定められるもので、適切な規模の公共施設が適切に配置されていないという状況で、いわゆる中間的施設[41]の整備とセットで高容積の実現を認めるものであるが、今や決して湾岸の工場跡地といった土地だけでなく、都心の低未利用地の再開発において広く活用されている。高度利用型地区計画は、すでに公共施設の整備はされているものの、本来期待される都市の活力がない地区に高容積を言わば飴として活力を吹き込もうとするものである。用途別容積型地区計画は、住宅の立地を促進させるために住宅用途の建築物の高容積を認めるものである。

　都市再生特別地区は、地域地区の1つではあるが、以上とは趣を異にしており、もともと国の主導的な関与が前提の都市計画である[42]。その詳細は、都市計画法とは別の都市再生特別措置法で規定されており、その内容も時の内閣の方針により大きく変わりうる。これまでは、大都市の拠点となる地区を指定してそこに容積率を含む大幅な規制緩和を行うことで、早急に都市機

---

[41] かつて「2号施設」と呼ばれたもので、土地利用転換により新たに形成される区域に必要な道路または公園、緑地、広場その他の公共空地で、都市計画施設及び地区施設（主として街区内の居住者等の利用に供されるもの）を除くものである。

能更新を図るというもので、一種の経済政策の手段として利用されている。都市計画的な配慮がなされなければならないことは当然ではあるが、それとは別の国家的要請としての経済浮揚が目的として存在するものである。したがって、都市再生特別地区では独特の論理で容積率の緩和も実現可能性がある。

(v) 宿泊施設の整備と容積率緩和

平成28年6月13日付けで国土交通省は、各都道府県知事および各指定都市の長あてに「宿泊施設の整備に着目した容積率緩和制度の創設について」と題する通知を出した。これは、外国人観光客の増加に対応する宿泊施設の不足対策として、容積率緩和の制度を活用することを促す内容のものである。これは、新たな法改正を伴うものではなく、既存制度の活用を示唆するものであるが、これまで、宿泊施設に着目した容積率緩和が意識的にはなされてこなかったことから、注目を浴びた。国土交通省の示唆する緩和は、宿泊施設部分の床面積の合計の当該建築物の延べ面積に対する割合に応じて、指定容積率の1.5倍以下、かつ、指定容積率に300％を加えたものを上限として緩和するというものである。これは、容積率が建築物における諸活動の公共施設に与える負荷と公共施設の供給・処理能力との均衡を図るための制限であるという点に着目すると、宿泊施設部分の公共施設に与える負荷は、住宅同様、他の用途に比較して少ないので、特別に緩和することも問題がないという発想のようである。たしかに、前述のとおり、例えば用途別容積型地区計画では、住宅部分の容積率を指定容積率の1.5倍まで割増しできるという制度があるので、同様の発想であろう。

国土交通省が示唆する既存制度の活用は、高度利用型地区計画、再開発等

---

42) 都市再生特別地区と紛らわしいが、平成25年に制定された国家戦略特別区域法で定める国家戦略特別区域（いわゆる国家戦略特区）は、行政機関や業界団体の抵抗で改革が緩やかにしかできない分野の規制（いわゆる岩盤規制）全般について、実験的取組みを行うために、まさに国主導で規制の特例を適用する区域である。

促進区、高度利用地区、特定街区の活用である。「宿泊施設を誘導すべき地区の区域を事前に定め、宿泊施設の整備に着目して容積率緩和を行う」（高度利用型地区計画や再開発等促進区の場合）ことや、「宿泊施設の建築を含む再開発等による個々のプロジェクト単位で、宿泊施設の整備に着目して容積率緩和を行う」（再開発等促進区、高度利用地区、特定街区の場合）ことが考えられるとしている[43]。

　この通知が出るまでは、おそらく各地方公共団体では、宿泊施設部分の容積率をここまで大胆に緩和してよいとは想定していなかったと思われるが、この通知は、法令改正ではないので、ここで示唆されている緩和も、既存の制度の活用ですでに可能であったということになる。容積率の緩和や制限は、都市政策の方向を大きく変えうるので、既存の制度の活用でいかなる緩和や制限が可能かは各地方公共団体の再検討課題であろう。

---

[43] このようにエリア型とプロジェクト型の2つとも可能と示唆されているが、エリア型として高度利用型地区計画等を定めて都市計画により割増容積率を定めると、ホテルの投資家は土地の取得段階から容積割増を想定できることになる。

[図表１] 割増容積率制度の制度間比較表

	種　類※	特　性	容積率緩和の根拠	実現手段	備　考
A	総合設計 昭和45年	建築基準法による建築許可。都市計画ではない。	敷地内の空地確保、建築物の最低規模。空地確保だけでなく防災、環境確保等の配慮もボーナスの根拠となっている。	建築許可。建築計画の実現による。	敷地面積が1,000㎡、2,000㎡、3,000㎡以上。東京都には「東京都総合設計許可要綱」がある。
B	高層住居誘導地区 平成9年 2地区	地域地区。指定容積率が400％または500％の地区で定める。	住宅割合が大きい建築物（住宅割合が3分の2以上の建築物）に対するボーナス。	地域地区の規制。	
C	高度利用地区 昭和44年 1,118地区	地域地区。再開発による高度利用が期待される地区。	共同でオープンスペースを確保して高度利用を図ることに対するボーナス。	建築計画のある市街地再開発事業とセットで活用されている。	東京都では「東京都高度利用地区指定方針及び指定基準」を定め、「容積率割増早見表」まで公表している。
D	特定街区 昭和36年 112地区	地域地区。街区全体の詳細土地利用計画。	公開空地、誘導用途建築物、植栽、広域的公共施設、歴史的建造物保全その他。	建築計画の実現による。	建築計画が前提となる。東京都には「東京都特定街区運用基準」がある。街区内土地所有者全員の同意が必要。
E	地区計画　再開発等促進区（E1） 昭和63年 274地区	適正な規模の公共施設が適正に配置されていない地区に定める。工場跡地等の相当規模の低未利用地区等において良好なプロジェクトを誘導する目的がある。	都市計画施設でも地区計画施設でもない中間的施設の整備を図り、都市機能の増進を図る。	地区計画の規制による。計画に定められた公共施設の整備状況を見ながら、特定行政庁の認定により、容積率制限を緩和する。	用途地域で定められた容積率も建蔽率も高さ制限も、斜線制限も用途制限も適用しないことができる。東京都には「東京都再開発等促進区を定める地区計画運用基準」がある。

第2章　土地利用規制

	種　類※	特　性	容積率緩和の根拠	実現手段	備　考
E	容積適正配分型地区計画(E2) 平成4年 13地区	樹林地や歴史的建造物などがあることで低容積利用の区域がある場合にその容積率を他の区域に利用するもの。	地区全体では緩和されていない。	地区計画で緩和された容積率制限が用途地域による容積率制限とみなされる。	
	高度利用型地区計画(E3) 平成14年 72地区	公共施設が整備されているにもかかわらず低・未利用の状況にある地区に定められる。	建築物の建築面積の最低規模を確保すること等によるボーナス。	地区計画で緩和された容積率制限が用途地域による容積率制限とみなされる。	
地区計画	用途別容積型地区計画(E4) 平成2年 26地区	住宅が必要とされる地区で定められる。	住宅供給のためのボーナス。	地区計画で緩和された容積率制限が用途地域による容積率制限とみなされる。	住宅の用途部分は、指定容積率の最高1.5倍。
	街並み誘導型地区計画(E5) 平成7年 108地区	街区の内側の土地の有効利用を図るためのもの。統一的な街並みを誘導する。	指定容積率の緩和ではない。前面道路幅員による容積率制限や斜線制限を緩和するもの。	地区計画の規制による。特定行政庁の認定により、容積率制限を緩和する。	
F	都市再生特別地区 平成14年 107地区	都市再生特別措置法により定められた地域地区である。国主導の都市計画である。都市再生緊急整備地域内に定める。	国家戦略として、緊急かつ重点的に市街地の整備をはかる。公共施設の整備が伴う。	都市再生事業を行うことを希望する民間事業者からの都市計画提案制度がある。特別な地域地区の	用途地域等による用途規制や容積率制限、斜線制限、日影規制等を適用除外にできる。

255

種　類※	特　性	容積率緩和の根拠	実現手段	備　考
F			規制を定めることで、建築確認による対応が可能となる。	

※この欄の年は制度が導入された年を示し、件数または地区数の数字は、令和3年3月31日現在の実績として国土交通省が発表しているものである（総合設計の件数は新しい情報を確認できなかったので記載していない。）。東京都の数字は東京都のウェブサイトで見ることができる。

(4) 容積配分の特例
(i) 一建築物一敷地の原則の例外

　ある建築物が都市計画法上または建築基準法上の集団規定に適合しているか否かは、その建築物の敷地単位で検討を行うことになるが、1つの建築物の敷地と他の建築物の敷地とは重ねずに検討することが原則である。すなわち、敷地の重複利用は許されないのが原則であり、これを一建築物一敷地の原則と呼んでいる。しかし、敷地内の建築物の配置が全体として適正に配置され、かつ、隣接土地との関係でも問題を生じなければ、この原則に縛られる必然的な理由はない。むしろ、一建築物一敷地の原則は、個別の建築行為が隣接地の建築物との間で互いに影響を及ぼしあうことをコントロールする仕組みがない中で、やむをえず各建築物単位で隣接土地との関係に問題を生じさせないことを担保するためのものである。したがって、周辺との関係を調整できる仕組みがあるのであれば、こだわる必要もない原則であると言える。

　都市計画法および建築基準法には、かかる調整の仕組みがある場合、一建築物一敷地の原則の例外を認めることがある。広い敷地の中で計画的に建築物の容積を配分して、敷地全体で用途地域により定まる容積率を守れば、地域の公共施設に不相当の負荷を与えることもないからである。敷地全体で指定容積率を守ればよいのであるから、広い敷地の中を複数の区画に分けて、

その区画間で容積を移転させることもできる。また、土地の形状に即して建築物の計画をつくることで、一建築物一敷地では実現し得ない容積率の消化も可能になりうる。かくして、一建築物一敷地の原則の例外が認められる場合は、容積移転と容積率の高度消化が可能になる。

一建築物一敷地の原則の例外が認められている制度には、特定街区、一団地の総合的設計制度（「一団地認定制度」と呼ばれることが多い）、連担建築物設計制度がある。

一団地認定制度は昭和25年に創設されたもので、2つ以上の土地が一団地を形成している場合で、その団地内に建築、大規模の修繕または大規模の模様替がされる建築物のうち特定行政庁がそれらの建築物の位置および構造が安全上、防火上および衛生上支障がないと認める場合に、当該一団地をそれら建築物の1つの敷地とみなすという制度である（建基86条1項）。令和4年3月31日まで、18,066地区の実績がある[44]。

連担建築物設計制度は、一団地認定制度が団地内の建築物がいずれも新規に建築されることを前提としているのに対し、現存する既存の建築物の位置および構造を前提とした合理的な設計により建築物を建築する場合において、複数建築物が同一敷地内にあるものとみなすものである（建基86条2項）。平成10年に創設された。平成24年度から令和3年度までの10年間で、526件の実績がある[45]。

(ii) 複数敷地間の容積配分

一定の広さの土地を一体的にかつ計画的に開発し、全体として、かかる土地全体に用途地域で認められる容積率の範囲で建物容積を抑えることができれば、容積率が目的とした、地域の公共施設に不相当の負荷をかけないという目的を達成しつつ、その広い土地の中の建築物間の調整も可能となる。こ

---

44) 第7回今後のマンション政策のあり方に関する検討会（令和5年5月22日開催）の配布資料2「建替え等に関するテーマの検討」21頁より。

45) 平成24年度～令和3年度の実績は、国土交通省住宅局市街地建築課「一団地の総合的設計制度等の解説」（令和5年6月）30頁に記載がある。

のことは、その広い土地を1つの敷地と観念できなければならない場合に限られない。全体で一体的にかつ計画的に開発ができれば、その中に複数の敷地があっても問題は生じない。かくして、1つの敷地内の計画から、複数敷地の計画に対象を広げ、その中での容積移転を可能にする制度が、都市計画法の中で認められることがある。

このように一定の区域内でミクロの容積配分が認められる制度としては、既述の再開発等促進区、容積適正配分型地区計画がある。東京都は、再開発等促進区において、地区整備計画の区域内で区分された隣接する相互の地区の間（道路等を挟んでいてもよい）に限っては、一定の要件をみたすことを条件として容積配分を認めている[46]。

(ⅲ) **未利用容積の移転**

近接しない敷地間の容積移転を認めている制度に特例容積率適用地区の制度がある。これは、地区全体の高度利用を図るため、未利用容積の活用を促進して土地の高度利用を図るものである（都計9条16項、建基57条の2）。地区内の土地であれば、容積移転が可能となる。例えば、A土地が低度利用しかされておらず、一方B土地では既存の容積率以上の容積の需要がある場合に、A土地の未利用容積をB土地に移転し、B土地の使用できる容積率を増加させることができる。具体的には、それぞれに特別に適用される容積率を特定行政庁に指定してもらうものであって、B土地における建築行為があることが前提となっている。東京駅の駅舎の復元は、これに要する費用を東京駅敷地（上記設例のA土地に相当）の未利用容積の売却代金でまかなうことで、可能になったものである。一般的に、上記設例で言えば、未利用容積を受け入れるB土地の周辺がB土地で認められる追加容積のもたらす不利益（日照、通風、混雑その他）を歓迎しないことから、特例容積率適用地区は、地区の設定自体が困難であるため、実例は東京駅周辺と宇都宮駅東口地区の2例にとどまっている。なお、私法的にA土地の低度利用の維持を確

---

46)「東京都再開発等促進区を定める地区計画運用基準」の「第3 技術基準 6 容積の適正配分 (2) 容積の適正配分の特例」等。

保するには、B 土地を要役地とし、A 土地を承役地とする地役権設定契約を両土地所有者間で締結し、その旨の登記をすることで可能である。

　この制度をここでは近接しない土地の間の容積移転として紹介しているが、そうはいっても、1つの限られた地区内の容積移転であることに注意する必要がある。内部で容積移転を行っても公共施設の負担に影響はない地区を設定しているという理屈で、容積移転を容認しているのである。未利用容積の移転制度は、東京駅のような歴史的建造物や緑地等の保全のために活用が求められる制度であるが、地区全体で高度利用が望ましいという地区に限定すると、活用は制限される。A 土地のある地区と B 土地のある地区とが離れていてもよく、B 土地のある地区の再開発の中で B 土地が A 土地から受け入れる容積を問題なく吸収できるのであれば使えるという制度に脱皮しないと、この制度の活用は期待できないと思う。しかし、容積率の設定においてまったく関係のない2つの地区の間で未利用容積を飛ばすことには、都市計画の専門家の間では抵抗が非常に強い。2つの容積は等質ではないからである。反対の理由も理解できるが、それは、本当に未利用容積を飛ばしていると考えるからである。リアルに飛ばすのではなく、飛ばすというのはフィクションであり、一種の補償と考えれば、本来容積率の設定において関係ない2つの地区間での容積移転も理解できるのではないだろうか。その本質は、B 土地の容積ボーナスと A 土地の土地利用制限に伴う補償と言うべきかもしれない。かかる処理は、都市再生特別地区の容積ボーナスに見合う地区外への公共貢献として歴史的建造物や緑地の保全を確保させることでも可能であり、容積移転よりも、このほうが理解が得やすいかもしれない[47]。

(5) 都市計画の提案制度

　都市再生特別地区における都市計画提案制度が都市再生事業（都市再生20条1項）の提案を前提としているのに対し（都市再生37条2項、都市再生則7条1項2号）、都市計画法では、一般的な都市計画の決定または変更の提案制度を用意している（都計21条の2〜21条の5参照）。

　対象となる都市計画に制限は原則としてない。ただし、「都市計画区域の

第3部　不動産開発

整備、開発及び保全の方針」および「都市再開発方針等」は、都市計画の指針となるべきものであるので、対象ではない（都計21条の2第1項）。

都市計画提案の土地の区域は、0.5ha以上（特に必要な一定の場合は、0.1haまで条例で引下げ可能である。都計21条の2第1項、都計令15条）でなければならない。提案にかかる都市計画の素案は法令の規定に基づく都市計画に関する基準に適合していなければならない（都計21条の2第3項1号）。また、提案にかかる区域の土地の所有権者等の頭数でも面積でも3分の2以上の同意が要件である（同項2号）。

提案者は、提案にかかる区域の土地の所有者等が1人でもまたは数人共同でもよい（都計21条の2第1項）。また、まちづくりの推進を図る活動を行うNPO法人等でもよい（同条2項）。

提案された都市計画をふまえた都市計画の決定または変更をする必要があるか否かの判断は、都道府県または市町村が遅滞なく行わなければならない（都計21条の3）。

2　まちづくり条例

(1)　法律と条例の関係

土地の使用については、以上に述べたように各種の法律による規制がある。しかし、注意すべき法的規制は、法律だけではない。各地方公共団体が

---

47) 都市再生特別地区の地区外への貢献でもよいことについては、都市再生特別措置法21条1項1号の記載からも明らかである。名古屋市の活用事例として、特区で割増容積率を得るために東和不動産株式会社が、保存改修資金がなくて困っていた豊田佐助（発明王豊田佐吉の弟）の自宅（アイシン精機株式会社所有）の保存改修費用を支出した実例がある。保存改修後名古屋市が新たに10年間の使用貸借の契約を所有者と締結したようである。なお、特例容積率適用地区を一地区でなく複数地区として、容積を出す地区と容積を受け入れる地区を分け、そのような地区間で未利用容積の移転を行う制度の構築可能性と問題については、小澤英明「歴史的建造物保護の法的手段──未利用容積移転から公共貢献へ」（後藤治ほか『伝統を今のかたちに　都市と地域再生の切り札！』（白揚社、2017）238頁以下）を参照されたい。

定める各種条例がある。憲法の次に法律が、法律の次に条例が位置するが（憲法98条1項、94条）、法律は全国的に適用があるので、地方の特性に由来する事情を反映した規制を制定できない。したがって、条例が独自に当該地方公共団体にだけ適用のある規制を行う必要が出てくる。土地利用規制にあたっては、この条例の役割が大きい。しかしながら、法律と条例の関係をどう理解すべきかについて、必ずしもクリアな整理がなされていない。したがって、法的な解釈をするにあたって、悩むことがある。少し古くなるが、東京弁護士会が平成17年に関東の各市に対して「まちづくり条例」についてのアンケート調査を行ったことがある。同会は、翌年、小林重敬教授（当時横浜国立大学）、北村喜宣教授（上智大学法科大学院）および藤川眞行氏（当時小田原市都市部長）を招き、アンケート調査結果をもとにシンポジウム「まちづくり条例をかんがえよう！」を開き、この点について考え方を整理した。同シンポジウムの報告書が同会で作成されたが、公刊されていないので、同報告書の私の記載部分を基礎に、以下にこの論点を整理する。

　法律の空白部分に条例が定められた場合はさほど問題がないが、法律の規定がありながら、当該地方公共団体で独自に条例を定める場合、法律と条例との関係が問題になる。特に近年、地方公共団体の条例制定は活発であり、条例が先行して、その後、この動きを受けて、国が法律をつくったり、法律改正を行ったりする場合も少なくない。

　地方公共団体は、法律の範囲内で条例を制定できるのであるから、法律で特に委任を受けて法律とは異なる内容の条例を定める場合を除いて、法律に抵触する条例を定めることはできないはずである。しかし、微妙な問題があるので、以下に詳しく検討する。

　ここでは、土地利用規制に直接に関わる、いわゆる「まちづくり条例」について考える。「まちづくり条例」として、開発、建築、景観に関するまちづくりに関する条例を念頭に置く。すなわち、都市空間の形成に関するまちづくりを対象とする条例を念頭に置く。以下では、まちづくり条例を、法律準拠条例と自主条例とに二分する。法律準拠条例とは、都市計画法、建築基

準法、景観法その他個別の法律の具体的な条文に根拠を持つ条例であり、例えば、「……につき、条例で定めることができる。」といった具体的な法律条文の規定に基づき、その条文で予定している種類の条例をつくることを意図して制定された条例のことである。世上、「委任条例」とか、「法律規定条例」とか、「法定条例」とか呼ばれるものも、ほぼ同義である。建築基準法で定義された建築基準関係規定（6条1項）に該当する条例の規定が典型的な例である。法律準拠条例以外を以下、自主条例と呼ぶ。

(2) 自主条例の分類

自主条例は、いくつかに分類できる。

第1に、並行条例と呼ばれるものがある。同様の目的を持った法律と条例がありながら、条例ではその法律上の要件と効果とは独立して条例独自の要件と効果を定めている条例が「並行条例」と呼ばれている。並行条例では、上乗せ規制や横出し規制を行うことができるかが問題になる。上乗せ規制とは、法律より厳しい規制を課する場合である。例えば、都市計画法では市街化区域内では一定の要件がみたされれば開発許可を与えなければならないとされている。公園の面積は3％以上6％以下を定めるべきことになっているが、条例で公園の面積を8％確保しなければ開発行為を行ってはならないと定めるような場合である。このような上乗せ規制が並行条例として定められるということは、例えば、6％の公園を確保している限り、都市計画法上の開発許可を与えるものの、8％を確保していなければ、条例では開発を禁じられていることを意味する。法律のルールと条例のルールが別個独立しているので、並行条例と呼ぶ。横出し規制とは、法律とは別の追加的規制を行う場合である。例えば、都市計画法では求められていない開発に関する負担金を開発者に課したりする場合である。ここでも、条例上の規制は考慮せずに開発許可を与えるものの、条例上の規制をみたさずに開発を行うことを禁じれば、並行条例として横出し規制を行っていることになる。

第2に、法律補充条例と呼ばれるものがある。法律の規定が規制の標準を規定したにすぎないと考えられる場合や法律の解釈に幅があり地方公共団体

として解釈を明確にしたい場合に、法律の規定を補充するものとして定める条例が「法律補充条例」と呼ばれている。世上、「具体化条例」とか「法執行条例」と呼ばれるものも、ほぼ同義である。

第3に、法律手続リンク条例と呼ばれるものがある。自主条例の手続の遵守を法律手続の開始や続行の要件とするものが「法律手続リンク条例」と呼ばれている。条例上、この点を明示している条例ではなくとも、運用上、同様の効果を持たせているものもある。法律手続リンク条例は、法律の要件と効果を法律の授権なく書き換えるので許されないのではないかとの観点から問題になる。

(3) まちづくり条例の可能性と限界
(i) 法律準拠条例の活用

まちづくりに関する法律の中には条例に規制の詳細や例外を定めることを認めているものが少なからず存在するが、一般的にはかかる法律の規定に準拠して制定される法律準拠条例の数は必ずしも多くはない。法律準拠条例の中には活用しだいではまちづくりにとって強力な武器（例えば建基49条）となるものもある。にもかかわらず、法律準拠条例の数が必ずしも多くはないのは、かかる条例を制定し、運用するにあたっては、法律との整合性を問われかねず、その調整に地方公共団体において多大の労力を要することに原因があるように思われる。

(ii) 財産権と条例

法律準拠条例は条例を定めることにつき法律が具体的な根拠を与えているため条例によりどこまで財産権を制限できるかが問題として意識されることは少ないが、自主条例の場合は法律に具体的な根拠がないため、財産権を制限することがどこまで可能なのかが問題として意識されることになる。ただ、少なくともまちづくりの分野においては、制限が法律ではなく直接自主条例により行われることから生じる特別な問題はないものと思われる。すなわち、そもそも法律で制限できないような財産権の制限は自主条例でも制限ができないが、法律が制限できるようなことは自主条例でも制限ができると

思われる。この点で市町村の開発・都市・土木といった部局では財産権に対する制約を条例で行うことに過度に慎重になっているとも言われるが、法理論上その必要はないと考えられる。地方自治法2条2項で、「普通地方公共団体は、地域における事務及びその他の事務で法律又はこれに基づく政令により処理することとされるものを処理する。」とあり、14条1項で「普通地方公共団体は、法令に違反しない限りにおいて第2条第2項の事務に関し、条例を制定することができる。」とあるからで、また、後述のとおり、まちづくりに関するほとんどすべての事務は、今や地方公共団体の自治事務として整理されているからである。したがって、かかる法律上の根拠をもって、条例で土地利用規制を行うのであるから、憲法29条2項の「財産権の内容は、公共の福祉に適合するやうに、法律でこれを定める。」との条項に反しないからである。

(iii) 地方分権時代の法律と条例

平成12年の地方分権一括法施行後はまちづくりに関するほとんどすべての事務は地方自治体の自治事務として整理された。それまでは、まちづくりは国の事務とされ、法律による規制が中心であった。ただ、現在も法律がまちづくりに関する規制の中心であるという構造自体に変更はない。また、条例は法律に反してはならないという要請がある。まちづくりについては既存の法律がすでに詳細なルールを規定していることから、そのルールと異なるまちづくりルールを自主条例でどこまで定めることができるかが問題となる。しかし、まちづくりにおいて地方自治を発揮できないような足枷を法律がはめることは、地方自治法1条の2第2項で「住民に身近な行政はできる限り地方公共団体にゆだねることを基本として」とある、国と地方公共団体との役割分担の原則に違反すると考えられる。したがって、かかる役割分担の原則に沿った法的解釈を行う必要がある。以下にこの観点から、種類ごとに自主条例の検討を行う。

(ア) 並行条例

並行条例には、法律のルール以上の厳しい規制を課す上乗せ条例と法律の

ルールとは別の規制を行う横出し条例とがある。結論から言えば、法律が定める要件と効果に影響を与えるものとして条例がつくられていなければ、上乗せ条例も横出し条例も許されると思われる。例えば、法律のルールの下では開発許可や建築確認が認められるのに、当該条例の存在ゆえに開発許可が認められなかったり建築確認が認められなかったりするのでない限りは、あるいは法律のルールの下では開発許可や建築確認が認められないのに、当該条例の存在ゆえに開発許可が認められたり建築確認が認められたりするのでない限りは、かかる条例は許されると考える。

　なぜならかかる並行条例を禁じることは「まちづくり」を地方公共団体の事務とすることを否定することになるからである。しかし、このようにいうと、宝塚市パチンコ条例事件をどう考えるのかとの疑問が出されるかもしれない。同事件では地裁[48]も高裁[49]も、国と県の条例で風俗営業の最高限度の規制をしているのだから、これをさらに規制する宝塚市の条例は、風俗営業法と県条例に違反して無効であると判断している。これをどう見るのかという問題である[50]。しかし、宝塚市の条例の規制は同市の良好な生活環境を維持するために制定された土地利用規制である。平成12年施行の地方分権一括法により、かかるまちづくりの事務は市町村の自治事務と整理された。上記事件は平成4年に発生した事件であり、今や、地方分権一括法の趣旨から上記各判決は見直されるべきであり、現在、同様の事件が起きたのであれば、裁判所の判断も変わらざるをえないと考える。したがって、まちづくりについて、宝塚市パチンコ条例事件の上記各判決に依拠して、法律の上乗せまたは横出しとなる規制を並行条例で定めることは違法であると考える

48) 神戸地判平成9年4月28日民集56巻6号1172頁、判タ947号115頁。
49) 大阪高判平成10年6月2日民集56巻6号1193頁、判タ986号197頁。
50) 上告審の最判平成14年7月9日民集56巻6号1134頁、判タ1105号138頁は、地方公共団体が条例に基づく義務の履行を求めて訴訟を起こすことは、法律上の争訟にあたらないので、宝塚市の訴え自体を不適法として却下した。そのため、条例と法律との関係について判断を行っていない。なお、不適法却下の判断には批判が多いが、この論点についてはここでは省略する。

べきではない。時代は変わったのであって、裁判所も市町村のまちづくり条例を最大限尊重するであろうから、企業はこのことを見越して行動しなければリスクが大きい。

　法律による規制は全国一律に適用することに合理性があるとの判断に基づいた規制であり、各地方公共団体においても尊重されなければならない。ただ、その規制は当該法律のシステムを運用するにあたって尊重されるべき規制であり、各地方公共団体がその自治事務の範囲内でその地域の独自の必要性からこれと異なる規制のシステムを並行条例で独自につくりあげること自体を禁じるものではないと考えられる。

　(イ)　法律補充条例

　法律による規制の基準が標準の規制を示しているにすぎないと思われる場合や法律による規制の基準が抽象的すぎたり、そもそも基準をまったく示していない場合に、法律を補充する目的で条例を定めることがある。このような条例が許されるのかが問題となる。

　このうち後者（例えば、「墓地、埋葬等に関する法律」10条の墓地、納骨堂、火葬場の経営等の許可）についてはこれを認めない理由はないように思われるが、前者については、注意が必要であるように思われる。

　すなわち、法律が許認可等において何らかの規制基準を示している場合に、条例でこれと異なる厳しい基準（上乗せ規制）や別の種類の規制（横出し規制）を法律の個別規定なしに当該許認可等の要件として追加することは、法律を条例で変更するものであって許されないと考えられるからである。この立場は、同じ自主条例の「上乗せ」、「横出し」であっても、この2種類の条例、すなわち並行条例と法律補充条例とを区別するのであるが、それは、条例で法律の要件と効果を変更しようとしている（法律補充条例の場合）か否（並行条例の場合）かで両者には決定的な違いがあると考えることによる。

　(ウ)　法律手続リンク条例

　まちづくり条例の中には、法律で定める手続の開始の要件として条例で定

める手続をふむことを要求するものがある。条例で定める手続の中にも、単に開発者と地方公共団体等との何らかの協議を求めるものから、開発等について市が求める基準を開発者がみたすことを約束する協定を地方公共団体の長と締結することを開発者に対して求めるものまでさまざまである。この場合、かかる条例が許されるか否かという問題がある。

　かかる条例を定め、法律で定める手続をふむ前に条例で定める手続をふまないことをもって条例違反として制裁を加えるとなると、その定める手続をふまない限り事実上法律の手続が進まないということになる。また、当該地方公共団体の長が法律の手続における許可権者や確認権者である場合は、その手続をふまない限り、当然ながら法律の手続を進めないことになる。つまり、法律の手続をスタートさせないことを条例自体が強いている。

　法律手続リンク条例も一律には論じえないように思われる。法律が許容していると解釈できる手続まで否定するべきではない。しかし、法律手続リンク条例とすることで、法律上の許認可等を取得する必要のある者に対し、地方自治体のまちづくりの実体的ルールを守ることを強いる場合は、条例が法律を変更することを目的として制定されているものとして、許されないと考える。

　(エ)　まちづくり条例の履行確保

　自主条例としてのまちづくり条例に罰則を科する例がかなり少ないことから、そのような条例の下で規制の遵守を確保できるのかが問題となる。まちづくり条例については、必ずしもすべての人々に強制的に守らせることを確実にする必要はないのではないかとの考えもありうる。またこの問題は規制の種類や態様によっても判断が変わる可能性がある。例えば、客観的に明確な基準に対する違反の場合は強制的遵守を求めやすいが、そうでない場合は強制しづらいという事情もある。ただ規制である以上遵守する人としない人との不公平を看過できないはずであることから、発動させるか否かは別として罰則を設けることの意義は大きい。しかしながら、罰則がないから規制として不十分であるとの見方もまた狭量であるように思われる。なぜならば、

第3部　不動産開発

企業としては、罰則があろうとなかろうと、法規制である以上、従わないという選択はないからである。ただし、社会的評価を気にしない企業は別である。

3　建設反対運動

(1)　日照権侵害

1970年代以降、中高層マンションが続々と建設されて、それまでの住環境が激変し、近隣の住民との間で大きな紛争になった時代があった。今なお、その紛争も少なくないが、それらの紛争の経験を経て、土地利用規制のゾーニングもきめ細かくなり、日影規制も導入された。今や、裁判所で日照権侵害を理由とした工事差止め等の仮処分が出ることは非常に稀で、ほとんど例がないように思われる。反対運動を行う住民からも、裁判所に民事手続で仮処分命令を出してもらうには、建設費の2割とか3割とかの多額の保証金の供託を求められかねず、仮処分をめざすということ自体、非現実的である。また、中高層建築物の建設をめぐって紛争が多発したので、多くの地方公共団体は、まちづくり条例の1つとして、中高層建築物の建設の着手の前に近隣住民に対して標識の設置や住民からの申出があれば説明会を開くことを義務づける条例を制定した（東京都は昭和53年7月14日に「東京都中高層建築物の建築に係る紛争の予防と調整に関する条例」を制定）。かかる条例に従って、説明会が行われても、住民サイドからの日照権侵害を理由とする設計変更の要望に対し、施主サイドは多くの場合強気で、施主から譲歩を引き出すことは容易ではない。

(2)　建築確認の違法性

民事訴訟が難しければ、行政訴訟に持ち込むという反対運動もある。これは、日照だけに限らない。景観その他理由で建設の差止めを求めたい場合もあるが、建築確認の違法性を突くという運動である。新築建物の周辺の住民も違法な建物により、自分の生命身体財産の侵害の可能性があるということを理由に、近年、裁判所は原告適格を比較的緩やかに認める傾向にあるの

第2章　土地利用規制

で、施主側としては注意が必要である。本当の反対の理由はともかくも、施主側の弱点をつくというものであるから、お行儀の良い反対運動とはいえないものもあるが、反対運動側としては、建設がストップすればいいのである。施主側が建築基準法の盲点をつくような解釈を行って、人々が想定もしていなかった新しい建物の建設をするような場合は、特に、その解釈に違法性があるとして、この種の反対運動の標的にされかねない。また、平均地盤面の認定等、見解が分かれるような点は慎重な判断をしておく必要がある。

異論がない法律解釈や事実の認定で建築計画を進めないと、訴訟前の不服審査請求で建築審査会が建築確認の違法性を宣言し、建築確認を取り消しかねない。小石川の事例[51]は有名である。また、特定行政庁から建築確認を得ても、稀ではあるが、裁判所で取り消される場合もあるので[52]、ぎりぎりの設計というものにはリスクがあることに注意が必要である。

(3)　法令違反でなければよいのか

施主の企業サイドで建物の建設反対運動を見ると、建設計画が諸法令にも条例にも反していないのに、その変更や計画断念を求めて展開される反対運動を理不尽と感じる場合もあるだろう。しかし、反対運動も玉石混淆であり、身勝手な反対運動もあるが、そうとも言えないものもある。後者の例としては、暗黙の地域ルールからは明らかに違反していると思われる建設計画に対する反対運動、景観破壊と言わざるをえない建設計画に対する反対運動等がある。世の中のルールは法令や条例にすべて書いてあって、そこに書いていないルールは無視できると判断するのは浅はかであり、危険である。最後は、裁判官が社会常識で判断するからである。

景観利益というものを一般論として最高裁も認めた国立マンション事件[53]では、地裁レベルだが、裁判所が20m以上の高さの建物の撤去を命じ

---

51) 東京都文京区小石川2丁目の建設もほぼ完成し販売も終了したマンションにつき、東京都建築審査会が避難設備の不備を理由に建築確認を取り消した事例。
52) たぬきの森事件、最判平成21年12月17日民集63巻10号2631頁、判タ1317号81頁。

269

て波紋を広げた54)。このマンション建設計画に対する一連の反対運動から施主であった明和地所株式会社の受けた損失は小さくはないものと思われる。

　なお、東京都景観条例では、高度利用地区、特定街区、都市再生特別地区、市街地再開発事業、再開発等促進区について都市計画の決定または変更の提案をしようとする者や総合設計の許可を受けようとする者等は、大規模建築物等景観形成指針に基づく指導や助言を受けるために、あらかじめ知事に協議しなければならないことが定められている（20条）。この種の条例の動きにも注意が必要である。

53）最判平成18年3月30日民集60巻3号948頁、判時1931号3頁。
54）東京地判平成14年12月18日民集60巻3号1079頁、判時1829号36頁。

// 第3章

開発許可

1　開発許可と区域区分

　実際に建物を建築するにあたって、土地が物理的に整備されていなければ、その整備のための工事を行わざるをえない。これは、通常、土地の区画形質の変更を伴う。都市計画法では、「主として建築物の建築又は特定工作物の建設の用に供する目的で行なう土地の区画形質の変更」を「開発行為」と定義しており（4条12項）、都市計画区域または準都市計画区域内において開発行為をしようとする者は、原則として、開発許可を受けなければならない（29条1項）。開発許可は、当該開発計画が法令上の要件をみたしている場合に出されるものである（都計33条）。「区画形質の変更」のうち、「形質」の変更は、切土や盛土の造成を意味する。「区画」の変更は、単なる土地の権利上の分筆や合筆は含まれない。

　ところで、都市計画区域とは、市または一定の町村の中心の市街地を含み、かつ、自然的および社会的条件ならびに人口、土地利用、交通量その他の状況および推移を勘案して、一体の都市として総合的に整備し、開発し、および保全する必要がある区域として、都道府県が指定するものである（都計5条1項）。準都市計画区域とは、都市計画区域の外であるが、土地利用を整序し、または環境を保全することなく、そのまま放置すれば、将来における一体の都市としての整備、開発および保全に支障が生じるおそれがあるとして、都道府県が指定するものである（都計5条の2第1項）。

　日本全国は、都市計画区域と都市計画区域外とに分けられるが、後者の一

部が準都市計画区域になる。都市計画区域は、区域区分を定める区域と区域区分を定めない区域とに分かれる。区域区分とは、市街化区域と市街化調整区域の区分のことである。市街化区域とは、「すでに市街地を形成している区域及びおおむね10年以内に優先的かつ計画的に市街化を図るべき区域」であり（都計7条2項）、市街化調整区域とは、「市街化を抑制すべき区域」である（同条3項）。

区域区分は、昭和43年制定の都市計画法（この時に大正8年制定の旧都市計画法は廃止された）の目玉であった。その目的は、スプロール（sprawl）の防止であった。すなわち、この区域区分こそ、無秩序な都市の拡散を防止できる有効なツールとして考えられていた。しかしながら、市街化区域を広く設定しすぎたため、日本の都市は広がりすぎてしまった。しかも、市街化調整区域でも多くの開発が認められてきたのが現実である。コンパクト・シティをめざすという区域区分の制度は、理念どおりには運用ができなかった。今後適宜の見直しが必要となるが、区域区分は概ね5年ごとに行われている都市計画基礎調査（都計6条1項）の結果をふまえて見直すことが想定されている。区域区分の見直しの考え方については国土交通省が定めている都市計画運用指針に示されている。なお、区域区分の随時の見直しも可能である。現在の日本の市街地は昭和44年当時とは大きく様相を変えており、車社会の発展と人口減少により、中心市街地の空洞化および郊外住宅地の荒廃等の問題が生じている。そのため、都市再生特別措置法では、コンパクト・シティをめざすために、平成26年改正により、前述のとおり、特定用途誘導地区および居住調整地域という地域地区を都市計画で定めることができることを規定した。

2 開発許可の要否の例外

(1) 例外的に不要な場合

前述のとおり、都市計画区域または準都市計画区域で開発行為をする場合は、原則として、開発許可が必要であるが、例外がある。例外事由は、都市

計画法29条1項に列挙されている。例えば、開発行為を行う土地の面積が小さければ、開発許可を必要としないとされている。市街化区域では1,000㎡（必要に応じて300㎡まで下げられる）未満の開発行為が適用除外とされる（都計29条1項1号、都計令19条1項）。ただし、三大都市圏の既成市街地では500㎡未満である（都計令19条2項）。市街化区域の小規模の開発は、建築基準法の建築確認でコントロールするだけということになる。市街化調整区域の開発行為は原則として不可であるが、農林漁業従事者の業務や居住の用に供する建築物に係る開発行為は開発許可を要しない（都計29条1項2号。ただし、業務用建築物は、都計令20条に記載されたものに限定される）。

　開発規模が小さくて開発許可の対象にならないと、いわゆるミニ開発が横行する。**第1部第3章1**(3)で述べたが、建物を建設する敷地は、建築基準法上の道路（42条1項に定義がある）に原則として少なくとも2m幅で接しなければならず（43条1項）、これは接道義務といわれる。この接道義務をみたしさえすればよいという考えで、東京その他大都市では、ミニ開発が盛んに行われてきた。すなわち、比較的大きな区画が売りに出されると、それをデベロッパーが取得し、多数の小区画に分けて分譲するのだが、典型的には、公道から区画の中に引込み道路を入れ、これを建築基準法の位置指定道路（42条1項5号）として指定してもらい、これに小区画がそれぞれ接するかたちの開発がなされる。東京区部等では地価が非常に高いので、このミニ開発が多く、小区画の面積もきわめて小さいので、一般に劣悪な環境と評価されている。例外的によく計画され、建物の質も高いものがあるので一概には評価しえないが、多くはただ分割しただけで、建物の質も低く、長期的なまちづくりの基礎にはなりえないものが多いと思われる。

　また、開発行為を伴う場合でも、それが都市計画事業（都計4条15項）、土地区画整理事業、市街地再開発事業、住宅街区整備事業、防災街区整備事業で行われる場合は、それぞれの根拠法で都市計画上十分な監督の下に行われるので、開発許可は不要である（都計29条1項4号〜8号）。

(2) 例外的に必要な場合

都市計画区域や準都市計画区域の外でも、1ha 以上の開発行為は、都市的な土地利用と位置づけられ、開発許可が必要とされる（都計29条2項、都計令22条の2）。

3 開発許可基準

(1) 技術基準

開発許可は、市街地の開発が一定の基準を確保することを主要な目的とするものでもあるから、その詳細な技術基準が定められている（都計33条）。また、国土交通省では、同技術基準について、詳細な「開発許可制度運用指針」等を定め、これらの指針等を参考に、技術基準の運用が行われている。なお、都市計画法33条の規定は、申請にかかる開発行為が同条に掲げる基準に適合しており、その申請の手続が同法および同法に基づく政令や省令の規定に違反していないと認めるときは、「開発許可をしなければならない」としている。したがって、技術基準が詳細をきわめることになる。

(2) その他基準

開発許可基準には技術基準以外の基準も含まれている。すなわち、開発許可申請者に当該開発行為を行うために必要な資力および信用があること（都計33条1項12号）、工事施行者に工事を完成するために必要な能力があること（同項13号）、開発行為区域内の土地所有者等の相当数の同意を得ていること（同項14号）である。同意の要件であるが、頭数と面積比で概ね3分の2を基準として運用されている（開発許可制度運用指針（平成26年8月1日国都計第67号、令和5年5月26日最終改正）Ⅰ-5-10）。土地区画整理事業等と異なり、地区内の不同意者に強制力を行使はできないので、同意を得られなかった者に対しては、同意なくそれらの者の権利を制約する事業は行えない。したがって、それらの権利を侵害する行為を行う場合は、それらの者の同意をいずれは取得するしかない。

4 開発行為と公共施設

(1) 公共施設管理者の同意

　開発許可を得るにあたって、実務上、大きなハードルは、公共施設の管理者との協議および同意である。ここでいう「公共施設」は、都市計画法4条14項で定義されている「公共施設」である。すなわち、道路、公園、下水道、緑地、広場、河川、運河、水路および消防の用に供する貯水施設である（都計令1条の2）。この同意には、「開発行為に関係がある公共施設の管理者」との協議（都計32条1項）と「開発行為又は開発行為に関する工事により設置される公共施設を管理することとなる者」との協議（都計32条2項）がある。

　前者は、既設の公共施設の管理者であり、かかる管理者の同意を得なければならないとされたのは、開発行為に関する工事によって既存の公共施設の機能を損なうことのないようにする必要があり、かつ、変更を伴うときはそれを適正に行わせる必要があるからである。

　後者は、新設の公共施設の管理者である。開発行為により設置される公共施設の管理の適正を図るためである。開発区域の面積が20ha以上の開発行為について開発許可を申請する場合は、義務教育施設、水道、電気、ガスまたは鉄道施設の管理者と協議しなければならなくなる（都計令23条、ただし、電気、ガスまたは鉄道施設については、開発区域の面積が40ha以上の場合）。大規模な開発行為がこれら公共施設に新たな投資を必要とする等これらの施設の整備計画に影響を及ぼすからである。新設の公共施設の管理者との協議は必ずしも成立する必要性はないと解されている[55]。なお、この協議は、公共施設の管理ばかりではなく、費用負担についても行いうると解されている（都計40条3項で32条2項の協議に言及があるため）。

---

55) 生田・前掲注26) 212頁。

(2) 公共施設の整備

　開発行為に伴う公共施設の整備は誰の責任で行うのかという点について（費用負担については後述）、都市計画法ではストレートな記載が見当たらない。しかし、市街地の基盤となる道路、公園、広場その他の公共空地、排水施設および給水施設は、開発者自らの手によって整備されなければならないが（都計33条1項2号～4号）、これら以外の公共施設（河川等）や教育施設等の公益的施設については、それぞれの施設の管理予定者と協議したうえで開発者はそれらの用地を確保すれば足りる（同項6号）と解されている[56]。

(3) 公共施設用地の帰属

　開発行為によって設置された公共施設用地の帰属は、都市計画法40条で定められている。興味深いことに、廃止される公共施設の土地は開発者に帰属し、これに代えて新設された公共施設の土地は公共施設管理者に帰属する（都計40条1項）。これらの帰属は、開発工事の完了公告の日（都計36条3項）の翌日に当然に行われる交換であると説明される。ただし、既存公共施設の土地が民有地である場合は、開発許可を受けた者がこれを買収しなければならず、この当然の交換の対象ではない（都計40条1項で廃止される公共施設の土地でも民有地は開発者に帰属する土地から除外されている）。

　なお、開発行為によって設置された新たに公共施設用地となった土地で、都市計画法40条1項に規定するもの以外は（つまり、従前の公共施設に代えて新たに設置された公共施設ではない、まったく新たな公共施設の用地となった土地のことである）、開発許可を受けた者が自ら管理するものを除いて、当該公共施設の管理者に帰属する（同条2項）。

(4) 公共施設用地の取得に要する費用の負担

　開発行為に伴って整備される公共施設の整備費用の負担を誰が負うべきかという問題がある。例えば、大規模な土地を開発する場合に、できあがった市街地の中を走る道路は、誰の費用で整備されなければならないかという問

---

[56] 都市計画法制研究会編著『よくわかる都市計画法〔第2次改訂版〕』（ぎょうせい、2018）193頁参照。

題である。都市の基幹道路では当該開発地区以外からの車両も頻繁に通行するであろうが、街区内の道路のようにほとんど街区内の住民のための車両しか通行しない道路もあろう。したがって、道路といっても、ひとまとめにして論じることは不適切である。この論点については、宅地審議会第6次答申（昭和42年3月24日）において、市街化区域内の根幹的施設については国または地方公共団体が、その他の施設（市街化区域内の支線的施設およびその他の区域内の施設）については開発行為を行う者が負担するのが合理的であるとされた。この考え方によって、都市計画法では、開発行為によって整備された公共施設に関する費用のうち、土地の取得費用について、負担が定められている。

　すなわち、市街化区域内における都市計画施設である幅員12m以上の道路、公園、緑地、広場、下水道、運河および水路と河川については、それらの土地が都市計画法40条2項に従って開発工事の完了によって国または地方公共団体に帰属することとなる場合は、これらの土地の従前の所有者は、国または地方公共団体に対し、当該土地の取得に要すべき費用の額の全部または一部を負担することを求めることができるとされている（同条3項、都計令32条）。土地の取得に要すべき費用に限定されており、公共施設の整備に関する費用までは規定されていない。これは、土地の取得に要すべき費用については、当然にその全部または一部を要求できることを明確にしているものであるが、それ以上の要求を否定するものではなく、それ以上の要求をする場合は、協議すべきものと考えられている[57]。なお、市街化調整区域における公共施設整備費用は、基本的に国または地方公共団体の負担はないので、開発者が負担しなければならない。

(5) 公共施設の管理

　開発行為により設置された公共施設は、開発工事完了の公告の翌日において当該公共施設の存在する市町村の管理に帰属することが原則とされてい

---

[57] 開発許可制度研究会編『最新開発許可制度の解説〔第4次改訂版〕』（ぎょうせい、2021）345頁参照。

る。ただし、都市計画法32条の協議で管理者について別に定めたときは、その定めに従う（39条）。開発許可を受けた者が管理する場合もある。

5　市街化調整区域と開発許可

(1)　市街化調整区域における開発許可

　市街化調整区域は市街化を抑制すべきであるので、本来、開発許可をしてはならないのが原則であるが、例外がある。大別すると、1つは、スプロール対策上特段の支障がないと認められるもの、今1つは、スプロール対策上支障があるが、認容すべき特別の必要性が認められるものである。詳細は、都市計画法34条の各号に規定されているが、相当に広いものとなっている[58]。

(2)　開発許可不要土地での建築

　市街化調整区域で土地の区画形質の変更なくして建物の建築が可能として建築が行われれば、スプロール防止という区域区分そのものの目的に反した結果になりかねない。したがって、市街化調整区域で土地の区画形質の変更なく建物を建築する場合は、開発許可に代えて建築許可を取得しなければならない（都計43条）。この場合も、建築基準法上の建築確認は別途得なければ、建築行為に着工できない。

　なお、既存宅地（市街化調整区域に関する都市計画が決定され、または都市計画を変更してその区域が拡張された際すでに宅地であった土地であって、その旨

---

[58] 生田・前掲注26) 209頁には、「市街化圧力の強い大都市周辺では、その運用において厳格さを欠く傾向があり、特に個別審査に委ねられており、裁量の幅が大きい④のⅱ〔小澤注：34条14号の「前各号に掲げるもののほか、都道府県知事が開発審査会の議を経て、開発区域の周辺における市街化を促進するおそれがなく、かつ、市街化区域内において行うことが困難又は著しく不適当と認める開発行為」を指している〕等により、市街化調整区域のなし崩し的な市街化が進行しているところも見られる。」との指摘がある。私も「市街化調整区域のなし崩し的な市街化」を目にしたことがある。今後コンパクト・シティを目指すにあたって大きな問題を引き起こすものであり、過去の実態の厳しい検証が必要であると思う。

の都道府県知事の確認を受けたもの）については、かつて建築行為に建築許可は不要とされていたが、平成12年の都市計画法改正で、この取扱いは廃止された。

6 開発許可と建築

(1) 開発許可と建築確認

都市計画区域および準都市計画区域の内では、建築に着工する場合は、すべて建築確認が必要となる（ただし、防火区域および準防火区域の外において建築物を増築、改築、移転する場合で、それらの部分の床面積の合計が10㎡以内のものについては確認を要しない。建基6条1項4号・2項参照）。

したがって、典型的な場合、すなわち、市街化区域または市街化調整区域で開発行為を行ったうえで建築を行う計画を有する場合は、建築に着工するまでに、開発許可と建築確認の両方が必要となる。建築確認申請にあたり開発許可を得ているかは審査される（建基令9条12号）。

(2) 開発区域内の建築についての制限

開発許可は、建物や一定の土地工作物の建設のための開発が対象であるから、開発行為の前提には建築計画があり、開発許可申請において、予定建築物の用途は記載しなければならない（都計30条1項2号）。開発許可を受けた土地では、予定建築物以外の建築物を建築してはならない（都計42条1項）。この制限は、開発許可を得た者だけに適用されるのではなく、当該開発区域において建築を行うすべての者に適用される。もっとも、当該開発区域内に用途地域等が整備されれば、その制度で環境保全等が図られるので、建築できる建物は予定建築物に限られることはない（同項ただし書）。

開発許可を受けた開発区域内では、開発工事の完了公告があるまでは建物の建築に着工してはならないのが原則である（都計37条）。

第4章

土地区画整理

1 土地区画整理の仕組み

(1) 土地区画整理事業の意義

　土地区画整理事業は、市街地整備のために土地の計画的再編成を可能にする手法である。平面的な再編成を基本にする（立体的な再編成が可能な立体換地という手法もあるが、建物を建設して立体的に再編成をする場合は後述する都市再開発法による市街地再開発による場合がほとんどである）。土地区画整理事業が日本の現代の市街地の形成に果たした役割は強調しても強調しきれない。

　日本の国土は、古都や城下町等のごく限られた地域を除くと、市街地形成が自然発生的であり、とりわけ、過去の道路は車社会の現代では十分に機能させにくかった。したがって、車社会の発展に伴って、道路を計画的に再編成した市街地につくりかえる社会的要請があった。そのためには、何もない荒野に一本道を敷くのとは違って、既存市街地の全体的な再整備が不可欠となる。既存市街地があたかもないように道路を敷設していくという荒っぽい手法もありえるが、それではただ道路をつくるだけのことで、道路以外の部分の市街地全体の空間の質を上げることにはならないからである。

　また、新しく市街地を開発する場合、開発区域内にすでに建物が建てられている土地が含まれていると、全面買収が容易ではない。すでに建物が建てられている土地が含まれていなくとも、土地を手放したくない土地所有者は多い。このような買収できない土地を残したまま開発を進めると、虫食い的

な市街地開発が進み、全体として質の高い都市空間を整備することはできない。したがって、既存の土地所有者の意向を反映しつつ計画的な市街地整備を行うことが可能な土地区画整理の手法が活用されてきたのである。新市街地の開発における典型的なパターンは、土地区画整理事業の認可が確実となった段階で市街化調整区域を市街化区域に編入し、乱開発を避けるというものである。

(2) 土地区画整理法の基礎

 土地区画整理事業は、土地区画整理法で規律され、その基本[59]は、各土地所有者がそれぞれ所有する土地の一部を拠出して(これを「減歩」という)、かかる土地で公共施設用地として必要な土地の確保につなげるとともに、新たに販売用の土地(これを「保留地」という。区画整理96条1項)をも確保するところにある。保留地売買代金は、事業の重要な資金となり、各土地は、新たに整備された市街地に再配分される(従来の土地を「従前地」と呼び、再配分を受ける土地を「換地」という)。換地は、従前地に比べると、減歩されて面積が減るが、土地区画整理事業により市街地整備がなされるため、土地の単価は高くなる。そのために、換地の価格は従前地の価格以上となり、換地の面積が従前地の面積より減っても、補償が必要ではない。

 バブル経済崩壊までは、地価はほぼいつも右肩上がりであり、保留地が予定価格で売却できずに、事業資金をまかなえないといった事態は発生しなかった。しかし、バブル経済崩壊後は、予定保留地価格で保留地が売れずに、事業資金がショートするという事態が多く発生した。そのような場合、各土地所有者から賦課金徴収がなされた事例がある。しかし、このような事業破綻をした事例を除くと、各土地所有者は、減歩以外に経済的な負担をす

---

59) 土地区画整理法については、大場民男弁護士の一連の著作があり、どれも実務的で参考になるが、その晩年の著作に『条解・判例 土地区画整理法』(日本加除出版、2014)がある。また、同法については、古くなったものの松浦基之弁護士の『土地区画整理法』(第一法規出版、1992)のコンメンタールがある。この両弁護士の著作は参照価値が高い。

ることもなく、整備された市街地に換地を得られるところに特徴がある。

　各土地所有者は、従前地を失うのと引き換えに、位置も面積も形状も従前地とは異なる換地に土地所有権を取得するのであるが、これは、換地処分という行政処分により行われる。換地処分により保留地も生まれる。保留地は施行者が原始取得する（区画整理104条11項）。換地処分前は、「保留地予定地」である。事業は、事業主体によって、組合施行、公共団体施行、個人施行等に分けられる（区画整理第2章）。かかる事業主体である施行者が行う換地処分は、施行対象の区域（これを「施行地区」という）の土地の権利者すべてを巻き込む。個人施行は、土地の権利者の全員同意で事業が進むからこのことは当然とも言えるが、組合施行は、事業に反対する土地の所有者や借地権者がいても、それらの者を無理やり強制的に事業に巻き込むので、行政処分として行わざるをえない。組合施行とは、施行地区の多くの土地所有者や借地権者の同意の下、都道府県知事に認可されて設立される「土地区画整理組合」が事業主体になるものであり、かかる組合は公法人とされ、法人格を有する。

　換地処分により、従前地の権利は、そっくり換地上に移行する（区画整理104条1項）。つまり、従前地について甲が土地所有権を有し、乙が借地権を有していれば、換地の所有権は甲が取得し、換地の借地権は乙が取得する。従前地について丙が抵当権を有すれば、換地上に丙が抵当権を取得する。ただし、従前地と換地とは位置がずれ、または、換地が従前地とはまったく重なり合うこともなく遠くに飛ぶこともある。したがって、土地に関する権利で従前地の位置が前提となる地役権だけは移行しない（同条4項）。例えば、施行地区外から施行地区を横断する電線に関する地役権は、なお、従来どおりの位置に存続する。従前地の一部に電線用の地役権が存在していた場合、その従前地のうち地役権の範囲の土地が誰かの換地の上に乗ってしまう場合は、その換地が当該地役権を負担することになる。なお、区画整理事業により、既存の地役権が無意味になる場合は、地役権は消滅する（同条5項）。

　換地処分により、土地所有権は換地に移行するとしても、従前地上の建物

はどうなるのかであるが、物理的にも経済的にも曳家が可能であれば曳家がなされ、建物がまさに従前地から換地に曳かれることになる。この場合は、事業後も建物が残るので、建物の借家人も当該建物についての借家人としての権利義務を有し続けることになる。しかし、多くの場合は、曳家ではなく、建物は除却して、その代わり一定の補償金を受け取り、その補償金を資金として換地上に新築建物を建設する。この補償金は相当に手厚い。補償金の算定基準には、用地対策連絡協議会（実務上「用対連」という。中央用地対策連絡協議会の会長は国土交通省土地水資源局長が就任する等、国の関与が大きい組織である）の定める補償基準が使われることが多い。建物に借家人がいた場合、建物が除却されるので、建物賃貸人は、自己の責に帰すべからざる事由により賃貸する義務を履行できない。借家人は代替建物へ移転するための費用や代替建物の賃料と既存賃料との差額につき一定期間施行者から補償を受けられる。

　建物があれば、建物の除却等について、用対連の補償基準に従って従前地権者と施行者とが協議して補償金額を定め、合意に達すれば、一定期間以内に除却することを従前地権者が施行者に約束して、補償契約を締結することになる。合意に達しなければ、土地収用委員会で裁定が出され、これに不服の当事者は裁定の変更を求めて行政訴訟を提起できる（区画整理78条1項および3項、73条2項～4項、収用94条2項）。なお、補償合意に達しない場合は、建物の除却が任意になされない場合があり、その場合は施行者が市町村長の認可を受けて、自ら除却できる（これを「直接施行」という。区画整理77条1項・7項）。直接施行は、物理的な強行手段であり、これが許されていることから、従前地の地権者の理不尽な要求に屈することなく、施行者は事業を遂行できるわけであるが、施行者としては可能な限り避けたい事態である。

　なお、土地に対する権利が換地処分により、一度に従前地から換地に移行するとしても、事業が開始し、事業が完成するまでは相当の期間を要するのが通常であって、この期間は、施行地区はカオス状態になる。工事を進めな

ければならないからで、工事を進めるにあたっては、初期段階は、土地所有者から同意をとって工事をさせてもらうことが多い。工事が進捗すると、仮換地指定という行政処分を行う段階に至る。従前地に対して仮換地が指定されれば、従前地の使用収益が停止される（区画整理99条1項）。同時に仮換地の使用が可能となることが原則であるが、状況によっては、仮換地が指定され従前地の使用収益が停止されても、同時には仮換地が使用できない場合がある（同条2項）。このような場合は、従前地をその間使用できなかったことに対する補償が行われる（区画整理101条1項）。この仮換地指定がされることで、当該従前地に対して施行者は工事を強行することができるわけである。仮換地指定は、順次段階的に区域を分けて行われる場合もあれば、施行地区全体に1度に行われる場合もある。

　換地と従前地とでは、位置、形状、面積ともに変わる可能性があるが、施行者の恣意によって、これらが決まることを防ぐために、「照応の原則」が守られなければならない。これは、土地区画整理法89条1項で「換地計画において換地を定める場合においては、換地及び従前地の宅地の位置、地積、土質、水利、利用状況、環境等が照応するように定めなければならない。」とあることを指す。恣意的な指定を避けるためには非常に重要な規定であるが、過去、恣意的な指定であるとの批判を避けるために、機械的な換地設計がなされ、せっかくの市街地再整備の機会を活かせなかった事例も多かった。各土地所有者としても、土地区画整理事業を契機に、商業地域に進出したいとか、賃貸アパート事業を開始したいとか、幹線道路よりも奥の静かな住環境に移りたいとかのさまざまな希望があるものである。このような各地権者の土地利用の意向をくみあげて、それを換地設計にも活かし、各地権者の換地まで決めていく手法がいわゆる申出換地と呼ばれる手法であり、今や、多くの事業で採用されている。申出換地手法を採用する場合に、申出内容と用意されたゾーンとがうまくマッチングしなければ、ゾーンの再考、すなわち換地設計の変更が必要となる場合もある。また、事業に協力的でなく、申出を行わない地権者の換地をどのように定めれば、照応の原則違反を

いわれないのかという課題もあるが、多くの事例では、知恵を使ってこの種の課題に対し、適切に対応されているように思われる。申出を行わない地権者を不当に冷遇しないことが重要である。なお、従前地と換地とは経度緯度上同じ位置であること、すなわち、原位置換地が最も望ましいとして、原位置換地を追求すべきとの意見もあるが、そのように考える合理性はない。事業後の市街地の姿は事業前と比較すると一変するのであり、そこにおいて、絶対的な経度緯度上の位置に固執すること自体、照応しない土地の出現を招き不合理だからである。

2　組合区画整理

(1) 組合区画整理と業務代行

　土地区画整理事業の施行は、地権者で組織する土地区画整理組合で行うことが本来は望ましい。一定の区域の土地所有者や借地権者が集まって市街地整備を行うことが当該区域の都市空間の質を向上させるためには有効だからである。すなわち、市町村という地方公共団体は、その市町村域全体について目配りをする立場にあり、どこか特別な一定区域について目配りをする立場にはない。特別な一定区域に目配りをするとすれば、それが市町村全体にとっても有益であるという事情が必要であり、そのような場合は限定的である。したがって、土地所有者や借地権者が自主的に団体を形成して、自主的に市街地整備を行おうとすることこそが、市街地整備の王道であり、そのためには、土地区画整理法で用意されている組合区画整理の手法が最もふさわしいのである。

　しかしながら、土地の所有者らが自主的に団体を形成して土地区画整理事業により市街地整備を進めるためには、土地の所有者らがそれに取り組む意欲がわく状況が前提となる。そのような前提は、事業により十分な利益が得られるといった確信を抱く状況が前提となる。この見通しは、土地区画整理事業の専門家が介在しなければ明らかにできない。したがって、事業の開始にあたって、土地区画整理コンサルタント等の協力は不可欠である。なお、

土地区画整理事業で換地の価値が従前地の価値に比べてはるかに高くなっても、その差額に課税はされない（ただし、他の地権者とのアンバランスを是正するために交付される清算金には一定の課税がある）。土地区画整理事業は地権者にさまざまなリスクを負わせるものでもあり、そのリスクと引換えにこのようなリターンがあるとも言えるが、市街地整備という事業の公共性のゆえに課税がないとも言える。

また、土地区画整理事業の成否は、保留地を予定販売価格で確実に販売できるかどうかにかかっている。この保留地販売の点のリスクを引き受けてくれる者がいれば、これほど組合にとってありがたいことはない。そこで、過去において、このリスクをすべて民間事業者が負うかたちの業務代行という手法が広く活用されたことがあった。しかし、バブル経済の崩壊により、保留地が予定どおりの価格ではとても売れないという状況が生まれ、保留地の引き受けを約束していた民間事業者は巨額の損失を被ることになった。

この民間事業者とは、主としてデベロッパーとゼネコンである。デベロッパーにとってみれば、保留地を取得することは完成された宅地の仕入れであり、その販売は得意の宅地販売事業そのものである。また、ゼネコンにとってみれば、保留地を取得するのと引換えに公共施設整備の工事を行うことができれば（補助金対象事業は組合も入札を行う必要があるが、補助金対象事業でなければ組合は随意契約で工事業者を選ぶことができる）、これまた得意の土木事業そのものである。したがって、一定の土地区画整理事業を民間事業者の責任と負担で一定の期間内に仕上げ、引換えに保留地を引き取るという取引が成立したのであって、これがかつて行われていた典型的な組合土地区画整理の民間事業者による業務代行である。

この業務代行にあっては、業務代行者が組合事務局に事務担当者を出向させ、事業全体をコントロールしていたとも言ってよい。各組合員にしてみれば、最終的に予定されていたように市街地が整備され、予定されていた程度の減歩率で換地を取得でき、それで十分に利益があれば、それでいいのであって、「あとは、リスクも利益も全部民間事業者にとってもらって結構で

す」という取引が成立していたのである。

　しかし、上述のように、今や、市街地を整備すれば必ず高い価格で土地が売れるという時代ではない。したがって、業務代行といっても、保留地の引き取りを必ずしも約束しないのであって、業務代行契約は今や千差万別であると思われる。デベロッパーやゼネコンが業務代行を行う場合は、組合設立の前の段階から地権者の事業参画への意識を高め、組合設立の段階では、おおよそ保留地販売の見通しまで立てて、設立後は、早期の工事完成と保留地販売を実現できるように組合のために尽力している場合が多いように思われる。保留地を引き取らなくとも、組合にとっては、このように事業を早期に仕上げてもらえる業務代行者は大変ありがたいものである。なぜならば、市街地整備の工事は、期間も長く、工事量も多く、工事代金も巨額であって、このような事業を、知識も経験もない組合の理事や監事だけで完成させることは手に余るからである。

　過去、民間事業者である業務代行者が活躍するのではなく、市町村という地方公共団体が組合事業をサポートするところも多かった。そのような地域でも、組合の理事や監事は、施行地区内の有力者というだけで選任されることが多いものであるから、土地区画整理事業について知識も経験も乏しく、市町村が深く事業にかかわらざるをえなかった。県によっては、市町村の職員が組合事務局に出向し、組合の事務のほとんどすべてを仕切っているというところも珍しくはなかったのである。これは、実態は、組合施行というよりも、市町村施行である。そのため、一旦、事業が頓挫すると、事態の収拾がきわめて困難になった（ずるい市町村は雲行きが怪しくなると逃げた）。そのため、今や、このように市町村が組合事業に深く入り込んでいる例は少ないように思われる。

　組合の理事や監事に、土地区画整理事業の経営や監理の実務を任せるということ自体に無理があり、以上のとおり、民間事業者や市町村が深く関与しなければ事業遂行は難しいのであるが、事業資金を立て替えたり自ら負担する業務代行者という存在がいない事業の場合は、組合が資金調達をする必要

がある。その場合、金融機関は、理事を保証人として求めていた。これは、土地区画整理コンサルタントだけしかいない組合区画整理や、市町村が深く関与していた組合区画整理で見られた現象であり、事業が破綻した場合に理事を苦しめるという悲惨な結果をもたらした。後述のとおり（第6部補論第2章7(2)）、平成29年民法改正で事業に係る債務の個人保証は公正証書を利用した意思確認が必要であるとされたが、この制限は経営者保証には及ばず、組合区画整理の理事の保証リスクについてはなお従来のままである。組合区画整理の破綻は、株式会社の倒産と同様の事態であるが、数多くの問題を発生させる。組合区画整理の再生については、別に詳しく論じたことがあるので、ここでは説明を省略する[60]。

　地権者を中心とする土地区画整理事業の多くは、組合区画整理によって行われてきたが、平成17年の土地区画整理法の改正により、会社施行の土地区画整理事業も認められるようになった（3条3項、51条の2～51条の13）。この区画整理会社制度は、平成14年に都市再開発法で導入された市街地再開発事業の再開発会社制度の区画整理版であるので、再開発会社と同様の考え方で導入されたと理解すればよい。その考え方については、再開発会社制度で後述するところを参照されたい。

(2)　**組合区画整理の組織と運営**

　土地区画整理組合は、都道府県知事の設立認可により設立される法人である（区画整理21条・22条）。組合には理事および監事が置かれる（区画整理27条）。理事は組合の業務を執行し（区画整理28条1項）、監事は組合の業務の執行および財産の状況を監査する（同条3項）。最高の意思決定機関は総会であるが、組合員の数が100人を超えると総会に代わってその権限を行使できる機関として総代会を設けることができる（区画整理36条1項）。総代会を設置した場合も総会でなければ決議できない事項がある（同条3項）。すなわち、理事および監事の選挙および選任（同項1号）ならびにいわゆる

---

[60] 小澤英明＝飛田博「土地区画整理組合の再建──君津市郡土地区画整理組合の例」区画整理51巻4号（2008）45頁以下参照。

特別決議事項である（同項2号、34条2項）。

　組合設立は、7人以上が共同して発起人となり、定款および事業計画を定めて、都道府県知事に認可の申請をする（区画整理14条1項）。申請にあたっては、施行地区の土地所有者および借地権者の各3分の2以上の同意が必要であり、3分の2以上の面積要件もある（区画整理18条）。

　なお、土地区画整理組合においても後述の都市再開発組合と同様に参加組合員制度があるが（区画整理25条の2、40条の2）、独立行政法人都市再生機構等の公共性の高い法人のみが参加組合員となる資格があり（25条の2、区画整理令68条の2）、都市再開発が広く民間事業者を参加組合員としうる点と比較すると大きな違いがある。

3 仮換地・保留地予定地の売買

(1) 仮換地の売買

　土地区画整理事業では、換地計画に基づく換地処分は、事業の最終段階で行われることが圧倒的に多い。これは、換地計画には清算金に関する事項も定めなければならないところ（区画整理87条1項3号）、これは事業の最終段階でなければ決めることが事実上難しいからである。また、換地を確定するための換地設計図は、工事完成後に、換地となるべき土地や公共施設用地となる土地を確定測量したうえで、もはや訂正の必要のない図面をもとに作成されるためである。

　もちろん、工事を行うには、生み出される換地の工事のための設計図がなければならないが、換地計画を構成する換地設計図は、上記のとおり、工事完成の状況を示す図面であり、工事のための設計図そのものではない。工事のための設計図は、それ以前のものであって、予定換地設計図とでもいうべきものである。かかる設計図に基づいて、換地予定地としての仮換地の工事が行われ、仮換地が指定される。このような換地予定地としての仮換地は、ほとんどそのまま換地になる場合が多く、ごくわずかに面積が修正される程度である。したがって、仮換地が指定されると、従前地の所有者は、ほぼ換

地と同等の感覚で仮換地の使用収益ができるのが通常である。しかしながら、施行地区全体の工事が完成しない間は、完成した換地計画はできあがらないので、換地処分はできず、仮換地であり続ける。換地処分があって初めて換地が生まれ、従前地の権利が換地に移行するのであって、仮換地段階では換地の所有権は発生しておらず、存在する土地所有権は従前地の所有権しかなく、登記も従前地にしか存在しない。

　以上でわかるが、仮換地が指定されても、土地所有権は従前地にあり、従前地の土地所有者には仮換地についての使用収益権があるだけである。しかし、仮換地は所有地同様に使用収益できるため、このような仮換地状態でよいから土地を買いたいとの意向を有する企業もありうる。この仮換地指定済みの土地売買は、対象は、従前地の所有権であるが、従前地の使用収益は停止されており、仮換地の使用収益権がついているということになる。

　このような状態の土地売買で買主として注意すべきは、レアケースではあっても、仮換地どおりに換地を得られないリスクがあり、また、想定外の負担を負うこともあるということである。つまり、仮換地に着目した売買であっても、仮換地は登記もないので、仮換地指定済みの従前地の所有権売買というかたちをとり、従前地の土地所有権が売主から買主に移転し、その登記もなされる。この段階で、組合区画整理事業であれば、買主が売主に代わって組合員になる。しかも、売主の組合に対して有していた権利義務は当然に買主に移転する（区画整理26条1項）。また、売主に対して行われていた施行者の各種処分は、買主に対して行われた処分とみなされる（区画整理129条）。そのため、買主は、売主の土地区画整理事業に関する地位をすっかり引き受けることになる。したがって、購入後に事業が変更されるリスクを引き受ける。仮換地指定の変更があれば、かかる変更を受け入れざるをえない。したがって、当初の仮換地どおりの換地が得られなくなることもあるわけである。施行者が組合の場合は、土地購入後に組合が破綻して想定外の賦課金を課されるリスクもある（区画整理40条）。このように仮換地指定どおりの換地が得られないリスクや賦課金が課されるリスクという従前地の問題

が土地売買時点から存在し、その問題が隠れていれば、売主は、買主に対し、瑕疵担保責任（契約不適合責任）を負うことになる。また、その問題の可能性のある事情がありながら事情を説明していなければ、売主には信義則上の説明義務違反も生じうる。したがって、買主は、売主に対して損害賠償を請求する権利を取得することはあるが、思わぬ事態に直面してしまうリスクがあるわけで、仮換地状態の土地を購入する買主は、このことに注意して購入しなければならない。

(2) 保留地予定地の売買

ある従前地甲に対して仮換地乙が指定される場合、仮換地乙の指定を表指定と呼ぶ（従前地所有者に対する通知が「表指定」である）。仮換地乙が従前地丙の全部または一部である場合、従前地丙の所有者にその旨通知することを裏指定と呼ぶ（仮換地となるべき土地の所有者に対する通知が「裏指定」である）。従前地甲は、仮換地時点でどのような土地になるかというと、まず、他の従前地の仮換地と指定されることがある。つまり、仮換地の裏指定を受けることがある。次に、保留地予定地となることもある。さらに、公共施設の予定地となることもある。以上のうち、保留地予定地や公共施設予定地は、換地処分の公告があるまでは、施行者が管理する（区画整理100条の2）。

保留地予定地または公共施設用地の管理権は、上述のとおり、施行者にあり、その管理権の負担がついた土地所有権は、それまでの土地所有者が仮換地指定後もなお有するということになる。かかる施行者の管理権は、所有権に準じる一種の物権的支配権であると解されている。つまり、第三者が権原なくしてかかる土地を不法に占有する場合には、これに対して物権的支配権に基づいて土地の明渡しを求めることができると解されている[61]。保留地予定地の管理権に基づいて保留地予定地を使用収益することができ、このことに着目して、換地処分前に保留地予定地が売買されることがある。登記もない土地であり、仮換地売買と異なって保留地予定地売買を対抗する公示方

---

61) 最判昭和58年10月28日裁判集民140号249頁、判時1095号93頁。

法も法定されてはいない。しかしながら、一般に施行者において、保留地台帳を整備している。また、少なくとも保留地予定地について権利を有する者およびその権利の内容を示したものは、保留地予定地の簿書として、法定帳簿であり（区画整理84条1項、区画整理令73条5号）、利害関係者からの閲覧謄写の対象でもある（区画整理84条2項）。保留地予定地の買主は、換地処分という条件付の施行者に対する所有権移転請求権を有する者として、かかる簿書に記載がされる。したがって、不動産登記に準じてその権利関係が公示されているとも言える。

　施行者からA、AからBへと保留地予定地が転売されることはあるが、この転売は、施行者とAとの間の換地処分を条件とする保留地予定地の所有権移転請求権と保留地予定地についての施行者の管理権に基づきAに認められた同土地の使用収益権を内容とする権利の売買であると言える。かかる売買当事者の保留地予定地をめぐる紛争は、民法の売買に準じて検討することになる。

　保留地予定地売買のリスクは、レアケースではあっても、保留地予定地どおりに保留地を取得できないケースがあるということである。もっとも、施行者としてはすでに売却済みの保留地予定地の売買を蒸し返してもメリットはほとんどなく、かえって事業を停滞させるだけであるから、その蒸返しを行うことは事実上考えにくい。むしろ、現実のリスクとしては、事業が破綻して、保留地予定地が保留地となる換地処分（これがなければ保留地の所有権を取得できない）がいったいいつになるのかが見えないという袋小路に入り込むことであろう。

4　高度利用推進区

(1)　高度利用推進区の意義

　ここで取り上げるのは、土地区画整理法の平成14年改正で導入された「高度利用推進区」である。高度利用推進区は、土地の高度利用を図るため、申出に基づく換地を可能にする制度である（区画整理85条の4）。

かねてから港北ニュータウン等の大規模な土地区画整理事業において任意の申出換地は活用されてきた（申出換地の方式が定着したのは住宅公団の川手昭二氏および清水浩氏両名の尽力によるところが大きい）。これは、照応原則にこだわらずに換地を希望する者の希望を尊重しても、他の地権者に不利益を与えない場合は、かかる希望を採用して換地を決めうるという考え方による。この考え方は、施行地区内の特定の数筆の土地につき、当該地権者全員が他の土地の換地に影響を及ぼさない限度で、これらの土地に対する換地の位置、範囲に関する合意による換地を求める申出をしたときは、公益に反せず事業遂行上支障を生じない限り、土地区画整理法89条の照応の原則によらず、合意に従って換地を定めることができるとする判例[62]にも支えられてきた[63]。しかし、任意の申出換地ではなく、一定の政策的目的を実現するために、一定の要件が充足されれば申出換地を可能にしなければならないと法定する場合がいくつかある。高度利用を目的とする高度利用推進区はその一例である。

(2) 高度利用推進区を定めうる地域

　高度利用推進区を定めうる地域は、高度利用地区（都計8条1項3号）、都市再生特別地区（都市再生36条1項）、特定地区計画等区域（都市再開発2条の2第1項4号）である（区画整理6条6項）。これらの地域は、要するに高度利用の実現を図るために都市計画の準備が整った地域である。これらの地域に申出を行うことで高度利用の実現を図りたいという地権者をサポートするものである。

　なお、土地区画整理事業の施行地区内で一部市街地再開発事業を行う場合、いわゆる一体的施行の場合においても、その再開発事業を行う地域を市街地再開発事業区として定め、同事業区への申出換地が可能である（区画整

---

[62] 最判昭和54年3月1日裁判集民126号197頁、判時925号63頁。
[63] 任意の申出換地の諸問題については、小澤英明「区画整理における換地計画の自由と制約——原位置換地主義の批判と申出換地の検討」ジュリスト1076号(1995) 64頁以下を参照されたい。

理85条の3)。同事業区では高度利用を目的とした事業が行われるが、手法が都市再開発法に基づく市街地再開発事業に限定されるところ、高度利用推進区では、高度利用推進の手法にこのような限定がないところに特色がある。土地区画整理と市街地再開発の一体的施行については、後述する。

(3) 申出方法

換地については単独でも共同でも申出ができる。共同で申し出る場合は、いわゆる短冊換地を取得したい旨の申出（区画整理85条の4第1項）も換地の共有持分を取得したい旨の申出（同条2項）も行うことができる。短冊換地とは、共同で土地利用を行いたい複数の地権者が換地を短冊状に切り刻んだその一片を換地として取得する換地の手法であり、各換地単独では土地利用が事実上できないので、共同利用を強いられ、換地利用の目的である共同利用が地権者の将来の気変わりで害されることがないものである[64]。

(4) 申出の過不足に対する対応

高度利用推進区の設定は、どれだけの申出の希望があるかをアンケート等で情報収集のうえ定めるので、うまくいけば、申出が高度利用推進区に過不足があるという事態は避けられるが、過不足があることのほうがむしろ多いであろう。不足があれば、不足部分は保留地に変更するなどの対応が可能であるが、超過する場合は、申出を受けられない地権者が出る。つまり、申出却下という事態が生じる。このような場合は、なぜ、その希望を却下し（区画整理85条の4第5項2号の場合）、他の地権者を優先したかを説明できなければならないので、優先順位についてしっかりとした考えをもって処理しなければならない。その処理が難しい場合は、超過が生じないように高度利用推進区の範囲を広げるなど事業計画変更が適切な場合も少なくないと思われる。

---

[64] 短冊換地については、小澤英明「短冊換地の法律問題」区画整理士会報2021年5月号2項以下を参照されたい。

5　土地区画整理と公共施設

(1)　公共施設管理者負担金

　道路等公共施設の整備において誰の責任で、また誰の負担で整備するのかという問題について、開発行為の場合に問題となった論点が土地区画整理事業でも同様に問題になる。土地区画整理法の「公共施設」とは、道路、公園、広場、河川、運河、船だまり、水路、堤防、護岸、公共物揚場および緑地である（2条5項、区画整理令67条）。都市計画法における「公共施設」の定義とほぼ重なるが、微妙に異なる（4条14項、都計令1条の2）。

　土地区画整理事業の場合、市街地整備の過程で主要な道路等、施行地区外の居住者の利益になる公共施設の整備も行うことがあることから、そのような施設の整備の費用負担が問題となる。これについては、施行者は、都市計画において定められた幹線道路、運河、水路、公園、緑地または広場、道路法の道路、河川法の河川等（区画整理令64条の2）の用に供する土地の取得に要すべき費用の額の範囲内で、土地区画整理事業に要する費用の負担を、かかる公共施設管理者に対し求めることができるとされている（区画整理120条1項）。これを公共施設管理者負担金と呼ぶ。「土地の取得に要すべき費用」としては、「土地の買収費、物件移転費、補償費、工事雑費、事務費等が含まれる」と解されている[65]。「土地の取得に要すべき費用」がこのようなものであっても、そのうち、どの部分を求められるかは、事前に当該公共施設管理者と協議して、協議がまとまった金額および負担の方法（支払いを年度別にするか、公共施設の工事の時期と関連づけるか等）を事業計画で定める必要がある（同条2項）。公共施設整備の費用負担の精神は、開発行為に関連して整備される公共施設整備の費用負担の精神と同様である。本来、一定の区域住民だけの利益のためとは言えない公共施設の整備費については、開発者や土地区画整理施行者の負担ではなく、公共施設管理者の負担とする

---

[65]　街づくり区画整理協会『土地区画整理法逐条解釈（平成29年改訂版）〔第5版〕』（街づくり区画整理協会、2017）218頁。

のが筋であろうが、どの公共施設をどういう規格でまた優先順位で整備していくべきかという判断においては予算の制約の下公共施設管理者の立場での判断があり、開発者や土地区画整理施行者の計画とはずれがあるのは当然であるから、協議に基づく合意が負担の前提となることもやむをえないことである。

　なお、組合区画整理事業の場合、事業費は、保留地処分代金および公共施設管理者負担金のほか、国や地方公共団体からの各種補助金でまかなわれる。開発行為に比較して、このような事業費補助が組合土地区画整理事業にあるということは、組合土地区画整理事業自体の公共性を示していると言える。

(2)　公共施設用地の帰属

　土地区画整理事業の公共施設用地の帰属は、前述した開発行為により整備された公共施設用地の帰属とほぼ同様の考え方で整理されている（区画整理105条）。

第5章

市街地再開発

1 市街地再開発の仕組み

(1) 市街地再開発事業の意義

　市街地再開発事業は、市街地の再編成を行うものであるが、土地区画整理事業が平面的な土地の再編成を行うのとは異なって、立体的な土地の再編成を行うものであり、必ず建物の建築を伴う。昭和44年に制定された都市再開発法が根拠法となる。

　前述のとおり、土地区画整理法にも立体換地という手法が規定され（93条）、換地の代わりに建物（施行者に処分権限があることが必要）とその敷地の土地の共有持分を与えることができる場合があることが規定されている。しかし、立体換地は、ほとんど利用されなかった。その理由としては、立体換地は、保留床についての規定がなかったこと（保留床を設けることができるのかも論点になっていた）、借家人の保護手続規定が整備されていないこと等が挙げられており、立体的に土地を再編成するには十分なものではなかったからのようである[66]。

　市街地再開発事業には第1種と第2種があり、第1種が土地区画整理の立体版とでもいうべき手法をとり、用地買収方式の第2種（都市再開発118条の2以下）と区別される。ここでは、第1種の市街地再開発事業を対象に解

---

66) 松浦・前掲注59) 441頁、国土交通省都市局市街地整備課監修、都市再開発法制研究会編『逐条解説都市再開発法解説〔改訂8版〕』（大成出版社、2019) 15頁参照。なお、後者は都市再開発法の解説書としては必読の文献である。

説を行う。

　市街地再開発事業も、事業主体により、組合施行、公共団体施行、個人施行等に分けられるが（施行者については、都市再開発2条の2）、土地区画整理と同様に、ここでも本来は、地権者が中心になって事業を企画し遂行する組合施行が望ましいが（土地区画整理組合と同様に市街地再開発組合も法人であり、その組織や運営は土地区画整理組合とほぼ同様である）、人的資源や経済的資源において組合土地区画整理と同様の問題を有する。この不十分な資源を補う手法として、土地区画整理組合の場合と同様に、民間の事業者の業務代行の制度もあるが、市街地再開発事業に民間事業者が参入する方式については、後述する。

　組合施行の市街地再開発事業は、「第1種市街地再開発事業の施行区域内の土地について第1種市街地再開発事業を施行することができる。」とされているが（都市再開発2条の2第2項）、これは、第1種市街地再開発事業という事業の「施行区域」が定められた都市計画に基づかなければならないということを意味する（個人施行にはこの要件はない）。組合施行の土地区画整理事業が都市計画の決定を前提としていないことと比較すると、平仄を欠くようにも思われるが、市街地再開発事業は、既成市街地で営業または居住する人々を多く巻き込むおそれがあることから、都市計画として位置づけるだけの事業の公共性が必要であるということであろう。

　そもそも、市街地再開発事業は、施行者の区別に関係なく、一定の区域だけを対象にできるものとされており、それは、①高度利用地区、②都市再生特別地区、③特定用途誘導地区（都市再生特別措置法によるもので、平成28年の都市再開発法の改正により加えられたものである）、④特定地区計画等区域である（都市再開発2条の2）。特定地区計画等区域とは、地区計画（都計12条の4第1項1号）、防災街区整備地区計画（密32条1項）または沿道地区計画（沿9条1項）の区域において、地区整備計画、特定建築物地区整備計画（密32条2項1号）もしくは防災街区整備地区整備計画（同項2号）または沿道地区整備計画（沿9条2項1号）が定められたうえ、原則として高度利用地

区について定めるべき事項が定められ、これについて規制を行う市町村の条例が定められた地域である（都市再開発2条の2第1項4号）。

　しかも、第1種市街地再開発事業の施行区域は、第1に、上記①～④の区域内にあって土地の有効・高度利用をすべきことが都市計画上要請されているだけでなく（都市再開発3条1号）、第2に、現に土地を有効に高度利用している耐火建築物の割合が低く、低度利用のまま放置されている区域でなければならない（同条2号に詳細な要件が定められている）。しかも、第3に、「当該区域内に十分な公共施設がないこと、当該区域内の土地の利用が細分されていること等により、当該区域内の土地の利用状況が著しく不健全であること。」（同条3号）、第4に、「当該区域内の土地の高度利用を図ることが、当該都市の機能の更新に貢献すること。」（同条4号）という要件がすべて備わらなければならない。

　以上のとおり、都市再開発法による市街地再開発事業は、土地区画整理事業が単に「公共施設の整備改善及び宅地の利用の増進を図る」ために（区画整理2条）、土地の区画形質の変更と公共施設の新設または変更を行うことが求められているのに比較すると、事業を行うために必要とされる要件が多い。

(2) 都市再開発法の基礎

　都市再開発法による市街地再開発事業の基本は、従前地が「権利変換」と呼ばれる処分により新築の建物の区分建物（従前の土地の権利に対して与えられる区分建物が「権利床」と呼ばれる）を取得する権利とその敷地の権利に変換され、事業資金は、新築される建物で権利床に変換されない残余の区分建物（これを「保留床」と呼ぶ）の売却資金によるところである。

　都市再開発法が権利変換の原則型を地上権設定型（75条以下）に置き、土地についての権利として地上権を付与するかたちに権利変換をすることを原則にしているところ、実際の市街地再開発事業の多くでは特則型の地上権非設定型（111条）が採用され、制度と実態では原則と特則が逆転している。この地上権非設定型は、土地についての権利をフラットに土地所有権の共有

持分とするものである。なお、権利変換のもう1つの類型としては、全員同意型（都市再開発110条）がある。これは、関係権利者全員が合意して権利変換の内容を定めるもので、土地を共有にしたくない土地所有者が、土地を分有のまま事業を進めたいといった場合によく用いられてきた。第1種市街地再開発事業では平成28年3月現在、原則型が14地区、地上権非設定型が384地区、全員同意型が554地区とのことである[67]。以上についての詳細は後述する。

　都市再開発法は、土地区画整理法の考え方を参考に制度化されたものなので、土地区画整理法のさまざまな制度とパラレルな制度が都市再開発法で採用されている。都市再開発法の「権利変換処分」は、土地区画整理法の「換地処分」に対応する処分である。これらは、「交換分合」と総称されることもあるが、事業のある時点で、従前の土地に対する権利が従後の土地（および建物）に移行するという独特の仕組みが基礎となっている。注意すべきは、換地は「換地計画」に基づく換地処分で生まれ、権利床は権利変換期日において「権利変換計画」に基づく権利変換処分で生まれるが、前述のとおり、換地処分は、土地区画整理事業の最終段階で行われる場合が圧倒的に多いのに対し、権利変換処分は、市街地再開発事業の途中の段階で行われ、その後に新しい建物が建設されるという点である。権利変換処分の中では、従前の権利者が従後どのような権利を取得するのか特定されなければならないので、新しく建設される建物の設計は確定していなければならないが、権利変換処分時点ではまだ建設されてはいないため、権利床の権利も、権利変換処分時では、事業計画に従って建設される建物の一部を取得する権利であり、建物が建設されて、その時点で権利変換処分に従った建物の一部を原始取得するという権利にすぎない（都市再開発88条2項、111条）。

　権利変換処分により、既存建物は施行者に帰属する（都市再開発87条2項）。施行者は、事業の進捗に応じ、関係権利者と協議のうえ、補償額を協

---

[67] 都市再開発法制研究会編著『わかりやすい都市再開発法――制度の概要から税制まで〔改訂3版〕』（大成出版社、2018）88頁。

議し、明渡し期限までに関係権利者に支払わなければならない（都市再開発97条）。明渡し期限は、補償額とともに、関係権利者と協議を行って定めることが通常であろうが、協議がまとまらない場合は、施行者は、所定の手続を経て定めた補償額の支払いを行って、権利変換期日後工事の必要があれば、期限を一方的に定めて明渡しを求めることができる（都市再開発96条1項〜3項）。これに関係権利者が応じない場合は、都道府県知事は、施行者の請求により、行政代執行を行うことができる（都市再開発98条2項）。組合施行の土地区画整理事業の場合は、前述のとおり、施行者が市町村長の認可を受けて（区画整理77条7項）直接施行ができるとされており（同条1項）、いずれも強制力を行使できるという点では同じである。しかし、市街地再開発事業では都道府県知事が行政代執行を嫌って（恨みを買いたくないため）、行政代執行を行わないのが現実である。そのため、市街地再開発組合が建物所有権を根拠に建物明渡し請求の民事訴訟を提起し又は仮処分を申立てざるをえないという病的な状況にある。かかる民事訴訟が許されるか議論があったが、裁判所はこれを認めた68)。

　対価さえもらえれば、権利変換を受けずに、市街地再開発事業を契機として地区外に移転することを希望する者もいるので、その希望をみたすために、事業開始後一定期間内に権利変換を希望しない旨の申出が制度化されている（都市再開発71条）。土地区画整理事業の場合も、土地の所有者で換地を希望しない者は、その旨申し入れることができることが制度化されている（区画整理90条）が、それと対比できる。地区外に移転を希望する者は、権利変換処分時に自己の有する権利を失うことによる補償の支払いを受ける（都市再開発91条）。

　借家権者は、賃貸人が取得する区分所有建物の借家権を取得することになるが、建物の賃料をどのように定めるのかという問題がある。原則として、賃貸人と賃借人とが協議して定めるものであるが、建物の建築工事が完了し

---

68) 東京高判平成11年7月22日判時1706号38頁。

た旨の公告の日までに協議が成立しない場合は、施行者が審査委員の過半数の同意を得てまたは市街地再開発審査会（都市再開発57条）の議決を経て裁定する（同法102条2項）。不服があれば、60日以内に変更を求めて訴えることができる（同条6項）。

2 権利変換計画

(1) 原 則 型

権利変換計画では、新たに建設する1棟の建物の敷地は1筆の土地としなければならない（都市再開発75条1項）。また、原則型では、敷地にはその建物所有目的の地上権が設定されなければならない（同条2項）。さらに、原則型では、施行地区内に宅地を有する者には新たに建設する建物敷地の所有権が与えられなければならない（都市再開発76条1項）。したがって、Aが所有する甲土地とBが所有し、Cが借地する乙土地があり、この両方の土地を敷地として1棟の建物を建てる場合は、甲土地と乙土地とは合筆されて一筆の土地となり、しかもAとBには、この合筆土地の所有権が与えられなければならないので、この合筆土地の共有持分を与えなければならない。保留床をX、Y、Zが取得すると、図表2（303頁）のようなかたちに権利が変換される。

(2) 地上権非設定型

地上権非設定型とするには、地上権設定型で権利変換を定めることが「適当でないと認められる特別の事情」があるときでなければならないが（都市再開発111条）、それは、施行地区内の大多数の権利者が地上権の設定を望んでいない場合とか、地区外移転者が多いために宅地の所有権の大部分が施行者のもとに残る場合とかが考えられると解されている[69]。図表3（304頁）のAとBは、地上権負担付きの土地所有権を取得しない代わりに、他の者と同様に土地所有権の共有持分を取得する。

---

69) 国土交通省都市局市街地整備課監修、都市再開発法制研究会編著・前掲注66) 585頁参照。

[図表2] 原則型

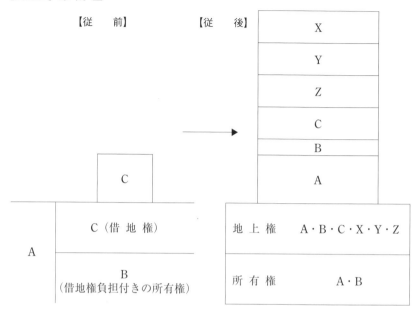

(3) 全員同意型

　以上の(1)または(2)によらず権利変換計画を策定することもできる。しかし、それは、施行地区内の土地建物のすべての権利者（借家人や抵当権者も含む）の同意および参加組合員（再開発会社、地方公共団体、都市再生機構等施行の場合は、都市再開発52条2項5号等で定める「特定事業参加者」）の同意を得る必要がある（都市再開発110条）。特に個人地主には土地の所有権はそのまま保有したいという要望が強い場合が少なくなく、土地を分有状態で権利変換したい場合は、これまで、この全員同意型を採用せざるをえなかった（都市再開発75条1項の1筆の要件は110条1項で外れる）。しかし、平成28年の都市再開発法改正により、「施行地区内の宅地の所有者の数が僅少であることその他の特別な事情がある場合」（110条の4）は、土地を分有状態のまま市街地再開発事業を行うことが可能となった。

303

[図表３] 地上権非設定型

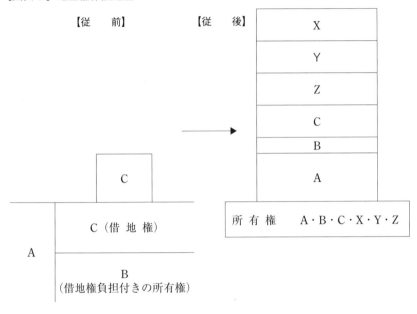

また、従来は、既存建物を残しながら市街地再開発事業を実施するためには施行地区内の関係権利者の全員同意が必要であったが、平成28年改正により関係権利者の全員同意がなくとも一定の範囲でこれを可能にする個別利用区（再開発ビルの敷地以外の建築物の敷地となるべき土地の区域のことである。都市再開発7条の11第2項）の制度が導入された[70]。これにより、指定宅地（都市再開発70条の2第5項・3項）以外の全員同意型（110条の2）と指定宅地の全員同意型（110条の3）という新たな全員同意型が出現した。

[70] 個別利用区制度の詳細については、国土交通省都市局市街地整備課・住宅局市街地建築課による「市街地再開発事業における個別利用区制度等運用マニュアル」（2016年）が公表されている。

3 市街地再開発事業への民間事業者の参入

(1) 業務代行者

市街地再開発事業でも土地区画整理事業における業務代行と同様の業務代行が活用されてきた。利点や問題点等は、両者共通する。

(2) 参加組合員

これは、保留床を取得する者を組合事業に引き入れて、事業の初期段階から保留床処分代金収入の見込みを確実にする一方で、その取得者に組合事業の運営にも関与させて、満足のいく保留床を取得できるようにするために制度化されたものである（都市再開発21条）。組合にとっては、民間事業者のデベロッパーとしての知識と経験を利用できることが非常に大きい。参加組合員の資格は法定されており、定款で定められなければならないので（都市再開発9条5号）、当初から参加組合員が予定されている場合は、かかる定款の内容につき、施行地区内の地権者の所定の同意を得る必要がある（都市再開発14条）。途中から参加組合員を入れる場合は、総会にて定款変更に必要な手続を経ることになる。

参加組合員も組合員であるから一般の組合員と同様の権利義務を有することになる。したがって、参加組合員は役員の選挙権と被選挙権とが与えられ（都市再開発24条、37条）、議決権および選挙権は1票であるが（同条）、特別議決については施行地区内の宅地について権利を有していないので、人数上の3分の2には算入されても、面積上の3分の2には算入されない。また、参加組合員は、取得する保留床の価額に相当する負担金の納付義務と一般の組合員に課されうる賦課金に相当する分担金の納付義務がある（都市再開発40条）。分担金については、「分担金の額は、参加組合員の納付する負担金の額及び参加組合員以外の組合員が施行地区内に有する宅地又は借地権の価額を考慮して、賦課金の額と均衡を失しないように定めるものとし、分担金の納付方法は、賦課金の賦課徴収の方法の例によるものとする。」（都市再開発令21条3項）とされているので、事業が順調に進まない場合は、負担金だけ

でなく、かかる想定外の分担金まで支払わされることに注意が必要である。なお、参加組合員は、権利変換期日において保留床に関する権利を取得する（都市再開発77条1項、88条1項）。したがって、原則型の場合は、権利変換期日に参加組合員は地上権の共有持分を取得し、竣工すると保留床を原始取得することになる（同法88条2項）。

参加組合員に与えられる保留床の詳細は、最終的には権利変換計画に記載されるが、参加組合員が参加を決定する場合は、組合設立時が通常であるから、詳細が決まる前に、取得できる保留床がどのようなものであるかを確認のうえ、それにどれだけの負担金を払ってよいかの判断が必要となる。また、負担金を分割して支払う場合に、どのように分割して払うのかも決める必要がある。これらの点について、参加組合員になろうとする者と発起人との間で合意した内容は、組合参加契約書として取り交わされる。かかる組合参加契約書は、参加の大前提であるので、参加組合員になることを決定する民間事業者は、想定される事態に応じて細かな規定を定めるべきである。

この参加組合員制度は、参加組合員が早い段階で事業資金の多くを占める金額を負担するため、一般組合員としては都合がいいが、参加組合員は、一般組合員と一蓮托生のリスクを負ってしまうおそれがある。施行地区内に事業に強く反対する地権者がいる場合は、これらの地権者のために事業が著しく遅延するおそれもある。このような場合、大きな損失を参加組合員自体が負うリスクがある。

(3) 特定建築者

参加組合員は事業の当初から登場しうるが、特定建築者とは、権利変換計画の認可後に事業に参入し[71]、権利変換計画で定められた建物の建築を自らの費用負担と責任で行い、費用は、その取得する保留床の売却代金で回収

---

[71] これは、従前権利者の権利の帰属先は、権利変換計画により初めて明らかになるため、従前権利者の権利を保全する観点から、特定建築者の選定は権利変換計画の決定後に行う必要があるからとの理由による（国土交通省都市局市街地整備課監修『都市再開発実務ハンドブック2022』（大成出版社、2022）82頁参照）。

する者である。この制度は、昭和55年の法改正で創設され、平成11年の法改正で拡充され、現在の制度になったものである。建物の建設まで施行者に行わせなければならない必然性はなく、民間事業者に任せて足りる部分は民間事業者に任せ、民間活力の活用を図るとともに、施行者の負担軽減を図る目的で導入されたものである（都市再開発99条の2～99条の9）。

　特定建築者制度を利用できる施行者に制限はなく、組合施行以外でも利用が可能である。特定建築者の権原は、建物の建築とその管理処分に限られる。特定建築者が選ばれた場合、保留床は特定建築者に原始取得される（都市再開発99条の2第3項）。特定建築者が建物を建築した場合、特定建築者に土地利用権を付与する必要があるが、これは、原則型の場合、竣工後すみやかに施行者から地上権が譲渡されることになる（都市再開発99条の6第2項）。地上権非設定型の場合は建物敷地またはその共有持分の譲渡となる（都市再開発111条）。保留床部分以外の整備費（典型的には権利床部分の整備費）は、本来、施行者が負担すべきものであるから、その整備費と上記敷地の権利の譲渡対価は清算処理される（都市再開発104条2項）。

　民間事業者を特定建築者として選ぶ場合は公募によらなければならない（都市再開発99条の3第1項）。ただし、保留床の半分以上を取得する参加組合員は公募によらず特定建築者になりうる（都市再開発令40条の2第3号）。特定建築者となろうとする民間事業者は、建築計画と建築物の管理処分に関する計画を施行者に提出しなければならない（都市再開発99条の4）。

(4)　再開発会社

　再開発会社は、都市再開発法の平成14年改正で生まれたものであり、一定の要件をみたす株式会社を市街地再開発の事業主体とできるというものである。ただし、施行地区の宅地の所有権または借地権を有する者が、総株主の議決権の過半数を保有し（都市再開発2条の2第3項3号）、また、かかる権利者および当該会社が所有する施行地区内の土地の地積、借地の地積の合計が、施行地区の宅地の総地積および借地の総地積の合計の3分の2以上を占めていなければならない（同項4号）。また、再開発会社の認可申請時に

は、規準および事業計画について、市街地再開発組合の場合（都市再開発14条）と同様に宅地所有者および借地権者の3分の2以上の同意を得なければならないし（50条の4）、権利変換計画の認可申請でも同様の同意要件がある（72条3項）。さらに、規準や事業計画を変更するにあたっても、同様の同意要件がある（都市再開発50条の9第2項）。したがって、重要な決定は、施行地区の地権者の同意を市街地再開発組合の場合と同様に求められる。

市街地再開発組合の業務執行を行う理事は原則として組合員（法人にあっては、その役員）から選任されるものとされているところ（都市再開発24条）、再開発会社は、会社法に従って、株式会社の取締役および監査役で業務を執行し、業務を監督すればよい。かかる役員に市街地再開発について知識や経験を豊富にもつ者を起用すれば、組合市街地再開発の人的資源の貧困という課題は克服されるようにも思われる。しかしながら、再開発会社の役員らの自由度が高いことが高く評価されるべきかについては議論がある。施行地区の地権者は否が応でも事業に巻き込まれることから、それらの地権者の権利保護が手続上十分に保護されているのかという問題があるからである。再開発会社の株主になることを当該施行地区の地権者が希望した場合に、拒否されることがないということが確保されていなければ、「うるさい人を排除するという恣意的な運営は、法律上排除できない」[72]。その意味で、再開発会社は地権者法人とは言えないという批判はあたっているように思われる。重要事項については、3分の2以上の同意を必要としているという制約はあるものの、問題を議論するという場（フォーラム）を用意できなければ、十分な権利保護にはつながらないからである。

ただし、再開発会社は、市街地再開発事業組合のように再開発事業が終了すれば解散が予定されるというものではないため、事業終了後も施行地区であった区域を中心に永続的なまちづくり組織となりうる潜在的な力があり、良い方向で活用すれば、魅力のある制度であることもまた否定できない。

---

[72] 安本典夫「市街地再開発事業『民営化』の法的検討――再開発会社制度に即して」立命館法学286号（2002）325頁参照。

4 建物完成前の権利床・保留床の処分

(1) 建物完成前の権利床

権利変換処分により、各地権者は、建設される建物の一定の区分所有建物とその敷地利用権（原則型であれば敷地地上権の共有持分であり、地上権非設定型であれば敷地所有権の共有持分である）についての権利を取得する。しかし、敷地利用権については、権利変換処分後直ちに移転登記も受けられるが、建物は未完成であるから、所有権移転登記を得られないだけでなく、所有権自体も取得できない。所有権は、建物が竣工した時点で原始的に地権者が取得するからである（都市再開発88条2項）[73]。

したがって、完成前は、建物についての地権者の権利を購入した者は、未完成のマンション分譲契約における区分所有建物の買主と類似した状況であるとも言える。ただし、その敷地利用権は、登記が可能であり、その敷地利用権の派生的な権利として建物についての権利もあることから、その敷地利用権の登記を利用して、処分を公示することができる。すなわち、地権者が第三者に建物完成前の権利床の権利を売却すれば、その移転登記を行うことは可能である。

上述のとおり建物完成前の権利床の売買は、未完成のマンション分譲契約に類似しているものの、敷地利用権の移転登記を建物完成前の段階で行えば、大きな違いが出てくる。すなわち、売主と買主の売買契約の対象は、敷地利用権としての地上権の共有持分（原則型の場合）または敷地所有権の共有持分（地上権非設定型の場合）であり、建物は含まれないからである。建物を買主が原始取得する以上、建物が売主から買主に移転することはなく、建物完成前の権利床の売買契約を建物売買と整理はできない。これに対し、建物完成前の権利床の売買が、その時点で実行されるのではなく、竣工後に実行されることを前提にしているのであれば、つまり、敷地利用権の移転登

---

[73] 同条項をもって竣工時に原始的に取得すると解されている（国土交通省都市局市街地整備課監修、都市再開発法制研究会編著・前掲注66) 471頁）。

記が建物完成後に建物の所有権移転と同時に行われることが予定されていれば、それは、まさに未完成のマンション分譲契約と同様であり、敷地利用権付区分所有建物の売買契約を建物未完成の段階で締結しているにすぎないので、未完成のマンション分譲契約の買主と同様の立場に立つ。

また、注意すべきは、敷地利用権の移転登記を建物完成前に行えば、組合市街地再開発の場合は、組合区画整理の場合と同様に（ただし、組合区画整理の場合と異なって、権利変換手続開始の登記後は、権利の処分には組合の承認を得なければならない。都市再開発70条2項）、かかる建物完成前の権利床の買主は、自動的に組合員になってしまうという点である（都市再開発20条、44条）。組合員が土地について有する組合に対する権利義務は買主に承継される（都市再開発22条）。買主が組合員になることから、市街地再開発事業が破綻した場合、買主は、組合の議決で賦課金の支払い義務を負うリスクがあることに注意する必要がある（都市再開発39条1項）。

(2) 建物完成前の保留床

保留床は、市街地再開発事業で建設される建物のうち、地権者に権利床として割り当てられる区分所有建物以外の区分建物であるが、「権利床」も「保留床」も法律上の名称ではなく、俗称である。したがって、都市再開発法の中で保留床を指している言葉を拾うこと自体が容易ではない。

保留床は、建物竣工後に施行者が原始取得する（ただし、特定建築者がいる場合は、前述のとおり、特定建築者が原始取得する。都市再開発99条の2第3項）。保留床が施行者に原始取得されるということをストレートに表現した条文はないが、都市再開発法88条2項（原則型を念頭に置いて書かれている）で、「施設建築物の一部は、権利変換計画において、これとあわせて与えられることと定められていた地上権の共有持分を有する者が取得する。」とあり、これが根拠と考えられている。参加組合員がいる場合は、同項に基づき参加組合員が取得する保留床は参加組合員が原始取得することになる。

施行者が保留床を売却した場合は、保留床を施行者に与える権利変換計画自体には変動がない。したがって、保留床が建物完成前に処分されても、建

物竣工時に施行者が原始取得することに変わりはなく、買主は、施行者から、竣工後すみやかに、区分建物とそれに付随する敷地利用権を移転登記してもらう必要がある[74]。すなわち、建物完成前の保留床の売買は、竣工後に施行者が原始取得する区分所有建物の売買であり、未完成マンションの分譲契約と同様のものである。

(3) 建物に瑕疵があった場合

建物完成前に権利床や保留床が売却され、建物が竣工した後に建物の隠れた瑕疵（契約不適合）が判明した場合、誰が誰に責任を追及できるのかという問題がある。

建物完成前に権利床が売却された場合で、敷地利用権の移転登記が建物竣工より前に行われた場合は、前述のとおり、売買契約の対象は敷地利用権（原則型の場合は敷地地上権の共有持分）であるから、建物の瑕疵を、売主に対し瑕疵担保責任（契約不適合責任）で追及することは理論上も困難である。また、建物完成前の保留床の売買の場合、建物所有権は、竣工後直ちに、施行者から買主に移転するので、買主は、施行者に対し、売買契約に基づいて瑕疵担保責任（契約不適合責任）を追及できるが、施行者が組合である場合、施行者に対しその責任を追及しても実りがない。なぜなら、組合は、独自の資産もなく、また、事業終了後解散するからである。そこで、工事請負契約では、「受注者は、契約の目的物の全部又は一部について、所有権又は共有持分を、契約の目的物の竣工に伴い取得した者に対し、本契約に基づく瑕疵担保の義務を直接負う。」といった規定を定めることが通常である。

(4) 事業が破綻した場合

建物完成前に権利床を購入したり保留床を購入する場合は、その後に事業

---

74) ただし、「保留床のうち、建物登記前に既に売買が成立しているものについては、土地の共有持分又は地上権の共有持分の登記を済ませておくと、一度施行者名義の保存登記を行った後に、買主に移転登記を行う必要はなく、直接に本条（都市再開発 101 条）の登記として、買主名義で保存登記を行うことができる。」国土交通省都市局市街地整備課監修、都市再開発法制研究会編著・前掲注 66) 529 頁。

が破綻する場合のことを十分に考慮に入れておく必要がある。特に、組合市街地再開発で、敷地利用権の移転登記を受けるかたちで権利床を取得した場合は、組合員にもなるため、賦課金等の想定外の負担を強いられることにもなりかねない。

　ただ、市街地再開発事業の場合は、権利変換期日以後は、組合の議決では解散できず（都市再開発45条2項）、権利変換後は必ず事業を完成させるべく、組合の事業代行制度（同法112条～118条。個人施行や再開発会社施行でも認められている）が設けられている。しかしながら、事業代行も必ずなされなければならないという規定にはなっていない。組合市街地再開発の破綻も数多く存在しており、破綻リスクを過小評価はできない。

　もっとも、大手デベロッパー等が参加組合員や特定建築者にいれば、最終的にはかかる大手デベロッパーが自社のブランドイメージの保全のためにも事業完成に導くであろうと合理的に期待できる。また、大手デベロッパー等が参加組合員の場合や特定建築者の場合、これらの者から区分所有建物を購入する買主は、竣工前に売買契約を締結しても、それは、竣工前の保留床についての権利を売買するわけではなく、竣工後、大手デベロッパー等が原始取得する保留床の一部を購入する契約を締結するものであるから、売買契約どおりに区分建物を取得できない場合は、売主たる大手デベロッパー等に契約責任を問える。したがって、このような買主は、事業破綻の場合も、実質的リスクはきわめて小さいであろう。その分、大手デベロッパー等がリスクもとり利益もとっているわけである。

5　土地区画整理と市街地再開発の一体的施行

(1)　一体的施行とは

　土地区画整理事業の施行地区の中でも、一定の区域について高度利用を図ることが望ましい場合があり、しかも、平面的な換地ではなく、その区域に建設される高層建物の区分所有建物を代わりに取得したい地権者もいる。そのような場合、道路等の整備とともに、その区域に高層建物を同時に建設

し、全体の事業を短く、かつ、効率的に行いたいという需要がある。このような需要に応えて、平面的な市街地整備と立体的な市街地整備とを同時に行う手法が工夫されてきたが、そのような区域に市街地再開発事業を同時に行おうとすれば、権利変換処分時にどのような登記が可能なのか、市街地再開発事業の原則型の地上権設定をこのような区域に設定できるのか等の難しい問題が生じる。このような問題を解決する、立法的な整備を行うために、平成11年、両事業を一体的に行えるように、土地区画整理法に「市街地再開発事業区」を定め、同区に指定された仮換地を都市再開発法では「特定仮換地」と呼び、必要な法整備を行うことになった。これを両事業の一体的施行と呼んでいる。両事業は、特定仮換地を介してつながるが、2つの事業が並行して進むのであり、施行者も異なりうる。

(2) 都市再開発法での整備

都市再開発法では、一体的施行についての特則を定めている。その中心的な整理は、特定仮換地に対応する従前地に関する権利を市街地再開発事業の施行地区の土地に関する権利とみなすというものである（118条の31第1項）。ただし、土地区画整理事業で従前地の土地の評価は上がるので、土地評価に関しては特定仮換地を従前資産として扱っている（同条2項）。これらの特別の取扱いの結果、一体的施行の場合の市街地再開発事業で都市再開発法の条文をどのように読むのかについて、詳細な読替え規定が都市再開発法施行令46条の15に規定されている（都市再開発118条の31第3項）。

注意すべきは、特定仮換地は、換地計画に基づく仮換地でなければならないことである（都市再開発118条の31第1項のかっこ書で、「換地計画に基づき換地となるべき土地に指定された」仮換地に限定されている）。前述のように、換地予定地としての仮換地も事業の変更がありうることを想定して多くの場合換地計画の認可を受けないまま「工事のため必要がある場合」（区画整理98条1項）であるとして指定されているが、そのような仮換地は特定仮換地とはならないことになる。

(3) 土地区画整理法での整備

土地区画整理法では、一体的施行が可能となる区域を「市街地再開発事業区」として定め（6条4項）、申出換地についての規定も整備している（85条の3）。

一体的施行において、土地区画整理事業の換地計画が市街地再開発事業の施行に影響を及ぼさないように、その影響がないと認められるときでなければ換地計画またはその変更を認可してはならないとされている（区画整理86条5項、97条2項・3項）。なお、換地計画を土地区画整理事業の途中で定めるには、特に清算金の記載との関係で事実上困難があるという事情が存するので、清算金の決定だけは後回しにできる規定が盛り込まれた（区画整理87条2項・3項）。

第 4 部

設計・工事

第4部 設計・工事

第1章

設計契約

1 設計図書の種類

　設計契約とは、施主が工事の内容を定める設計図書の作成を依頼し、設計者がこれを引き受ける契約である。ここでは、オフィスビル、商業ビル、マンション等の建物建設工事の設計契約を念頭に置く。

　設計契約の最終的な成果物は、実施設計（詳細設計とも呼ぶ）と呼ばれるものであり、その設計図書を見せれば、理想的には誰でも同じ建物ができあがる程度の精度が求められるものであり、詳細な仕様書が含まれるものである。そのような精度があるから、この図書に基づいて請負工事の入札ができるのである。対象が特定できないと価格も決めようがない。ただし、設計図書の解釈に疑義が生じる場合は多々あり、このような事態は望ましくはないが避けられないものである。文字ですべてを特定するには限界があるからである。また、限りなく特定しようとすると、設計図書が膨大にもなるからである。さらには、微小な点は、工事の段階で設計を現場で決めることが効率的でもあるからで、そのために工事現場で現場の職人が見るために施工者が作成する設計図書を施工図と呼ぶこともあるが、ここでは施工図は念頭に置かず、施主と設計会社との間で締結される、基本設計や実施設計の作成のための契約について説明する。基本設計は、実施設計に進む前の基本的な設計であり、この基本設計に基づいて実施設計がつくられる。基本設計とは、どの程度の設計であればよいのかはそもそも基本設計自体が法律で定義された言葉でもないので一義的には決まらない。ただし、基本設計は、一般には建

築確認申請を行うに足りる内容を有するものであると理解されている。また、基本設計と実施設計でそれぞれ一般に期待される業務の内容については後述する平成31年1月21日付「建築士事務所の開設者がその業務に関して請求することのできる報酬の基準」（告示第98号）等でわかる。

2 設計契約の特色

(1) 何を依頼するのか

誰かが誰かに何らかのことを有償で頼むにあたって、何を頼みたいのかがはっきりしない場合は依頼をされるほうも困るものである。設計契約は、まさにこの種の契約の典型例である。施主が抱く完成形の建物のイメージがきわめてぼんやりしているのである。かつて司法修習生時代、弁護修習の際に、恩師故多賀健三郎先生から、設計トラブルの訴訟の法廷に連れて行ってもらったことがあった。それは、施主が弁護士で本人訴訟であり、多賀先生は設計者の代理人であった。うるさい弁護士（かつては、自宅設計にこる弁護士は多かったようである。今はそのように余裕のある弁護士は少ない）が施主では設計者も気の毒で、その印象しか今はないが、事件は、施主が何度も設計変更をした事案であった。このような施主のわがままを聞きながら最終的に施主の望むとおりの設計を完成できれば、その設計者がすぐれた設計者ということになる（施主に最初の段階で要望書を書いてもらうなど設計者ごとにさまざまな工夫がされているようである）。ただし、このようなやりとりも建物が大規模になると、なかなか困難であり、そうなると、最初に施主が設計の基本条件を提示し、後は設計コンペを行うことが適切な場合も少なくない。

(2) 設計コンペ

設計コンペとは、複数の設計者に設計を提案させて、その中で施主が気に入るものを選んで、あとは施主と選ばれた設計者との間で設計を固めていくという手順をふむものである。個人住宅で設計コンペを行うことは稀だが、私の経験では1度だけ富豪の自宅の設計コンペの内輪の審査に立ち会ったことがある。10人程度の著名建築家が基本デザインのプランとともに模型をつ

くってコンペに参加していた。選ぶのは施主だが、施主のアドバイザーとして大手設計会社の建築士が審査の協力を行っていた。ある模型を見て、「何でこんなの出してきたんだろうね」と施主が一言で切り捨てた模型もあった。施主が出した基本条件には合致した設計だったのだろうが、そもそも施主のイメージとは遠くかけ離れていたわけである。もっとも、建築家の作風がわかっていれば、こんな悲劇はないのであって、それはその建築家を招待した施主側にむしろ問題があったように思う。その第1次審査で3つくらいのプランが選ばれて、その後第2次審査（私は立ち会わなかった）は設計者を呼んで最終的な設計者が決まった記憶である。

(3) 設計者を選ぶための専門家

実は、設計契約は、設計者を誰にするか決めることが1番重要で、設計契約の内容といったことは二の次のように思われる。ただし、上記富豪の事例でもわかるように、誰を設計者とするかを決めるのに、専門家の意見を聞くことがある。最初にそのことが重要であると実感したのは、ある外資系企業が日本でビルを建設するにあたって、日本の設計会社を決めるために、外国の設計会社をアドバイザーとして起用したときであった。たしかに、専門家の設計者を選択するには専門的な判断が必要で、設計者を選ぶための専門家は合理的に必要だと実感した。純粋の日本の契約でも、後述するような設計施工契約を行うような場合は、ゼネコンにすべてお任せになってしまうという問題があるので、施主は、別途建築コンサルタントをやとって、設計施工契約づくり自体に関与してもらうことがある。これは、アメリカでコンストラクションマネジメント（construction management）と呼ばれる業務に近い[1]。

なお、設計契約の内容は二の次といったが、上記外資のプロジェクトでは、その外資系企業がアメリカで使用している書式の設計契約書を使うとご

---

1) コンストラクションマネジメントについては、国土交通省総合政策局建設振興課監修、CM方式活用方策研究会編著『CM方式活用ガイドライン』（大成出版社、2002）等参照。

り押しして（依頼者には失礼な表現になってしまうが）、日本の設計会社にその書式（施主に都合のいい条項が書き並べられていた）を基本的にそのまま飲み込ませたことがあった。その契約書の文言は詳細をきわめていて、設計契約書がそこまで詳細なものとしてありうることを知らなかった私はその詳細さに驚いたが、また、それをほとんどそのまま受け入れた日本の設計会社の対応（度量というべきか自信というべきか）にも驚いた記憶がある。しかし、きわめて重要な点のいくつかを除いて、その書式がそのまま受け入れられたということは、日本の設計会社は、依頼者が大手企業であれば、設計契約の細かな条項は気にしてはいないということである。その意味ではやはり設計契約は二の次で、信頼関係が基本である。

(4) 設計施工契約と設計監理契約

　日本ではかねてから設計施工契約が多かった。つまり、設計も施工も同じ人物（会社）が行う契約が多かった。昔は棟梁に何でも任せていたものである。これが手軽であることは否めない。しかし、設計も施工も同じ人物が行えば、設計どおりの施工が行われたのかが判然としない（そのレベルを超えた、井伏鱒二の『荻窪風土記』に出てくるようなとんでもない棟梁も昔はいたことだろう）。悪く言えば、そのチェックが不十分のまま、完成したとして施主に建物が引き渡され、設計とは異なる建物を施主がつかまされることもある。

　したがって、欧米では、設計施工契約は例外で、設計と施工は分離していると言われてきた。その場合、設計者は、工事の監理も行うことが通常である。つまり、工事が設計どおり行われていることを監理する業務も行うことが通常である。この「監理」（サラカンの監理と呼んだりする）は、物事が順調に進行するように責任をもって監督・指導するという意味（新明解国語辞典）だが、「管理」（そのものがうまく保管されたりそのものの円滑な働きが保てるように、いつも気をつけることの意味（同）である）とは違う意味である。そのため、設計監理契約を施主と締結することになる[2]。

　しかし、そもそも、施主にとっては、自分の望む建物が建設されればそれ

でよいとも言えるので、面倒なことはすべて一社のゼネコンに任せてしまいたいと思う場合も少なくない。この場合も、設計どおりの施工がなされているかは、ゼネコンの内部では、施工部門とは別の設計監理部門がチェックしていると言われている。

　以上は、説明の便宜上、設計施工契約と設計監理契約とを対照させて説明したが、例えば、耐震性能を確保する設計は、工事と密着しており、しかもきわめて専門性が高いので、一流の設計会社も設計段階（特に実施設計段階）から、想定される施工会社のゼネコンの設計部隊が実施設計を行うことを許容することも少なくない。そのような場合は、設計の段階から施工会社としてのゼネコンが活躍することになる。いろいろなパターンが考えられるが、設計は、設計会社とゼネコンが共同で行うパターン、設計からゼネコンが主導的に作業を進めるが設計会社が監修するパターン、基本設計まで設計会社が行って、実施設計からはゼネコンが行うパターン等がある。

　なお、後述するように、設計施工契約の民間の契約約款も用意されてはいるが、もともと設計の詳細が決まっていない段階で設計施工全体の契約を締結することにはさまざまな工夫が必要であって、簡単ではない。したがって、設計施工契約を意図しながら、設計段階では、内容のあいまいな発注内示書といったものを施主が施工会社に渡し、それ以上設計段階では詳細な契約書の締結はせずに、実施設計図書が完成した段階で施工に関する工事請負契約書を通常どおり締結するということも多かった。このような対応がうまく機能したのは、施工会社にとって、施主は、「お施主様」であり、施工会

2）建設業法で定める「主任技術者」や一定以上の工事を請け負う場合の「監理技術者」の業務と工事の「監理」とは一体どのような関係にあるのかという問題がある。工事の「監理」は第三者的な立場で工事が設計図書どおり行われているのか否かをチェックするという性格をもつのに対し、「主任技術者」や「監理技術者」の業務は、施工者として請負った工事につき、工程管理と品質管理を行うとともに施工に従事する者に技術上の指導監督を行うことと考えられる。なお、建設業法の主任技術者と監理技術者と建築士との関係については、速水清孝『建築家と建築士──法と住宅をめぐる百年』（東京大学出版会、2011）301頁以下参照。

社が施主の信頼を失うと、次の仕事がこないからで、大きな工事を継続して発注してくれる施主は、かなりわがままが効いてしまうからである。施主と施工会社とがこのような関係にない場合、施主は、設計施工契約を締結するにあたっては、上記民間の契約約款を利用したり、コンストラクションマネジメント会社を活用して、適切に自己の利益を守る必要がある。

(5) 設計のコントロール

　以上に述べたように、そもそも設計契約は、最初はあまりはっきりしない施主のイメージを設計図書に具体化させる作業を契約内容とするものであるから、何がゴールなのか判然とはしない。したがって、施主と設計者との信頼関係が何より大切であり、その信頼関係があるから自分ではよくわからないことを任せるのであって、その信頼関係を裏切るような設計者の行為は許されず、まさに、設計者は、設計契約の受任者として、善良な管理者としての注意義務を負うのである（民法644条）。しかし、そのような抽象的な義務があるというだけでは設計者を緊張感の中に置くこともできないので、施主には設計契約の委任者としていつでも設計契約を解除できる権利が認められる。これは、設計契約に委任契約としての要素があるからで、民法の委任契約に関する651条が根拠である。

3　設計契約の要点

(1) 工事予算

　設計契約で施主にとって1番重要なことは、工事予算である。100億円の工事予算しかなければ、それで収まる設計をしてもらわないと何の意味もないのである。設計施工契約でない限り、設計者は、一定の金額で工事を終わらせる義務を引き受けるわけではないが、少なくとも工事予算に収める内容の設計を明示的に依頼された場合は、施主から示された工事予算内の範囲で完成することを合理的に期待できる設計を行う義務がある。したがって、施主は、工事予算を明示して、工事予算の範囲内で完成する建物を設計することを設計者に明示的に義務づける必要がある。この点を明示しないと、工事

予算をはるかに超過するような設計が平然と設計契約の成果として設計者から出されかねない。平成27年7月に新国立競技場のザハ・ハディド案が白紙となったのは、このことを設計者に明示的に義務づけなかったからではないかと私は推測している。

(2) 責任制限特約

最近の大型建設プロジェクトでは設計者がドラフトする設計契約の中に、設計者の設計に瑕疵があって施主が損害を受けても、設計料の範囲を超えて損害賠償を負わないとする責任制限特約がそっと盛り込まれていることがある。実は、これは大問題である。設計にミスがあって施主が負う損害は、事案によっては巨額になりかねないからである。それだからこそ、責任制限特約を定める必要があるというのが設計者の論理であろうが、このような勝手な要求を施主がそのまま受け入れる理由はないし、受け入れるべきでもない。なぜなら、受け入れると、その範囲に設計者の責任は限定されてしまい、その余の損害を非もない施主が被らざるをえないからである。しかし、例外的であろうが、設計者に代替可能性がないような場合は、力関係でこのような理不尽な要求に屈しなければならない場合もあるかもしれない。そのような場合も、最低限、故意または重過失を除く場合のみ責任制限特約の適用があるように修正すべきで、問題が起きた場合に、「重過失ではないか」という議論をすることができる余地を施主は残しておかなければならない。

この種の責任制限特約は、専門家の仕事の緊張感を失わせる。やってみなければ結果が予想しづらい新しい工場プラントの稼働率の目標未達成の問題とはわけが違うのである。ありふれた一般の実用的な建物の設計は完璧でなければならないし、それを施主が求めることは当然のことである。人間だから誰しもミスはつきものである。設計のミスは建築家賠償責任保険で設計者にて対応すべき問題である。

なお、大型建設プロジェクトの設計者は日本でも有数の設計会社またはゼネコンであろうから、いわゆる欠陥マンション等とは無縁とも言えるかもしれないが、施工者だけでなく設計者の施主以外の第三者（典型的には施主か

ら建物を購入した者）に対する建物の瑕疵を理由とする不法行為責任が問われることがあることにも注意が必要となる。この問題については、施工の瑕疵を題材として第2章5で述べるが、かかる第三者との関係では施主との間の責任制限特約は何の意味も持たない。

(3) 設 計 料

建築士の設計料がどのように定められるかは、弁護士の報酬がどのように定められるかと同様に、千差万別であろう。しかし、後述するとおり、延べ面積300㎡を超える建築物の新築等に係る設計または工事監理は、書面による契約締結が義務化されたので、報酬については書面にて明確に決めなければならない。

建築士法25条で、「国土交通大臣は、中央建築士審査会の同意を得て、建築士事務所の開設者がその業務に関して請求することのできる報酬の基準を定めることができる。」としており、これに基づき、平成31年1月21日付で国土交通省告示第98号として、建築士法第25条の規定に基づき、「建築士事務所の開設者がその業務に関して請求することのできる報酬の基準」が定められた。同基準では、各種の業務について、標準業務における報酬の算定基準が定められている。当該業務に延べ何時間がかかるかを示してある。単価は定められていないので、単価の設定により、金額は大きく動く。これに従う努力義務が課されている（建築士法22条の3の4）。この基準でどれだけ決められているかは私にはわからない。住宅のように工事金額が小さい場合は、機能しづらいとの想像がつくし、設計や監理という専門業務に機械的に延べ時間を設定することが一般的に適切なことかは疑問を感じる。しかし、公共団体が設計契約を締結する際には、これに原則としてよらざるをえないであろう。

設計がその質ではなく設計料の安さで評価されるのが不合理であるのは、弁護士がその質ではなく弁護士報酬の安さで評価されるのが不合理であるのと同様である。誰でもできる設計だけが設計料の安さを競えばよい。

上記国土交通省告示は、設計の基本設計や実施設計の標準業務や、工事監

理（建築士法2条8項で「その者の責任において、工事を設計図書と照合し、それが設計図書のとおりに実施されているかいないかを確認すること」と定義されている）の標準業務および工事監理以外のその他監理（工事監理は、建築士でなければ、できないが、工事監理以外の監理は建築士以外でもできる）の標準業務を示している点で、重要性がある。一般に期待される業務サービスの内容がわかるからである。

4 建築主事・指定確認検査機関

(1) 指定確認検査機関制度の導入

建築確認は、かつては、建築主事が置かれていた都道府県または市町村の長（これを「特定行政庁」と呼ぶ）のみが行っていた。しかし、建築確認申請の数がきわめて多くなっている現在、その確認作業を建築主事のみに行わせることは、土台無理な話であり、建築主事に代わる専門的な建築確認機関として、一定の民間の専門会社（この資格のある会社を「指定確認検査機関」という）にその業務を代行させる制度が平成10年の建築基準法改正で導入された。

すなわち、指定確認検査機関により建築確認の確認済証の交付を受けたときは、当該確認済証は、建築主事により交付された確認済証とみなされる（建基6条の2第1項）。この場合、確認済証の交付をした旨を、指定確認検査機関は、特定行政庁に報告しなければならない（同条5項）。

また、完了検査を指定確認検査機関が行った場合、同機関が施主に交付した検査済証は建築主事により交付された検査済証とみなされる（建基7条の2第5項）。

なお、指定確認検査機関に指定される基準については建築基準法77条の20で定められている。

(2) 建築確認における基準不適合の見落とし

平成17年に発生した姉歯事件（耐震偽装事件）では、建築主事や指定確認検査機関が耐震偽装を見抜けなかったことをもって、施主から特定行政庁ま

たは指定確認検査機関の法的責任を問うべく、国家賠償法に基づく損害賠償請求訴訟が多数提起された。法的責任を認めた判決は少数であるが、その法的関係を整理する必要がある。

　建築主事の見落としを問題にした事案では最高裁判決[3]が出ている。これは、ビジネスホテル経営の施主から京都府に対して損害賠償を請求した事案であったが、第一審判決[4]でも、第二審判決[5]でも、上告審判決でも、京都府の法的責任は認めていない。最高裁は、建築基準法1条の趣旨から、「建築士の設計に係る建築物の計画について確認をする建築主事は、その申請をする建築主との関係でも、違法な建築物の出現を防止すべき一定の職務上の法的義務を負うものと解するのが相当である。」とした。そもそも偽装した設計図書を建築士が施主の代理人として提出している以上、偽装を前提としたチェックまでは不要であるとの見方もありうるし、最高裁判決も、諸般の事情に照らして、建築主事の見落としを違法であると主張すること自体が信義則に反すると認められる場合があることは否定できないとも判示している。ただ、この事件では、結局、「本件建築主事が職務上通常払うべき注意をもって申請書類の記載を確認していればその記載から本件建築物の計画の建築基準関係規定との不適合を発見することができたにもかかわらずその注意を怠って漫然とその不適合を看過したものとは認められず、他にそのように認められるべき事情もうかがわれないから、本件建築確認が国家賠償法1条1項の適用上違法となるとはいえない。」と判断している。

　指定確認検査機関の見落としの場合、①偽装した設計図書を建築士が施主の代理人として提出している以上、指定確認検査機関は、偽装を前提にしたチェックまでは不要とみるか、②指定確認検査機関に見落としがある以上指定確認検査機関に国家賠償法1条1項に基づく損害賠償義務があるとみるか、③指定確認検査機関だけでなく特定行政庁の地方公共団体にも国家賠償

3）最判平成25年3月26日裁時1576号8頁。
4）京都地判平成21年10月30日判時2080号54頁。
5）大阪高判平成22年7月30日判例集未登載。

法1条1項に基づく損害賠償義務があるとみるか、見解が分かれうる。姉歯事件では、横浜地裁[6]が、指定確認検査機関の見落としについて、指定確認検査機関の法的責任を認めたが、②の考え方に立っている。この点について、同判決は、「指定確認検査制度は、建築確認等の事務の主体を地方公共団体から民間の指定確認検査機関に移行したものであって、指定確認検査機関は、自ら設定した手数料を収受して、自己の判断で建築確認業務を行っており、その交付した建築確認済証は、建築主事が交付した確認済証とみなされるものである。そうすると、指定確認検査機関は、行政とは独立して、公権力の行使である建築確認業務を行っているのであって、指定確認検査機関の行った建築確認に瑕疵がある場合には、その国賠法上の責任は指定確認検査機関自身が負うものと解するのが相当である。」とした。③ではなく②とすべきという点は、指定確認検査機関の制度趣旨から同感だが、偽装事件では①とすべきではないかと私は思う。もっとも、上記横浜地裁の事案は、指定確認検査機関の担当者が構造計算の不備を申請者に指摘し、訂正された構造計算の誤りを看過したという事情があったようで、①の議論には発展していない。

5 建 築 士

(1) 建築士法

建築士法では、いくつか用語が定義されている（建築士法は、昭和25年に制定されその後改正が繰り返されている）。「設計図書」とは、建築物の建築工事の実施のために必要な図面および仕様書を、「設計」とは、その者の責任において設計図書を作成することをいう（建築士法2条6項）。「工事監理」とは、その者の責任において、工事を設計図書と照合し、それが設計図書のとおりに実施されているかいないかを確認することをいう（同条8項）。

建築士法では、建築士を一級建築士、二級建築士、木造建築士の3種類に

---

6) 横浜地判平成24年1月31日判タ1389号155頁。

分けている。一級建築士でなければ設計または工事監理ができない建物（建築士法3条）、一級建築士または二級建築士でなければ設計または工事監理ができない建物（3条の2）、一級建築士、二級建築士または木造建築士でなければ設計または工事監理ができない建物（3条の3）と建物の種類により業務を行える建築士を定めている。建築士の種類ごとに免許が必要である。

　外国の資格しかない建築家が日本で設計に関与することがある。その者が著名であれば、完成した建物がその者の設計であるとして記憶されることもあるが、法的には、その者も日本では日本の資格のある建築士に影響を与えて日本の資格のある建築士の責任において作成された設計図書の作成に関与したというにとどまる。このような設計チームをリードする建築家がチームの中で lead architect と呼ばれることは何の問題もないが、その背後には日本の資格のある建築士がいること、lead architect と呼ばれてもその者は設計図書の作成にどれだけ影響を与えているかはケースバイケースであり、対外的に設計図書の日本の基準への適合性について責任を負う者は、日本の資格のある建築士だけであることに留意する必要がある[7]。

　平成18年の建築士法の改正で、「構造設計一級建築士」と「設備設計一級建築士」という資格が生まれた。これは、平成17年に発生した姉歯事件（耐震偽装事件）を受けて行われた法制度改革の一環である。それまで、構造設計や設備設計が意匠設計を行う建築士から専門の建築士に対して下請けで

7）「建築家」と「建築士」とはどのような違いがあるのかという問題がある。「建築士」とは建築士法により建築士の資格を認められた者である。一方、「建築家」とは法律用語ではなく定義が難しいが、西洋の architect の訳語である。そのイメージには西洋の architect にいだく憧れのようなものがある。西洋諸国の事情も国により大きく異なるようであるが、単なる技術者ではなく、高い教養と学識を有する（芸術的センスあふれる）（人格高潔で社会的責任を果たす）専門家であるというイメージである。したがって「著名な建築家」と呼ばれると、つい頬がゆるむのである。外国の著名な建築家は、日本語では「建築家」と紹介するしかないが、日本の建築士の資格のない人が自らを「日本の建築家」と称すると、時には「建築士でない者は、建築士又はこれに紛らわしい名称を用いてはならない。」という規定（建築士法34条）に違反する場合もありうる。

出され、これらの専門の建築士の責任範囲があいまいになりがちであったという反省の下、一定の建物の設計については、必ず構造一級建築士（高さが20mを超える鉄筋コンクリート造の建築物等について）または設備一級建築士（階数が3以上で床面積合計が5,000㎡を超える建築物について）の法適合性についてのチェックが義務づけられ、その証明書がなければ、建築確認申請書が受理されないことになった。なお、建築士事務所ごとに建築士を管理する専任の建築士を置かなければならないが、かかる建築士を管理建築士と呼ぶ（建築士法24条2項）。管理建築士は、当該建築事務所における設計業務の統括者であり（同条3項）、施主から委任を受けて建築確認申請を行う立場である。

(2) ピアチェック

ピアチェック（peer check）とは、同僚がチェックするという意味であるが、姉歯事件を受けて、平成18年の建築基準法改正により、構造計算に関して導入された二重のチェックを、この言葉で呼んでいる。導入されたピアチェックでは、構造計算の適合性の判断を行うのであるが、これを行うのは、都道府県知事または構造計算適合性判定機関である。後者は、都道府県知事の指定を受け、都道府県知事を代行して判定業務を行うものとされる（建基18条の2）。建築確認申請までに、上記のとおり、一定の建物については、構造設計一級建築士が構造に関して責任をもって設計図書を完成しているが、この構造の専門家の責任で作成された設計図書を、今一度他の構造の専門家でチェックしようとするわけである。すなわち、従来は、提出された建築計画の法適合性を、建築主事または指定確認検査機関ですべてチェックしようとしていたわけであるが、設計図書が構造計算において偽装されていたような場合まで問題を見破ることは期待ができないから、偽装があっても見破れるほどの専門家に今一度構造計算の適合性のチェックをさせるという趣旨である。

構造計算適合性の判断が求められるのは、概略、超高層建築物（高さが60mを超える建築物）以外の建築物で、木造で4階以上のもの又は高さ16m

を超えるもの、鉄骨造で4階以上のもの、鉄筋コンクリート造で20mを超えるものなどである（建基6条の3第1項、20条1項2号イ・3号イ）。超高層建築物が対象から除外されているのは、別途、指定性能評価機関により構造計算につき詳細な審査が行われているからである。

　構造適合性の判断が求められる建物の施主は、構造適合性判定の申請書を都道府県知事に提出してその判定を受けなければならない（建基6条の3第1項）。この申請を受理した後、都道府県知事は、申請者に対し、適合性判定の結果を通知する（同条4項）。施主は、その適合性が判定された通知書を確認検査機関に提出し（同条7項）、この提出があって初めて建築確認がなされうる（建基6条5項）。平成27年5月31日以前は、施主が建築主事等による建築確認を申請し、建築主事等が構造適合性判定機関に判定を求めるという流れであったが、平成27年6月1日からは、以上のように構造適合性判定を建築主事等の審査から独立させた。

(3)　建築士事務所と設計会社

　設計業務を行えるのは、資格を有する建築士だけであるが、世の中には大規模ないわゆる組織系設計事務所がいくつもある。それらは、ほとんどの場合、株式会社である。設計業務は専門性が高いので資格が厳しく問われるが、建築士を雇う組織系設計事務所と建築士との関係はどのように整理されるのかという問題がある。

　建築士や建築士を使用する者は、有償で設計や工事監理等を行う場合は、建築士事務所を定めて、その建築士事務所について、都道府県知事の登録を受けなければならない（建築士法23条1項）。建築士事務所は個人であっても法人であってもよい。したがって、組織系設計事務所は、ほとんどの場合、株式会社として設立され、多くの建築士を雇っているわけである。

　ところで、専門性が高いという意味では、弁護士も同様であり、平成13年に弁護士法が改正され、弁護士法人が認められるようになった。しかし、弁護士法人とは、弁護士法に基づく特別の法人であり、株式会社等その他の法人はなりえない。しかも、社員は、弁護士でなければならず、社員である

弁護士は、対外的に弁護士法人の債務に無限責任を負う（弁護士法30条の15第1項）。一方、設計会社にこのような制約はなく、多くは株式会社であって、また、その取締役や代表取締役が建築士でなければならないという制約はない。

　スター建築家を多くかかえている組織系設計事務所の場合、スター建築家を建築士の資格も求められない会社の代表取締役が指揮監督できるのかという問題があるが、この点は次のように法律は整備している。すなわち、建築士事務所には管理建築士を置かなければならず、この管理建築士は、①受託可能な業務の量及び難易並びに業務の内容に応じて必要となる期間の設定、②受託しようとする業務を担当させる建築士その他の技術者の選定及び配置、③他の建築士事務所との提携及び提携先に行わせる業務の範囲の案の作成、④建築士事務所に属する建築士その他の技術者の監督及びその業務遂行の適正の確保の技術的事項を統括するものであることが規定されている（建築士法24条3項）。なお、管理建築士は、建築士事務所の開設者（株式会社の場合は代表取締役と解される）にこれらの技術的事項に関し、建築士事務所の業務が円滑適切に行われるよう必要な意見を述べるべきこと、開設者は管理建築士の意見を尊重すべきことも規定されている（同法24条4項・5項）。したがって、専門的な技術的事項については、このような管理建築士の監督に服させることで、株式会社である設計事務所が、その業務の適正を図っていると言える。

6　設計に関する契約約款

(1)　建築設計・監理業務

　後述するが、建物の請負工事は、民間企業が施主になる場合は、大正12年以来の歴史のある民間（七会）連合協定の工事請負契約約款（以下「民間工事約款」という）が圧倒的に多く利用されている。一方、建物の設計に関しては、長い間、民間の契約約款はなかったが、平成11年に、日本建築士会連合会、日本建築士事務所協会連合会、日本建築家協会、建築業協会の4

団体が、初めて「四会連合協定　建築設計・監理等業務委託契約書類」を作成し、以後、平成 21 年に「建築設計・監理等業務委託契約約款」（以下「民間設計監理約款」という）と名を変え、現在まで修正が加えられている。民間工事約款も民間設計監理約款も、いずれも「四会」という名を冠したことがあるが、その構成員は異なる[8]。

　ところで、平成 26 年の建築士法の改正により、延べ面積 300 ㎡を超える建築物の新築等に係る設計または工事監理は、書面による契約締結が義務化され、法定事項の記載が必要となった（22 条の 3 の 3）。したがって、今後、この約款は多用されることであろう。なお、建築士法で契約に規定すべき事項が明確化されたことは重要である。特に作成する設計図書や報酬の額や支払時期を明記すべきことが定められた意義は大きい。

　注意すべきは、民間設計監理約款で、設計の瑕疵（契約不適合）を問える期間は、工事完成引渡しから 2 年以内とされているところである（同約款 23 条 5 項）。民間工事約款の瑕疵担保期間に合わせたとの説明があるが、民間工事約款の瑕疵担保責任も品確法に合わせた規定になっていることから、設計の瑕疵担保期間をすべて工事完成引渡し後 2 年以内とすることはバランスを欠く。この約款を利用する場合は、この部分の見直しも論点となろう。

(2)　設計施工

　建築業協会は、平成 13 年、『設計施工契約約款』を発表した。同協会は、平成 23 年に日本建設業連合会に合併されたので、現在は、同連合会が同約款の改定を行っている。建築業協会の略称だった "BCS" から、当初 BCS 約

---

[8] 民間工事約款は、古い関係者の間では「四会約款」と呼ばれ続けていたが、令和 2 年から正式名称が「民間（七会）連合協定工事請負契約約款」と変更されたので、今後は「七会約款」と呼ばれることになろうか。この約款は、大正 12 年に、当時の建築学会、日本建築士会、日本建築協会、建築業協会の連合委員会で作成された工事請負規程が母体で、その後何度も改正され、現在に至っており、作成に関与している団体は、現在、日本建築学会、日本建築協会、日本建築家協会、全国建設業協会、日本建設業連合会、日本建築士会連合会、日本建築士事務所協会連合会である。

款と呼ばれ、改定を経た現在も「BCS約款」と呼ばれている。同約款の特徴は、約款Aと約款Bという2種類の約款を用意して、実情にあわせて選択できるようにしているところである。

　A約款は、設計施工を前提としながらも段階的にプロジェクトを進め、着工までに施工の契約内容を決定するもので、最初は、設計合意書というものを締結する。これは、業務内容、実施期間、設計料を記載した簡単な設計契約書としての性格をもつ。その後、基本設計ができて実施設計に進む段階で設計施工契約を締結することが想定されている。

　一方、B約款は、当初から施工まで含めて設計施工契約を一括して締結するものの、実施設計終了後に工事確定合意書を締結することが想定されている。

　いずれにしても、工事金額をある段階では合意しなければならないのだが（A約款では実施設計に進む段階での設計施工契約締結時、B約款では実施設計終了後の工事確定合意書締結時）、設計が粗い段階では決めにくく、しかし、早い段階で決めることが施主にとっては安心感があるし、ゼネコンとしても、工事金額を決めるのと引換えに早い段階で工事を確保できることには意味がある。結局、工事金額を決めた後の、諸条件の変更や社会経済変動をどのように工事金額に反映するのかしないのか、といったあたりが契約交渉で重要になる。設計が十分には固まっていない中で工事をにらんで契約交渉をするのであるから、状況に応じて適切な契約条項を定めるべきである。したがって、A約款やB約款は参考にはするものの、事案ごとに、コンストラクションマネジメント会社や弁護士等の専門家の協力を得て、オーダーメードの設計施工契約書の作成が必要になるように思われる。

7　建築と著作権

(1)　建築の著作物と建築設計図

　建築と著作権を考える場合、著作権法で保護の対象とされる「建築の著作物」と著作権法で保護の対象とされる「図形」としての建築設計図とは別の

第1章　設計契約

ものであるということに注意が必要である。特に、「建築の著作物」というものが、日本語としてもどこかしっくりこないこともあり、わかりにくいが、「建築の著作物」とは、現に存在する建築物または設計図に表現されている観念的な建物自体をいうとされ[9]、「それは単に建築物であるばかりでなく、いわゆる建築芸術と見られるものでなければならない」[10]と判例通説は解釈している。なお、令和元年（2019年）に意匠法が改正され意匠法で建築物や内装デザインが保護されることになった。この点については後述し、まず、建築と著作権について以下に説明する。

　著作物とは、「思想又は感情を創作的に表現したものであつて、文芸、学術、美術又は音楽の範囲に属するものをいう。」（著作権法2条1項1号）。ただ、これだけではよくわからないので、著作権法では、著作物の例示を行っており、「建築の著作物」は、例示されているものの1つである（10条1項5号）。ところで、「建築の著作物」として著作権法により保護されるには、著作物の定義からも、美術性が必要であるという点で異論はないが、創作性を備えた美術性とはどういうものかといった点で議論がある。この点については、建築芸術といいうるような創作性を備えるべきとして、グッドデザイン賞を受賞した一般住宅の建築物の著作物性を否定した裁判例がある[11]。

9) 「本来、設計図をもとにして建築物を建てることは設計図の使用というほうがむしろふさわしいといえるが、著作権法においては著作物の使用という概念を認めていない（その点が使用概念を認める特許法との違い）ので、やむなく図面を見て脳裏に浮かぶイメージを建築著作物ととらえ、これの複製という考えをとったもの」（半田正夫『著作権の窓から』（法学書院、2009）55頁）と説明されている。したがって、他人が作成した、建築芸術と見られない建物の設計図をもとにして建物を建てても、それは著作権に反しないことになる。ただ、そのような設計図が図形として著作物性を有していれば、その設計図を模倣した設計図を作成することが図形としての設計図の複製として図形の著作権に反することがあるだけである。
10) シノブ設計事件、福島地決平成3年4月9日知的裁集23巻1号228頁。
11) グルニエ・ダイン事件と呼ばれる。大阪地判平成15年10月30日判時1861号110頁。控訴審（大阪高判平成16年9月29日裁判所ウェブサイト）も第一審の判断を維持した。

要するに、よほど他にまねできないほどの美術性がなければ、建築の著作物としての保護は認められない。同裁判例の事案では、積水ハウスのモデルハウスのデザインを模倣したサンワホームの建物に建築の差止め等を求めており、たしかに建物正面の写真（判例時報にもある）で見るとかなり似ている。しかし、積水ハウスのモデルハウスのデザインが「建築の著作物」にあたらないだけでなく、サンワホームの行為は、不正競争防止法の模倣にもあたらないと判断されている。中山信弘教授は、「芸術性のレベルは裁判所に判断させるべき問題ではないし、また裁判所に判断できる問題でもない。」、「実用本位の建築物は建築美術ではない、つまり著作権法の保護を受けるものではない」として、実用本位の建築物は工業所有権法の世界で扱うことが妥当として、「グルニエ・ダイン事件」を引用している[12]。

一方、建築設計図は、建築の著作物ではないが、著作権法10条1項6号（「地図又は学術的な性質を有する図面、図表、模型その他の図形の著作物」）の「図形」としての著作物には該当しうると考えられている。もっとも、同号でわかるように「学術的な性質を有する図面」でなければ、建築設計図が著作物と見られることもない。ただ、「創作的」とか「学術的」の範囲というものをどのように考えるかであるが、「図形」に関しては、判例学説ともに、「専門的知識、技能に基づき制作する知的生産物であれば足りる」と解している。したがって、ある建築設計図に基づいて建てられる建物に「建築の著作物」性を認めることができなくとも、建築設計図自体は「図形」として著作物性が認められることがある。ところで、施主がある建築士に作らせた設計図をもとに計画した建設プロジェクトが何らかの理由で一旦中止となった後に、状況が変化して再開されるということはよくあることである。そのような場合に、元の建築士にはプロジェクト中止を理由に設計監理契約を解除してほとんど報酬を払わない一方で、プロジェクト再開時には別の建築士に

---

[12] 中山信弘『著作権法〔第3版〕』（有斐閣、2020）106頁以下。ここまで言い切ってよいか、議論は分かれていると思われるが、裁判例の傾向は中山教授の解説に近いように思われる。

その設計図を渡して、設計監理費用を安くあげようとする施主も出てくる。有名な「浅野ビル設計図事件」[13]は、判例集で見る限り、この種の事案だったようであり、当初の建築士が原告となり、施主と再開後の建築士を被告として、訴訟を提起している。裁判所は、建築設計図を無断複製して、それを使って、再開後の建築士の名前で建築確認申請を行ったことをもって、著作権侵害として設計料相当の損害賠償と著作者人格権の侵害として慰謝料を認めている。このように、通常の建築設計図書も「図形」としての著作物の資格が認められることはある。

(2) 建築の著作物の保護

著作権法は、著作権だけでなく、著作者人格権も保護する（著作権法17条1項）。著作者人格権に含まれる権利は、公表権（同法18条1項）、氏名表示権（19条1項）、同一性保持権（20条1項）である。一方、著作権に含まれる権利は、複製権（同法21条）、上演権および演奏権（22条）、上映権（22条の2）、公衆送信権等（23条）、口述権（24条）、展示権（25条）、頒布権（26条）、譲渡権（26条の2）、貸与権（26条の3）、翻訳権・翻案権等（27条）、二次的著作物の利用に関する原著作者の権利（28条）である。

まず、建築の著作物に関する「著作権」の範囲は次のとおりである。建築芸術と言いうるようなものでなければ、建築の著作物と言えないとすると、建築の著作物として保護されるべき建物はほとんどないとは思われるが、仮にある建物に建築の著作物が認められるとした場合も、その複製行為をしない限り、利用は許される。すなわち、著作権法46条2号で、「建築の著作物を建築により複製し、又はその複製物の譲渡により公衆に提供する場合」を除き、建築の著作物は利用できることが明言されている。同条項について、「いわゆる模倣建築及びその公衆への譲渡を認めない趣旨でありまして、これは、建築の著作物の著作権の基本となるべきものだからであります。逆に申しますと、建築の著作物については原則として模倣建築及びその公衆への

---

13) 東京地判昭和60年4月26日判タ566号267頁。

譲渡以外の行為に著作権が及ばないということでもあります。」と解せられている[14]。つまり、建物を写真撮影したり、映像に収めて放送したり、建物を模写することも許される。

次に、建築の著作物に関する「著作者人格権」については、次のとおりである。著作者人格権のうち、建築の著作物の改変について、同一性保持権は及ばない。すなわち、「建築物の増築、改築、修繕又は模様替えによる改変」には、「著作者は、その著作物及びその題号の同一性を保持する権利を有し、その意に反してこれらの変更、切除その他の改変を受けない」との内容を有する同一性保持権は適用されない（著作権法20条1項・2項2号）。なお、この改変については、一般に、実用目的の改変が許されるのであり、美的観点や趣味による増改築等は同一性保持権の侵害になると考えられているが、そのように制限的に考えるべきではないとする異論もあり、裁判例も分かれている。一般に著作物の原作品の破棄は同一性保持権侵害にならないと考えられていることから、改変を制限的に考えると破棄につながりかねないとの指摘がある[15]。

公表権とは、自己の未公表著作物につき公表するか否かを決める権利であるが、建築の著作物については、多くは建築されていることから、問題になることは少ない。ただ、建築の著作物性を認めうる設計図があり、まだ、建築はされていないという場合がある。その建築されていない建物を、設計図に従って建築することも、建築されるべき建築の著作物の複製とされているので（著作権法2条1項15号ロ）、著作者が承諾しない中で、他人が図面をもとに建物を建築することは、著作者人格権の侵害となる。しかし、既述のとおり、建築の著作物は、建築芸術と言いうるような建物についてのみ認めら

---

14) 加戸守行『著作権法逐条講義〔7訂新版〕』（著作権情報センター、2021）388頁。
15) 以上につき、中山・前掲注12) 630頁以下参照。なお、イサム・ノグチ・ルーム移築事件では、裁判所は傍論ながら、建築の著作物の改変については、制限的に考えるべきであるとしている（東京地決平成15年6月11日判時1840号106頁）。

れるものであるので、そのような建築物でなければ、「図形」としての設計図の保護の問題になる。

(3) 建築設計図の保護

建築設計図に創作性があれば、建築設計図は、著作権法上の「図形」として保護される。したがって、甲建築士が設計した設計図を乙建築士が利用して模倣したとしか言えない設計図を作成した場合は、甲建築士が有する当該設計図の著作権に反し、乙建築士が無断で当該設計図の複製を行ったことになり、不法行為として設計料相当額の損害について損害賠償を請求することができる。また、このような場合、しばしば乙建築士は、複製した図面に自己の名を付してこれを利用するため、甲建築士の著作者人格権の氏名表示権を侵害したとして、精神的損害の賠償として慰謝料を請求できる。しかしながら、甲建築士は、乙建築士に対して、甲建築士に著作権のある「図形」としての設計図を模倣して乙建築士が複製した設計図に基づき建物を建築することを差し止める権利まではない（前述のシノブ設計の事案はまさにそのような事案であった）。ここは、わかりにくいところだが、「建築の著作物」に該当する建物であれば、その図面をもとに建物を完成することは、著作権法2条1項15号ロで「複製」と明文化されている。しかし、そのレベルに達していない建物では「建築の著作物」としての保護はないので、設計図面をもとに建物を完成させても「建築の著作物」の「複製」にはならないからである。それならば、格下の建物ならば、図面を模倣して何でもありでおかしいではないかという疑問がわくが、そうではない。あくまでも「図形」としての図面を模倣して別の図面を作成することは、図面の複製であるから（同号柱書で、複製とは、「有形的に再製すること」とあり、これには該当する）、「図形」の設計図の無断複製としての損害賠償の対象になるし、図面作成行為の差止めもできる。何でもありではない。

しかしながら、敷地や施主の基本計画が同一である以上、できあがる設計図書もほぼ似通ってくるという事情がある。したがって、類似だから無断複製とは直ちに判断しえない。元になった図面に依拠して作成されたことが必

第4部　設計・工事

要である。また、何枚にもわたる設計図面のうち、創作性がある部分は限定的であるとか、また、全体の複製ではなく部分的な複製というべき場合もあろう[16]。しかし、創作性のある部分につき明らかに模倣があれば設計図書という「図面」の無断複製として法的責任を負う。従来は設計契約がなくとも建築士が設計を行うことが多かったので、建築着工に進まない段階で建築計画が中断したような場合は、設計契約の清算というべき行為が行われないことがあり、このような紛争の原因となったように思われる。

なお、「建築物の増築、改築、修繕又は模様替えによる」「図形」としての設計図の改変も、「建築の著作物」の場合と同様に、許される（著作権法20条2項2号）。

(4)　設計契約上の取扱い

設計契約で建築物または設計図書の著作権に触れることが通常だが、以上に述べたように、「建築の著作物」と「図形」としての設計図とでは、著作権法の取扱いが異なる。この2つの違いを意識して設計契約を読むことは、設計会社にとっては当然のことであるが、施主には難しい。以下に説明する。

前述した民間設計監理約款で、著作権についてどのような規定を置いているかを見る。同約款9条で著作権の帰属を規定している。そこでは「著作成果物」と「本件著作建築物」という用語を定義しているが、著作物となる成果物が「著作成果物」とあるので、要するに、著作権法で「図形」として保護される設計図書が「著作成果物」と呼ばれていることになる。また、著作物となる完成建築物を「本件著作建築物」と呼んでいるので、要するに、著

---

[16] 知財高判平成27年5月25日裁判所ウェブサイトの事件では、創作的な表現に該当するか否かの判断を、作図上の表現方法における個性と具体的な表現内容における個性の両方から判断し、作図上の表現方法についての個性は否定し、具体的な表現内容における個性については限定的に認め、創作性はあるとされた。しかし、間取り、寸法、面積、形状が異なるから、両図面が実質的に同一とは言えず、複製とは言えないとして請求を棄却している。このように、図面の複製権の侵害も必ずしも容易には認められない現実がある。

作権法の「建築の著作物」として保護される建物を「本件著作建築物」と呼んでいる。これらの著作権が発生するとすれば、著作権は、設計者に帰属するとあるのは、当然のことである。なお、同条では、「著作権」は、「著作者人格権」も含めた意味で用いることも規定している。

　民間設計監理約款10条は、著作物の利用について規定している。ここは、重要なところである。まず、同約款10条1項が「著作成果物」の利用を定めている。施主が設計者に作成させた設計図書は、図面として設計者に著作権は帰属するとしても、施主は、その設計料を支払うのだから、当然にその設計図書を使えなければならないが、これについては、その設計図書を利用して1棟を完成することが認められている（同約款10条1項1号）。また、同約款10条2項は、その設計図書を変更して将来使用しなければならない局面を示して、それが可能であることを規定している。なお、ある施主のために作成した設計図書を設計者が他の案件に利用するとなると、施主が実質的に他の案件の設計代金まで払うようなことになるので、それはできないことが、規定されている（同約款10条1項ただし書）。同約款10条2項は、設計者が「建築の著作物」について、著作権や著作者人格権を有する状況を念頭に置いたものだが、著作権法で規定がされているところをなぞった規定であり、特別のことが書かれているわけではない。

　民間設計監理約款11条は、著作者人格権の制限を規定している。著作者人格権は、前述のとおり、公表権、氏名表示権、同一性保持権の3つである。設計者に著作者人格権が帰属するという整理をすると、著作権法に従って処理されてしまい、それでは不都合な場合があるので、ここで規定が置かれており、建物の設計の契約両当事者の意向にそった処理となるように工夫されている。

　「建築の著作物」をもカバーするように規定されているので読みづらいが、「図形」としての設計図を念頭に置いて読むと（民間設計監理約款11条の中では「著作成果物」とある部分だけを読んでみる）、同条1項では、その設計図の内容を施主が公表できること、同条2項で設計者が設計図の内容を公表しよ

うとする場合は施主の承諾が必要であること、同条3項で施主が設計図を利用する場合に同一性保持権を行使しないことが規定されている。このように見ると、「図形」としての設計図に関する限り、この約款の規定によると、設計者は公表権も同一性保持権も持たなくなるが、なお、氏名表示権は有しており、設計図に氏名を表示する権利はあることになる。

民間設計監理約款12条1項では、「建築の著作物」および「図形」としての設計図に関する設計者の著作権は施主の書面による承諾がない限り譲渡が禁じられている。

なお、著作者人格権は譲渡できないと著作権法で定められている（59条）。

8　建築意匠権

令和元年（2019年）に意匠法が改正され意匠法で建築物や内装デザインが保護されることになった（同法2条、8条の2）。それまでは、建築物のデザインに関しては、前述の建築物の著作権が認められていただけであり（建築設計図も「図形」として著作権が認められれば、設計図の複写を禁じることで模倣を一定程度防止できることは前述のとおりだが）、組み立て家屋の意匠権[17]というものを除いては、認められていなかったものであることから、大きな注目を浴びた。組み立て家屋の意匠権というものは、建築物の組み立て部品としてのデザインについてのもので、建設された建物のデザインを保護するものではなかった。それが、建築物の外観のデザインにも内装デザインにも意匠権が認められることになったのであるから、大きな法改正である。

建築物のデザインの模倣は、歴史的に数限りなく行われており、模倣なくして建築設計などできないというのも真実である反面、他人が苦労してつくりあげたデザインを労なくして模倣し利益をあげることが他人の財産をぬす

---

[17]「組み立て家屋」として意匠登録されたログハウス調の木造戸建てのデザインが盗用されたとして紛争になった「ワンダーデバイス事件」で東京地裁は令和2年11月30日、意匠登録をしていた「組立家屋」の意匠権侵害を認めて、意匠権者の損害賠償請求を認めた（判例秘書L07532052）。

むもののようにも思われ不正義であると感じられることもまた真実である。

　意匠権は登録して初めて成立するものであるから、いかなるデザインが登録に値するのかがまず問題になる。建築物の意匠とは、建築物の形状、模様もしくは色彩またはこれらの結合（「形状等」と略される）で、視覚を通じて美感を起こさせるものである（意匠法2条1項）。その形状等は新規性が必要で、「意匠登録出願前にその意匠の属する分野における通常の知識を有する者が日本国内又は外国において公然知られ、頒布された刊行物に記載され、又は電気通信回線を通じて公衆に利用可能となつた形状等又は画像に基づいて容易に意匠の創作をすることができたときは」、その意匠は意匠登録ができない（同法3条2項）。新規性のある意匠かどうかの線引きは建築物の場合、判断が難しい。したがって、特許庁の意匠審査官の力量で大きく判断が分かれそうに思われる。

　意匠法の目的が、「意匠の保護及び利用を図ることにより、意匠の創作を奨励し、もつて産業の発達に寄与することを目的とする」（同法1条）であるから、登録の是非や侵害の有無の判断においては、この目的から判断されるべきものであり、今後の先例や判例の積み重ねを見なければ、この建築意匠権がどれだけ社会に影響を及ぼすのかは予想しがたい。村野藤吾は「建築は結局は模倣なんだ。いかに料理して出すかということであって、過去の様式を取り入れていくことは建築には避けられないですよ」といつも言っていたという話があるが[18]、そのようなハイレベルの模倣とは違う、きわめて低レベルのパクリで稼ぐような、言い換えれば何の料理もせずに提供するような、そのような業態を規制するものと考えて運用されれば、建築意匠権も所期の目的を果たすのではないかと思う。

---

18) 佐野正一＝石田潤一郎『聞き書き関西の建築』（日刊建設工業新聞社、1999）43頁。

第2章

工事契約

1 民間工事約款

(1) 民間工事約款の役割

　民間工事請負契約の種類もさまざまであるが、ここでは日本国内の比較的大型の建設プロジェクトを念頭に置く。私の経験では、民間の大型工事請負契約で契約書に前章6で定義した民間工事約款（平成29年の民法改正に従って、令和2年4月と令和5年1月に改正がなされている。なお、これとは別に中央建設業審議会が公表した「民間建設工事標準請負契約約款（甲）、（乙）」も民間工事用に公表されているが、これまで私は使用した経験がない）を使用しなかった例はない。私の経験も偏っているとは思うが、例外なく、民間工事約款を利用していた（ただし、発注者に力がある場合は、同約款に数多くの修正を行って、相当程度、発注者に有利に変更しながら使用している場合もあり、「そのまま」使用していたわけではないが、そのような場合も同約款を下敷きにはしていた）。それだけ活用されているということは、同約款が施主側からも施工者側からもほぼ公正なものと理解されていることを意味するとも言える。

　もっとも、民間工事約款の作成にあたって、建築士業界の関与はあるものの、施主の視点からのチェックは乏しく、そのため施工者側に有利に傾いていないのかという疑問もあるところである。実際、かつては、施工者の責に帰すべき履行遅滞の遅延損害金の算定が（物件を引き渡してもいないのに）未完成部分を基礎にした計算式になっているなど、不合理に施工者側に有利に傾いていると思われた条項もあったが、かかる条項は一定程度修正された。

なお、問題になる条項は後述する。

　頻繁に大型の建設プロジェクトを発注する企業では、しばしば懇意のゼネコンがいる。今や、日本のスーパーゼネコンの技術力や資金力はきわめて高く、どれか1つのゼネコンにこだわる必要性はきわめて特殊な工事以外は乏しくなっていると思われる。それでも懇意のゼネコンに依頼したがるのは、信頼関係がきわめて高く維持されているからである。つまり、「かつてのあのビルの時のようにやりましょう」というだけで、それ以上の詳細な打合せは不要であるという感覚である。問題が生じれば、誠意をもって協議するということが期待できるから、契約交渉にコストをかける手間が省ける。長年弁護士をやってつくづく思うのは、紛争は、期待していたとおりの展開にならなかった場合に発生するということである。長年取引のある信頼できるゼネコンであれば、期待が裏切られることもなく、予期していない事態が発生すれば、双方が予期していなかったこととして当該局面に誠実に対処すればよいだけということになる。なお、このような関係にあるゼネコンとの間で適正な工事金額を決めうるのかという根本的な問題がある。競争にさらされないのに適正な工事代金がわかるわけもないだろうという正論はなかなか論破できないが、大手の発注者には内部または外部に工事の専門家を抱えていて、その専門家が、ゼネコンが提示する価格の適正さを一定程度チェックできる。また、長期的に勘定が合えばよいとの考えもあながち否定されるべきものとは思えない。当事者の一方が損をするのであれば、その関係は長続きはしないからである。

　したがって、厳しい契約交渉は、イチゲンさん的な施主とゼネコンとの請負契約においてであり、代表的事例は、外資系企業またはファンドが建物の建築を発注するような場合である。このような場合は、設計図書に基づいて入札で工事価格を決めるというのがオーソドックスな手順となる。しかし、入札段階で、民間工事約款を契約書として使用することを前提としていれば、契約交渉でも条項に大きな変更は持ち出しにくい。したがって、契約交渉が厳しいものになるのは、民間工事約款を前提としない場合であろう。し

343

かし、民法の規定はきわめて簡単な規定であり、それを実務上は民間工事約款で補足してきた中で、その補足部分がすっぽり抜けるのは契約両当事者にとってかえってリスクが大きい。紛争になった場合のよるべき指針がないからである。したがって、最終的には、民間工事約款を基本に協議するというスタイルしか実際にはないのではないかと思われる。私が経験した契約交渉で外資系企業が一番高圧的であった事例も、最終的には、民間工事約款を基礎に、外資系企業が修正提案をし、ゼネコンがこれに答えるというスタイルで契約交渉を行うことに落ちついた。20年以上も前のことで、記憶も薄れているが、瑕疵担保責任期間の変更にゼネコンが最も大きな抵抗を示した。期間を長期化すれば、ゼネコンの責任賠償保険の付保期間に関わるので、個別対応ができないといった抵抗だったと記憶する。その建設プロジェクトの設計会社は日本の一流設計会社であり、そのゼネコンもスーパーゼネコンであり、高層ビルではあったがオーソドックスな建物でもあったことから、期間が経った後の瑕疵の判明がどれほどリアルなリスクかはわからなかったが、瑕疵担保責任期間を過ぎた場合の損失を発注者が負うことを考えると、釈然としない気持ちが残った。この問題は次に述べる。

(2) 民間工事約款の留意点

上述のとおり、現在の民間工事約款の条項は相当程度当事者双方にとって受け入れやすい内容になっているとは思われるが、以下の2点については、民法から乖離しているので施主側としては留意しておく必要がある。いずれも変更しようとすると施工者から大きな抵抗が予想されるが、妥協点を探る努力が必要である。

第1は、工事未完成時点の危険負担の問題である。例えば、地震に遭遇し建設途上の建物が大きく破損し、初めから建設し直さなければならないといった事態に遭遇した場合の問題である。民法の原則は、民法536条1項により、債務者である施工者が危険を負担する。平成29年改正の民法536条1項でも同様である。したがって、出来高部分の破損について施主に何らかの負担を求めることはできない。しかし、民間工事約款21条では、施主と

施工者の「いずれの責めにも帰することのできない事由（以下「不可抗力」という。）によって、この工事の出来形部分、工事仮設物、工事現場に搬入した工事材料、建築設備の機器（有償支給材料を含む。）又は施工用機器について損害が生じたときは」、その損害について、施主および施工者が「協議して重大なものと認め」、かつ、施工者が「善良な管理者としての注意をしたと認められるものは」、施主が負担すると規定されている（同約款21条1項・2項）。これでは、施主が危険を負担していることになり、民法の原則からすると正反対の規定となっている[19]。しかしながら、建物の建設工事の場合、請負代金は、分割払いが通常であり、発注者が払っている代金相当の未完成建物部分については、すでに所有権が発注者にあると考えれば、不可抗力により、その未完成建物部分が滅失するリスクについては、分割払い時に順次小刻みに発注者に移転していると見ることもできる。そう考えると、分割払いを前提にすると、この約款の規定も理にかなっている部分がないわけではない。しかし、仕事が完成してもいないのに施工者のために分割して代金を払っていることが施主への危険の移転を意味するとの当事者の意識はないはずであり、約款の文言をそのまま受け入れることが合理的かは疑わしい。文言を工夫するか（施主が個人か大企業かでも取扱いは変わってよさそうに思える）、誠実な協議に委ねるという条項に逃げるべきか、この点は私

---

19) 地震に遭遇して建設途上の建物が大きく破損した場合も、初めから建設し直せばよいから履行不能ではなく、施工者はなお仕事を完成すべき義務があり遅滞の責を負わないだけであるという議論もありうる。ただ、事情により事情変更の原則や信義則により増加費用の負担を発注者に求めたり、製作し直す債務を免れるとの考えである（我妻榮『民法講義Ｖ３　債権各論　中巻二』（岩波書店、1962）622頁）。このように解すると、この問題は、履行不能の問題ですらないとも言えそうであるが、請負契約にも多くの種類があり（手袋製作と大規模建築をひとくくりにすべきではないと思われる）、履行期を無視するような議論にも疑問がある。しかし、仮にこの問題を履行不能による危険負担の問題として片づけても、民法536条1項により請負人負担とならざるをえないのが民法の帰結のように思われる。なお、この論点については、笠井修『建設請負契約のリスクと帰責』（日本評論社、2009）13頁以下に議論が整理されている。

も何が合理的かは決めかねるが、使用できなくなった工事材料以上の負担を施主が負うことには疑問がある。なぜなら、労力が無駄になった損失まで施主負担にするというのでは民法の原則から大きく外れるだけでなく、一般的に妥当とも思えないからである。ただし、後述するように、建設工事保険でカバーされるリスクについては、施主の負担も減じられるのであるから、同保険と総合して検討すると、保険対象外と考えられる地震や津波による損害の場合が施主にとってリアルな損失となる。

　第2は、瑕疵担保責任期間の問題である。改正前の民法では、「建物その他の土地の工作物の請負人は、その工作物又は地盤の瑕疵について、引渡しの後5年間その担保の責任を負う。ただし、この期間は、石造、土造、れんが造、コンクリート造、金属造その他これらに類する構造の工作物については、10年とする。」（改正前638条1項）とあった。しかし、令和2年4月改正前の民間工事約款では、「木造の建物については1年間、石造、金属造、コンクリート造およびこれらに類する建物、その他土地の工作物もしくは地盤については2年間とする。ただし、その瑕疵が」施工者の「故意または重大な過失によって生じたものであるときは1年を5年とし、2年を10年とする。」（同約款27条2項）と規定されていた。これでは、民法の期間の5分の1が原則となってしまうという問題があった。平成29年の民法改正により売買の目的物についても請負の目的物についても、「瑕疵」概念は放逐され、代わって「契約不適合」概念が導入された。詳細は**第6部補論第2章9**を参照されたい。この改正を受けて民間工事約款も変更された。すなわち、①契約不適合責任期間は原則、契約目的物の引渡しから2年（新約款27条の2第1項）、②引渡し時の検査で発見できなかった建築設備の機器、室内装飾、家具、植栽等の不適合は原則1年（同27条の2第2項）、③施工者の故意・重過失による契約不適合の場合は民法の定めるところによる（同27条の2第6項）、とされた。この③の民法の定めるところとは、改正民法637条2項のことであり、その結果、故意または重過失の場合は、消滅時効の一般原則（改正民法166条）にしたがって、権利行使可能時から10年間、知ってから

5年間は権利を行使できる。ただし、故意・重過失などはきわめて例外のことであって、注意すべきは、上記①の原則であり、引渡しから2年内の権利行使が必要となるという点である。もちろん、住宅についての品確法の保護はあるが、住宅以外は、この2年間の権利行使ができなければ、民間工事約款のもとでは、発注者は請負者に対する契約不適合責任を行使できなくなる。

2 仕事の完成

売買の場合、瑕疵は隠れている必要があるが、請負の場合、瑕疵は隠れている必要はないと説明されてきた。しかし、隠れていない瑕疵（改正民法における契約不適合）というものは、是正を求めうるのだから、完成していないとして取り扱えばいいのではないかという問題がある。すなわち、引渡し時に瑕疵（改正民法における契約不適合）を発見した場合は、引渡しを受けることを拒んで、その瑕疵（改正民法における契約不適合）のない状態にすること、つまり、完成を求める請求を行えばよいのであって、瑕疵担保責任（改正民法における契約不適合責任）を追及するには、引渡し時に瑕疵（改正民法における契約不適合）が隠れている場合ではないのかという疑問である。

しかし、全体のごく一部にわずかの不完全部分があることを理由に施主が完成していないと言い張って建物の受領を拒否するようなことは、施工者に酷なことでもある。完璧な工事は理想論ではあっても現実的なものではないからである。したがって、請負契約の場合、通説は、次のように解してきた。すなわち、「引渡の際に注文者が不完全な点を発見しても、それが付随的な部分における軽微なものである場合には——後に述べるように、注文者は、その不完全な部分について修補を請求することができ、修補されるまでは報酬の全部または一部の支払を拒むことができるのだが、——引渡を受けることを拒むことができず、これを拒んでも、請負人が引渡の提供をした時から危険は注文者に移転すると解することが公平に適するであろう。」[20]と解していた。したがって、請負の場合は、厳密な意味の完成と受領義務の発生する完成とは異なるのであり、後者を「一応の完成」と呼べば、一応の完

成時点で建物の受領義務が施主にはある。後述のとおり（第6部補論第2章9）、平成29年の民法改正により請負契約に関し、完成前は債務不履行責任、完成後は瑕疵担保責任という使い分けはしなくなったが、受領義務の発生時期との関係ではなお「一応の完成」概念は意味を持ち続けるように思う。

3 工事の目的物の所有権の帰属

(1) 問題の所在と判例・通説

ここでの問題は、建物の工事には着工したが建物の完成にまでは至らない状態の半完成品としての建物（以下「未完成建物」という）の所有権は誰に属するのか、また、完成した段階で誰に帰属するのかという問題である。工事請負代金が全額支払われた場合は、発注者の所有になることは議論の余地がないが、それ以前の段階でどうなのかという問題である。

判例通説は、主要な材料を発注者または施工者のどちらが負担したかで、完成した段階の建物の所有権の帰属は判断している。すなわち、民法の加工（246条）の法理による。したがって、完成した段階で、それまで主要な材料を発注者が負担していれば、完成時点で当然に発注者に建物所有権が帰属す

---

20) 我妻・前掲注19) 628頁。なお、注釈民法も「仕事の目的物が未完成のときと違って、仕事の目的物の主要な部分が完成したときは、付随的な部分に軽微な瑕疵があっても、受領を拒絶することができない。さらに、目的物に瑕疵があるというだけの理由で、瑕疵の修補の請求も、修補に代わる損害賠償の請求もしないで、報酬の支払を拒絶することはできない。注文者は、修補の請求か損害賠償の請求かを明らかにしなければならない。」幾代通＝広中俊雄編『新版 注釈民法(16)』（有斐閣、1989) 146頁［内山尚三］）とする。裁判例も、同様であり、「予定された最後の工程まで一応終了し、ただそれが不完全なため補修を加えなければ完全なものとはならないという場合には仕事は完成したが仕事の目的物に瑕疵があるときに該当するものと解するのである。」（東京地判昭和57年4月28日判タ478号77頁）と判示している。なお、瑕疵についての損害賠償請求権と請負代金の関係については最判平成9年2月14日民集51巻2号337頁、判タ936号196頁、最判平成9年7月15日民集51巻6号2581頁、判タ952号188頁がある。

るということになる[21]。しかし、完成した段階で、それまで主要な材料を施工者が負担していれば、完成時点で一旦は施工者に建物所有権は帰属し[22]、残代金の支払いを受けて、建物所有権は発注者に移転するということになる。また、未完成建物の所有権も、帰属を判定しなければならない時点で、それまでどちらが主要な材料を負担していたかで決めるということになる。なお、出来高払いで発注者が代金の部分的な支払いをしていれば、その支払いで、支払代金相当部分の材料を発注者が負担していたとみて判定することになる。最高裁も、工事代金の全額支払いがされていなくとも工事の進捗に合わせて工事代金の支払いがなされていれば、引渡しを待つまでもなく、発注者は完成と同時にその所有権を原始的に取得すると判示している[23]。

なお、下請負人が材料を提供している場合、判例は、「建物建築工事を元請負人から一括下請負の形で請け負う下請契約は、その性質上元請契約の存在及び内容を前提とし、元請負人の債務を履行することを目的とするものであるから、下請負人は、注文者との関係では元請負人のいわば履行補助者的立場に立つものにすぎず、注文者のためにする建物建築工事に関して、元請負人と異なる権利関係を主張し得る立場にはない」[24]として、出来高部分の所有権を主張していた下請負人の主張を否定した。

(2) 民間工事約款の関係規定と建設工事保険

民間工事約款において未完成建物が不可抗力により生じた損害につき発注者の負担としているところは(同約款21条2項)、主要な材料をどちらが負担したのかという点を考慮しない一律の処理であり、以上の通説判例の考え方にも適合的ではない[25]。

不可抗力により生じる損害については、一定程度は、建設工事保険でカ

---

21) 大判昭和7年5月9日民集11巻8号824頁。
22) 大判明治37年6月22日民録10輯861頁、大判大正3年12月26日民録20輯1208頁。
23) 最判昭和44年9月12日判時572号25頁。
24) 最判平成5年10月19日民集47巻8号5061頁、判タ835号140頁。

バーされる。建設工事保険は、建設工事において、工事期間中に発生した火災、台風、盗難、作業ミス等の不測かつ突発的な事故によって、未完成建物や工事用仮設物等の保険の対象に生じた損害につき保険金が支払われるものである。施主または施工者等の工事関係者が契約者となる。自然災害の多くは保険の対象となるが、地震または津波による損害は、通常、保険の対象外とされる。損害保険金は、通常、復旧費（損害の生じた保険の対象を損害発生直前の状態に復旧するために直接要する再築、再取得または修理の費用）から残存物価額を控除し、損害の拡大防止費用を加えて得られた金額が基本となる。被保険者は、損害を受ける関係者が広いので、元請け施工者、発注者、下請負人、機器供給者等、リース物件があればリース業者も含まれる。

　民間工事約款では、上記のとおり、原則として不可抗力による損害が発注者の負担となるので、発注者としては、いかなる損害保険をかけるかに当然ながら関心が高くなる。そこで、民間工事約款22条1項では（以下、甲は発注者、乙は受注者）、「乙は、この工事の施工中、この工事の出来形部分と工事現場に搬入した工事材料、建築設備の機器などに火災保険又は建設工事保険を付し、その証券の写しを甲に提出する。設計図書等に定められたその他の損害保険についても同様とする。」とあり、同条2項では、「乙は、この契約の目的物、工事材料、建築設備の機器などに本条1項の規定による保険以外の保険を付したときは、速やかにその旨を甲に通知する。」としている。同約款21条2項で施主の負担とされる損害についても、このような保険で保険金が出れば、それらの額は、施主の負担ではなくなることになる。なお、建設工事保険は、工事の目的物、工事用材料および工事用仮設物を包括的に保険の目的とし、これらに生じた不測かつ突発的な事故による物的損害

---

25) 笠井・前掲注19) 43頁は、むしろ、約款が建物所有権の帰属の問題と切り離したかたちで処理していることを評価している。しかし、建物所有権の帰属と切り離さない処理のほうが危険が現実化した時点ですでに一方が負担しているものを相手に負担させるといった帰属の逆転を生じさせることがないという意味では優れているように思う。

を包括的に塡補するもので、塡補しないとして列挙される損害以外すべて塡
補するものである。火事についても、特に除外されるとして列記されたもの
でない限り、保険対象事故となる。

4 下請けとコストオン協定書

(1) 一括下請けの禁止

　建設業法で一括下請けは、原則として禁止されている（22条1項・2項）。
ただし、発注者の書面による承諾が得られた場合は認められる（同条3項）。
しかし、共同住宅の新築工事の場合は、発注者の書面による承諾がある場合
も許されない（同法22条3項、同法施行令6条の3）。民間工事約款でも同様
の規定が置かれている（同約款5条）。

　なお、建設業法は、昭和24年に制定されたものだが、戦前は、各府県に
て請負業取締規則の制定がなされていたことがあった。戦前の土木建築業者
の中には、機械工具もなく、技術者もなく、施主の信用さえ得れば、一括下
請けさせて営業するブローカーが少なからずいたようで、そのような業者の
質は一般に低く社会的評価も低いものだったようである[26]。

(2) コストオン協定書

　民間の大規模建設工事の場合、設備工事に関しては発注者が信頼できる特
定の設備専門業者を使用してほしいと元請けのゼネコンに求め、その前提で
工事契約が成立する場合がある。設備工事としては、電気設備工事、空調設
備工事、給排水衛生設備工事、昇降機設備工事、機械駐車場設備工事等であ
る。この場合、発注者とかかる設備専門業者とが設備工事に係る工事代金を
取決め、これに元請けゼネコンの統括管理費用を上乗せ（コストオン）して、
発注者と元請けゼネコンとの工事請負契約を締結することがあり、このよう
な契約締結方式をコストオン方式と呼んでいる。元請けゼネコンは、建物建
設工事全体を一定期日までに完成させる義務を発注者に対して負うが、設備

---

[26] 速水・前掲注2) 301頁以下参照。

専門業者の行う設備工事に係る品質保証、性能検査、竣工後の契約不適合責任その他アフターサービスは、設備専門業者が直接発注者に対して負い、元請けゼネコンは、かかる責任を発注者に対しては負わない。コストオンに関する発注者、元請けゼネコン、設備専門業者の三者間の合意を明記するものがコストオン協定書である。設備専門業者も設備分野ごとに存在するので、コストオン協定書の設備専門業者は複数登場しうる。

　コストオン方式において、対象となる設備工事に関して、元請けゼネコンの業務は、統括業務となる。例えば、建築工事と設備工事間の調整、各設備工事間の調整、工程管理、作業管理、安全管理、諸官庁その他手続の確認と調整、建物完成時の完成書類作成のための確認と調整、追加変更工事や官庁指導事項の調整等である。また、各種工事において共通に必要となる共通仮設工事費等（特定の設備工事だけに必要なものは除く）は、元請けゼネコンの負担であり、これには、足場損料、揚重機損料、工事用光熱水費、保安警備費、場内清掃費、残材の処分費等が含まれる。共通仮設を設備専門業者は無償で使用できることが前提となる。

　設備工事の設計を誰が行うかは、全体工事を設計施工契約で行うのか、設計監理と施工を分離した契約で行うのかで異なる。前者の場合は、施工契約の前段階で設備専門業者も入れて、コストオン協定書の内容を協議することになるが、この場合、設備工事設計図は設備専門業者が作成し発注者と協議して決定することになる。後者の場合は、まず、設計会社が発注者と協議のうえ、設計契約の内容として設備部分の設計図書を仕上げ、設備専門業者は、当該設備部分の施工者として登場する。

　元請けゼネコンと設備専門業者との契約関係は、元請けゼネコンが発注者との間で締結した工事全体の請負契約の一部下請けという性格を有する。したがって、コストオン協定書で三者間の関係を明確にして、そのうえで、工事全体の元請け契約と、当該設備工事部分の元請けゼネコンと設備専門業者との下請け契約が締結されることになる。この下請け契約の金額がコストオン協定書で定められた当該設備工事の工事金額となるべきことがコストオン

協定書で定められる。下請け契約における、工事の出来高支払いの支払金額の算定方法や支払時期も元請け工事の工事請負契約の条項に準ずべきことがコストオン協定書で明記される。

　このように、コストオン協定書は、専門の設備工事を行う下請け会社を適切に処遇することに寄与している。もっとも、各設備工事も、多数の企業による設備工事建設共同企業体により遂行される場合があり、その場合は、その代表者が元請けゼネコンと当該設備工事に関する下請け工事の工事請負契約を締結する。さらに、かかる企業体を構成する企業の下にも多数の下請け工事業者が関わることも多いであろう。

5　施工者が施主の買主に対して負う法的責任

(1)　問題の所在

　ここでは、施主が施工者に建てさせた建物について請負契約上瑕疵があった場合、施主から建物を購入した買主またはそれ以降の買主が施工者にいかなる法的責任を問えるのかという問題を取り扱う。実際に事故が発生した場合は、被害者救済の観点から別途検討するが、ここでは、事故に至ってはいないが、瑕疵物件であることが判明した場合の問題を扱う。買主は、施工者との関係では直接の契約関係にはない。したがって、何らかの法的責任が発生するとなると、不法行為責任が問題となる。なお、本来的に、買主は購入物件に瑕疵があれば、売主に対して、瑕疵担保責任（契約不適合責任）を含む契約責任を追及できるので、施工者に責任を追及せざるをえない場合は、売主が倒産しているといった、売主に責任を果たす資力がない場合や、売買契約上の瑕疵担保責任（契約不適合責任）期間が経過し、売主に対して責任を追及できない場合である。

　理論上は、施工者が故意または過失で他人の生命、身体または財産に対して損害を与えた場合は、それによって生じた損害を施工者が賠償するのは不法行為責任として当然のようにも思われる。しかし、生命または身体に対する損害の場合は、そのように考えてよいし、財産もその施工対象の建物以外

の財産であれば、そのように考えてよいが、財産的損害が当該建物自体に関するものである場合は、難しい問題がある。

　第1に、請負契約上の瑕疵（契約不適合）が建物の買主にとって想定外の損害を生じさせる要因足りうるのかという点が問題になる。売買契約上の瑕疵（契約不適合）においても契約で想定されていた性能や機能の欠如であるという考え方が判例通説となっている現在、売買契約上の瑕疵（契約不適合）は、あくまでも契約に即して考えるべきであり、請負契約上の瑕疵（契約不適合）であるからといって、そのまま買主にとって想定外の損害を生じさせる要因であると考えるべき根拠はない。したがって、請負契約上の瑕疵（契約不適合）がかかる損害の原因となっていると解せられる場合にのみ、買主に対する施工者の不法行為責任が問題になるという点を確認しておく必要がある。議論の整理のために、このような瑕疵（契約不適合）をここでは「原因瑕疵」と呼ぶ。

　第2に、買主にとって原因瑕疵による財産的損害とは、何かという問題である。原因瑕疵を知らずに高い売買代金をつけてしまったということではない。それは、売買契約の問題だからである。原因瑕疵による財産的損害とは、その原因瑕疵の対策に費用を支出せざるをえない状況に追い込まれたということであろう。

　この問題については、最高裁が2度も差戻しを行ったいわゆる別府マンション事件が参考になるので、この事案を紹介し、実務上の留意点を指摘する。

(2)　別府マンション事件

　別府マンション事件は、施主から新築一棟マンションを購入した買主に、施工者に対する不法行為による損害賠償請求を認めるべきか否かが争点となったものである。最高裁の判決も2度出ており、下級審との考え方のズレが現れている点でも興味深い。

　事案の詳細は次のとおりである。昭和63年に工事請負契約が締結され、平成2年に竣工した賃貸用のマンション（9階建て共同住宅、店舗）の瑕疵が

問題になった。原告である買主は施主から同年（竣工3か月後に）建物一棟全体を購入している。平成6年から居住を開始したが、建物に亀裂、水漏れ、配水管のつまり、火災報知器の配線不備等の瑕疵が見つかり、売主に対して、建替えをするか建物購入代金を返還するように申し入れたが、拒絶されたので、平成8年に、施工者、設計者、仲介業者を被告として、施工者に対しては請負契約上の注文者の地位に基づく請負契約上の瑕疵担保責任（請負契約上の瑕疵担保履行請求権の譲渡を主張していた）および不法行為責任、設計者および仲介業者には不法行為責任を理由に損害賠償請求の訴訟を提起したものである。

　第一審の大分地裁判決[27]は、請負契約上の瑕疵担保履行請求権の譲渡を肯定して施工者に対する損害賠償請求権を認めたが、設計者および仲介業者に対する請求は認めなかった。第二審の福岡高裁判決[28]では、施工者に対する請求を棄却した。請負契約上の瑕疵担保履行請求権の譲渡を否定し、請負人が請負契約上の相手方である注文者以外の第三者に不法行為責任を負うのは、違法性の程度が大きい場合に限られるとして、この事案ではそこまで違法性が大きくはないとして不法行為責任は成立しないとした。これに対する上告審である最高裁判決[29]は、福岡高裁判決を破棄差し戻した。その理由として、設計者、施工者および施工監理者は、「建物の建築に当たり、契約関係にない居住者等に対する関係でも、当該建物に建物としての基本的な安全性が欠けることがないように配慮すべき注意義務を負うと解するのが相当である。」として、違法性が強度でなければ不法行為責任を負わないとした高裁判決に対して、そのように解すべき理由はないとした。

　差戻し控訴審判決は、福岡高裁判決[30]であり、多数の瑕疵は認めるものの、「現実的な危険」がないとして、原告の請求を棄却した。これを受けて、

---

27) 大分地判平成15年2月24日民集61巻5号1775頁。
28) 福岡高判平成16年12月16日民集61巻5号1892頁、判タ1180号209頁。
29) 最判平成19年7月6日民集61巻5号1769頁、判タ1252号120頁。
30) 福岡高判平成21年2月6日判タ1303号205頁。

再度上告がなされ、2度目の最高裁判決31）が出た。これは、差戻し控訴審判決が、「第一次上告審判決にいう『建物としての基本的な安全性を損なう瑕疵』とは、建物の瑕疵の中でも、居住者等の生命、身体又は財産に対する現実的な危険性を生じさせる瑕疵をいうものと解され、被上告人らの不法行為責任が発生するためには、本件建物が売却された日までに上記瑕疵が存在していたことを必要とするとした上、上記の日までに、本件建物の瑕疵により、居住者等の生命、身体又は財産に現実的な危険が生じていないことからすると、上記の日までに本件建物に建物としての基本的な安全性を損なう瑕疵が存在していたとは認められない」と判断しているところを是認できないとした。「建物としての基本的な安全性を損なう瑕疵」とは、それが「居住者等の生命、身体又は財産に対する現実的な危険をもたらしている場合に限らず、当該瑕疵の性質に鑑み、これを放置するといずれは居住者等の生命、身体又は財産に対する危険が現実化することになる場合には、当該瑕疵は、建物としての基本的な安全性を損なう瑕疵に該当すると解するのが相当である。」として、再度差し戻した。

2度目の差戻し控訴審判決は、福岡高裁32）で出され、3,822万円（請求は5億2,500万円）の認容がなされた。これは、第一審判決の認容額の約半額である。

第1回の差戻し審判決がゼロ回答なので、さすがに2回目の最高裁判決は、これを受け入れられず、再度差戻しをしたが、2回目の差戻し審判決も、おそらく最高裁の2度の判決に釈然としなかったのか、限定的な認容額にとどまった。そもそも、最高裁が発生した損害からスタートして損害賠償請求権の成否を議論しないから、このように釈然としない展開になったように思われる。2度目の上告審判決のように、「これを放置するといずれは居住者等の生命、身体又は財産に対する危険が現実化することになる」という基準もあいまいであり、とりようによってはきわめて広い範囲の瑕疵も入りう

31）最判平成23年7月21日裁判集民237号293頁、判タ1357号81頁。
32）福岡高判平成24年1月10日判タ1387号238頁。

る[33]）。そもそも、買主にとって何が損害なのかを先に議論していないところに問題を不明確にした根本があるように思われる。当初の福岡高裁の判決で違法性が大きくなければ不法行為責任は負わないとしたり、最高裁が「建物としての基本的な安全性を損なう瑕疵」でなければ不法行為責任を負わないとしたところは、請負契約上の瑕疵が直ちに不法行為責任を根拠づけるものではないとしている点で正当であるが、問題は、その範疇に入る瑕疵（上述の「原因瑕疵」と呼ぶべき瑕疵）は何かである。事案によってかなり判断が分かれうると思われる。このような場合は、買主がその瑕疵のために通常以上の出費（居住用マンションで言えば、通常の保守修繕計画には入りえない保守修繕を安全性確保のために行わざるをえなかったことによる費用の支払）を余儀なくされまたはそれと同視できる状況に置かれ、損害を受けたのかという、損害発生の事実から不法行為責任の成否を論じるべきであると思う。不法行為責任としての損害賠償請求権の本質は発生した損害についての被害救済であると考えるからである。

　この事件からは次のような教訓が得られる。すなわち、建物の買主の立場からは、売主に対する瑕疵担保請求権（契約不適合による損害賠償請求権）を確保するだけでいいのか、むしろ、売主が施主として施工者に対して有する請負契約上の瑕疵担保請求権（契約不適合による損害賠償請求権）等を承継する必要がないかを検討すべきである。施工者の立場からは、工事請負契約でいくら瑕疵担保責任（契約不適合責任）について責任制限特約等を定めていても、施主から建物を購入する買主との間では、特に、建物の安全性に関する瑕疵については、不法行為を理由とする損害賠償請求を受けうるということに留意して、これまで以上に、建物の安全性を確保する施工に努めるべきということになる。

33) 高嶋卓「外壁タイルの瑕疵と施工者の責任」（判タ1438号（2017）48頁以下）は、別府マンション事件の2つの最高裁判決を念頭に置いて施工者のマンション購入者に対する不法行為責任の有無を論じたものであるが、外壁タイルの浮き・剥落については平成23年最判（前掲注31））が外壁の剥落による通行人への落下を例示していることから平成19年最判（前掲注29））のいう「基本的な安全性を損なう瑕疵」とする。

第5部

事故と法的責任

第 5 部　事故と法的責任

第 1 章

地　　震

1　過去の地震

(1)　地震と法規制と法的責任

　阪神淡路大震災が平成 7 年 1 月 17 日（最大震度 7）、新潟県中越地震（同 7）が平成 16 年 10 月 23 日、東日本大震災（同 7）が平成 23 年 3 月 11 日、熊本地震（同 7）が平成 28 年 4 月 14 日・16 日、北海道胆振東部地震（同 7）が平成 30 年 9 月 6 日と、最大震度 7 以上の地震がこの 30 年ほどの間に 5 回も発生している。この中で東日本大震災は、津波を伴い、福島原発事故という未曾有の事故を発生させているので、特別に論じるべきことが多いが、これらの巨大地震のほかにも、最大震度 6 以上の大きな地震が平成 15 年 9 月 26 日に十勝沖地震（同 6 弱）、平成 17 年 3 月 20 日に福岡県西方沖地震（同 6 弱）、平成 19 年 3 月 25 日に能登半島地震（同 6 強）、平成 19 年 7 月 16 日に新潟県中越沖地震（同 6 強）、令和元年 6 月 18 日に山形県沖地震（同 6 強）、令和 3 年 2 月 13 日に福島県沖地震（同 6 強）、令和 4 年 3 月 16 日に福島県沖地震（同 6 強）、令和 5 年 5 月 5 日に石川県能登地方地震（同 6 強）と頻繁に発生している。しかも、首都直下型地震や南海トラフ地震等、今後予想される地震の想定被害は甚大である。東日本大震災の津波被害を除くと、建物の倒壊による人身被害が多く、地震による建物の倒壊をいかに防ぐかが現在の政策の中でも最優先課題である。もちろん、地震に伴う火災被害は、想定すべき重要な被害であり、とりわけ密集市街地を多く抱えている都市部では、密集市街地の解消や不燃化も大きな政策課題である。

360

これらの課題に対しては、大きな地震のたびに、各種対策を求めるさまざまな法改正が行われている。ただ、これら対策には費用がかかるので、法規制も過去に遡って新しい規制を直ちに適用するわけにはいかない。理想を言っても現実が追いつけないのであれば意味がないからである。しかしながら、一旦、地震が発生し、深刻な被害が発生した場合は、被害者救済の観点から、規制法に違反していないというだけでは免責にはならず、建物等の工作物を所有したり占有したりしている者は民法上の土地工作物責任を負わされることもある。かつて地震に対しては、天災であり不可抗力で免責であるとの常識もあったが、今や、天災であってもその被害を低減できたのであれば、その低減を行っていないという点をとらえて責任を負うこともあるという認識に変わってきている。地震に対する裁判例は後に紹介するが、法的責任を厳しく問うべきという国民一般の意識は、以前よりも高くなっている。したがって、過去の裁判例は重要ではあるが、その後の法規制の変化や国民意識の変化により、過去の裁判例の判断基準がそのままいつまでも通用すると考えるべきではない。過去の地震被害を反省して漸次改正が行われた法規制をみると、現代の日本社会が地震に対して何を優先して対策すべきとしているかがわかる。将来震災が発生した場合にはそのような保護すべき利益が適切に保護されていたかが問題になる。したがって、法規制の変遷を紹介しながら、優先して保護されるべき利益またはそのための対策を整理したい。

(2)　過去の巨大地震と被害

(i)　阪神淡路大震災

　阪神淡路大震災は、死者 6,434 人、行方不明者 3 人、負傷者 4 万 3,792 人、全壊 10 万 4,906 棟、半壊 14 万 4,274 棟、火災 293 件である。

　巨大な都市型直下地震だが、早朝のため火の使用が少なく火災の被害が少なかった。しかし、建物の倒壊により多くの死者を出した。公共施設やライフラインも甚大な損害を受けた。

　死者の多くは、自宅の木造建物の倒壊による圧迫死である。多くは戦前から戦後にかけて建てられた築後 30 年以上の木造瓦葺き家屋であったと言わ

れている。屋根が重く、筋交いがなく、木材が腐食する等による耐力低下が倒壊の主な原因とみられている。また、木造以外の鉄筋コンクリート造の堅固建物も、ピロティを持つ建物の一階部分の崩壊だけでなく、中間階の階層部分の崩壊も多く見られた。さらに、鉄骨造でも溶接不良で大きな被害を受けたものが数多く報告されている。なお、高架の高速道路その他インフラの損害も大きなものであった。

(ⅱ) 新潟県中越地震

新潟県中越地震は、死者68人、負傷者4,795人、全壊3,175棟、半壊1万3,810棟、火災9件である。液状化や造成地の崩壊といった地盤の変化が広範囲で起こった。

(ⅲ) 東日本大震災

東日本大震災は、死者1万9,765人、行方不明者2,553人、負傷者6,242人、全壊12万2,039棟、半壊28万3,698棟、火災330件である（令和5年3月1日現在）。東北から関東の太平洋岸に津波が押し寄せ、甚大な被害となった。福島原発事故による放射能汚染事故を引き起こし、単なる建物等の崩壊だけでなく、利用できない土地を広範囲につくり出した。建物の被害としては、構造材の崩壊だけでなく、多数の天井崩壊等、非構造材の崩壊による被害も多かった。

(ⅳ) 熊本地震

熊本地震は、死者273人、負傷者2,735人、全壊8,642棟、半壊3万4,393棟、火災16件である（令和3年3月12日時点）。前震の次に本震が来て、前震で弱っていた建物が本震で一挙に崩壊する事態が生じた。大きな余震が頻発した特徴がある。

2　法規制の変遷

(1)　耐震改修促進法の制定

阪神淡路大震災前の地震に関する法規制については第1部第3章1で言及した。そこで、以下、阪神淡路大震災以後の法規制の変遷をみることにす

る。法規制の中で最も重要なのは、阪神淡路大震災を経験して同年すぐに制定された耐震改修促進法である。そこで、耐震改修促進法の制定からこれまでの改正を以下に説明する。

耐震改修促進法により、制定時「特定建築物」と定義された建築物の所有者は、耐震診断を行い、必要に応じて耐震改修を行うように努めなければならないとされた[1]。

どのような建物が特定建築物とされたのかが、ここでは関心事である。なぜならば、耐震改修促進法は、特定建築物については、耐震性に特に配慮を求めているからである。また、そのうち、一定の建物に対しては、所管行政庁（建築基準法上の特定行政庁のことであり、具体的には建築主事を置く市町村の長または都道府県知事である）は、必要な耐震診断や耐震改修が行われていないと認めるときは、所有者に必要な指示を出すことができるとされた。この指示の対象となる建築物については、所管行政庁は、所有者に一定の事項の報告を求め、立入検査もできるように規定された。この指示対象特定建築物は、特定建築物の中でも一段と耐震性に配慮が求められているということがわかる。したがって、このような規定が直ちに耐震改修を求めてはいないとしても、仮にこれらの建物が将来地震による深刻な被害を受けた場合は、耐震診断をしたり耐震改修をしたりする努力を払っていたのか否かが問題となり、努力を払っていなかったと認定されると、後述する土地工作物責任等の民事責任を負うリスクが高まると言える。

特定建築物は、建築基準法の耐震関係規定に適合していない既存不適格建

---

[1] 耐震診断では Is 値（構造耐震指標）が重要な指標とされている。この数値は、地震力に対する建物の強度および地震力に対する建物の靱性（変形能力、粘り強さ）が大きいほど大きくなり、耐震性能が高くなると説明されている。Is＜0.3 では地震に対して倒壊または崩壊する危険性が高く、0.3 ≦ Is＜0.6 で地震に対して倒壊または崩壊する危険性があり、Is ≧ 0.6 で地震に対して倒壊または崩壊する危険性が低いとされ（平成 18 年 1 月 25 日付国土交通省告示第 184 号）、例えば、文部科学省では、公立学校施設の耐震改修の補助要件として、補強後の Is 値が概ね 0.7 を超えることとしている。

築物である必要がある。既存不適格建築物とは何かは**第１部第３章３**で詳しく説明したので、ここでは説明しないが、要するに、建築時には基準に適合していたが、その後の法改正で基準不適合になった建物のことである。典型的には、昭和56年に導入された新耐震基準の施行より前に建築確認を得て着工した建物で、新耐震基準に適合しない建物である。新耐震基準に適合していれば、現行の求められる耐震基準をみたしているので、耐震診断は不要だが、旧耐震基準建物であれば、どれだけ耐震性があるのかわからないので、耐震診断を受けるようにしてくださいというのが耐震改修促進法の趣旨である。なお、旧耐震時代の基準にもともと違反して建てられた違反建築物は特定建築物の対象にもなっていない。社会的には、このような違反建築物こそ耐震性が心配なのだが、同法は、特定建築物に耐震診断を受けさせ、耐震改修計画を認定することで、耐震改修工事に関しては建築確認通知がなされたとみなすという取扱いをする。しかし、違反建築物に関してはあくまでも原則に従って現在の基準に不適合な部分をすべて適合させる計画でなければ、建築確認をおろさないという取扱いがなされる。ここでも違反建築物は、いつまでも違反建築物から脱することが困難であり、厳しい取扱いを受けることがわかる。

ところで、特定建築物として挙げられていたのは用途でいえば、①学校、②体育館、③病院、④劇場、⑤観覧場、⑥集会場、⑦展示場、⑧百貨店、⑨事務所、⑩ボーリング場、スケート場、水泳場その他これらに類する運動施設、⑪診療所、⑫映画館または演芸場、⑬公会堂、⑭卸売市場またはマーケットその他物品販売業を営む店舗、⑮ホテルまたは旅館、⑯賃貸住宅（共同住宅に限る）、寄宿舎または下宿、⑰老人ホーム、保育所、身体障害者福祉ホームその他これらに類するもの、⑱老人福祉センター、児童厚生施設、身体障害者福祉センターその他これらに類するもの、⑲博物館、美術館または図書館、⑳遊技場、㉑公衆浴場、㉒飲食店、キャバレー、料理店、ナイトクラブ、ダンスホールその他これらに類するもの、㉓理髪店、質屋、貸衣装屋、銀行その他これらに類するサービス業を営む店舗、㉔工場、㉕車両の停

車場または船舶もしくは航空機の発着場を構成する建築物で旅客の条項または待合いの用に供するもの、㉖自動車車庫その他の自動車または自転車の停留または駐車のための施設、㉗郵便局、保健所、税務署その他これらに類する公益上の建築物である（平成7年耐震改修2条1項、耐震改修令1条1項）。これらの用途で、かつ、階数が3以上で床面積の合計が1,000㎡以上の規模のもの（平成7年耐震改修令1条2項）とされた。要するに、所有者以外の多数の者が利用すると一般に見込まれる規模の大きな建物が特定建築物とされたのである。

特定建築物の中でも不特定多数の者が利用するものは、指示対象特定建築物とされた。用途的には、上記の①、⑨、⑭の卸売市場、⑯、⑰、㉔が除外され、②および㉖は、一般公共の用に供するものに限られた（平成7年耐震改修4条2項、耐震改修令3条1項）。規模も3階以上で床面積合計が2,000㎡以上と要件が厳しくなっている（平成7年耐震改修令3条2項）。

なお、ここで注意すべきは、一定の歴史的建造物（建基3条1項該当建物に限る）は、そもそも建築基準法の適用除外となっており、特定建築物にも該当しないということである。ただし、いわゆる伝建地区内の歴史的建造物は、建築基準法の耐震関係規定が適用されてしまうので、上記の用途や規模の点から特定建築物に該当すれば、耐震診断または耐震改修の努力義務が課されてしまう。しかし、歴史的・文化的価値が高い伝建地区内の建物に対する耐震改修促進法の規定の運用にあたっては、その歴史的・文化的価値に配慮すべきことが同法制定時の建設省の解説書においても指摘されている[2]。このようなことも、将来、歴史的建造物や伝建地区内の建物において地震被害が生じたときに、法的責任を考える場合の考慮要素となる。安全至上主義では失うものが大きいこともまた真実だからである。

(2) 耐震改修促進法の平成18年改正

耐震改修促進法は、平成16年の新潟県中越地震、平成17年の福岡県西方

---

2) 建築行政研究会編著『建築物の耐震改修の促進に関する法律の解説』（大成出版社、1996）19頁参照。

沖地震を経て、平成18年に改正された。

改正は、第1に、計画的な耐震化を進めるために、国が基本方針を定め、地方公共団体による耐震改修促進計画を定めるべきことが規定された。

第2に、地方公共団体の建物の所有者に対する指示等の対象に、幼稚園・保育所、小・中学校、老人ホーム等を追加し、規模要件も、避難弱者の利用する建物の規模を引き下げた。具体的には、指導・助言の対象として、幼稚園・保育所は2階以上500㎡以上、小・中学校や老人ホームは2階以上1,000㎡以上、一般体育館は階数要件なく1,000㎡以上と変更された。なお、指示や立入対象として、一般体育館は階数要件なしに2,000㎡以上とされ、避難弱者の利用する建築物として、幼稚園・保育所は2階以上750㎡以上、小・中学校は2階以上1,500㎡以上、老人ホームは2階以上2,000㎡以上とされた。

第3に、指示等の対象に危険物を取り扱う建築物を追加し、また、道路を閉塞させる一定以上の高さの建物を追加した。

これらの追加変更を見ると、いかなる建物に耐震性を確保してもらわなければ社会として困るのかという視点が現れていることがわかる。避難弱者という観点や避難通路確保といった観点は、言われてみればそのとおりだが、耐震改修促進法制定時点では十分に考慮されていなかった点と言える。これらの点は、将来、建物が地震により倒壊して人身事故が発生した場合に、土地の工作物責任の成否の判断において、必ず重視されるに違いない。したがって、これらの点を念頭に置いて、特定建築物を所有している企業は耐震計画を定め、対応をせざるをえない時代になったと言える。

なお、平成18年の改正で、地方公共団体の指示に従わない特定建築物は公表できる旨の規定が入れられた。

(3) 耐震改修促進法の平成25年改正

平成23年の東日本大震災の甚大なる被害を経験し、南海トラフの巨大地震を想定し、その大きな被害をできる限り減少させるために、より一層建物の耐震化に取り組む必要性が認識され、耐震改修促進法はさらに平成25年

に改正された。

　この改正により、従来の「特定建築物」という用語が条文から消え、「要緊急安全確認大規模建築物」「要安全確認計画記載建築物」「特定既存耐震不適格建築物」「一定の既存耐震不適格建築物」という4つの区分が新設され、病院、店舗、旅館等の不特定多数の者が利用する建築物および学校、老人ホーム等の避難弱者が利用する建築物のうち大規模なもの(条文では「要緊急安全確認大規模建築物」とされている)について、耐震診断の実施とその結果の報告を義務づけ(平成27年12月31日までに報告しなければならない)、所管行政庁がその結果を公表することが規定された(耐震改修平成25年改正法附則3条)。規模要件が、病院、店舗、旅館等で階数3以上かつ床面積の合計が5,000㎡以上と(耐震改修令附則2条)、かなり大きいので、該当建物は限定されるとはいうものの、病院、店舗、旅館等で耐震診断結果が公表されると、耐震性の低い建物を所有して事業を経営することが事実上不可能にもなりかねない。今後、この規模要件が順次引き下げられることも十分ありうるので、これらの建物を取得する取引やこれらの建物を主要な資産とする会社等を買収するにあたっては、その資産価値算定において十分に注意が必要になったと言える。

(4)　耐震改修促進法施行令の平成31年改正

　大阪北部地震や熊本地震では、倒壊したブロック塀の下敷きになり死者が出るという被害事例が生じた。この被害を受けて、ブロック塀等の倒壊による通行障害の防止のため、耐震改修促進法施行令4条の通行障害建築物に、建物に附属する組積造の塀(補強コンクリートブロック造の塀を含む。)が追加された。この改正により、倒壊した場合に避難路の過半を閉塞するおそれがあり、一定の長さを超える塀については、要安全確認計画記載建築物として耐震診断義務付け対象となった。

3 裁判例

(1) 概　説

上記のごとく頻繁に大地震が起こり、被害も甚大である中で、地震に関する公刊された裁判例は驚くほど少ない（公刊されていないものも少ないと思われる）。ただし、福島原発事故関連は除外してのことであり、福島原発関連では、訴訟外のADR手続だけでなく、多くの訴訟が提起されている。その総括は、いずれ行われなければならないが、原子力発電所ではなくとも危険物を抱える企業は、地震による被害を十分に検討しておくことの重要性を福島原発事故で思い知らされたと言える。地震は不可抗力であり仕方がないという議論は、対策を講じれば事故を防げた可能性があれば、通用しないからである。

地震に関する裁判例が非常に少ないのは、付近一帯が同様の被害を受けていれば、訴訟にすることをあきらめるからであろう。それは、法的に考えても合理性はある。つまり、地震の被害に対して建物の耐震性の弱さを理由として建物所有者に損害賠償を請求するには土地工作物の設置保存の瑕疵があったと言えなければならないからである。付近一帯がおしなべて同様の被害を受けているのであれば、当該建物だけに設置保存の瑕疵があると主張し立証することは難しい。したがって、地震に関する訴訟の多くは、周囲にはそれほどの被害がないのに、当該建物だけがとりわけ被害が大きい場合である。以下に特徴的な判決を紹介する。

(2)　仙台地判昭和56年5月8日（判時1007号30頁）

この事件は、昭和53年6月12日に発生した宮城県沖地震によるブロック塀の崩壊により発生した死亡事故である。ブロック塀の設置保存に瑕疵があったのかが争われ、裁判所は、設置保存の瑕疵を否定した。

当該ブロック塀は昭和44年に設置されている。建築基準法でコンクリートブロック塀の構造基準が定められたのが昭和45年であり、それ以前はコンクリートブロック塀についての法的規制は特段なかった。裁判所は、宮城

県沖地震が発生するまでは、仙台市近郊では震度5程度の地震が通常発生することが予測可能な最大級の地震であったと判断した。仙台管区気象台が発表した震度は5だったので、予測可能な震度に耐えていないという主張については、当該ブロック塀の付近では揺れが激しかったこともあり、震度5を超える激しい揺れがあった可能性も指摘して、否定している。

　判決では、一般論として、「一般にブロック塀の設置又は保存に瑕疵があるとはブロック塀の築造及びその後の維持、管理に不完全な点があって、ブロック塀が安全性を欠いていることをいうものであるが、その要求される安全性は、如何なる事態が発生しても安全であるという意味のいわゆる絶対的な安全性ではなく、当該工作物の通常備えるべきいわゆる相対的な安全性をいうものと解すべきであり、右にいわゆる通常備えるべき安全性とは本件に則して言えば、本件は地震に関連して発生した事故であるから、本件ブロック塀が通常発生することが予測される地震動に耐え得る安全性を有していたか否かをいうものであるが、地震が地上の建築物に対して及ぼす影響は、地震そのものの規模に加えて、当該建築物の建てられている地盤、地質の状況及び当該建築物の構造、施工方法、管理状況等によって異ってくるものであるから、具体的に本件ブロック塀に瑕疵があったか否かを決するに当っては、右のような諸事情を総合して、本件ブロック塀がその築造された当時通常発生することが予測された地震動に耐え得る安全性を有していたか否かを客観的に判断し、右の点につき安全性が欠如し或いは安全性の維持について十分な管理を尽くさなかった場合には、本件ブロック塀の設置又は保存に瑕疵があるというべきである。」と述べている。

　この判示部分は、地震による土地の工作物責任を考えるうえで、今なお参照すべきところが多いと思う。ただし、近年の大地震が必ずしも一般的には地震の可能性が高いと思われていなかった地域でも頻発していることから、「通常発生することが予測される地震動」というものを地域ごとに区分けして考えることにどれだけ合理性があるかは疑問がある。昭和56年から導入された新耐震基準が震度6強でも倒壊しないということを目標に定められて

いることを考えると、今や、震度6強程度の地震は想定すべきと思われる。ただし、建築基準法の最新基準に適合していないことをもって瑕疵としたのではなく、建築物の「通常備えるべき安全性」を別に論じている点は重要である。つまり、当該建物がどの程度耐震性の確保を期待されているかを判断し、その期待レベルから当該建物が耐震性において劣っていれば、「通常備えるべき安全性」を欠いているとの枠組みを設定しており、この判断枠組み自体は今も有効である。

(3) 神戸地判平成10年6月16日（判タ1009号207頁）

この事件は、阪神淡路大震災で倒壊したホテルで宿泊していた客が圧死したもので、建物所有者の土地工作物責任が問題とされ、裁判所は、その責任を認めた。

7階建てホテルで、昭和39年に新築され、すぐに南棟が、昭和44年に西棟が増築されている。被告は、昭和61年にこのホテルを購入してホテルを経営していた。地震により、西棟の4階・5階・6階の天井が崩落し、客が圧死したものである。西棟の増築により、構造上危険な建物となっていた。被告は、未曾有の大震災であり、不可抗力によって被害が発生したものとし、建物の設置保存の瑕疵を争ったが、否定された。被告の不可抗力の主張に対して、裁判所は、「被災増床以外の本件建物や近隣の古い木造家屋が倒壊していないという状況を踏まえて、なお、本件事故が不可抗力によって発生したことを裏付ける事実関係を認めることはできない。」と判示した。

法理論上、特段目新しい内容を含むものではないが、未曾有の大震災が原因だからといって不可抗力で免責とはならないとした実例として参考になる。西棟の増床が建築確認をとってなされたものかどうかは不明であるが、建築確認をとって工事をしていたのであれば、端的にそのように主張しているはずであるから、建築確認をとらない工事だったのではないかと思われる。

(4) 神戸地判平成11年9月20日（判時1716号105頁）

これも阪神淡路大震災の被害である。3階建ての賃貸マンションの1階部分が押しつぶされて賃借人が圧死した事件である。建物は昭和39年に建築

第 1 章　地　　震

され、所有者は、これを昭和 55 年に買い受けている。所有者だけでなく仲介業者も被告とされ、所有者には工作物責任が認められ、仲介業者の責任は否定された。建築時に建築確認がとられているかは判然としないが、原告は、建築基準法令に適合しない危険な建物であったと主張し、被告は、建築基準法の設計基準をみたさない部分があることは認めつつも、その場合は、構造計算によって安全を確認すればよく、軽量形鋼の補強により耐震基準の水平震度をみたしていたから、建築基準法に適合していたと反論していた。したがって、建築確認はとってはいないが、建築基準法の基準をみたしていたと反論していたのではないかと思われる。

　裁判所は、設計にも施工にも問題があるとして、「結局、本件建物は、建築当時を基準に考えても、建物が通常有すべき安全性を有していなかったものと推認することができる。」と判断している。

　興味深いのは、被害の発生は、建物の設置の瑕疵と地震という原因が競合してもたらされているとして、損害の半額を賠償すべきとした点である。つまり、地震で事故が発生したことは明らかだが、瑕疵がなければ、実際に発生したような被害が発生したとは言えないのではないかと判断した。裁判所は、「本件賃借人らの死傷は、本件地震という不可抗力によるものとはいえず、本件建物自体の設置の瑕疵と想定外の揺れの本件地震とが、競合してその原因となっているものと認めるのが相当である。」とし、このような場合には、「損害の公平な分担という損害賠償制度の趣旨からすれば、損害賠償額の算定に当たって、右自然力の損害発生への寄与度を割合的に斟酌するのが相当である。」として、その寄与度を 5 割とした。

　これは、寄与度という考えを持ち込んで、事案の解決の妥当性を優先させたようにも思われる。理論的に考えれば、瑕疵がなくて地震だけでも死亡被害が発生していれば、瑕疵は原因ではないので、工作物責任は発生しないであろう。また、瑕疵があったから死亡したのであれば、瑕疵が原因であって、被害全額について工作物責任を負うはずである。したがって、理論的には課題を残す判断ではあるが[3]、事案の解決としては妙に落ち着きがよい印

371

象を受ける。理論的な問題をさらに検討すべき判決ではあるが、この判決には控訴もされておらず、確定している。

なお、仲介業者については、「仲介業者は建物の構造上の安全性については建築士のような専門的な知識を有するものではないから、一般に、仲介業者は、仲介契約上あるいは信義則上も、建物の構造上の安全性については安全性を疑うべき特段の事情の存在しない限り調査する義務まで負担しているものではないと解するのが相当であり、」として、その責任を否定している。

(5) 東京高判令和2年10月27日（Westlaw Japan 2020WLJPCA 10276010）（民事）、東京高判平成28年10月13日（Westlaw Japan 2016 WLJPCA10136001）（刑事）

東日本大震災により、東京都町田市所在の大型店舗（コストコ）の駐車場のスロープが崩落することによって死傷者が発生した事件（コストコ事件）である。当該店舗と被害者間では和解が成立したが、当該店舗と保険契約を締結していた保険会社2社が、意匠設計事務所、構造設計事務所、施工者等4者に対して求償権請求事件を提訴した。本件建物の設計においては、途中で建築士の変更を伴う構造変更などがあり、店舗本体と駐車場との接合方法の認識が当事者間で食い違うなどして、最終的に安全性に欠ける建築物となっていた。当初の構造設計担当者及び意匠設計担当者の間では、店舗本体と駐車場を床スラブで接合しないという安全性に欠ける接合方法による設計

3）瑕疵と自然力との競合の場合の工作物責任について問題となるのは、もし瑕疵がなければ損害はもっと軽かったであろうという場合の、責任問題として論じられ、四宮和夫は、「この場合には、むろん、瑕疵と損害発生との因果関係は存するわけだが、瑕疵ある工作物の所有者・占有者に全損害について責任を負わせるべきか、それとも部分的責任を負わせるべきか（かりに後者を採るとすれば、どのような判断基準によって責任の額を決すべきか）が、問題となる。わたくしは、両事由の寄与度および瑕疵に含まれる非難性の程度によって責任の割合を決すべきである、と考える。」（四宮和夫『事務管理・不当利得・不法行為(下)』（青林書院、1985）742頁）とする。本件は、四宮の議論している状況とは異なって、そもそも瑕疵があったから死亡したと思われる事案で、寄与度の考え方を入れているように思われる。

構想が共有化されており、それに対して変更後の設計担当者は床スラブで接合する安全な接合方法による構造設計書を作成したものの、情報の共有が不十分であったようだ。施工者については監理者の指示や設計に従って施工を進めており、責任はないとされたが、意匠設計事務所、構造設計事務所らについては不法行為責任が認められ、10億円超の支払いが命じられた。

　なお、本件事故では設計に携わった一級建築士（変更後の構造設計の担当者）が業務上過失致死傷罪に問われ、第一審では、被告人自らの構造設計の内容を意匠設計担当者が正確に把握できるよう適切に配慮すべき業務上の注意義務があったとして、被告人に過失犯の成立が認められた。しかし控訴審においては、被告人が自らの設計内容を変更後構造計算書及び変更後構造図を示すなどして意匠設計担当者らに伝えたことは証拠上明らかであり、本来、設計担当者間の伝達はそれでまかなわれるはずのものとして、被告人は無罪とされた（東京高判平成28年10月13日）[4]。

---

4) 船山泰範「建築設計・施工における刑事責任―コストコ事件を手がかりに―」（日本大学法学部法学研究所法学紀要59号（2017）55頁）。

第2章

土地工作物責任

1 賠償すべき損害

(1) ビル機器故障の場合

前章では天災の代表的なものとして地震を取り上げたが、ここではビルにおける人災としてビル機器の故障による停電事故を取り上げて、土地工作物責任について検討する。土地工作物責任を規定した民法717条では、賠償すべき損害について限定はないが、まず、土地工作物責任とはどのような損害についてカバーすべきものなのかを考えてみたい。

最新のビルは、コンピュータ制御でさまざまな機能を有している。したがって、停電はビルの本来の機能を失わせる重大な事態である。その停電がビルの機器の故障でもたらされた場合、これにより生じた損害について、ビルの占有者や所有者は土地工作物責任を常に負うことになるのであろうか。損害の中には、エレベーターが制御不能となって急降下し乗客が死亡したといった、まさに危険な事故もありうるが、テナントである金融機関の巨額の経済取引が不能になり、テナントが巨額の経済損失を被るということもある。前者は、土地工作物責任の問題だが、後者はどうなのか。土地工作物責任の「瑕疵」というものを当該工作物が備えるべき安全性の欠如と考えるのが通説判例である。そうであれば、ビル機器の故障による停電ではあっても、それが危険な事故につながらない限り、土地工作物責任の問題にはならないと解していいのではないだろうか。つまり、停電自体が危険なのではなく、停電を起因としてビル内に発生する危険について、当該ビルが対処でき

ないということが、瑕疵とされるのではないだろうか。

　ビル機器の故障の場合のビルオーナーの法的責任を最初に考えさせられたのは、ビル2000年問題の時であった。ビル2000年問題とは、若い読者は知らないことだが、西暦が1999年から2000年に切り替わる際に、ビルに使用されているコンピュータが2000年以降の日付に対応できず、機能不全となり、事故が発生するのではないかという問題であった。当時、ビル業界が非常に心配した。実際、どうだったかというと、ほとんど社会的に混乱はなく、私の依頼者も担当者は大晦日から会社に泊まり込むという対応を余儀なくされたものの、全国の多数あるビルのほとんどすべては何も問題が起きなかった。その意味で杞憂に終わったのだが、その際、例えば、変電設備内に使用された機器が機能不全となりビルが全館停電したような場合、賃借人である金融機関のコンピュータが稼働できず、賃借人に巨額の損失が発生したとすれば、それは土地工作物責任の範疇なのかと、疑問に思った。

(2) 危険責任の範囲

　ビル機器の故障が原因で停電が発生した場合、テナントに巨額の経済的損失が起きうる。しかし、その損害は、機器の故障がもたらした危険により発生したものとは言えないだろう。土地工作物責任の由来を見れば、同責任が危険責任の発想に基づいていることは明らかである。そうであれば、ここで賠償すべき損害の範囲には、危険の現実化がもたらした損害に限られるのではないだろうか。

　守られるべき利益を、生命、身体または財産と3分類すると、これらに対する危険が現実化した状態というのは、生命が失われた場合、身体が損傷した場合、財産が損傷した場合であり、この中で問題になりうる「財産に対する損傷」の損害とは、損傷がない状態の価値から損傷が生じた状態の価値を差し引いた価額であって、それだけが、まさに財産が損傷したことによる損害であり、これを超えた財産に対する損害は、もはや土地工作物責任の範囲ではなく、一般の不法行為責任で考えるべきではないかと当時考えたことであった。つまり、そのような損害までビルオーナーに法的責任を問うのなら

ば、ビルオーナーにおいて過失が必要であろうし、通常の耐用年数の範囲で機器を更新し、しかも通常のメンテナンスをしている以上は、過失はないと考えるべきではないかと考えた。

この問題に端的に答える判例文献は見つからないが、もし、機器の故障による電気系統の不全でテナントが被りうる巨額の経済的損失までビルオーナーがすべて責任をもたなければならないのであれば、ビル経営は成り立ちえない。また、そのようなことまで危険責任の法理により導入された民法717条が予定しているとも思えない。したがって、私は、今も、この問題は、ビル2000年問題を検討した時と同様に考えるべきだと考えている。すなわち、テナントである金融機関の取引ができないことによる経済的損害の賠償責任は土地工作物責任からは導きえない。仮に、機器の故障で、エレベーターが落下する等の異常な動きをし、そのため、エレベーター利用者が落下による全身打撲で死亡したような場合が、まさに土地工作物責任の扱うべきものである。すなわち、そのような場合は、いくら、通常の耐用年数の範囲で機器を更新し、しかも通常のメンテナンスを行っているからといって、対被害者との関係では免責にはならない。

(3) 建物賃貸借契約締結時の配慮

もっとも、テナントに対するビルオーナーの法的責任は、賃貸借契約において適切に定めることが可能であり、その処理で相当程度合理的な処理ができる。つまり、テナント以外の被害者、すなわち、テナントの従業員、テナントの貸室に出入りするテナントの顧客等関係者、建物内に出入りすることが予定されている人々等、建物賃貸借契約当事者以外の人々とは契約で処理できないが、契約当事者であるテナントとは契約で処理できるからである。

そもそも用心深いテナントは、無防備状態で巨額の経済取引など行わない。天野篤医師が落雷による停電時に手動で人工心肺装置を回して難手術を完遂したと語っていたことが思い出されるが、停電は、むしろビル機器の故障で生じるよりも、雷や地震等の天災や送電ケーブルの火災等ビルの外の事故で生じるのであり、常に起きうることである。したがって、電気の供給が

絶たれた場合に、何をすべきかは、停電で危険な状態を引き起こしかねない設備を運転している者が考えるべきことであって、テナントがそのような設備を運転する場合は、テナントがビルの非常用電源のキャパシティ等を確認し、それでは足りない場合は自己のバックアップも考えるべきことである。このあたりのことは、入居時の確認事項であり、賃貸借契約の条項の字句修正よりもよほど重要なことである。その際、ビルオーナーとしては、停電時にどのような対応をとりうるかを正確に説明すべきであって、その説明に不備があれば、この説明の不備が説明義務違反の根拠となる。

そのうえで、ビルオーナーとしては、天災による停電等の事故についてはビルオーナーには責任がないこと、ビル機器の故障による停電等の事故については、同種同等の建物について通常行われる管理保守をビルオーナーが行っている限り、ビルオーナーに責任はないことを明記しておくべきであろう。仮に、将来、事故が発生して、ビルオーナーに過失があっても、停電の場合のビルの態勢について契約締結時に正確な説明をしておけば、ビルオーナーが賠償すべき損害も限定されるであろう。なぜならば、被害の拡大にはテナントの過失があるとして、過失相殺の処理を適用できるからである。最新のオフィスビルの賃貸借契約の条項で、ビル機器の故障に対してビルオーナーは一切責任を負わないという大胆な規定が入っていることを見ることがあるが、テナントがこのような条文を読んで契約を行うのかは疑わしい。インテリジェントビルをうたいつつ、ビル機器の故障に対して一切責任をとらないのは、矛盾だからである。

2　瑕疵の判定基準

(1)　既存不適格建築物と瑕疵

すでに第1章で違反建築物と既存不適格建築物について説明した。既存不適格建築物は、同所で説明した遡及トリガーを引く行為をするまでは存続を許される。そのため、相当に古い建物が既存不適格建築物として残っている。古い建物であるから、地震や火災時に危険であると一概に考えるべきで

はないが、その中には危険なものが多数含まれているのも事実である。

　将来、地震や火事が発生した場合に、当該建物に最新の建築基準に適合していないところがあるから、直ちに、土地工作物責任にいう「瑕疵」があると言えるのかという問題がある。この質問には、直ちには瑕疵があるとは言えないが、瑕疵があるとされる場合もあると答えるべきものである。煮え切らない回答のように思われるかもしれないが、建築基準法の現行基準は最新の建物に適用される基準であり、建物の安全性等の判断において重要な情報ではあるが、その現行基準が瑕疵判断の基準そのものではないからである。なぜなら、建物において問われる土地工作物責任の「瑕疵」とは、当該建物に期待される水準の性能や機能を具備していないことだからである。場末の戦後すぐに建てられたような安普請の酒場の建物と丸の内の一等地の最新ビルとで期待される水準が同じはずもない。

　また、建築基準法の現行基準をみたしているから瑕疵がないと言えるかも断言できない。もっとも、今や建築基準法の現行基準は精緻をきわめ年々厳しいものになっている。したがって、建築基準法の現行基準をみたしていながら、土地工作物責任を判断する場合に「瑕疵」があるとされることはまずないと思われる。ただ、理論的にはありうる。両者は、密接に関係はするものの別の基準だからである。

(2)　建築基準法と民事責任との関係

　建築基準法は規制法である。しかも、一定の基準をクリアすると建築をしてよいという判断の基準になっている。しかし、鉄筋コンクリート造3階建てといっても、敷地の状況、周囲の状況、用途により、いかなる建物が安全であるかは変わりうる。規制法で一律的な基準を決めているものだから、かなり多くの事例において適合的になるように規制基準が定められている。ただ、すべての規制法に内在する問題であるが、具体的な事例に当該規制基準がぴったり適合的であるかは疑問が生じることもある。つまり、具体的な事例に照らすと、基準が行きすぎだったり、足りなかったりすることがある。

　また、注意すべきは、前述のとおり、既存不適格建築物は、遡及トリガー

を引く行為をするまでは、そのまま使用することが認められる。それは、遡及を強いると、建物所有者の資力から現実的ではないことが少なくないからである。したがって、規制法では規制は限定的なものである。

　このことからわかるように、既存不適格建築物として使用が許されているのは、瑕疵がないという判断によるものではないから、既存不適格建築物でも瑕疵があるとされる場合も当然にありうる。すでにみたように、今や、一定の大規模な不特定多数の者が利用する建物や避難弱者が利用する建物については、耐震診断が義務づけられている。また、その診断結果は公表されることもある。このようなことから、不特定多数の者や避難弱者のいる建物については、被害者保護の観点から瑕疵を判断する基準が高く設定されざるをえないということができるだろう。

　このように考えると、既存不適格建築物の使用は、建物所有者のリスク負担と背中合わせで認められているにすぎないということがわかる。つまり、建物所有者は、一旦事故が発生すれば、民事責任を負うリスクを負って使用を行っているということを示している。日本の建物の安全性は、決して建築基準法だけで確保されているわけではないのである。万一事故があれば民事責任を問われるかもしれないリスクを考えて、そのリスクの低減を目的として行動することでも確保されているわけである。

　建築基準法はハード対応で、建物の安全性を確保している。しかし、建物の安全性はハード対応だけで確保されるものではない。ソフト対応でもかなりの安全性を確保することができる。消防法で義務づけられる避難訓練はその典型例である。また、例えば、2階から1階への階段の幅が狭くて2階から1度に多数の人を避難させられないと思われる建物も2階の利用者の人数制限をセットとすることで安全性を確保できる。したがって、建築基準法だけで建物の安全性を考えることが不十分であることもわかる。建物の安全性を議論する場合は、このようなソフト面での対応が可能な建物であるかを議論することも重要である。既存不適格建築物で、かつ、不特定多数の者の利用があるから、直ちに現行基準をクリアしておかないと安全基準をクリアで

きないと短絡的に考える必要もなく、ソフト対応で安全基準を確保すること
も考えるべきである。しかし、ハード対応とソフト対応の両輪で、その建物
にふさわしい安全性が確保されるという場合は、そのソフト対応が欠けるこ
とも、建物の設置保存の瑕疵になるということに留意すべきである。

(3) 総合判断の重要性

　土地工作物責任を考える際は、各種の要素を考えるべきである。例えば、
歴史的建造物であるからといって、古い以上は安全性に当然に欠けるという
判断は短絡的である。耐震性の観点からは、当該建物が不特定多数の者の利
用に供せられるか、また、避難弱者が使用することを前提とするか、等の要
素は無視しえない。しかし、それらのことだけを念頭に置いて考えるべきも
のでもない。歴史的建造物であれば、そのオリジナルの意匠や材質を無視し
ては歴史的建造物としての意義も魅力も失われる場合もあるのであって、そ
のような配慮も含めて、その建物に求められる内容の安全性とは何かを考え
る必要がある。

　例えば、歴史的建造物である神社の拝殿の階段は、現行の建築基準と異
なって、踏面も狭かったり蹴上げも高いといったことがある。そこで、老人
が足をふみはずして転落して重傷を負ったとする。その場合、このような拝
殿には、不特定多数の者、しかも老人が参拝に来るのは予想されるのである
から、階段は、現行基準に合わせた安全なものでなければならず、その基準
に合致していないといって、土地工作物の設置保存の瑕疵があると言い立て
ることは、奇妙なことである。参拝客は、古い建物であるから、現代の常識
からすると老人には優しくないところもあることを想定しておくべきであ
り、そもそも現行基準をみたしているはずと期待することこそ不合理であ
る。このことは、重要文化財の諏訪大社下社秋宮拝殿下階段での事故で、東
京地裁判決[5]が、「建築基準法等の定める基準を一つの考慮要素とすること
は当然としても、個々の建築物の歴史的・文化的・社会的価値・建築物の構

---

5) 諏訪大社下社秋宮事件、東京地判平成15年1月23日判例秘書 L05830197。

造、利用目的、通常想定される利用形態等を総合的に考慮して、それぞれの建築物について本来有すべき安全性を判断する必要がある。」として、「本件神楽殿が文化的宗教的施設として参拝客の参拝・鑑賞に供せられるものであって、本件神殿は、参拝者によって参拝・鑑賞という目的に沿った通常の形態で利用され、本件神楽殿及び本件拝殿についても、参拝者によって通常の参拝・鑑賞が行われることが想定されていることを合わせ考慮すると」、「本件階段が全体として安全性を欠く状況にあったとは解し難いというべきである。」と判示したとおりである。

3 所有者責任と占有者責任

(1) 民法717条の条文の構造

　土地工作物責任を定める民法717条1項は、「土地の工作物の設置又は保存に瑕疵があることによって他人に損害を生じたときは、その工作物の占有者は、被害者に対してその損害を賠償する責任を負う。ただし、占有者が損害の発生を防止するのに必要な注意をしたときは、所有者がその損害を賠償しなければならない。」と規定する。これでわかるように、占有者が第1次的責任を負うのであり、占有者が損害防止のため必要な注意をしたときだけ、所有者が無過失責任を負う。

　したがって、ビルが甲により所有され、全体が乙に賃貸され（マスターリースされ）、乙が多くのエンドテナント（つまり、サブテナント）に転貸している場合、建物の瑕疵でエンドテナントが損害を被れば、エンドテナントは乙に対して土地工作物責任を問い、乙が損害の発生の防止に必要な注意をしていたときに乙は責任を免れ、甲が無過失責任を負う。したがって、例えば、建物の配管設備が老朽化して水漏れを起こし、あるエンドテナントの貸室内が水浸しになったといった事例を想定すると、当該エンドテナントは、乙に対し、損害賠償請求ができる。ただ、乙が、日頃から、配管の交換を甲に求めていたが、甲が交換を先延ばしにしていたといった場合は、乙ではなく甲が損害賠償責任を負う。ただ、乙も配管の問題に気づいておらず適切に

注意していれば気づいたと考えられる場合は、乙はエンドテナントからの請求を避けられない。ただし、最終的には、乙は、甲に対し、賃貸借契約の債務不履行を理由にエンドテナントに支払った損害賠償金と同額を請求できる可能性がある。なお、ここで乙がどこまで注意を払っていれば、エンドテナントに責任を負わないかという問題があるが、これについては、当該事故以前に同様の事故はなく、専門業者にメンテナンスを任せていれば、損害の発生を防止しうるのに必要な注意をつくしていたと判断した裁判例がある6)。

　また、多くの貸室を有するビルが甲により所有され、甲から多数のテナントにそれぞれの貸室が賃貸されているような場合で、あるテナントの貸室の天井床が老朽化して落下し、たまたまそこで業務を行っていたテナントの従業員Aが重傷を負ったような場合、Aは、テナントに対し、損害賠償を請求できる。室内はテナントが占有しているからである。テナントが常日頃甲に補修を要求したりしていたら、テナントはAからの土地工作物責任を避けることができ（ただし、労働契約上の安全配慮義務違反でAに直接損害賠償義務を負うという構成は可能であろう）、甲がAに対して直接的責任を負う。なお、天井床が落下したのが廊下の天井床で、その下を歩いていたテナントの従業員Bが重傷を負ったような場合は、テナントが廊下の占有者とは言いがたいであろうから、そのような場合は、テナントはBからの土地工作物責任を避けることができ（ただし、天井床が外れそうなどの事情があれば、それを指摘せず放置したとみられることもあろうから、労働契約上の安全配慮義務違反でBに直接損害賠償義務を負うという構成は可能であろう）、甲がBに対して直接的責任を負う。

---

6) 東京地判平成18年9月26日判時1971号133頁では、温泉施設のエレベーターでの事故で、温泉施設経営者は、過去に同様の事故もなく専門業者にメンテナンスを任せていたとして責任を認められなかったが、建物所有者は民法717条1項ただし書で責任を認められた。ただし、被害者にも過失があったとして4割の過失相殺を認めた。

(2) 占有者に間接占有者も入るのか
(i) 三信ビル感電死事件

教科書的な説明は以上のとおりだが、直接占有者が損害の発生を防止したとは言えない状況で、しかし、直接占有者に損害賠償を請求することができない場合、その上の間接占有者に損害賠償の請求ができないかが問題になる。

占有者には間接占有者を含むという最高裁判決[7]があるが、これは、進駐軍電気工として雇われ進駐軍の接収にかかる三信ビル（歴史的建造物として惜しまれながらも2007年に解体されたが）に勤務していた電気工が電気設備の安全カバーがはずれて感電死したという事件である。その両親が国を相手として損害賠償請求を行ったが、東京地裁も東京高裁も、民法717条にいう占有者とは工作物を事実上支配し、その瑕疵を修補しえて損害の発生を防止しうる関係にある者をさすところ、「国は連合国進駐軍の接収通知により本件建物をその所有者三信建物株式会社より借り受けこれを進駐軍の使用に供したが事実上は同軍において右建物を占有支配しその修理工事についてもその要否、時期、資材、方法及び範囲に亘りこれを指揮し、その監督の下になされた事実を認定し」、このような事実によれば、国は民法717条の占有者にあたらないとして、国の責任を認めなかった。これに対して、最高裁は、「国が連合国占領軍の接収通知に応じ建物をその所有者より借り受けた場合においては、たといこれを同軍の使用に供し同軍が事実上右建物を占有支配している場合においても国は依然としてなお右建物の賃借人であることに変りはなく、従つてまた右建物についても当然に間接占有を有するものと解さなければならない。そして民法717条にいわゆる占有者には特に間接占有者を除外すべき法文上の根拠もなくまたこれを首肯せしむべき実質上の理由もないから、国は右建物の設置保存に関する瑕疵に基因する損害については当然に右法条における占有者としてその責に任ずべきものと解するを至当とす

---

7) 最判昭和31年12月18日民集10巻12号1559頁。

る。」として、破棄差戻しを行った。

　これは、所有者AからBがマスターリースし、BがCに貸室を貸したところ、貸室の漏電でCの従業員Dが感電死したとする設例で考えると、CだけでなくBも占有者としてDに対して損害賠償責任があるかという議論と同様であるとも言える。一見おかしくないようにもみえるが、もし、所有者Aがいなくて、所有者BがCに貸室を貸している場合、所有者Bも間接占有者として責任を当然に負ってしまい、民法717条1項の立法趣旨である、占有者が第1次的責任、所有者が第2次的責任としたところがまったく無視されてしまう。本来は、Cが損害を防止するのに必要な注意をしたという要件がみたされない限り、Bに責任追及ができないはずであり、理論的には不備があるように思う。この事件は、占領下の特殊なケースであるから一般化には慎重であるべきとされる理由がある[8]。

(ⅱ)　近鉄高架下アスベスト事件

　この事件は、アスベストにより中皮腫に罹患した男性がその症状悪化により精神的、心理的ストレスにより適応障害を発症し、平成16年に自殺した事件である。工場や作業場ではない建物内のアスベスト飛散でアスベスト起因の病気に罹患した事例としては、日本では他に類例が乏しいと思われる。

　その罹患の原因が近鉄高架下の建物の2階の倉庫の内側壁面に吹き付けられていたアスベストであった。鉄道高架下で振動が激しいので劣化した吹付けアスベストが飛散したものである。建物は昭和45年に建築され、近鉄不動産株式会社によって所有された（平成14年に同社は近畿日本鉄道に吸収されたので、以下「近鉄」という）。被害者は昭和45年から平成14年まで32年間にわたり、同建物を賃借した文具店A社の店長として勤務した。ただし、同文具店A社は、取締役が被害者とその兄弟で占められ、「個人営業が法人成りしたに過ぎない」と判決では認定されている。

　論点は、いつから瑕疵なのかという点と近鉄が土地工作物責任を負うのか

8）加藤一郎編『注釈民法⑲』（有斐閣、1965）314頁［五十嵐清］参照。

の2点であるが、ここでは後者の論点に関するところだけを紹介する。第一審の大阪地裁判決[9]は、A社と被害者は実質上同一であると評価できるとして、近鉄が民法717条の占有者兼所有者であると判断した。被害者（A社）が直接占有者、近鉄が間接占有者兼所有者と見たわけである。直接占有者が被害者だから、占有者としての責任も所有者としての責任も近鉄になるので、瑕疵があったと判断されれば近鉄は責任を否定することはできないという論法である。このことを判決では、民法717条1項において「占有者と所有者が同一のときは、同項後段の免責は問題とならず、占有者兼所有者が責任を負う。」と表現している。

第二審の大阪高裁判決[10]では、民法717条の「占有者」はA社としつつ、所有者としての近鉄の責任を認めた。

上告審の最高裁判決[11]では、この論点を取り上げる前の段階の論点として、いつから瑕疵があると判断されるべきかを明らかにすべしとして破棄差戻しをした。

差戻し控訴審の大阪高裁判決[12]は、A社も近鉄も占有者にあたるとした。「本件2階倉庫の壁面につき修繕等の措置を執ることが許容されているのは専ら賃貸人たる」近鉄であるとして、民法717条の占有者とは、近鉄であるとした。要するに、民法717条の占有者とは、危険の除去をなしうる当事者を考えているようで、同条1項の文言からはストレートには導きえない解釈のように思われる。

(ⅲ) 企業法務の留意点

近鉄高架下アスベスト事件は、賃借人がほとんど被害者と同一視できるという特別な事情がある事案であり、企業法務の観点からは、この事件で、第一審、差戻し前控訴審、差戻し後控訴審の3つの判決で微妙に異なる民法

---

9) 大阪地判平成21年8月31日判タ1311号183頁。
10) 大阪高判平成22年3月5日判例集未登載。
11) 最判平成25年7月12日裁時1583号1頁、判タ1394号130頁。
12) 大阪高判平成26年2月27日高民67巻1号1頁、判タ1406号115頁。

717条の占有者の判断に振り回されるべきではないように思われる。

　むしろ、素直に考えて、占有者に損害の発生を防止する十分な注意をしたとは言えない事案であっても、占有者から救済を得られない事情があれば、そこで所有者に責任追及が及ばないと考えるべきではなく、事故が発生すれば、被害者救済の観点から、所有者に責任が及ぶとされる可能性が高いと考えておくべきである。そのように考えることで、三信ビル感電死事件の最高裁判決も近鉄高架アスベスト事件の3判決も全体的に矛盾なく理解できるように思われる。

第3章

不動産の危機管理

1 災害時の対応

(1) BCM（事業継続マネジメント）

　地震、水害、火事等の災害時に企業の利害関係者に不合理な負担や苦痛を与えることなく災害を乗り切ることは、企業経営者にとって重要な課題である。この問題意識は、東日本大震災の経験を経て近年急速に高まっている。この課題への対応は、事業継続マネジメント（BCM：Business Continuity Management）として、国も平成17年に「事業継続ガイドライン（内閣府）」を策定し、その後平成25年8月に第3版を出し、その重要性を強調している。

　この問題は、不動産の企業法務上も軽視できない。災害時に適切な対応をとらずに被害を拡大させた場合は、不動産所有者または不動産占有者として、土地工作物責任または一般不法行為責任を問われかねないからである。また、BCMに日頃配慮していなければ、災害時の不動産のテナントの事業再開に大きな支障を及ぼしかねず、そのような不動産は市場での評価も低くなるからである。

　事業継続マネジメントのためには日頃から事業継続計画（BCP：Business Continuity Plan）の適切な策定が重要であると言われている。ただし、上記ガイドラインでも指摘しているように、「予測を超えた事態が発生した場合には、策定したBCPにおける個々の対応に固執せず、それらを踏まえ、臨機応変に判断していくことが必要となる。これらを含め、BCPが有効に機

能するためには、経営者の適切なリーダーシップが求められる。」(同ガイドライン21頁(令和5年3月改訂))ということも重要であり、マニュアル頼みでは現実に適切に対応できない場合があることにも留意する必要がある。しかし、事前に備えがあるのとないのとでは大きな違いであるから、事前に想定できる事態については、入念に対応を検討しておく必要がある。

地震、水害、火事のそれぞれで想定される災害状況はさまざまであり、ビルオーナーにとって、またはテナントにとって、これらの災害から関係者の生命、身体、財産を可能な限り守るには、それぞれの状況下でどのような対策をとるべきかを平時からさまざまにシミュレーションしておく必要がある。

(2) 災害後の建物使用

地震で損傷した建物の使用をいつからテナントに許すかという単純なことも判断は容易ではない。所有者責任を回避したいために使用に危険があれば絶対に使用させないという対応は、完璧なようにみえても、テナントの使用の必要性がきわめて高い場合等、合理性に欠ける判断である。もっとも、大きな余震がないと軽信することも熊本地震を経験した現在、リスクが高い。したがって、建物の安全性に関する応急危険度判定を早急に取得できる態勢をととのえて、その判定を参考のうえ、個別状況に応じてその場で判断していくしかない。

地震で建物が損傷した場合、使用継続に危険があれば、テナントに使用を禁じることになるが、それでもテナントが緊急の使用の必要性を訴えた場合、その緊急の必要性に合理的な理由があれば、建物の使用継続のリスクを説明のうえ、使用の継続を許すことはありうる。ただし、その場合は、時間的に余裕があれば、建物の使用継続による事故については当該テナントがすべて責任をもつということについてテナントから念書を取得すべきである。なお、テナントから念書をもらっても、余震等で事故が発生するような場合は、テナント従業員やテナントの貸室に出入りする関係者が被害を受けうるのであるから、それらの者との関係では建物所有者が責任を負わされるリス

クは残る。したがって、そのような事態も収拾できるようなテナントでなければ、念書をもらっても安心はできない。ただし、テナントの使用の必要性が、例えば、医療業務の継続等、公益上の必要性である場合は、建物の継続使用にリスクがあっても、また、リスクが現実化しても、他に合理的で現実的な代替策がない状況下では、建物所有者の建物の設置保存の瑕疵が問われることはないと考える。

また、地方公共団体その他の公的団体の要請により、緊急時に多人数の避難者を建物所有者が受け入れることもある。本人の特定もできない不特定多数の避難者を収容すること自体、ビルオーナーとしては歓迎すべきことではないだろうが、地方公共団体その他の公的団体からの要請による収容で何らかの事故が発生しても、ビルオーナー側に特段の落度がない以上、ビルオーナー側がその事故について法的責任を負うことはないと考える。

(3) ライフライン断絶と建物賃料

災害後電気や水道が長期間使えない場合に賃料が発生するのかという問題がある。電気や水道サービスはビルオーナーの責任で供給するものではないので、賃料は発生するとの考えも理由がないことではないが、電気や水道サービスのない中で建物使用は困難であるから、賃料は相当程度減額されるべきであろう。神戸地裁判決[13]では、阪神淡路大震災後のライフラインがストップした事案で、民法611条の賃借物の一部滅失の規定の類推適用はできないが、「賃貸借契約は、賃料の支払と賃借物件の使用収益とを対価関係とするものであり、賃借物件が滅失に至らなくても、客観的にみてその使用収益が一部ないし全部できなくなったときには、公平の原則により双務契約上の危険負担に関する一般原則である民法536条1項を類推適用して、当該使用不能状態が発生したときから賃料の支払義務を免れると解するのが相当である」として、上下水道およびガスが使用不能であった期間について、7割の賃料減額を認めている。

13) 神戸地判平成10年9月24日判例秘書L05350680。

2 環境事件の対応

(1) 文書提出命令

かつて、公害被害が深刻だった時代に現在の民事訴訟法の文書提出命令と同様の規定が存在していれば、どれほどよかっただろうかと思う。現在、民事訴訟法219条は、「書証の申出は、文書を提出し、又は文書の所持者にその提出を命ずることを申し立ててしなければならない。」とあり、220条では、「次に掲げる場合には、文書の所持者は、その提出を拒むことができない。」とある。次に掲げる文書とは、1号文書から4号文書からなり、1号文書は引用文書（当事者が訴訟で引用した文書）であり、2号文書は引渡しまたは閲覧請求の対象となる文書（挙証者が文書の所持者にその引渡しまたは閲覧を求めることができる文書）であり、3号文書は利益文書（挙証者の利益のため作成された文書）および法律関係文書（挙証者と所持者との間の法律関係について作成された文書）であり、4号文書は一般義務文書である。この一般義務文書とは、証言拒絶該当事由文書、公務秘密文書、自己使用文書（もっぱら所持者の利用に供するための文書）、刑事事件記録等を除いた文書で、相当に広い。つまり、拒絶できる文書が限定的に規定され、それ以外は提出を拒めないことになっている。

したがって、現在、公害事件が発生し、被害者が原因者たる企業の責任を徹底して追及する場合は、この文書提出命令によって、企業が所持している書類の多くを提出させることができるであろう。裁判所は必要性がなければ、命令を出さないが、事件の真相を把握するために調べる必要があると考えれば、命令を出すことに躊躇はない。命令が出れば、企業も自分に都合が悪いから出さないといった対応はとれない。その意味では、過去の事実関係は、かなりの程度、白日の下にさらされざるをえないのであるから、現在は、過去の事実関係をごまかして立証不能に持ち込むといった訴訟戦略はとりえない。

環境事件に対する取組みを考えるとき、最終的に裁判所で徹底的に争われ

たらどういう展開になるのかを十分に考えておく必要がある。

(2) リスクコミュニケーション

現在、環境事件として大きく報道で取り上げられるものは、環境規制違反である。新たな健康被害が発生したとする事件はきわめて少ない。もっとも、過去の原因行為で今なお健康被害に苦しむ人を忘れてはならないが（特に近年は過去のアスベスト曝露が原因で死亡する人の数がかなりの数に上っている）、以下、規制違反が発覚した場合を念頭に、留意すべきことを述べる。

現在、環境に関心の高い団体や個人は数多く、多少の規制違反でも対応を間違えると、企業が大きなダメージを受けることがある。規制違反が判明した場合は、まず、原因をすみやかに調査する必要があり、これまでの対応を見直し、対策を検討する必要がある。

人々がまず知りたいことは、その環境規制違反で危険な状態が生まれたのか否かである。これについては、専門家の協力を得て、また、地方公共団体の環境部局の協力を得て、正確に事実の説明が必要である。次に、その違反がなぜ生まれたのか、特に意図的な行為か否かを人々は知りたがっている。しかし、この点の判断は必ずしも容易ではないので、拙速に行うべきではない。関与者は嘘をつきたくなるし、包帯のような嘘を見破ることは困難だからである。原因がわからずに対策はとれないので、原因調査はすみやかにしかし慎重に行う必要がある。

環境規制違反が発覚した場合、付近の住民は、健康被害を心配する。中には非常に感情的になる人もいる。したがって、市町村にもよく相談してどのように付近住民とリスクコミュニケーション（risk communication）をとることが適切かを検討する必要がある。住民説明会が必要な場合もある。住民との間で最もこじれるのは、企業が嘘をいったり、重要なことを隠しているととられる場合である。このような疑念を持たれないようにするには、住民説明会は適切なリスクコミュニケーションのツールである場合が多い。

住民説明会では、現在どのような調査を行っているかということ、どのような体制で調査しているかということ、いつ頃までに調査結果が判明するか

ということを正しく答える必要がある。また、原因もクリアにできない中では対策の立てようがないのであるから、原因究明が最も大事である。住民説明会で無責任な原因の説明を行うことは、事後の説明を苦しくすることになるので、厳に慎まなければならない。

なお、住民説明会を頻繁に開くことも現実的ではないから、会社のウェブサイトに事件の概要と調査状況や調査結果状況をタイムリーに表示することも有益である。さらに、ウェブサイトには、会社の当該環境事件の問合せの窓口も示して、決して会社として逃げてはいないということを明確にすることが必要である。

また、マスコミ対応も重要である。大手マスコミは、一応は慎重な報道をすると期待できるが、マスコミ担当者が当該環境規制にどれだけ詳しいかもわからないし、取材の申入れがあれば、むしろ正しい事実を知ってもらうよい機会と判断して積極的に応じることも有益な場合が多いだろう。ただし、過去の事実関係の把握が不十分な中で取材を受けると、取材に基づく報道でも、一般の人々に誤解を与えかねないので、取材の応対を控えることが適切な場合もある。また、マスコミといっても、フリーの環境ジャーナリストの場合は、その資質もさまざまで、正しい事実の報道が期待できない場合も少なくないため、取材には慎重な対応が望ましい場合もあると思われる。

いずれにしても、過去のことは覆しようがないのであるから、環境規制違反があったのならば、真摯に原因を究明し有効な対策をとるしかなく、リスクコミュニケーションも社会常識に従ってまじめに行えばよいだけで難しいことはない。住民もそのような企業姿勢は評価するものである。

なお、アスベスト入り建物の解体等の時点の近隣住民等とのリスクコミュニケーションについては、前述した（第1部第3章4(3)参照）。

3 設計施工ミスの対応

(1) 法的責任

(i) 設計ミスの場合

　設計会社のA社がマンション建物の杭について設計ミスを行って、施工会社のB社が気づかずに建築し、施主であるC社が売却し、100人の個人に分譲されたという事例を想定する。売却後1年経って、建物が傾いていることがわかり、100人の買主に対して、C社が全面的な建替えを約束したが、物理的には、補修工事を行うことで足りる事案を考えてみる。全面建替えに要するすべての費用が100億円とする。一方、補修工事を行う場合に要するすべての費用が30億円であるとする（工事費用20億円に移転補償と減価補償10億円がかかるとする）。設計会社のA社は、施主のC社が委任したものであるとする。この場合、C社が100億円の費用を損害としてA社に請求できるかという問題がある。30億円で補修工事ができるのだから、70億円は請求できないと考えるしかない。

　ところで、上記の設例と異なって、売却後7年経った場合はどうだろうか。この場合も、C社が100人の買主に対して全面建替えを約束することもあるが、今度は、設計会社に30億円を請求することすら法的には難しいだろう。委任契約上の設計者の責任は消滅時効にかかっていると思われるからである。

(ii) 施工ミスの場合

　今度は、ミスが設計会社のA社ではなく、施工会社のB社にあったとする。

　売却後1年経った時点で発覚した場合は、上記と同様、C社はB社に対して30億円を請求できるであろう。

　売却後7年経った時点で発覚した場合も、C社はB社に対して30億円を請求できる。品確法で居住用建物の構造耐力上主要な部分の瑕疵については、売買契約の瑕疵も請負契約の瑕疵も引渡しから10年間は瑕疵担保責任

を負うからである(品確94条・95条)。

(2) 法的責任と社会的責任

　以上は、事案を単純化し、しかも法的責任についてのみ述べたが、設計施工ミスといった重大な問題が発生した場合に法的責任だけで考えると企業として大きな誤りをおかすことにもなりかねない。

　本書は、法律の解釈を述べることを目的にしているが、社会は法律だけで動いているわけではない。社会のルールには、法律だけでなく、常識とか良識とか、要するに法律を超えたものがある。また、各業界では内部的に自主基準を定めて、業界に属する多くの企業がそれに従っているということもある。法律だけが社会のルールではないということは、子供の頃には当然のことと思っていたのに、弁護士になると、なぜか忘れてしまう重要な真実である。この社会のルールを外れると、社会が相手にしてくれない。これは、何も個人だけの話ではなく、会社という法人においてもそうである。

　コーポレート・ソーシャル・レスポンシビリティ(CSR：corporate social responsibility)という言葉は、企業の社会的責任と訳されることが多いが、語義からすると、法人の社会的責任というべきものである。つまり、法人は、法律で特に法人格を認められるのであるから、個人が単に法律だけで縛られるのではないのと同様に、法人も単に法律だけで縛られてはならず、その社会的責任を負わなければならないという考えである。

　法律を超えたルールを、ソフトロー(soft law)と呼ぶこともあるが、法律だけではなく、それを超えた社会のルールがあり、それを守ること、換言すれば社会的責任を果たすことは、とりわけ社会的影響力の大きな大手企業にとっては当然のことである[14]。

　このようなことを言うのは、重大な設計施工ミスというものは、建物建設に関与する者にとってはあってはならないことだからである。竣工後かなり時間が経っていても、重大なミスを設計者、施工者、デベロッパーがこれを無視することは、これらの企業にとって、社会的評判を一気に落とすことになりかねない(換言すると日本社会では非常に恥ずかしいことである)。した

がって、重大な設計施工ミスの対応は、法律議論だけで行うのは不十分である。企業に期待される水準が高ければ高いほど、重大な設計施工ミスが発覚した場合の対応は水準の高いものでなければ、社会が納得しない。これは、法律問題ではないが、重要なことである。引渡し後2年を経過しているとか、5年を経過しているとか、10年を経過しているといって、一切の責任を回避する議論は、重大な設計施工ミスが明らかであれば、社会的には通用しない。

したがって、前記設例の設計ミスで引渡し後7年経過した事案で設計会社A社が時効をたてに一切の責任を引き受けることを拒絶することは、A社が一流の設計会社であればあるほど考えにくい。また、前記設例の工事ミスで仮に引渡し後15年を経過してミスが判明したとしても、B社が品確法でも責任は10年に限定されるとして一切の責任を引き受けることを拒絶することは考えにくい。そのようなことをすると、B社がC社から今後一切注文をもらえないであろうし、他のデベロッパーもB社を相手にしないだろう

14) このことは、建築学会の「建築とCSR（建築と社会的責任）小委員会（主査：本田広昭）」の2007年3月12日付「建築物と社会的責任」と題する提言を行うにあたり、委員会のメンバーの間で建築物の長寿命化をどのように実現するかについて議論していた時に目を覚まさせられた。私が「CSRと言ってもどうでしょうか。やはり法令や条例で規制しないと実現できないのではないでしょうか」と言ったところ、他の委員の方から、すぐに「そうじゃないでしょう。わが社では長年自主的目標を定めてやってきましたよ」と諭されたのだった。実際、その委員会のメンバー各社は、自主的にさまざまな取組みを行っていた。私の浅はかさを身にしみて感じた体験である。なお、今や多くの大企業においてはCSR報告書を毎年発表している。その中には環境、労働、安全衛生、社会貢献などに関する情報を盛り込んでいる。このうち、環境に関する報告書については、平成16年に制定された「環境情報の提供の促進等による特定事業者等の環境に配慮した事業活動の促進に関する法律」（通常、「環境配慮促進法」と略称される）に根拠もある。同法4条では、「事業者は、その事業活動に関し、環境情報の提供を行うように努めるとともに、他の事業者に対し、投資その他の行為をするに当たっては、当該他の事業者の環境情報を勘案してこれを行うように努めるものとする。」とある。同法では、環境報告書の内容を特段縛っていないが、それが味噌であるとも言える。

からである。

　また、前記設例で、補修工事でも足りるのに、多額の費用がかかる全面建替えをC社が選択し、その費用を完全には設計会社A社または施工会社B社から回収できなくてもよいと判断するのも合理性が十分にありうる。その手厚い対応がC社の評判を維持し、または高めることにもつながり、経済合理性もあるからである[15]。

15) C社がCSRを意識するから、このような対応が可能になる。売主が不動産の証券化の投資主体であれば、C社のような対応は考えられない。問題が発覚した場合は、解散してしまっている場合も少なくないから、CSRどころか品確法等の法的責任さえ負えない場合もある。

第6部

補論　民法改正が不動産取引に与える影響

第6部 補論 民法改正が不動産取引に与える影響

第1章

民法改正の意味

1 民法の働き

　民法の債権に関する部分が平成29年5月26日に改正され令和2年（2020年）4月1日に施行された。施行前に締結された契約およびこれに付随する特約については改正前の民法が適用される（改正民法附則34条1項）。この改正がもつ意味を正確に理解する必要がある。

　明治以降、民法は私法の基礎とされてきた。民法の上に数多くの判例が形成され、その上に、数多くの実務が形成されてきた。その最も基礎にあるところの民法が変更されるということは、判例変更をもたらす可能性を生じさせ、さらに実務の変更をもたらす可能性を生じさせる。

　今回の民法改正の問題点は、本当に改正すべき条文だけを改正したというにとどまらない点である。民法をわかりやすくするという標語のもと、民法全体の条項をいじってしまったところに問題がある。例えば、「瑕疵」を「契約不適合」という言葉に変更したからといって、民法がわかりやすくはならない。陸続として民法改正の解説本が現れていることは、このことを示している。コンピュータソフトのOS（オペレーティング・システム）にさまざまな変更を加えると、無数のバグが現れかねないが、社会全体のルールに無数のバグが現れるのでは国民にとって不幸である。

　モンテーニュのエセー第1巻に「習慣について。また、既存の法律を容易に改めてはならないこと」という1章がある。1580年に刊行された本なので、400年以上も前の本であるから、そこに書かれていることにすべて納得

できるわけもないが、その中に「どんなものであろうと既存の法律を変更することには、それを動かしたときに生ずる弊害を上廻るだけの明らかな利益があるかどうか、大いに疑問である。なぜなら、国家というものは、いろいろな要素が緊密に組み合わされた建物みたいなもので、その一つを動かせばかならず全体がぐらつくからである。」[1]との記載がある。この記載は極端であるが、受容されている法律を動かすことにより生ずる弊害を指摘している点では正当である。私は、その弊害よりも利益が上回る確信がない限り、受容されている法律をやたら変更すべきではないと考えている。思えば、私もずいぶんと保守的になったものであるが、長年の経験によるので、若い読者には理解しがたいかもしれない（学生時代は、通説、少数説、有力説とか法律書にしかつめらしく書かれているのを見て、「馬鹿らしい。ああだ、こうだと議論しないでさっさと法律を改正すればいいじゃないか」と思ったが、今にして思えば浅はかであった。立法には限界があって、すべての事態に適切に機能しうる言葉を条文としてはつむげないのである）。しかし、400年以上前であっても、このような指摘があるくらいである（モンテーニュは若いとき裁判官であった）。ましてや、現代の複雑な社会において、より一層この指摘は妥当する。現代社会は多くの約束事で成立している。その約束事を構成する膨大なルールの集成の基礎に民法がある。今回の民法改正は、改正がもたらす混乱についての自覚に欠けているというのが私の考えである。以下に、不動産取引に影響する改正部分を解説するが、生じうる混乱も指摘する。また、混乱を回避するために対応できそうなことにも言及する。なお、第5部までの関連部分にも注意を喚起しているので、必要に応じて参照されたい。

2 改正民法の解釈

私の改正民法の解釈の基本的な考え方は、改正された条項の文字は尊重するが、既存の判例が新たな条項の文言と矛盾しない限り、既存の判例を尊重

1）モンテーニュ『エセー(一)』原二郎訳、岩波文庫（1991）222頁。

するというものである。もともと、既存の民法で不都合であった条文はほとんどないと言ってよいくらい少なかった。それは、今回改正に関わった多くの人の共通認識である。今回、条文が変更されて、従来の取扱いと明らかに矛盾する部分が出てきたところは、改正民法に従わざるを得ない。法定利率とか消滅時効期間とか保証とかはその意味で注意が必要である。しかし、多少の言葉の言い回しの変更があるだけの条文については、法律実務が右往左往するべきではない。あくまでも従来の判例を重視すべきである。改正民法の条文の読み方によっては従来の判例を変更すべきではないかという議論も出る可能性があるが、改正民法の言葉がその変更を命じているとしか思えない場合を除いて、そのように解すべきものではない。特に、改正にいたる過程に分け入った議論に深入りすることはお勧めできない。

　学生時代、法学部の民法の助教授であられた石田穣先生（直接授業を受けたことはない）が立法者意思説を唱えられ、法解釈において立法者の意思を尊重すべきであると主張されているのを知って、すばらしいと思ったことがある。しかし、43年も弁護士を務めると、立法者意思説は採用できない考え方であるということを実感する。というのは、立法に携わっている人々の問題関心や視野は限られているからである。想定した事例では当該文言が適切に見えても、当該文言で処理するには不適切な想定外の事案はいくらでもあり、そのような場合、当該文言の立法者意思を探求することはナンセンスである。想定していないのだから探求のしようもない。しかも、誰が立法者なのかということも決められない。決められないことを基礎にすえた解釈はありえない。適切妥当な解釈は、個別具体的な事例を目の前にして、裁判所で導かれ、多くの判例が生まれるのであり、判例こそ重要であると私は確信している。

　しかし、民法改正で民法のどの条文がなぜ変えられたのかを知って、それがもたらす影響を見きわめることは、法律実務に携わる者が避けては通れないことである。OSに大きな変更が加えられた以上、これをマスターしなければ議論ができないからである。

第2章

改正民法のポイント

　改正民法の解説書は多数出ており、本書で同じようなことを繰り返す意味はないと思う。改正民法作業の中心であられた京都大学潮見教授の解説本[2]等を参考にして改正の全体像は理解されたい。
　企業の不動産取引に関わる大きな改正項目には以下のような項目がある。本章ではこれらの項目について、説明を行う。

　1　錯誤
　2　消滅時効
　3　法定利率
　4　危険負担
　5　契約の解除
　6　賠償額の予定
　7　保証
　8　売買の瑕疵担保責任
　9　請負の瑕疵担保責任
　10　賃貸借
　11　将来賃料債権の譲渡

　2）潮見佳男『民法（債権関係）改正法の概要』（金融財政事情研究会、2017）。

第6部 補論 民法改正が不動産取引に与える影響

1 錯　　誤

(1) 動機の錯誤

　錯誤は意思表示全般に関わるものであり不動産取引に固有のものではない。今回の民法改正では、講学上の「表示の錯誤」は改正法95条1項1号に、講学上の「動機の錯誤」は改正法95条1項2号にそれぞれ規定がおかれた。また、今回の改正で、錯誤による意思表示は、無効ではなく取り消しうるものとされた（改正法95条1項柱書き）。

　改正法95条1項2号は、「表意者が法律行為の基礎とした事情についてのその認識が真実に反する錯誤」として動機の錯誤を定義しているが、その錯誤が「法律行為の目的及び取引上の社会通念に照らして重要なもの」であれば取り消せるとされた。また、動機の錯誤の場合の意思表示の取消しは、「その事情が法律行為の基礎とされていることが表示されていたときに限り、することができる」（同条2項）ことも規定された。これらの規定で何かクリアになったのかというと疑問である。動機の錯誤が正面から認められたことはわかるが、動機の錯誤も、判例上は認められていたし、それがどの範囲で認められるのかは、この抽象的文言からはわからない。同種の事案で裁判所がいかなる場合に動機の錯誤を認めて意思表示を無効としてきたのかという具体的事情に分け入らないと軽々に判断してはならない。注意すべき一例を挙げる。

　平成26年8月26日の法制審議会民法（債権関係）部会の「民法（債権関係）の改正に関する要綱仮案（案）」補充説明で、「表意者が法律行為の基礎とした事情についてのその認識が真実に反する」（1頁）ものという場合はいったいどういう場合かについて、「例えば、表意者が、譲渡所得税は課されないと認識して、多額の譲渡所得税が課されないとの事情を当該財産分与の基礎としていた場合において、その多額の譲渡所得税が課されないとの認識が真実に反しているとき」がこれに該当すると説明された。これは、最高裁平成元年9月14日判決（判タ718号75頁）の事案を下敷きにした説明である。この説明に飛びついて、

402

課税効果を誤認してなした意思表示は取り消せると考えると、大きな判断ミスをしかねない。この事案は、事態を放置すると、一方(財産分与を行った夫)が錯誤で損をし、他方(財産分与を受けた妻)が得をするといった看過しがたい結果になったもので、その是正が必要になったものである。しかも、契約の相手方は固定されており、マーケットで自由に契約の相手方を選択したうえでの契約でもない。そのような事情を見ずに、課税効果の誤認が錯誤取消事由になると考えることは、見当違いであり、この判決の事案を、動機の錯誤の上記文言の説明に用いることは、誤解を生じかねない。例えば、一般の不動産取引で、売主の契約締結の動機が、一定期間の特別な租税優遇措置についての誤解であったとしても、また、買主は、その優遇措置が売主の契約締結の動機であると聞かされていたとしても、買主は契約締結時にその動機に誤解がないかを検証する立場にはない。取引の一方当事者の取引動機など相手方当事者にとってはどうでもよいことであり、その動機に誤解がないかを気にしなければ取引に入れないのでは取引ができない。ことほどさように、動機の錯誤をどこまで認めるかは難しいのであって、今回の改正で、この問題が明確になったと理解することは誤解である。従来どおり、裁判例の蓄積を通じて検討するしかない。

(2) 無効から取消しへ

今回の改正では、錯誤を無効事由とするのではなく、取消事由とする。そのため、従来に比べて錯誤主張が安易になされ、また、従来に比べて錯誤の主張が多く認められることが予想される。無効という判断は、契約が当初からなかったものとして扱うものであるから、これまで裁判所は錯誤の認定にきわめて慎重であった。しかし、取消しうるものとされることで、この傾向が変わる可能性がある。私は、今回の字句変更がかかる結果を意図してはいないことから、従来どおり錯誤の認定には慎重を期すべきものと考えているが、果たしてどういうことになるであろうか。

なお、取消しうるものとされることで、行為の時から20年経てば取消しができないとする民法126条の規定が適用される。意思の欠缺と説明されてきた表示の錯誤ですら、かかる権利行使の時間的制限に服することにも注意

が必要である。間違って物件目録に一筆の土地の書き誤りがあったような場合（売買の目的物ではない土地まで書いてしまったり、売買の目的物の土地を書き忘れたような場合）、致命的な誤りになりかねない。良心的な当事者ばかりではないので、このような事態の適切な処理ができないのではないかと憂慮される。

2　消滅時効

(1)　債権の消滅時効期間

今回の民法改正によって、債権の消滅時効期間は、主観的起算点（債権者が権利を行使することができることを知った時）から5年、客観的起算点（債権者が権利を行使することができる時）から10年とされた（改正法166条1項）。これに合わせて、商法522条の消滅時効（商事消滅時効）も廃止され、商事債権の消滅時効も上記債権の消滅時効の一般原則に服する。

なお、改正法724条の2と167条は、生命・身体の侵害による損害賠償請求権について、それが不法行為によるか債務不履行によるかを問わず、一般の債権より時効期間を長期化した。すなわち、不法行為のときは、被害者又はその法定代理人が損害及び加害者を知った時から5年間、不法行為の時から20年間とされ、債務不履行のときは、債権者が権利を行使することができることを知った時から5年間、権利を行使することができる時から20年間とされた。

(2)　協議を行う旨の合意による時効の完成猶予

今回の民法改正では、権利についての協議を行う旨の合意が書面でされたときは、1年間は原則として時効完成が猶予されるという規定が新設された（改正法151条1項参照）。実務的に重要な新条項である。

3　法定利率

(1)　3年ごとの変動

民事法定利率は年5％で、商事法定利率は年6％であったところ、民法改

正で両利率の区別はなくなり、施行当初は年3％で（改正法404条2項）、以後3年ごとに一定の計算式で変更されることになった（同条3項・4項・5項）。

(2) 適用される法定利率

適用される法定利率は、「その利息が生じた最初の時点における法定利率による。」（改正法404条1項）。すなわち、適用される利率は一定であり、利息が発生している期間に適用利率が変動するものではない。

4 危険負担

(1) 特定物の債権者危険負担原則の削除

不動産取引において、これまでの民法で改正してほしいと思ったのは、特定物の危険負担についての債権者主義を規定していた民法534条くらいであった。これは、売買契約後引渡しまでに売主買主の双方の責に帰さない事由（典型的には天災）により売買の目的物の滅失又は損傷が発生した場合の判断基準になるべき明文の規定なのだが、債務者（売主）の履行義務は不能で消滅するものの、その損失は、債権者（買主）の負担に帰し、買主は売買代金の支払義務があるというものであって、常識とは正反対の結論を導くものであった。したがって、実務では、引渡しまでは売主が危険を負担するという特約が必ず売買契約には含まれている。以前、私が30代の頃、外資系依頼者（売主）の土地売買契約に関わって、このような特約の入った売買契約につき、何もコメントしなかったことがあった。当然のことなので、気にもとめなかったのであるが、この外資系依頼者の顧問弁護士（60歳を過ぎた日本の弁護士であった）が同依頼者からセカンドオピニオンを求められ（巨額の取引だったので30代の若造弁護士の判断だけでは不安で、依頼者がセカンドオピニオンを求めたことは当然でもあるのだが）、その特約が民法の原則を変更し、売主に不利になっている、特約を除去すべきと言い立てたことがあった。私は、このようなコメントしかできない弁護士の登場には閉口した。以来、民法534条だけは削除すべきと願っていたが、今回これが実現した。

(2) 特定物の危険の移転時期

今回の改正で、特定物の滅失又は損傷の危険の移転時期を明確にする規定が民法 567 条に入った。動産もカバーするが、特定された売買の目的物について、危険の移転時期が引渡しであることを明示した。不動産の従来の実務に適合的な規定であり、従来の民法 534 条を削除し、新たに改正民法 567 条が新設されたことは、必要な改正がなされたと評価できる。なお、第 1 部第 1 章で述べたが、実務上クロージングは、残代金決済と同時に引渡しも所有権移転登記手続も行う。したがって、クロージング時点で危険が移転すると考えれば十分であるが、引渡しが所有権移転登記手続より前にあれば、改正民法 567 条では、この引渡し時点で危険が移転することになる。所有権移転登記手続時点まで危険を移転させたくなければ、その旨の特約が必要である。なお、所有権移転登記手続が引渡しより前に発生する場合は、所有権移転登記手続時点で所有権は移転すると考えるべきなので、その時点で危険も移転する。

5 契約の解除

(1) 解除の要件

従来は、債務不履行解除には大別して履行遅滞を原因とする解除と履行不能を原因とする解除があり、履行遅滞を理由とする解除の場合は、原則として催告が必要であるが（改正前 541 条）、催告に意味がない場合は直ちに解除でき（判例）、また、履行不能を理由とする解除の場合は直ちに解除ができるというものであった。さらに、いずれの解除の場合も債務者の責めに帰すべき事由が必要であるというものであった。ただし、明文上、履行不能については債務者の帰責事由を要件として明示していたが（改正前 543 条）、履行遅滞については債務者の帰責事由を要件とすることの明示はなかった（改正前 541 条）。

改正民法では、履行遅滞を理由とする解除の場合は、原則として催告が必要であるが（改正法 541 条）、例外として催告が必要でない場合を列挙し、ま

た、履行不能を理由とする解除の場合は直ちに解除ができるとしており（改正法542条）、ほぼ従来の考え方を踏襲している。大きく変わったのは、履行遅滞を理由とする場合も履行不能を理由とする場合も、解除には、債務者の責めに帰すべき事由は必要ないと整理されたところである。ただし、債権者の責めに帰すべき事由があると債権者からは解除ができないことが明文で規定された（改正法543条）。

従来は、履行遅滞を理由とする解除を定めた民法541条には、債務者の帰責事由を要件とするとの規定はなかったが、学説上、帰責事由が必要であると解していた。ただし、この点が論点となって最高裁で争いとなった事案はなさそうで、そのためか、最近の学説が解除には帰責事由を不要とすべきとの解釈を示していた。この解釈が通ったわけである[3]。しかし、債務者の責めに帰すべき事由によらず履行遅滞がある場合、債権者も共同して事態の打開に協力することが求められる場合もあると思われ、債権者を契約の拘束から解放することだけが優先されるべきとも思えない[4]。

(2) 解除の制限——軽微性の抗弁

今回の改正で、債務不履行が軽微である場合は履行遅滞を理由に契約を解除できないとの規定が挿入された（改正法541条ただし書）。判例法理を挿入したとも言えるが、このただし書が入ることで、契約履行がルーズになりかねない心配がある。私の経験だが、巨額の土地の売買で、契約のサイニングからクロージングまで1年あった事案があった。私は売主側で取引に関与した。土地の売主が心配することは一般に多くはないが、その売買契約書には、隣地との境界確認書をクロージングまでに売主が取得して買主に引き渡すという条項があった。私は、契約前に、この約束をしてもいいですねと売

---

3) 潮見・前掲注2) 241頁参照。
4) 例えば、アパート建築請負契約が付近の住民の激しい建設反対運動により予定どおりに履行できなかった場合に、請負人の責めに帰すべき事由がないとして注文主からの契約解除を否定した東京地判昭和55年4月14日（判時983号86頁）の事例がある。

主に念を押していた。売主は、隣地所有者とは長年親しい関係であるので、大丈夫とのことだった。しかし、契約締結からしばらくたった時点で、売主から、境界確認書を取得するのに手間取っている、との連絡があった。あまりに長い時間放置していたため資料が散逸して、なかなか決めきれないような説明であった。私はあわてた。もし、クロージングまでに取得できなければ、解除されるリスクがあり、違約金も払わされかねないからである。もっとも、普通は、締結した契約を解除はしたくないものなので、このような心配も起きないのだが、その事案では、契約締結後、土地利用規制が将来的に変わる可能性があることが判明して、買主が解除したいという気持ちになってもおかしくない状況だった。そこで、私は、売主に対して境界確認書を取得できなかったら大変なことになると説明して、クロージングまで必ず取得するようにせかした。民法541条に今回のただし書が入っていたら安心していたであろう。「なーに。大丈夫ですよ」と話していたかもしれない。今回のただし書は、裁判規範としてはもっともなのだが、行為規範としてはどうなのか、上記経験から、私には疑問に思える。ここまで条文に書くべきことなのかという観点での疑問である。

　今回のただし書は、法定解除の規定であり、約定解除には適用ないと考えてよいのかという論点がある。判例の趣旨からは、約定解除にも妥当すると考えるべきであろう。

6　賠償額の予定

(1)　予定損害賠償額の減額の可否

　平成29年改正前、民法420条1項では、「当事者は、債務の不履行について損害賠償の額を予定することができる。この場合において、裁判所は、その額を増減することができない。」とあり、裁判所は予定損害賠償額を増減できないとされていた。しかし、例えば、賃貸借の中途解約は、残存期間すべての賃料相当金額を違約金として支払う場合にだけ認めるといった規定が賃貸借契約に入ることがあり、文字通り適用すれば、予定損害賠償額として

大きすぎるという批判があった。残存期間において別の者に貸すチャンスがあれば二重取りになるからである。そこで、裁判所は、一部公序良俗違反であるとして、減額した予定損害賠償額しか認めないことがあったことは、前述したとおりである（第2部第2章3(7)参照）。なぜ、一部公序良俗違反という法律構成にしたのかというと、民法420条1項後段があるからで、契約法理を乗り越える論理でなければならないからである。私は、その論理に感心した。

(2) 改正前民法420条1項後段の削除の影響

このたびの改正で、改正前420条1項後段が削除された。この改正の影響は大きいのではないかと思う。従来は一部公序良俗違反で無効という論理でなければ、同条1項後段を乗り越えられなかったため、よほどひどい予定損害賠償額しか裁判所による減額は期待できなかった。しかし、改正後は、不合理な予定損害賠償額であれば、裁判所の裁量で軽減できるといった解釈も生まれかねない。つまり、予定損害賠償額に対する全面的な裁判所の介入が始まりかねない。今回の改正で同条1項後段が削除されたからといって、取引自由の原則を裁判所が無視できると考えるのは理由がないが、削除されたということをもって、予定損害賠償額を争う者が増えるだろう。そのため紛争が増加する。安易に違約が横行しないように、改正後も一部公序良俗違反としか言えないひどい予定損害賠償額のみ減額されるべきだと思う。大きな企業同士の契約では、あくまでも従来の判例法理を尊重し、相手方の提案する予定損害賠償額に異論があれば、契約締結時にフェアに議論すべきものである。

7 保　　証

(1) 個人根保証契約の制限

今回の民法改正で保証に関する条項も改正がなされている。企業の不動産取引でも個人に保証を求める場合に注意が必要である。特に改正の影響がありそうなのは、居住用賃貸借契約で借家人の賃料債務について、個人保証を

とる場合である。根保証である限り、保証人の責任の限度額を書面で明記しなければ効力を生じないことになった（改正法465条の2第2項）。

(2) 事業に係る債務の個人保証の制限

事業に係る債務の個人保証ほど、一般の人々に保証の怖さを思い知らせるものはなく、友人の事業の保証をしてしまったがために、酷薄な債権者に身ぐるみはがされ、家族まで路頭に迷うという悲惨な事例があとを絶たなかった。こういう事態が見るに忍びないのは、多くの場合、保証人は保証に見合う利益を得てはいないからで、主たる債務者が自業自得であるのとは異なって、いかにも気の毒である。しかも、債権者にとって、どこまで保証が取引の必要要件であったかわからないものも少なくない。たまたま念のためとっていた保証が効を奏するのでは、保証人の気の毒さが倍加する。今回、このような気の毒な保証人の発生を防ぐため、一定の規制がなされた。

つまり、事業のために負担した貸金等債務を主たる債務とする保証契約等は、その契約締結に先立ち、その締結日前1か月以内に作成された公正証書で保証債務を履行する意思が表示されていなければ、効力を生じないことになった（改正法465条の6第1項）。

これは、第三者保証の弊害を防止するためであるから、経営者保証には適用されない。つまり、債務者が法人である場合の理事や取締役や執行役等が法人のために個人保証をする場合は、上記公正証書の規制はない（改正法465条の9）。しかし、経営者保証といっても、かたちばかりの「経営者」もあることだから、保証をとるにあたって、同様の配慮が望ましい「経営者」も少なくないと思う。私が経験した「経営者保証」で悲惨だったのは、破綻した土地区画整理組合の理事の個人保証である。地域のために理事になり、慣例で金融機関に対して個人保証をしたところ、組合が経営破綻して、債権者の追及にあった事例は少なくなかった。ただ、組合に融資した金融機関も事情は先刻承知であるから、組合が賦課金徴収の努力をすると、理事の責任を軽減してくれたものである。金融機関でも濃淡がある。何が何でも保証人の保証はびた一文まけないというのでは、国民の共感を得られない。

8 売買の瑕疵担保責任

(1) 従来の瑕疵担保責任

　従来の瑕疵担保責任は次のように整理できた。すなわち、不動産の売買では、当事者が合理的に期待する品質や性状や機能を不動産が備えていなければ、それは、瑕疵であって（①）、その瑕疵が隠れたものである限り（②）、買主は、売主に対して、被った損害について賠償請求ができた（③）。その瑕疵のために契約の目的が達成されない場合は、買主から解除ができた（④）。「隠れた」というのは、注意していればわかった瑕疵は除外する趣旨である。この注意すれば、という点だが、私の印象では、相当程度裁判所は買主に甘い。特に、近時大きな問題になる土壌汚染や地中障害物は、地中を掘ってみないとよくわからないことなので、買主に厳しいことは求めない。損害については、その瑕疵が契約締結時に判明していれば、売買価格はどれだけ下がったのであろうかという、差額が基本であり、その他、瑕疵によりやむをえず支出しなければならなかった費用も損害として認められてきた（⑤）。従来の売買の瑕疵担保責任には瑕疵修補義務はない（⑥）。ただし、新築住宅に関しては、品確法が働いて瑕疵修補義務がある。なお、権利の行使期間は、瑕疵を知ってから1年である（⑦）。ただし、瑕疵担保請求権は引渡し時から債権の時効にかかる。もっとも会社間の売買では、商法526条が機能し、引渡しから6か月以内に瑕疵があることを通知しなければ、請求権を行使し得ない（⑧）。しかしながら、不動産の場合、引渡しから6か月以内に瑕疵を掌握することは事実上困難が多いので、売主の信義則上の説明義務違反が認定されることもあり、その義務違反があれば、一般の不法行為責任と同様の消滅時効にかかる。

(2) 改正民法

　以上の内容に改正がどのような影響を及ぼすかを順に示す。

① 瑕疵概念

　従来、「瑕疵」と呼んでいた問題を改正民法では「契約の内容に不適合」

と呼んでいる（改正法562条以下）。瑕疵担保責任を不特定物を念頭に置いて考えると、このような見方になるのだろうが、不動産では、土地は特定物であるし、中古建物も特定物であるから、新築建物以外、「契約の内容に不適合」と言うことはしっくりこない。問題が発生するのは、逆に、契約の目的物に「契約の内容が不適合」だからではないかと思えるのである。まず、目的物があって、それから契約が成立するのであるから、論理的にはそうならざるをえない。ここで概念論争をしても仕方がないが、この出発点のボタンの掛け違えが、特定物である不動産の売買に改正民法が必ずしも適合的ではないと思える原因となっているように思う。

② 「隠れた」瑕疵要件

改正によって、「隠れた」という要件は吹き飛んでしまった。ここは非常に重要なところなので、正しく理解する必要がある。改正では、売買契約の目的物の品質も性状も機能も、契約で定まっており、その定まった品質や性状や機能の目的物を引き渡すことこそ売主の義務であり、引き渡されたものが不十分であれば、買主は追完請求ができるという考えである（改正法562条）。しかし、ある建物を念頭において議論すればすぐにわかるが、建物の品質や性状や機能といったものは、何万にものぼる要素でできあがっているのであって、引き渡された建物が、あるべき「品質や性状や機能」から見て十分かどうかを、契約締結時の建物の現状と離れて議論するのでは際限のない議論に陥りかねない。

ここで注意すべきは、従来、「特定物の現状による引渡し」を規定していた民法483条がどのように変更されたかということである。平成29年改正前は、「債権の目的が特定物の引渡しであるときは、弁済をする者は、その引渡しをすべき時の現状でその物を引渡さなければならない。」としていた。この意味について、通説は、履行期に履行期の現状で特定物を引渡せばその履行義務を果たしたことになり、契約時から履行期までの目的物の変化が債務者（売買で言えば「売主」）の善管注意義務違反による場合には債務者の損害賠償責任を生ぜしめるというものであった[5]。これは、特定物の債権者危

険負担原則からすると自然だが、債権者（売買で言えば「買主」）に責めに帰すべき事由がない場合にも、債権者には救済がないことになるので、従来の実務から適合的ではない。そこで、実務では、契約時から履行期までに売主買主双方の責めに帰すべき事由によらず目的物が滅失したり毀損した場合は、債務者（売買で言えば「売主」）がその損失を負担することとして、債務者の負担で修復するとか、それが困難であれば、売主買主のどちらからも解除できる等の規定を置いていた。したがって、平成29年改正前は、民法483条の通説的解釈と双方の責めに帰すべからざる事象に対応した規定とを売買契約に入れる実務で対応できた。

ところが、今回の改正では、従来の民法483条の前半部分が書き換えられ、「債権の目的が特定物の引渡しである場合において、契約その他の債権の発生原因及び取引上の社会通念に照らしてその引渡しをすべき時の品質を定めることができないときは、弁済をする者は、その引渡しをすべき時の現状でその物を引き渡さなければならない。」（改正法483条）とした。これは、売買契約の目的物の品質も性状も機能も、契約で定まっており、その定まった品質や性状や機能の目的物を引き渡すことこそ売主の義務という頭で固められており、それができない時だけ現状有姿の引渡しという整理がされている。

しかし、不動産の場合、契約締結時の現状と切り離して引き渡すべき状態を議論することは愚かなことである。私事で恐縮だが、私は、自宅用に中古建物を二度買ったことがあるが、いずれも1回現物を見た後はほぼ即決であり、ロケーションと間取りと外見と内見（一度だけである）で決めたようなものである。買ってから多少の不満も出たが、それを問題にすることはナンセンスとしか思えない。思いがけず気に入ったところもいくつも出てきたものである。「見てのとおりよ。気に入ったら買ってね」としか売主は言えないのではないか。しかし、新築ならば話は違う。予定されている建物の品質

5）磯村哲編『注釈民法(12)』（有斐閣、1970）163頁［北川善太郎］。

も性状も機能も特定できるからである。

　このように今回の改正により、土地でも中古建物でも、「注意して見ればわかっただろう」という反論が決め手にならない可能性が出てきた。「隠れた」という要件が吹き飛んだので、クレーマー買主に遭遇すると、売主は悲惨な目に遭いかねない。このような事態がよいこととは思えない。「隠れた」という要件を吹き飛ばした今回の改正は、過去の法実務を根底から崩しかねず、私は憂慮している。契約締結時の現状が契約の基礎にあるということを改正民法においても肝に銘ずべきであると考える。

　③　買主の救済

　改正民法では、まず追完請求が原則で（改正法562条1項）、追完がないときや追完請求しても意味がないときは減額請求ができ（改正法563条）、それとは別に債務不履行による損害賠償請求はできる（改正法564条）という整理になっている。追完請求は、完成形が見えるときに意味のある請求である。中古建物や土地について、完成形とは何か。吹付けアスベストがある建物で、吹付けアスベストが劣化している場合、対策はアスベストの除去も、封じ込めも、囲い込みもありうる。いずれも石綿障害予防規則で認められている対処法である（同規則10条1項）。吹付けアスベストが劣化している場合に、買主は売主にいかなる追完請求ができるのであろうか。追完請求の方法で売主と買主との意見が分かれうることを考慮して、改正民法では、562条1項にただし書をつけた。つまり、「ただし、売主は、買主に不相当な負担を課するものでないときは、買主が請求した方法と異なる方法による履行の追完をすることができる。」とした。しかし、買主がアスベストの除去を求めた場合に、売主がアスベストの封じ込めを選択して紛争が解決するとも思えない。売主がアスベストの封じ込めを選択したら、もはや買主はどうしようもないのだろうか。買主が売主の意見を無視して、自らアスベストを除去したとしたら、除去に要した費用を損害として売主に請求できるのだろうか。改正条文では、できないのではないか。今はわかりやすいように、三つの選択肢を示したが、この問題は、買主が要求する追完の方法と売主が選択

する追完の方法がくいちがうすべての場合に発生する。追完の方法が三つなど少ない方で、追完方法には無限のバリエーションがある。

④　契約不適合の解除要件

契約の目的が達成できない場合でなければ解除できないという要件も今回の改正で吹き飛んだ。そもそも、この要件が不都合であるとの国民の意見がどこにあったのか、私は聞いたこともないし実感したこともないが、従来の瑕疵担保責任を一種の債務不履行と構成して押し切ろうとするので、無理が生まれる。債務不履行の一般理論で解除を整理しようという発想で、「第541条及び第542条の規定による解除権の行使を妨げない。」（改正法564条後段）という文言が入った。確認的規定の体裁である。541条と542条は、履行遅滞の債務不履行の場合の解除の規定であり、先に見たとおり、この解除には、ただし書がついていて、「債務の不履行がその契約及び取引上の社会通念に照らして軽微であるときは、この限りでない。」（改正法541条ただし書）とあるので、解除を認めるのに不都合があれば、このただし書で対応すればよいと説明されている。しかし、問題が契約の目的を達成できないレベルと、問題が軽微とは言えないレベルとは、明らかに差がある。解除のハードルが大幅に低くなった。解除権行使の主張が頻発されることが予想される。このような事態がよいこととは思えない。

⑤　減額請求権と損害賠償請求権

瑕疵が契約締結時に判明していれば売買金額が下がったであろう額は、損害賠償ではなく、減額請求により請求することになった。この減額請求は、売主の責めに帰すべき事由は不要であるが、これは、契約不適合に相当する部分の解除と考えることができ、売買契約の一部解除と同じ機能を営むとして[6]、解除の一般規定と同様の手続を経て請求ができる仕組みとされた（改正法563条）。減額請求を契約の一部の解除と説明することは、ビール100本のうち3本不良品でした、という場合はよくわかるが、中古建物の台所の

6）潮見・前掲注2）262頁参照。

床下が腐っていましたといった場合、どう考えるのだろう。床下だけ契約の対象からはずすわけにもいかない。そもそも減額金額は、床下の材料代だけではない。人件費も含まれるし、工事期間の不利益も見込んで減価されるものである。説明として適切とは思えない。なお、減額請求には売主の責めに帰すべき事情はいらないが、それを超える損害賠償については一般法理に従うので（改正法 415 条 1 項）、売主の責めに帰すべき事由が必要である。これは、これまでの判例法理に相違する帰結をもたらす。なぜならば、瑕疵担保請求の損害賠償には売主の責めに帰すべき事由は不要と解されていたからである。例えば、購入した土地に土壌汚染があることがわかって、その対策費を算定するためにさらに調査をするような場合、従来であれば、このような付随的費用は権利行使に不可欠な費用として売主の責めに帰すべき事由があるか否かに関わらず損害賠償請求ができたが[7]、改正民法のもとでは、売主に汚染のおそれを知っていて買主に告げていないといった売主の責めに帰すべき事由がない限り、損害賠償請求ができなくなる。結論として疑問であり、この点で判例を変更する理由はないように思う。

⑥ 修補請求権

前述のとおり、改正民法では、「契約不適合」の場合、買主の救済手段の第一のものとして追完請求が認められたが、修補請求はその一つである。完成形が見えないときの修補請求権のもつ本質的な問題は前述のとおりであるが、これが買主の第一の救済手段として位置づけられたことも、また、買主にとって面倒な事態を生じさせることになる。なぜなら、追完請求に意味があれば、追完請求しなければ、減額請求できないからである（改正法 563 条）。例えば、中古建物の台所の床下が腐っていた場合、床下の補強工事を

---

[7] 東京地判平成 21 年 4 月 14 日 Westlaw Japan2009WLJPCA04148002 等参照。改正民法が契約責任説で整理されたことにより、代金減額部分以上の損害賠償を請求するには売主における帰責事由を必要とすることになったため従来の裁判例とは大きく異なった結果をもたらすことが予想されることについては、矢野領「民法（債権法）改正が与える裁判実務への影響——瑕疵担保責任（売買）の裁判例の検討から」（法律時報 87 巻 1 号（2015）80 頁以下）に詳しい。同感である。

追完請求できるのかという根本問題から議論がありうる。新しい部材に取り替えないと対応できなければ、これは工事を行うことで、単に補修したというにとどまらないプラスの価値を売買の目的物に加えることになる。このように補修しようとすれば、必然的に目的物の価値を高めると思われる「契約の内容に適合しない」問題は、「履行の追完が不能であるとき」（改正法563条2項1号）と整理していいのかどうか。私は、中古建物や土地について追完請求に大きく期待することについて疑問があるので、比較的簡単に「履行の追完が不能であるとき」と整理してすみやかな減額請求を認めるべきであると考えるが、「追完請求ファースト」という今回の改正は、実務に混乱を巻き起こすだろう。

⑦　契約不適合の責任期間

今回の改正で、契約不適合があれば、引渡しから1年以内にその旨売主に通知しておけばよいということになった（改正法566条）。あとは一般の債権の時効にかかるということになった。つまり、引渡しを受けてから5年の間にどのような請求をすればよいかを決めればよい。これは、従来の判例法理を変更するもので、なぜ、このような変更をする理由があったのかわからない。これまでの判例法理は、瑕疵を知ったときから1年以内に「少なくとも、売主に対し、具体的に瑕疵の内容とそれに基づく損害賠償請求をする旨を表明し、請求する損害額の算定の根拠を示すなどして、売主の担保責任を問う意思を明確に告げる必要がある。」[8] というものであった。今回の改正で引渡しを受けて1年以内に問題点だけ指摘すれば、あと引渡しから5年経過するまで、どのような修補請求をするのか、修補請求はせずに減額請求をするのか、解除するのか、何らかの損害賠償を請求するのかわからないままとなる可能性がある。「契約不適合」を知って、なぜ、売主に問う法的責任をいつまでも明らかにしなくてよいのか、これでは売主の法的地位は長い間不安定なままである。

8）最判平成4年10月20日民集46巻7号1129頁。

⑧ 商法526条

商人間の場合、鯖の缶詰の瑕疵も不動産の瑕疵も同様に引渡し後6か月までにあるかないかを調査して瑕疵があればその旨売主に告げておかなければ瑕疵担保責任を追及できないという（したがって悪名高い）、商法526条は、今回の民法改正に伴って改正されていない。実務上、私が変えてほしかった瑕疵担保関連条項は、この商法526条だけであった。

(3) 検討すべき対応

今回の民法改正には多くの問題があるが、とりわけ売買の瑕疵担保責任の規定は紛争を惹起させる危険を秘めている。新築建物以外は本来的に瑕疵修補請求はなじまないというのが私の考えである。企業間の売買契約では、新築建物以外は「契約不適合」修補請求権を排除する特約を締結し、また、「契約不適合」責任期間も引渡しから一定期間内に「契約不適合」であると通知するだけでなく、従来の判例法理に従って、損害賠償請求をすべきことを定めることが賢明である。しかも、解除は、契約の目的を果たさない場合に限定することが望ましいと思う。要するに、従来の民法のもと判例法理で国民が納得していたルールを契約で貫くことを検討すべきであると思う。

しかし、売主が宅建業者で買主が宅建業者ではないのであれば、引渡しから2年間は民法の契約不適合責任を負わざるをえない（宅建40条）。この宅建業法の規定とどう折り合いをつけた売買契約の特約にするか検討が必要である。また、売主が事業者で買主が個人であれば、消費者契約法10条の規定によって、個人である買主の利益が民法の規定に比べて害される場合は特約が有効にはならないことがあるので、特約での対処にも限界があることに留意する必要がある。

9 請負の瑕疵担保責任

(1) 改正法の基本的な考え方

改正法は、請負の瑕疵担保責任も、不適合部分の債務不履行責任と整理されているので、従来の民法に規定されていた種々の規定が削除されてしまっ

た。請負契約の瑕疵担保については、契約責任として整理することに私も抵抗感がない。実務に入ると、建物の請負契約というものが、いかに厖大な設計図書とワンセットで意味があるのかということを思い知らされる。設計図書はそこまで細かくないと、請負工事のできあがりを特定できないからである。特定できなければ見積もりもできず請負代金も決まらない。したがって、請負契約の場合は契約書から完成形が見えるのである。完成形が何かについての議論の余地は、数字や文字での特定にも限界があるから、ないとは言えないが、瑕疵ある中古建物の売買の場合に比べると比較できないほど小さい。したがって、従来の民法でも請負契約の場合は瑕疵修補請求権も原則として認められていた（改正前634条）。ただ、一般の債務不履行責任と比較すると、いくつか特則があった。今回それら特則が削除されたので、以下、個別に説明する。

(2) 削除された規定

まず、注意すべきは、民法の売買契約についての規定はその他の有償契約についても準用されるのが原則であるから（559条）、改正民法では、既に説明した売買の「契約不適合」に関する諸規定、すなわち、追完請求権（改正法562条）、代金減額請求権（改正法563条）、損害賠償請求権・解除権（改正法564条）が、請負契約の「契約不適合」にも準用されることになる。そのうえで、従来の請負契約の瑕疵担保責任に関するいくつかの規定が削除されてどういう影響があるのかが、ここでの論点である。従来は、完成前は債務不履行責任で、完成後は瑕疵担保責任と解して、完成の前後で債務不履行責任と瑕疵担保責任の使い分けをしており、しかも、その「完成」とは、前述のとおり（第4部第2章2参照）、「一応の完成」を意味していたが、今回の改正で、このような使い分けはしないことになった[9]。

これまで修補請求権を規定していた条項（改正前634条1項）にはただし書があり、「瑕疵が重要でない場合において、その修補に過分の費用を要す

---

9) 潮見・前掲注2) 315頁。

るときは、この限りでない。」とされていたが、この条項は削られた。そこで、売買の追完請求権（改正法562条）を準用し、まずは修補請求はできるが、改正前634条1項ただし書に該当しそうな場合は、改正法412条の2第1項で処理すべきものと考えられている10)。つまり、同項では「債務の履行が契約その他の債務の発生原因及び取引上の社会通念に照らして不能であるときは、債権者は、その債務の履行を請求することができない。」とあるので、それで処理できるだろうという論理である。しかし、両者は同義とは言えないし、より具体的な基準を捨ててより抽象的でそれゆえあいまいな基準を選択する理由はないと思う。この立法処理で、従来の判例にどれだけの影響が出るのか未知数であるが、無用な混乱を引き起こしかねない。

　修補請求をしても修補しなかったり、修補請求しても意味がない場合（履行不能の場合を含む）は、売買の代金減額請求権の規定（改正法563条）を準用して請負代金減額請求を行うことになろう。また、それだけにとどまらない損害を発注者が被った場合は、請負者の責めに帰すべき事由があれば、債務不履行一般の損害賠償請求ができることになる。改正法564条を経由して改正法415条を根拠にすることになる。

　問題は、請負契約の解除についてである。従前は、請負契約の解除には厳しい制限があった。すなわち、「仕事の目的物に瑕疵があり、そのために契約をした目的を達することができないときは、注文者は、契約の解除をすることができる。ただし、建物その他の土地の工作物については、この限りでない。」とあった（改正前635条）。つまり、建物建設工事の請負契約は瑕疵があるからと言って契約解除はできなかった。一般の請負契約ですら、一旦完成した請負契約の目的物の瑕疵を理由に解除することは、瑕疵のために契約の目的を達することができないときに限定されるというように、解除権を認められるハードルが高かったのである。その解除制限規定が今回の改正で削除された。これは、大きな改正であるが、このように従来の解除制限規定

10) 潮見・前掲注2) 314頁。

を削除する合理的理由がどれだけあったのだろうか。契約の一般的な責任構造に追従させただけのように思われる。つまり、必要があって解除のハードルを低くしたというものではないように思われる。

　私は、そもそも完成建物の請負工事契約を、契約不適合を理由として解除することはできないのではないかと考えている。理由は解除の効果としての原状回復義務の履行が不可能だからである。解除の結果、相手方を原状に復させる義務があるとして（民法545条）、請負者が注文者に請負代金を返還することはよいとしても、既に完成した建物については、誰が何をする義務があるのだろうか。私は、注文者に引き渡された建物を原状に復させることは不可能であると考える。そもそも完成と同時に発注者が建物の所有権を原始取得していれば、解除によって建物所有権が請負者に戻るという考え自体が理屈に合わない。請負者が工事材料を全部提供して、完成と同時に建物所有権が発注者に移転したと見るべき場合も、請負者に建物を引き渡す義務は発注者にある。なぜならば、発注者の請負者に対する原状回復としての返還義務だからである。しかし、発注者の敷地にある建物をどうやって請負者に引き渡せるのか。これは不可能である。現実の引渡しは、無理であり、占有改定（183条）を行っても、発注者の直接占有はなお残るからである。したがって、私の理解は、改正前の民法635条ただし書は今回の民法改正で削除されたが、解釈としては残ると考える。解除の場合の原状回復の義務の履行が不可能だからである。なお、このような解釈は、民法改正の趣旨に反するという反論がありうるので、以下に再反論しておく。すなわち、改正前民法635条ただし書削除をした民法改正の趣旨としては、つぎのような解説が一般的である。すなわち、「判例（最判平成14年9月24日）は、建築請負の目的物に重大な瑕疵があるために建て替えざるを得ないような事案について、注文者が建替費用相当額の損害賠償を請求することができるとしており、このように請負人が解除時の負担に匹敵するような損害賠償義務を負うにも関わらず、解除を制限することの合理性を説明することは困難となっていた。」[11]などと説明される。しかし、解除の場合は、原状に復させる義務

があるというところが、上記の通り、解決できない。請負人は請負代金を返還する、発注者は請負人から引き渡された手袋を請負人に返す、という場合はわかりやすいが、この手袋が建物になった場合に返還義務はあくまでも発注者でなければ、この二例のつじつまが合わない。「解除により請負人に建物の所有権が移り、その建物が発注者の土地を占有しているから、発注者に妨害排除請求権がある。したがって、請負者に妨害排除を請求するのは当然である。」という議論があるかもしれないが、妨害状態は発注者が原状に復する義務（発注者の占有から請負者の占有への移転）を怠っているからだと反論されればこの反論には再反論はできないだろう。また、原始的に発注者に所有権が帰属するタイプの請負契約の場合は、解除の効果として、発注者に材料の所有権があった以上、建物の所有権も発注者のままであるとの説明となるであろうし、これを請負者が除去すべき義務は解除の効果としては発生し得ない。私は、上記最高裁判決の存在から解除を認めざるをえないという議論には大きな飛躍があり、以上に述べたように、論理的な検証に耐えられないと考えている。取り壊して建替えるしかない場合は、取壊しと建替えとそれに付随して発生する損害の賠償請求権を発注者に認めればよくて、解除を認めなければならない理由はないと考えるのである。先に述べたように、解除しても原状回復の履行が不可能である以上、解除を認めた場合の法律関係は混乱をきわめ、解決の道が見えない。

　また、改正前は、「建物その他の土地の工作物の請負人は、その工作物又は地盤の瑕疵について、引渡しの後5年間その担保の責任を負う。ただし、この期間は、石造、土造、れんが造、コンクリート造、金属造その他これらに類する構造の工作物については、10年とする。」とあった（改正前638条1項）。この規定が改正で削除された。改正法では注文者がその「不適合」を知った時から1年以内に「不適合」の通知をすれば権利を行使できるとの規定が入ったので（改正法637条1項）、それでいいではないかという理由であ

---

11) 筒井健夫＝村松秀樹編著『一問一答　民法（債権関係）改正』（商事法務、2018) 342頁。

る。確かに、権利を行使できることを知ってから5年間、権利を行使できるときから10年間で債権は消滅時効に服するのが改正法であるから、最長で引渡しから10年間、注文者は、権利を保全できる。堅固な建物についての請求権の権利行使のエンドは一致するが、従来の判例に反して、「不適合」を知ってからすみやかに通知すべきは「不適合」であるということだけであって、具体的な請求は長期間放置できる。その妥当性は疑問である。従来は、改正前638条1項に続いて2項があり、瑕疵で工作物が滅失したり損傷したときは1年以内に権利行使をしなければならないと釘を刺していた。この条項も今回の改正では削除されている。

(3) 検討すべき対応

企業間の工事請負契約は、前述した民間工事約款にほぼ従っているので、同約款を適切に改正することで、民法の今回の改正の問題を回避することはできると考えるが、令和2年4月に改正された民間工事約款(以下、「新約款」という)では次のような工夫がなされている。すなわち、契約不適合を理由とする修繕や解除に歯止めがかけられている。すなわち、新約款27条(1)は、契約不適合責任の履行の追完の規定だが、そのただし書に「ただし、その履行の追完に過分の費用を要するときは、発注者は履行の追完を請求することができない。」との規定が挿入されている。履行の追完を請求できなければ、請負代金減額請求又は損害賠償請求ということになるわけである。過分の費用なく追完できるのに履行しない場合は、催告のうえ解除できる(31条の2(1) d)。また、催告なく解除できる契約不適合は、「引き渡されたこの契約の目的物に契約不適合がある場合において、その契約不適合が目的物を除却した上で再び建設しなければ、この契約の目的を達成することができないものであるとき」(31条の3(1) f)とされた。約款でここまで規定した以上、このような場合は、解除により受注者が除却義務を負うと解することが自然であろうが、受注者の除去義務は、前述のとおり、解除による原状回復義務から当然には導き得ない帰結である。完成後の契約不適合責任は、本来、損害賠償請求で解決する問題である。なお、以上のように、新約款の工

夫により、建物建設工事の請負契約で、契約不適合を理由とする履行の追完や解除には大きな制約がかかり、基本的に損害賠償請求で処理されるべきことになる。ただし、消費者契約法が働く局面では、かかる民間工事約款の工夫も効を奏しないおそれがありうる。なぜならば、消費者契約法10条により、かかる約款の条項が無効とされる可能性も否定できないからである。しかし、損害賠償で処理できる以上は、かかる約款の工夫が、消費者契約法10条の「民法第1条第2項に規定する基本原則に反して消費者の利益を一方的に害する」とまでは言えないであろう。

10 賃 貸 借

(1) 賃貸物件の譲渡の法律関係

今回の改正で賃貸物件を譲渡した場合の法律関係が明確にされた。対抗力のある賃借人がいる賃貸物件の譲渡がされたときは、その不動産の賃貸人たる地位は、その譲受人に移転することが明らかにされた（改正法605条の2）。平成10年頃、外資系ファンドの日本の不動産買収が始まった時期であるが、外資系依頼者に賃貸不動産が譲渡された場合の権利関係を説明する段になって、この基本的なことが民法の条文だけでなく、教科書、実務書のどこにもクリアに書かれていなくて焦ったことを思い出す。参考になりうる判例を見つけて説明した記憶があるが、今回挿入された条項は、今や、実務では常識である。占有しか公示機能となっていない場合の賃貸借（建物賃貸借では圧倒的に多い）の権利義務がそのまま不動産の譲受人に移転するのであるから、不動産の権利を登記で公示するという建前もいい加減なものだなと思った記憶もある。買主は、買収にあたって、売主から不動産の賃貸借の最新契約書や、賃借人との覚書等を見せてもらい、さらに過去の賃料の支払状況等の関係資料を見せてもらって、ヒアリングで不明な点を補充して、物件を取得する場合の収益性やリスクを判断する。これらの作業は前述したように（第1部第1章1(4)参照）デューデリジェンスと呼ばれる。これは、不動産の証券化等に関与する若手弁護士が最初にやらされる仕事の一つで、あま

り楽しいものでもないが、経験すると勉強になるし、世の中のことがよくわかる。当時、都心の大きなビルのトンカツ屋さんの賃貸借の敷金が賃料100か月分も入っていて驚いたものである。脱線してしまったが、法律的に重要なのは、9月1日がクロージングなのに、7月分と8月分の賃料が未納な場合、買主にはどういう賃貸借の権利義務が移転するのかということである。7月分と8月分の賃料債権は売主のもとで発生しているので、その発生した債権は売主に帰属したままで、移転するのは、9月以降の賃料債権を含む賃貸借上の権利である。ただし、敷金が通常はあるので、充当で未払債務はなくなり、充当後の残額の敷金返還義務が買主に移転し、充当後の敷金が買主に移転する[12]。なお、引き継ぐ敷金額と売買代金とは対当額で相殺して残金決済がなされるのが通常である。

　改正で目新しいのは、改正法605条の2第2項であり、そこでは「前項の規定にかかわらず、不動産の譲渡人及び譲受人が、賃貸人たる地位を譲渡人に留保する旨及びその不動産を譲受人が譲渡人に賃貸する旨の合意をしたときは、賃貸人たる地位は、譲受人に移転しない。この場合において、譲渡人と譲受人又はその承継人との間の賃貸借が終了したときは、譲渡人に留保されていた賃貸人たる地位は、譲受人又はその承継人に移転する。」とある。これは、従来の判例法理では導かれないので、注意を要する。多くのテナントをかかえたビルで、買主は売主とマスターリースを締結するだけで、売主をマスターレッシーとして扱い、従来の賃貸借を売主とテナントとのサブリースとして把握できるので面倒ではないという利点に着目した規定と言える。買主としては、マスターリースが終了した場合に承継するサブリースの内容が売買時の条件より賃貸人にとって不利に変わることのないように、サ

[12] 最判昭和44年7月17日（民集23巻8号1610頁、判タ239号153頁）では、建物賃貸借契約において「建物の所有権移転に伴い賃貸人たる地位に承継があつた場合には、旧賃貸人に差し入れられた敷金は、賃借人の旧賃貸人に対する未払賃料債務があればその弁済としてこれに当然充当され、その限度において敷金返還請求権は消滅し、残額についてのみその権利義務関係が新賃貸人に承継されるものと解すべきである。」と判示されている。

ブリースの内容の変更はマスターレッサーである買主の承諾を要する等、マスターリースの契約条項を工夫しておく必要がある。

なお、改正法605条の3は、一読すると、改正法605条の2がある中で一体何の意味があるのかわかりにくい条項であるが、対抗力のない賃借人の場合に意味がある規定である。賃貸借の登記のない駐車場の賃貸借で、賃貸人である土地所有者が土地を売却した時に、買主がその賃貸借の承継を受けたければ、売主と合意するだけで承継でき、駐車場の借主の同意は不要ということが明確になった。

(2) **賃貸借の原状回復**

賃貸借契約のほとんどすべてに賃貸借終了時には原状に回復して返還すべきことが定められている。従来、原状回復義務が賃借人にあるとは民法の規定にはなかった。そこで、実務上定着している原状回復義務を改正民法では明定した（改正法621条）。改正法621条は、損傷についての原状回復義務というかたちで規定されており、経年劣化は損傷ではないことも同条で明らかにされている。賃借人が賃貸借期間中に附属させた物の収去義務は、使用貸借の規定（改正法599条1項）の準用規定（改正法622条）により、この改正で義務づけられることになった。

原状回復が可能なのかどうかの判定が難しい場合がある。物理的に可能かという問題と法律的に可能かという問題がある。土壌汚染のある土壌を元に戻すということは物理的に不能と考えられるし、建築基準法等の改正で元に戻す工事自体が法律上許されない場合もある。賃貸借の場合は原状に回復して返還するまで賃料の2倍相当の損害金を約定していることも多いので、原状回復とは何かはきわめて重要なことである。社会通念で可能か否かを判定すべきという抽象論には誰も異論はないだろうが、「原状回復」の可否の判定が難しい場合もあることを自覚しておく必要がある。

民法で原状回復義務が定められたことにより、原状回復義務が必要ない場合は、契約上その旨明示することが必要になった。長期間使用すると、賃貸借契約当初の原状とは何かが不明になり、賃貸人も当初の状態に拘泥しなく

なる場合も少なくない。そのような場合は、許された利用を遵守していたのであれば、賃貸借終了時点の現状（原状ではない）で返還してもよいという選択肢があるはずである。従来は民法483条でそのような解釈が成立しえたと考えるが、原状回復義務が法律上明定されてしまったので、そのような解釈の余地はない。そういう選択肢を選ぶならば、その点を賃貸借契約において明記しなければならない。中古建物のリノベーション等を認めてもらった賃借人も、賃貸借終了時には元に戻す義務があるのか、リノベーションに着手する時点で賃貸人に確認する必要がある。

11 将来賃料債権の譲渡

(1) 論　点

　実務的に将来賃料債権譲渡がどの程度なされているのか私にはわからない。通常では考えにくい。賃貸人の信用状況が悪化したような場合でなければ、実際の需要はないのではないかと思うが、仮に、将来の一定期間の賃料債権を譲渡した建物所有者がその後に建物を売却した場合、どうなるのだろうか。買主がそのために同期間の賃料収受権を有さないということになると、大問題である。そのような将来賃料債権の譲渡は建物の登記簿にも出ていないし、買主が売買契約締結前に、テナントに対し「賃料債権の譲渡の通知を受け取っていないですよね。」といったことを聞いて回ることなど非現実的だからである。もし、同期間の賃料債権が他人に帰属しているならば、収益不動産の所有権の取得は、少なくとも同期間に関しては無意味である。大枚はたいて買った建物がもぬけの殻では笑えない。

　しかし、将来賃料債権差押えと不動産売買については、差し押えされた賃料債権を不動産譲受人は取得できないとする最高裁平成10年3月24日判決（民集52巻2号399頁）があるので、上記の論点は未解決のまま存在している。

　今回の改正では、将来債権の譲渡が「債権の譲渡は、その意思表示の時に債権が現に発生していることを要しない。」と規定され（改正法466条の6第

1項)、また、「債権が譲渡された場合において、その意思表示の時に債権が現に発生していないときは、譲受人は、発生した債権を当然に取得する。」(同条2項)とされた。将来債権の譲渡がわざわざ規定されたため、上記の論点がにわかにクローズアップされる。将来賃料債権譲渡がされた場合は、その将来期間の賃料は譲受人に帰属し、途中で売買されても買主には帰属しないと読むこともできるからである。この点で、潮見教授は、「なお、本条は、将来債権の譲渡と譲渡人の地位の移転の競合問題の処理については、明文の規定を設けず、解釈にゆだねている」とされ、競合が問題とされる場合として、将来の売掛金債権の譲渡と売主による事業譲渡との競合、将来の不動産賃料債権の譲渡と賃貸不動産の譲渡との競合を例示されている[13]。

(2) 考え方

私は、以下の理由で、将来賃料債権の譲受人は、建物譲渡後の賃料債権は取得しないと解する。すなわち、今、建物所有者兼賃貸人を甲、賃借人を乙、将来賃料債権の譲受人を丙、建物の譲受人を丁とする。令和5年8月1日に将来の賃料債権を甲が丙に譲渡したとする。その2年後の令和7年8月1日に建物を甲が丁に譲渡したとする。この場合、令和7年8月1日からの賃料債権は丁が乙に対する賃貸人であるから(前述した改正法605条の2第1項の原則どおりである)、丁において発生する。これは、丙には移転しない。なぜ移転しないかであるが、それは移転の法律原因がないからである。移転の法律原因があるのは、甲が取得する賃料債権だけであり、建物が丁に譲渡された以上、甲は、賃料債権の基礎となる賃貸借契約の当事者でもないことから、賃料債権を取得しない。取得しない以上丙もそれを取得し得ない。

[13] 潮見・前掲注2) 156頁。

索　引

////////// あ　行 //////////

青石綿···55
浅野ビル設計図事件·················335
アスベスト··········74, 108, 384, 391, 414
アスベスト（石綿）·······················53
アスベスト入り建物·······················53
アスベスト含有建材·······················55
アスベスト含有建材（レベル1）·······55
アスベスト含有建材（レベル2）·······55
アスベスト含有建材（レベル3）·······55
アスベスト規制（解体時またはリ
　フォーム時）·······························57
アスベスト規制（建設リサイクル
　法）···61
アスベスト規制（大気汚染防止法）·····59
アスベスト規制（廃棄物処理法）·······61
アスベスト規制（平常時）·················57
アセットマネジメント·················173
姉歯事件（耐震偽装事件）·······324, 327
油汚染···92
油汚染対策ガイドライン·················30
油汚染土·····································29
アメリカの賃貸借·························169
アメリカのマンション法···············121
安定型最終処分場························62
意向書···4
イサム・ノグチ・ルーム移築事件·····336
意思の欠缺·································403
石綿含有産業廃棄物·······················62
石綿含有廃棄物等処理マニュアル·····61
石綿健康被害救済法·······················54
石綿障害予防規則···················57, 414
石綿等···57
一建築物一敷地の原則·······44, 247, 256
位置指定道路·······························273
一団地認定制度···························257
一部公序良俗違反·················161, 409
一括下請けの禁止·······················351

一級建築士·································326
一般義務文書·····························390
一般廃棄物·································32
一方の予約·································151
委任条例···································262
違反建築物··················41, 47, 177, 364
　——取得のリスク·······················47
　——と比例原則·······················48
　——に対する評価·······················47
　——に対する融資·······················47
　——の使用·································49
入会権·····································198
インスペクション······················75, 91
請負契約
　——の瑕疵担保責任···················418
　——の瑕疵担保責任期間···········346
　——の仕事の完成·····················347
宇奈月温泉事件···························142
埋立処理施設·······························25
裏指定·····································291
売主
　——の説明義務·······················102
売渡し承諾書·································4
上乗せ規制·································262
営業開始日·································155
営造物公園·································224
エネルギー消費性能表示···············182
エリアマネジメント···················239
エンジニアリングレポート············5, 90
沿道地区計画·····························242
応急危険度判定···························388
屋上の利用·································142
汚染土壌·····································31
汚染土の行き先·····························25
汚泥···32
表指定·····································291
温室効果ガス·····················180, 183
温泉井戸·································218
温泉取締規則·····························222

429

索　引

温泉法 221
温泉利用権 221, 223
温対法 183

////////////////// か　行 //////////////////

外国住宅宿泊仲介業者 192
会社施行の土地区画整理 288
解除
　——の制限 407
　——の要件 406
改正民法の解釈 399
解体工事 57
解体予定建物 37
買付け証明書 4
開発型の証券化案件 66
開発許可 228, 271
　——と建築 279
開発許可基準 274
開発許可制度運用指針 274
開発区域内の建築 279
開発行為 271
開発工事の完了公告 279
開発整備促進区 243
開発用の土地 89
確認型総合設計制度 249
確認済証 324
隠れた瑕疵 49
「隠れた」瑕疵要件 412
瑕疵概念 95, 411
瑕疵修補請求権 419
瑕疵担保責任 94
　——の損害賠償 97
　請負契約の—— 418
　売買契約の—— 411
瑕疵担保責任期間 97
　請負契約の—— 346
瑕疵と自然力との競合 372
化審法 62
課税効果の誤認 403
ガソリンスタンド 36
カネミ油症事件 62
カーボンニュートラル 179

仮換地指定 284
仮換地の売買 289
環境規制違反 391
環境事件 390
環境配慮促進法 395
環境報告書 395
完成建物の請負契約解除 421
間接占有者 383
換地 281
換地計画 289
換地処分 282, 289
関東大震災 44
岩盤規制 252
官民査定 7
監理 319
管理型最終処分場 61
監理技術者 320
管理建築士 328, 330
管理不全土地の管理制度 217
期間内終了の特約 159
企業の農業参入 200
危険責任 375
危険の移転時期 406
危険負担 405
危険負担（工事未完成時） 344
気候変動枠組条約 180
基準地標準価格 83
基準排出量 185
基準容積率 247
規制緩和 226
規制緩和型の地区計画 242
基礎杭 38, 92
既存建築物に対する新規基準適用の
　遡及トリガー 50
既存ビル 90
既存不適格建築物 41, 45, 50, 363, 378
　——取得のリスク 52
　——と瑕疵 377
　——に対する規制 50
既存不適格調書 51
北側斜線制限 247
基本設計 316

索　引

客観的起算点………………………… *404*
旧耐震基準…………………………… *364*
旧耐震建物…………………………… *44*
旧法借地権…………………………… *144*
境界確定訴訟………………………… *16*
境界確認……………………………… *12*
境界確認書……………… *7, 15, 18, 85, 407*
協議を行う旨の合意………………… *404*
行政代執行（市街地再開発）……… *301*
共通仮設工事費……………………… *352*
共同ビル……………………………… *120*
　──取得のリスク………………… *67*
　──の管理………………………… *136*
　──の区分………………………… *139*
京都議定書…………………… *180, 183*
業務代行（組合区画整理）………… *285*
共有者間協定………………………… *67*
　──の承継………………………… *125*
共有者間の建物賃貸借……………… *121*
共有者の先買権……………………… *124*
共有建物の管理……………………… *139*
共有ビル……………………………… *120*
　──取得のリスク………………… *67*
　──と組合契約…………………… *124*
共有物分割禁止特約………………… *120*
共有物分割請求権…………… *67, 120*
共有持分譲渡禁止特約……………… *124*
共有持分の賃貸借…………………… *122*
共用部分
　──の管理………………………… *137*
　──の管理または変更…………… *68*
　──の賃貸借……………………… *138*
　──の変更………………………… *137*
居住調整地域………………… *234, 272*
許容応力……………………………… *44*
近代的土地所有権…………………… *198*
近鉄高架下アスベスト事件………… *384*
金融商品取引法……………………… *77*
区域区分……………………… *231, 272*
区画形質の変更……………… *228, 271*
具体化条例…………………………… *263*
掘削許可基準………………………… *222*

掘削除去……………………………… *24*
国立マンション事件………………… *269*
区分所有関係の解消………… *68, 121*
区分所有者間協定…………………… *68*
区分所有建物
　──取得のリスク………………… *68*
　──の議決権の不統一行使……… *132*
　──の規約………………………… *68*
クボタショック……………………… *54*
熊本地震……………………… *360, 362*
組合区画整理………………………… *285*
　──の再生………………………… *288*
　──の組織と運営………………… *288*
　──の破綻………………………… *288*
組合参加契約書……………………… *306*
組合市街地再開発の破綻…………… *312*
組み立て家屋の意匠権……………… *340*
グルニエ・ダイン事件……………… *333*
クレーマー…………………………… *414*
クロージング………………… *2, 8, 99*
クロージングメモランダム………… *8*
経営者保証…………………… *288, 410*
景観地区……………………………… *235*
景観法………………………… *235, 248*
景観保護……………………………… *239*
景観利益……………………………… *269*
形質変更計画………………………… *22*
形質変更時要届出区域……………… *21*
傾斜掘削……………………………… *220*
継続賃料……………………………… *81*
形態意匠……………………………… *235*
形態規制……………………………… *233*
携帯電話の無線基地局……………… *138*
軽微性の抗弁………………………… *407*
契約締結上の過失…………………… *5*
契約不適合…………… *49, 53, 56, 64, 92, 94*
　──の解除要件…………………… *415*
　──の責任期間…………………… *417*
決済期日の設定……………………… *6*
原位置換地…………………………… *285*
現位置浄化…………………………… *27*
原因瑕疵……………………………… *354*

索　引

原因者責任主義 …………………… *23*
減額請求権と損害賠償請求権 ………… *415*
原価法 ……………………………… *81*
現況調査報告書 …………………… *113*
健康被害のおそれ …………………… *21*
原告適格 …………………………… *268*
検査済証 …………………… *49, 324*
原始筆界 …………………………… *13*
原状回復義務のリスク ……………… *69*
建設業法 ………………… *58, 320, 351*
建設協力金 ………………………… *167*
建設協力金方式の保証金 …………… *168*
建設工事保険 ……………… *346, 349*
建設残土 ……………………… *29, 31*
建設反対運動 ……………………… *268*
建設リサイクル法 …………………… *58*
健全土 ……………………………… *25*
建築
　──と著作権 …………………… *332*
　──の著作物 …………………… *332*
　──の著作物の改変 …………… *336*
　──の著作物の保護 …………… *335*
建築意匠権 ………………………… *340*
建築家 ……………………………… *327*
建築確認 ………………… *40, 46, 228*
　──と消防署長の同意 …………… *46*
　──の違法性 …………………… *268*
建築家賠償責任保険 ……………… *322*
建築基準関係規定 …………… *45, 228*
建築基準法 ………………………… *40*
　──と民事責任との関係 ………… *378*
　──の「最低の基準」 …………… *41*
　──の定期報告・検査 ………… *177*
建築基準法上の道路 ………………… *43*
建築基準法令の規定 ………………… *46*
建築協定 …………………………… *239*
建築芸術 …………………………… *333*
建築コンサルタント ………………… *318*
建築士 …………………………… *89, 326*
建築士事務所 ……………… *328, 329*
　──の開設者 …………………… *330*
建築士法 …………………… *326, 331*

建築主事 …………………… *324, 363*
建築設計・監理等業務委託契約約款
　……………………………………… *331*
建築設計図 ………………… *332, 334*
　──の保護 ……………………… *337*
建築物の意匠 ……………………… *341*
建築物衛生法 ……………………… *178*
建築物環境計画書制度 …… *184, 186*
建築物環境報告書制度 …………… *186*
建築物省エネ性能基準 …………… *180*
建築物省エネ法 …………………… *179*
建築物調査員 ……………………… *178*
建築面積 …………………………… *246*
現地復元性 …………………………… *12*
減歩 ………………………………… *281*
現物不動産 ………………………… *76*
建蔽率 ……………………………… *246*
権利床 ……………………… *299, 310*
　──の売買 ……………………… *309*
権利に関する登記 …………………… *87*
権利変換 …………………………… *299*
権利変換（原則型） ………… *299, 302*
権利変換（全員同意型） …… *300, 303*
権利変換（地上権非設定型） *300, 302*
権利変換期日 ……………………… *300*
権利変換計画 ……… *300, 302, 306*
権利変換処分 ……………………… *300*
権利濫用 …………………… *222, 223*
行為規範 …………………………… *408*
公開空地 …………………… *233, 249*
公害防止事業費事業者負担法 ……… *92*
公拡法（公有地の拡大の推進に関す
　る法律） ……………………………… *6*
交換分合 …………………… *237, 300*
公共施設
　──の管理 ……………………… *277*
　──の整備 ……………………… *276*
　──の整備費用 ………………… *276*
公共施設（都市計画法） …………… *275*
公共施設（土地区画整理法） ……… *295*
公共施設管理者の同意 …………… *275*
公共施設管理者負担金 …………… *295*

432

索　引

公共施設用地の帰属（開発行為）……276
公共施設用地の帰属（区画整理）……296
耕作放棄地…………………………199
公示………………………………204
公示価格……………………………83
工事監理……………………323, 326
工事差止め等の仮処分………………268
公示送達……………………………167
工事予算……………………………321
更新後の再築………………………144
公信力………………………………211
公図…………………………………12
公正証書……………………………145
更正登記……………………………86
剛性率………………………………44
構造計算適合性の判断………………328
構造計算適合性判定機関……………328
高層住居誘導地区…………………232
構造設計一級建築士…………………327
構造耐力上主要な部分等………………65
公聴会………………………………240
公道管理者……………………………7
高度地区……………………………232
高度利用……………………………226
高度利用型地区計画…………244, 251
高度利用推進区………………………292
高度利用地区………………………232
公表権………………………………335
港北ニュータウン……………………293
鉱油類…………………………………30
高齢者の居住の安定確保に関する法
　律…………………………………165
国土調査法………………………13, 203
国民共有の財産……………………221
国有土地森林原野下戻法……………198
個人根保証契約……………………409
コストオン協定書…………………351
コストコ事件………………………372
国家戦略特区………………………252
固定資産税課税台帳…………………84
固定資産税の起算日…………………84
固定資産税評価額……………………83

個別利用区（市街地再開発）………304
小松園事件…………………………223
根幹的施設…………………………277
コンストラクションマネジメント
　………………………………175, 318
混同…………………………………123
コンパクト・シティ…………234, 272

////////////////// さ　行 //////////////////

再エネ利用促進区域…………………183
再開発会社…………………………307
再開発等促進区…………………243, 251
財産権と条例………………………263
財産上の給付による正当事由の補完
　……………………………………156
最終処分場の廃止……………………35
再生可能エネルギー…………………198
再築不可……………………………43
サイニング……………………………2, 99
裁判規範……………………………408
裁判所の介入………………………409
債務者の帰責事由…………………406
差額配分法……………………………82
先買権…………………………………67
削減義務量…………………………185
錯誤…………………………………53
サブリース…………………157, 425
更地渡し……………………………38
参加組合員（市街地再開発）………305
　──の負担金……………………305
　──の分担金……………………305
参加組合員（土地区画整理）………289
産業廃棄物……………………………32
三信ビル感電死事件…………………383
残存杭の廃掃法上の問題………………38
残代金決済……………………………10
暫定容積率…………………………244
残土条例……………………………28
山林の土地所有……………………202
シェアリングエコノミー……………189
市街化区域…………………………272

433

索　引

市街化調整区域 ………………… *272*
　——における開発許可 …………… *278*
　——の既存宅地 …………………… *278*
　——の建築許可 …………………… *278*
市街地開発事業 …………………… *236*
市街地開発事業等予定区域 ……… *237*
市街地建築物法 ………… *40, 42, 44*
市街地再開発 ……………………… *297*
　——の借家権者 …………………… *301*
　——の施行区域 …………………… *298*
　——の施行者 ……………………… *298*
市街地再開発事業 …… *69, 236, 251*
市街地再開発事業区 ……………… *313*
敷金 ………………………………… *425*
敷金返還債務 ……………………… *139*
敷地分割（サブディビジョン）… *41, 227*
事業継続ガイドライン …………… *387*
事業継続計画（BCP） …………… *387*
事業継続マネジメント（BCM）… *387*
事業代行制度 ……………………… *312*
事業用定期借地 …………………… *145*
自己借地権 ………………… *122, 128*
自己借家権 ………………………… *122*
仕事の完成 ………………………… *347*
自作農創設特別措置法 …… *199, 211*
試算価格 …………………………… *81*
試算賃料 …………………………… *82*
指示対象特定建築物 ……… *363, 365*
自主条例 …………………………… *262*
地震と建物の設置保存の瑕疵 …… *370*
地震と不可抗力 …………………… *370*
支線的施設 ………………………… *277*
自然由来汚染土 …………………… *27*
自然力の損害発生への寄与度 …… *371*
市町村施行（土地区画整理）…… *287*
執行官 ……………………………… *113*
実施設計 …………………………… *316*
指定確認検査機関 ………………… *324*
指定区域（廃棄物処理法）……… *34*
指定性能評価機関 ………………… *329*
指定宅地 …………………………… *304*
指定容積率 ………………………… *247*

地主リスク ………………………… *69*
シノブ設計事件 …………………… *333*
司法書士 …………………………… *9, 87*
氏名表示権 ………………………… *335*
借地権付建物取得のリスク ……… *69*
借地借家法の対象 ………………… *141*
借家人
　——の死亡 ………………………… *164*
　——の行方不明 …………………… *164*
斜線制限 ………………… *233, 234, 247*
収益価格 …………………………… *81*
収益還元法 ………………………… *81*
収益賃料 …………………………… *83*
収益分析法 ………………………… *82*
集会の決議 ………………………… *133*
終身建物賃貸借 …………………… *164*
従前地 ……………………… *281, 290*
住宅宿泊管理業 …………………… *190*
住宅宿泊管理業者 ………………… *190*
住宅宿泊事業（民泊）…………… *189*
　——と賃貸借 ……………………… *192*
住宅宿泊事業者 …………………… *190*
住宅宿泊事業法 …………………… *190*
住宅宿泊仲介業 …………………… *191*
住宅性能表示制度 ………………… *182*
集団規定 ………………… *42, 228, 234*
周知の埋蔵文化財包蔵地 ………… *92*
修補請求権 ………………………… *416*
住民説明会 ………………………… *391*
重要事項説明 ……………………… *74*
重要事項説明義務 ………… *107, 108*
重要事実告知義務 ………………… *107*
14条1項地図 ………… *7, 12, 18, 87*
集落地区計画 ……………………… *242*
主観的起算点 ……………………… *404*
宿泊サービスの仲介の規制 ……… *191*
宿泊施設 …………………………… *252*
取得時効 …………………… *15, 197*
主任技術者 ………………………… *320*
守秘義務条項 ……………………… *3*
受領義務 …………………………… *347*
竣工検査 …………………………… *40*

索　引

準耐火建築物……………………………235
準都市計画区域…………………………271
準防火地域………………………………235
省エネ法…………………………………179
照応の原則…………………………284, 293
浄化処理施設………………………………25
使用禁止命令………………………………50
証券化物件…………………………………47
詳細設計…………………………………316
商事消滅時効……………………………404
商事仲立……………………………………71
消費者契約法10条………………………418
商法526条……………………94, 103, 418
消防法………………………………45, 379
消防法上の管理権原者…………………176
消防用設備…………………………………46
消滅時効期間……………………………404
将来賃料債権の譲渡……………………427
所在等不明共有者の持分取得制度……217
ショッピングモール……………………200
所有権移転請求権保全の仮登記…………8
所有権界……………………………………13
所有者責任と占有者責任………………381
所有者不明土地…………………………214
　　──の管理制度……………………217
白石綿………………………………………55
人為的汚染土………………………………27
信義誠実義務……………………………107
信義則上の説明義務………………37, 102
新規賃料……………………………………81
新耐震基準…………………………44, 364
新耐震建物…………………………………44
信託された区分所有物…………………132
新築建物の売買……………………………64
真の土地所有者…………………………209
森林所有者………………………………205
森林簿……………………………………205
森林法……………………………………205
水源地………………………………………35
水源の水質保護……………………………35
水平震度……………………………44, 371
図形としての著作物……………………334

スプロール……………………231, 272, 278
スポンサー………………………………174
スライド法…………………………………83
スラム化…………………………………147
諏訪大社下社秋宮事件…………………380
成形板………………………………………55
生産緑地…………………………………201
正常価格……………………………………79
積算価格……………………………………81
積算賃料……………………………………82
積算法………………………………………82
責任期間短縮特約………………………102
責任制限特約（設計契約）……………322
施行区域…………………………………237
施行者……………………………………237
施工者の第三者に対する不法行為責
　任………………………………………353
施工図……………………………………316
施行地区…………………………………282
施工ミス…………………………………393
設計………………………………………326
　　──と施工の分離………………319
設計監理契約……………………………319
設計契約…………………………………316
設計コンペ………………………………317
設計図の改変……………………………338
設計施工…………………………………331
設計施工契約……………………………319
設計施工契約約款………………………331
設計図書……………………………316, 326
設計ミス…………………………………393
設計料……………………………………323
絶対高さ制限………………………234, 247
接道義務……………………………43, 273
設備工事…………………………………351
設備設計一級建築士……………………327
設備専門業者……………………………351
説明義務違反の責任の法的性質………110
セメント等製造施設………………………25
善管注意義務違反………………………412
剪断補強量…………………………………44
総合設計許可準則………………………249

435

索 引

総合設計制度	249
相続財産管理人	207
相続税評価額	83
相続登記	204
――の義務化	216
相続土地国庫帰属法	208
相続放棄	207
双方の予約	151
ゾーニング	230
促進区域	236
測量図	85
組織系設計事務所	329
ソフトロー	394
損害額の算定の根拠	417

////////////////// た　行 //////////////////

第1種市街地再開発事業	297
――の施行区域	298
第2溶出量基準	25
ダイオキシン	36, 92
ダイオキシン類対策特別措置法	20, 92
耐火建築物	235
耐火被覆材	55, 57
対抗力のない賃借人	426
第三者保証	410
耐震改修	45, 363
耐震改修計画	45, 364
耐震改修促進法	45, 156, 362
耐震関係規定	44
耐震診断	45, 90, 108, 363, 379
耐震性	75
耐震性と更新拒絶・解約申入れの正当事由	155
大深度地下	218
大深度地下使用法	218
帯水層	27, 220
滞納処分	214
太陽光発電施設の設置	34, 143, 198
鷹ノ湯事件	223
宝塚市パチンコ条例事件	265
宅地審議会第6次答申	277
宅地建物取引業者	71

宅地建物取引士	73
宅建業者	
――の契約関係	106
――の説明義務	107
――の説明義務の対象	108
――の調査義務	107, 109
――の媒介契約上の説明義務	111
――の報酬請求権	71
宅建業の免許	106
宅建業法40条	94
宅建業法と外国不動産・非居住者	72
建物	38
――と敷地の関係	247
――の安全性	379
――の敷地	43
――の附属物	130
建物外壁設置の看板	142
建物完成前の権利床	309
建物完成前の保留床	310
建物使用細則	162
建物賃貸借	
――の解除事由	159
――の中途解約と違約金条項	160
建物としての基本的な安全性	355
建物内の駐車場	142
たぬきの森事件	269
団子図	12
短冊換地	294
単体規定	42, 228
団地	129
団地管理規約	131
団地管理組合	131
団地共用部分	130
団地建物所有者	129
地域森林計画	205
地域制公園	224
地域地区	230, 231
地役権	282
地下工作物の埋め殺し	39
地価公示法	83
地下水飲用リスク	20
地下水汚染	20, 27

436

索　引

地下水汚染モニタリング……………27
地下水保全条例………………………223
地下水利用権…………………………220
地球温暖化対策計画書制度…………184
地区外への公共貢献…………………259
地区計画………………………………238
　　──の種類………………………241
地区施設………………………………241
地区整備計画…………………………239
地券……………………………………197
地籍図……………………………13, 203
地籍調査…………………………13, 203
地籍調査作業規程準則…………13, 203
地租改正………………………………197
地中障害物………………………………92
地熱開発…………………………220, 222
地熱発電………………………………198
地方分権一括法……………249, 264, 265
茶石綿……………………………………55
中間金……………………………………8
中間処理…………………………………61
中間的施設……………………………251
中古建物…………………………………75
中古建物重要情報………………………75
駐車場整備地区………………………236
駐車場法………………………………236
中皮腫……………………………54, 384
超高層建築物…………………………328
直接施行（区画整理）………………283
直接摂取リスク…………………………20
直接占有者……………………………383
著作権…………………………………335
著作者人格権…………………………335
賃貸借
　　──の原状回復………………426
　　──の引渡期日………………152
　　──の本契約…………………151
　　──の本契約締結期日………152
　　──の予約契約………………151
賃貸借期間の開始日…………………154
賃貸事例比較法…………………………82
賃貸物件の譲渡の法律関係…………424

賃料
　　──の鑑定……………………81
　　──の増減請求権……………141
追完請求…………………………412, 414
通常備えるべき安全性………………370
定期借地……………………69, 141, 169
定期借地権マンション………………145
定期借家………………………………141
　　──と期間延長………………149
　　──の期間の特約……………147
　　──の再契約の予約…………149
　　──の事前説明書面…………150
　　──の賃料の特約……………150
停電……………………………………374
手付金の保全……………………………8
テナント情報の開示……………………3
デューデリジェンス……………5, 424
デューデリジェンス資料……………100
伝建地区………………………………365
同一性保持権…………………………335
等価交換方式…………………………136
統括管理費用…………………………351
統括業務………………………………352
登記官……………………………………17
登記先例集………………………………89
動機の錯誤……………………………402
東京都景観条例………………………270
東京都総合設計許可要綱……………249
東京都中高層建築物の建築に係る紛
　争の予防と調整に関する条例……268
倒産隔離………………………………173
動植物油類………………………………30
道路位置指定…………………………241
道路斜線制限…………………………247
道路占用許可…………………………246
道路の立体的区域……………………246
道路法上の道路…………………………43
十勝沖地震…………………………44, 360
特定街区……………………233, 247, 250
特定仮換地……………………………313
特定行政庁（建築基準法）……324, 363
特定建築材料……………………………59

437

索引

特定建築者（市街地再開発）·············· 306
特定建築物（耐震改修促進法）·········· 363
特定事業参加者····························· 303
特定住宅瑕疵担保責任の履行の確保
　等に関する法律······························ 65
特定地区計画等区域··············· 237, 298
特定物··· 412
特定粉じん排出等作業······················ 59
特定防災街区整備地区····················· 235
特定有害物質·························· 20, 29
特定用途制限地域··························· 231
特定用途誘導地区·················· 234, 272
特別管理産業廃棄物························· 61
特別用途地区································· 231
特例容積率適用地区··············· 231, 258
都市計画運用指針·························· 272
都市計画基礎調査·························· 272
都市計画区域································ 271
都市計画施設································ 236
都市計画図·································· 230
都市計画の提案制度······················ 259
都市公園····································· 224
都市更新····································· 226
都市再開発法······························· 297
都市再生緊急整備地域··················· 234
都市再生特別地区············· 233, 251, 259
都市施設···································· 236
都市縮小時代······························· 206
土壌汚染····················· 19, 74, 108, 416
　——と会社買収····························· 35
　——に係る環境基準······················· 19
　——の概況調査···························· 26
　——の義務的調査························· 21
　——の指定調査機関······················ 91
　——の詳細調査···························· 26
　——の調査······························ 26, 91
　——の地歴調査······················ 26, 91
土壌汚染原因者······························ 23
土壌汚染対策法······························ 19
　——の構造·································· 21
　平成29年土壌汚染対策法改正········ 22
土壌汚染調査の限界························ 26

土壌汚染土地の評価························ 24
土壌含有量調査······················ 21, 27
土壌・地下水汚染に係る調査・対策
　指針及び同運用基準······················ 19
土壌溶出量調査······················ 21, 27
土地
　——の境界の不明化···················· 202
　——の使用収益権······················· 196
　——の所持································ 198
　——の所有権帰属の確定············· 197
土地家屋調査士······················· 7, 85
土地区画整理······························· 280
　——と市街地再開発の一体的施行
　　　································· 294, 312
　——の施行者···························· 282
土地区画整理組合················ 282, 410
土地区画整理コンサルタント····· 285, 288
土地区画整理事業··················· 18, 236
土地工作物責任············ 361, 370, 374
土地収用····································· 213
土地収用委員会··························· 283
土地所有権································· 196
　——の淵源································ 197
　——の放棄································ 206
土地所有者責任主義······················· 23
土地所有者の不明化······················ 202
土地取引規制························· 7, 196
土地利用規制······················ 226, 408
トップランナー制度······················· 181
届出住宅（民泊）·························· 189
取引自由の原則···························· 409
取引事例比較法····························· 81
取引の安全································· 210

////////////// な　行 //////////////

長屋··· 128
新潟県中越地震············ 45, 360, 362, 365
二級建築士································· 326
2号施設····································· 251
二重譲渡···································· 210
日照権······································· 268
入札方式······································ 80

438

農地
　——の所有権移転許可申請協力請
　　求権……………………………200
　——の賃貸借………………………200
　——の売買…………………………200
農地改革………………………199, 211
農地所有適格法人……………………201
農地転用………………………………200
農地法…………………………………199
農地問題………………………………199
濃度基準…………………………………20
能登半島地震…………………………360

～～～～～～～～～は　行～～～～～～～～～

媒介………………………………………71
媒介契約………………………………106
媒介拘束条件付入札…………………115
媒介報酬の上限…………………………73
廃棄物処理場跡地………………………34
廃棄物処理場設置の差止め……………35
廃棄物混じり土…………………………33
廃棄物混じり土への対応方策検討業
　務報告書………………………………34
排出量取引……………………………185
背信的悪意者…………15, 210, 214, 223
廃石綿等…………………………………61
売買契約の瑕疵担保責任……………411
発注内示書……………………………320
パリ協定………………………………179
バルクセール……………………50, 206
阪神淡路大震災……45, 360, 361, 370, 389
ピアチェック…………………………328
被害者救済の観点……………361, 386
日影規制………………………234, 268
東日本大震災………45, 360, 362, 366, 387
美観地区………………………………235
飛散性アスベスト………………………55
ビジネスリスク………………………165
比準価格…………………………………81
比準賃料…………………………………82
非常用電源……………………………377
非線引き白地地域……………231, 243

筆界………………………………………13
　——の確定……………………………16
筆界特定制度……………………………16
筆界特定手続記録………………………17
避難弱者…………………………366, 380
避難通路確保…………………………366
非飛散性アスベスト……………………55
秘密保持契約書…………………………3
評価書…………………………………113
評価人…………………………………113
表示登記…………………………………85
表示の錯誤……………………………403
表明保証……………………………10, 47
　——と詐欺…………………………101
表明保証違反の効果…………………100
表明保証条項……………………………98
表明保証責任……………………………98
ビル機器故障…………………………374
ビル2000年問題………………………375
品確法における瑕疵担保責任の特則
　…………………………………………65
歩合賃料………………………………151
ファシリティマネジメント…………176
風俗営業法……………………………265
風致地区………………………………235
賦課金…………………………281, 290, 410
不可抗力免責…………………………361
吹付け材…………………………………55
福岡県西方沖地震………………360, 365
福島原発事故…………………………368
複数敷地間の容積配分………………257
複製権…………………………………335
不公正な取引方法……………………117
付随的費用……………………………416
附属施設………………………………130
附属の建物……………………………130
普通借地…………………………………69
物件明細書……………………………113
不動産
　——の運営管理……………………172
　——の危機管理……………………387
不動産鑑定………………………………79

439

索　引

不動産鑑定士···79
不動産鑑定評価基準·······································79
不動産鑑定評価の手法···································81
不動産競売··113
不動産所有権移転登記手続····························10
不動産信託受益権··77
不動産の証券化·······································76, 172
　　──と宅地建物取引業法························76
不特定多数の者の利用·································380
不特定物··412
不要な土···33
プラットフォーム··189
フリーレント··154
振替可能削減量··185
プレクロージング··9
ブロック塀の崩壊···368
プロパティマネジメント·······························174
文書提出命令···390
分筆···7
分筆登記と境界確認書····································86
分別等処理施設···25
分有土地···126, 303
　　──と区分所有建物·······························126
並行条例··262, 264
平成29年民法改正·······49, 52, 64, 94, 158,
　　170, 288, 344, 346, 348
壁面の位置の制限···············233, 234, 240, 245
別府マンション事件·································66, 354
弁護士法人···329
偏心率··44
ベンゼン···29, 36
防火管理者···176
防火地域···235
防災街区整備事業···237
防災街区整備地区計画··································241
法執行条例···263
放置不動産···208
法定解除··408
法定条例··262
法定利率··404
法的責任と社会的責任··································394
法律規定条例···262

法律準拠条例···261, 263
法律上の争訟···265
法律手続リンク条例·································263, 266
法律と条例の関係···260
法律補充条例···262, 266
補償基準··283
補助金··296
ポストクロージング··11
保有水平耐力··44
保留床···299, 310
　　──の売買··311
保留地···281, 286
保留地台帳···292
保留地予定地···282
　　──の売買··291
　　──の簿書··292
本人確認···87
本来有すべき安全性····································381

/////////////// ま　行 ///////////////

埋蔵文化財··92
マスターリース·····································157, 425
　　──の終了とサブリースの帰趨······157
まちづくり··226, 239
まちづくり条例·····································248, 260
　　──の履行確保·····································267
街並み誘導型地区計画··································245
マッチングサービス······································189
マンション···136
　　──の屋上··138
マンション管理適正化法·······························136
マンション敷地売却制度································69
マンションの建替え等の円滑化に関
　する法律···69
未完成建物
　　──の所有権···348
　　──の売買···65
ミクロの都市計画··································226, 238
水循環基本法···224
密集市街地··235
密集市街地整備法·······································235
みなし有価証券···77

索　引

ミニ開発 ･････････････････････ 273
宮城県沖地震 ･････････････････ 368
未利用容積の移転 ･････････････ 258
民間（七会）連合協定の工事請負契
　約約款 ･････････････････････ 330
民間建設工事標準請負契約約款 ･･･ 342
民間工事約款 ･････････ 330, 342, 423
　──の契約不適合責任 ･･･････ 423
　──の留意点 ･･･････････････ 344
民間設計監理約款 ･･･････ 331, 338
民間入札 ･････････････････････ 115
民泊 ･･･････････････････ 189, 190
民法
　平成 29 年民法改正 ････ 49, 52, 64, 94,
　　158, 170, 288, 344, 346, 348
　改正民法の解釈 ･･･････････ 399
　民法改正の問題点 ･･･････････ 398
　民法の働き ･････････････････ 398
民法 94 条 2 項類推適用 ･････････ 88
民法 177 条 ･･･････････････････ 209
民法 483 条 ･････････････ 412, 427
民法 717 条 ･････････ 374, 381, 383, 385
無過失責任 ･･･････････････････ 381
無主の不動産 ･････････････････ 206
滅失登記 ･････････････････････ 37
免責特約 ･･･････････････ 102, 104
申出換地 ･･･････････････ 284, 293
木造建築士 ･･･････････････････ 326
目標容積率 ･･･････････････････ 244
持分譲渡権限付与制度 ･･･････････ 217
森トラスト事件 ･･･････････････ 117

///////////// や　行 /////////////

約定解除 ･････････････････････ 408
家賃債務保証業者 ･････････････ 166
家主居住型民泊 ･･･････････････ 190
家主不在型民泊 ･･･････････････ 190
誘導すべき用途 ･･･････････････ 234
誘導容積型地区計画 ･･･････････ 243
油臭 ･････････････････････････ 29
油膜 ･････････････････････････ 29
要緊急安全確認大規模建築物 ･･･ 367

容積地区制度 ･････････････････ 246
容積適正配分型地区計画 ･･･････ 244
容積率 ･････････････････ 42, 246
要措置区域 ･･･････････････････ 21
用地対策連絡協議会（用対連）･･･ 283
用途上不可分 ･･････････････ 44, 247
用途地域 ･････････････････････ 230
用途別容積型地区計画 ･････ 244, 251
容認事項 ･････････････････････ 104
溶融・無害化 ･････････････････ 61
横出し規制 ･･･････････････････ 262
予定建築物 ･･･････････････････ 279
予定損害賠償額 ･･･････････････ 408
予定道路 ･････････････････････ 241

///////////// ら　行 /////////////

ライフライン断絶 ･････････････ 389
リーシングマネジメント ･･･････ 175
リート ･･･････････････････････ 173
利益相反 ･････････････････････ 123
履行遅滞 ･････････････････････ 406
履行不能 ･････････････････････ 406
リスクコミュニケーション ･･ 60, 391
リゾートマンション ･･･････････ 145
離村者失権の原則 ･････････････ 198
立体換地 ･･･････････････ 280, 297
立体道路型地区計画 ･･･････････ 245
立体道路制度 ･････････････････ 246
立地適正化計画 ･･･････････････ 234
立法者意思説 ･････････････････ 400
リノベーション ･･･････････････ 427
リフォーム工事 ･･･････････････ 57
利回り法 ･････････････････････ 83
旅館業法 ･････････････････････ 190
緑地 ･････････････････････････ 259
旅行業者 ･････････････････････ 191
旅行業法 ･････････････････････ 191
隣地斜線制限 ･････････････････ 247
林地所有者台帳 ･･･････････････ 205
林地台帳 ･････････････････････ 206
林地台帳及び地図運用マニュアル ･･ 206
林地台帳及び地図整備マニュアル ･･ 206

441

索　引

ルール策定の限界 ················· 163
零細店舗経営者 ························ 68
令和3年民法・不動産登記法改正 ····· 214
歴史的建造物 ············ 233, 239, 259, 365
　　──と土地工作物責任 ············ 380
歴史的風致維持向上地区計画 ·········· 242
連件処理 ·································· 7
連担建築物設計制度 ················· 257
老朽化のリスク ······················· 68
路線価 ································· 85
路線価図 ······························· 85
路網整備 ····························· 203

―――――― わ　行 ――――――

割増し容積率 ···················· 226, 248
ワンダーデバイス事件 ··············· 340

―――――― 英　字 ――――――

architect ····························· 327
area management ·················· 239
asset management ················· 173
BCM（事業継続マネジメント）········ 387
BCP（事業継続計画）··············· 387
BCS約款 ····························· 332
BELS ································ 182
Business Continuity Management ···· 387
Business Continuity Plan ··········· 387
closing ································· 2
closing memorandum ················· 8
CM方式活用ガイドライン ············ 318
construction management ······ 175, 318
corporate social responsibility ········ 394
CSR（企業の社会的責任、法人の社
　会的責任）························ 394
CSR報告書 ·························· 395
due diligence ·························· 4

engineering report ··················· 90
facility management ················ 176
grandfather's clause ·················· 50
inspection ·························· 75, 91
interest ······························ 169
Is値（構造耐震指標）················ 363
land ································· 169
landlord ····························· 170
leasehold interest ··················· 170
leasing management ················ 175
lessee ································ 170
lessor ································ 170
license ······························ 169
master lease ························· 157
PCB ··································· 62
PCB廃棄物 ··························· 63
PCB廃棄物特措法 ··················· 63
peer check ·························· 328
perfection ··························· 210
post-closing ·························· 11
pre-closing ··························· 9
property management ··············· 174
real estate ··························· 169
real estate investment trust ········· 173
real property ······················· 169
representations & warranties ········· 98
right ································· 169
risk communication ················· 391
signing ································· 2
soft law ····························· 394
sponsor ····························· 174
sprawl ······························ 272
subdivision ····················· 41, 227
sublease ····························· 157
tenant ······························· 170
zoning ······························ 230

著者紹介

小澤　英明（おざわ・ひであき）

　1956 年　長崎県生まれ
　1978 年　東京大学法学部卒業
　1980 年　東京弁護士会弁護士登録
　1985 年　東京大学大学院工学系都市工学修士課程修了
　1987 年　西村真田法律事務所（現西村あさひ法律事務所・
　　　　　　外国法共同事業）入所
　1991 年　コロンビア・ロー・スクール LLM 修了
　1992 年　NY 州弁護士資格取得
　1996 年－2017 年　西村あさひ法律事務所パートナー
　2018 年　小澤英明法律事務所開設

主要著書

『定期借家法ガイダンス──自由な契約の世界へ』（共著　住宅新報社、2000）
『都市の記憶──美しいまちへ』（共著　白揚社、2002）
『建物のアスベストと法』（白揚社、2006）
『東京都の温室効果ガス規制と排出量取引──都条例逐条解説』（共著　白揚社、2010）
『土壌汚染対策法と民事責任』（白揚社、2011）
『温泉法──地下水法特論』（白揚社、2013）
『土壌汚染土地をめぐる法的義務と責任』（新日本法規出版、2019）

企業不動産法〔第 3 版〕

2017年1月9日　　初　版第1刷発行
2018年1月30日　　第2版第1刷発行
2024年2月14日　　第3版第1刷発行

　著　　者　　小　澤　英　明

　発 行 者　　石　川　雅　規

　発 行 所　　㈱商 事 法 務
　　　　　　〒103-0027　東京都中央区日本橋 3-6-2
　　　　　　TEL 03-6262-6756・FAX 03-6262-6804〔営業〕
　　　　　　TEL 03-6262-6769〔編集〕
　　　　　　https://www.shojihomu.co.jp/

落丁・乱丁本はお取り替えいたします。　　印刷／広研印刷㈱
© 2024 Hideaki Ozawa　　　　　　　　　　Printed in Japan
Shojihomu Co., Ltd.
ISBN978-4-7857-3074-1
＊定価はカバーに表示してあります。

JCOPY ＜出版者著作権管理機構　委託出版物＞
本書の無断複製は著作権法上での例外を除き禁じられています。
複製される場合は、そのつど事前に、出版者著作権管理機構
（電話 03-5244-5088、FAX 03-5244-5089、e-mail: info@jcopy.or.jp）
の許諾を得てください。